СЕРИЯ «КУПИДОН»

JUDITH MICHAEL

DECEPTIONS

ДЖУДИТ МАЙКЛ

ОБМАНЫ

Москва
«ОЛМА-ПРЕСС»
1994

ББК 84.7 США
М12

JUDITH MICHAEL
DECEPTIONS
1982

Перевод с английского

Художник
В. Сафронов

ISBN 5—87322—107—3

ЧАСТЬ ПЕРВАЯ

ГЛАВА 1

Сабрина Лонгворт стояла у витрины антикварного магазина Ко Фу на улице Тян Чин и размышляла, приобрести ли ей фантастические, вырезанные из нефрита шахматы или же бронзовую лампу в виде дракона. Ей хотелось купить и то и другое, но если она станет покупать все, что ей понравится за время двухнедельной поездки по Китаю, то домой придется возвращаться нищей.

Когда придет Стефания, нужно спросить, что она думает по этому поводу. Может быть, купить лампу для Стефании? Если вообще Стефания позволит покупать для себя подарок.

Стоя внутри темного, загадочного магазинчика, мистер Су Гуан разглядывал через стекло витрины американскую леди, поражаясь ее красоте. Мистер Су, художник и антиквар, учился в Америке, где был влюблен в светловолосую девушку, которая приняла его в свою постель и научила ценить не только восточную, но и западную красоту. Но еще никогда мистер Су не видел такой совершенной красоты, как у этой незнакомки. Ее каштановые волосы, отливавшие бронзой, были уложены в пучок и заколоты эмалевыми гребешками, гравированными золотом. Изящный овал лица, большие синие глаза, благородный, красиво очерченный рот. Мистеру Су захотелось предложить ей свою помощь. Он заметил, что, несмотря на невысокий рост, незнакомка выглядела королевой на фоне людей, проходивших мимо. Время от времени леди оглядывалась, но в основном она изучала витрину магазина.

Из всего, что было выставлено там, ей, видимо, понравились два предмета. Мистер Су решил пригласить леди и показать ей редкие антикварные вещицы, приберегаемые им только для знатоков, которые могли бы оценить их по достоинству. Улыбаясь от всей души, он сделал шаг вперед, но остановился, в удивлении открыв рот: в окне витрины он увидел, что американская леди вдруг... раздвоилась.

Их действительно было две, и они были совершенно одинаковые. Даже шелковые платья, приобретенные, как сообразил мистер Су, в магазинчике неподалеку, тоже были одинаковые. Но у него не осталось времени для размышлений и догадок, поскольку через минуту обе леди вошли в его лавку.

В дверях они остановились, чтобы дать глазам привыкнуть к полумраку магазина, освещенного свечами и керосиновыми лампами. Мистер Су шагнул вперед и поклонился.

— Добро пожаловать. Вы позволите мне угостить вас чаем?

Та леди, которая вошла первой, протянула руку:

— Мистер Су? Я Сабрина Лонгворт. Я писала вам о закупке товара для «Амбассадора», моего антикварного магазина в Лондоне.

— Леди Лонгворт! Я ожидал вас. Однако сейчас я вижу, что вы не одна. Вас двое!

Она засмеялась:

— Это — моя сестра, Стефания Андерсен из Америки.

— Америка! — мистер Су засиял. — Я учился в Америке. В Институте искусств в Чикаго.

Миссис Андерсен посмотрела на сестру.

— Мир тесен, — сказала она. — Мой дом как раз к северу от Чикаго, в городе Эванстон.

— Ах, я там посещал университет. Ну проходите, проходите, выпьем чаю. — Мистер Су был вне себя от восторга. Одинаковая красота, одинаковые голоса: тихие и мягкие, мелодичные, с легким неуловимым акцентом. Как же это: одна приехала из Америки, а другая из Лондона, но обе говорят явно с европейским произношением? Они учились в Европе, решил мистер Су, и, суетясь у чайного столика, он расспрашивал их о поездке по Китаю, о торговцах-антикварах, оплативших эту поездку.

— Леди Лонгворт, — сказал он, предлагая чашку. Она засмеялась и посмотрела на сестру. Потрясенный мистер Су переводил взгляд с одной на другую. — Я допустил ошибку, — он поклонился. — Миссис Андерсен, простите меня.

Она улыбнулась.

— Не нужно извиняться. Нас часто путают, — она посмотрела на сестру. — Домохозяйку из Эванстона и лондонскую леди.

Мистер Су не понял, но успокоился. Они не обиделись. Он продолжил разговор и после того, как они выпили несколько чашек чаю, показал им свои редчайшие сокровища.

Леди Лонгворт, как с удовольствием отметил мистер Су, держала антикварные вещицы с уважением и по достоинству оценивала их как специалист. Впрочем, обнаружил он, она сама была опытным торговцем. Она интуитивно почувствовала, когда он поднял цену максимально, насколько мог в пределах государственных расценок, и не стала тратить времени на размышления: то ли купить, то ли отправиться в другой магазинчик.

— Сабрина, смотри!

Миссис Андерсен опустилась на колени перед принадлежавшей мистеру Су коллекцией антикварных магических предметов и стала перебирать вещицы.

— Я куплю одну для Пенни и Клиффа. Нет, я лучше куплю две, чтобы сохранить мир и спокойствие в доме.

Двигая костяшки на счетах своими быстрыми пальцами, мистер Су подводил итог покупкам леди Лонгворт, включавшим резные шахматы, бронзовую лампу, выставленные в витрине. Сюда же он приплюсовал цену доставки товара морем в Лондон. Потом он выбрал из коллекции магических вещиц резное изделие из слоновой кости и протянул его миссис Андерсен:

— Примите от меня с наилучшими пожеланиями, — и, увидев ее удивленный взгляд, добавил: — Вы будете в восхищении от этой вещи, но тут же положите ее на место, как только узнаете цену. Пожалуйста, примите ее от меня в подарок. Вы делали покупки для ваших детей. А это вам.

Она улыбнулась так красиво, что мистер Су вспомнил о своей прошедшей молодости. Он поклонился и открыл дверь. Сестры поблагодарили его. А он смотрел им вслед, пока они не исчезли за поворотом узкой, извивающейся улочки.

— Как нам теперь добраться до гостиницы? — спросила Стефания. Она несла бронзовую лампу, а Сабрина — шахматы, поскольку они не доверили эти вещи компании по морским перевозкам.

— Представления не имею, — искренне ответила Сабрина. — Мне казалось, что я запомнила дорогу. Но эти улицы хуже, чем лабиринт в Тревестоне. Давай у кого-нибудь спросим.

В этот момент Стефания вытащила из коробочки резную вещицу из слоновой кости, подаренную мистером Су.

— Ты когда нибудь видела что-нибудь подобное?

Сабрина передала ей шахматы и остановилась, чтобы рассмотреть изящную вещицу, представляющую собой десятки маленьких, удивительно тонко обработанных фигурок, заключенных в кубик. Одна из фигур передвинулась под ее пальцем.

— Они разделяются! — воскликнула она.

— Я боюсь даже пробовать, — сказала Стефания. — Потом я никогда не соберу их вместе. Но разве это не прелестно? Дамы при дворе. Все переплетены.

— Какой умница, этот мистер Су. Он сказал, что мы две как одно лицо. Послушай, куда мы идем?

Возле них остановился велосипедист.

— Могу ли я чем-либо помочь вам? — спросил он на правильном английском.

— Мы потеряли «Хипинг-отель», — пожаловалась Сабрина.

— Потеряли? А, вы потеряли дорогу к нему. Это действительно сложно. Если вы пойдете за мной, я доведу вас до Восточной улицы Нан Чинь.

— Что? Все в Китае говорят по-английски? — поинтересовалась Стефания.

— Мы учим его в школе, — небрежно ответил он и медленно поехал вперед.

— Ты ничего не купила для Гарта, — сказала Сабрина.

— Наверное куплю. Знаешь, скажу тебе, я не чувствую, что должна с ним сейчас быть особенно щедрой и доброй. А потом, у нас впереди еще целая неделя. О!...

— Ты что! Всего одна неделя. Так мало времени.

Сейчас две недели кажутся вечностью. Я становлюсь жадною. Я хочу...

— Сабрина, тебе когда-нибудь хотелось исчезнуть?

— Я хочу этого почти каждый день. Но как бы мне ни хотелось, я всегда остаюсь сама собой. От себя никуда не деться, где бы ты ни была.

— Да, это как раз то, что я имею в виду. Ты всегда понимала меня.

Велосипедист оглянулся и, убедившись, что дамы следуют за ним, повернул за угол.

— Может быть, Китай — самая дальняя точка, куда мы можем убежать, — сказала Сабрина.

— Тогда, может быть, я останусь, — легко ответила Стефания. — И действительно исчезну. По крайней мере, на время. Нет больше Стефании Андерсен. Я скажу мистеру Су, что я леди Лонгворт, которая решила остаться еще на несколько недель, а поскольку ты его лучший покупатель, он будет счастлив помочь мне. При условии, что ты ничего не имеешь против моего появления под своим именем.

— Конечно, нет. Но раз ты решила побыть мной, я буду тебе благодарна, если ты поедешь в Лондон и решишь мои проблемы.

— Только в том случае, если ты поедешь в Эванстон и разберешься с моими.

Они засмеялись.

— Отличная была бы шутка, не правда ли? — сказала Сабрина. Велосипедист обернулся к ним еще раз и сказал:

— Вот и Восточная улица Нан Чинь.

Прежде чем они успели сказать слова благодарности, он исчез. Стефания шла медленно, рассеянно глядя на витрины магазинчиков.

— Это было бы, как в сказке, — сказала она. — Пожить твоей прекрасной жизнью. Единственная сложность в том, что придется отгонять от себя твоего бразильского миллионера.

Сабрина посмотрела на нее:

— А я должна буду бегать от твоего мужа.

— О, нет, нет. Тебе не придется этого делать. Гарт большей частью спит в своем кабинете. Мы не занимались любовью уже... долгое время. Ты же пострадаешь.

Они замолчали, подойдя к книжкой лавке, а потом направились к магазину искусственных цветов. Стефания помедлила, разглядывая бутоны и листья из цветной ткани и бумаги.

— Ты полагаешь, можно так уехать? Держу пари, мы смогли бы. Не надолго, конечно. Но...

Сабрина посмотрела ей в глаза, в которых отражались причудливые розовые цветы, и кивнула.

— Возможно. На несколько дней. — Она засмеялась. — Помнишь в Афинах, когда ты...

— Мы могли бы посмотреть на себя со стороны, из другой жизни, и выяснить, что же нам хочется сделать... Ну, я хочу сказать, я бы выяснила это для себя. Ты-то всегда точно знаешь, чего тебе нужно...

— Не всегда точно. И ты это прекрасно понимаешь.

— Ну ладно, тогда каждая из нас получит возможность подумать о...

— Ах, вот и вы! — Экскурсовод, выводя группу из ближайшего магазина, начал распекать их за исчезновение.

— Продолжим разговор попозже, — предложила Стефания сестре, когда они шли в гостиницу обедать и смотреть четырехчасовое акробатическое представление.

Но возможность поговорить представилась им только на следующий день.

Стоя у витрины магазина на Восточной улице Нан Чинь, Стефания сказала:

— Я все обдумала, а ты? Вчера я слишком устала, чтобы думать об этом. А теперь эта идея не выходит у меня из головы.

— Понимаю, — для Сабрины предложение Стефании не стало смыслом жизни. — Это одна из тех сумасшедших идей, которые нас так просто не оставляют.

— Это не сумасшедшая идея, Сабрина. Я серьезно подумала обо всем.

Сабрина посмотрела на нее:

— Но это не решит никаких проблем...

— Как знать? Самое главное, что мы окажемся от них слишком далеко.

Они помолчали. Сабрина почувствовала, как у нее участился пульс. Стефания всегда знала, как попасть в точку. Убежать, исчезнуть...

— Да, мы могли бы сделать это, — продолжала Стефания. — Мы многое знаем друг о друге, о нашей жизни. Мы думаем одинаково.

Да. Они обе знали многое. Так было всегда.

— Все для нас будет новым. А мы получим возможность подумать о себе иначе... — убеждала она. — А ты так часто говорила, что хотела бы попробовать пожить моей жизнью, так сильно отличающейся от твоей... Послушай, что ты должна будешь делать первую неделю, когда приедешь домой?

— Ничего особенного, — Сабрина стала излагать свои мысли. — Я не планировала никаких дел на первые дни после возвращения из Китая, только собиралась немного прийти в себя после поездки. Да и ничего не нужно делать. «Амбассадор» может быть закрытым еще одну неделю.

— И у меня дома тоже практически нечего будет делать, — сказала Стефания с жаром. — Пенни и Клифф очень заняты своими делами. А в офис можно позвонить и сказать, что заболела восточной дизентерией или чем-то в этом роде. Я должна была получить специальное разрешение на эту двухнедельную поездку. О... но ведь тебе придется готовить для всех в доме.

Сабрина засмеялась. Ее глаза блестели.

— Я хорошая стряпуха. Как ты думаешь, что я ела, когда миссис Тиркелл бывала в отпуске?

— Да они и не обращают внимания на то, что едят. Все заняты своими проблемами, все время норовят выскочить поскорее из дома. Ты действительно будешь одна большую часть времени.

Они остановились у магазинчика, где продавались вырезанные из бумаги вещицы: сложенные цветы, дракончики, кораблики и другие забавные штучки, выставленные на витрине. Сабрина чувствовала знакомое возбуждение, собранность, словно готовилась к прыжку. Она часто ощущала подобное состояние, когда была маленькой девочкой: возможность бросить вызов, наслаждение от собственной смелости, чувство победителя.

— Быть кем-то... — прошептала она.

— Чтобы прожить другую жизнь, — сказала Стефания. — Приключение, Сабрина!

Они улыбнулись, вспоминая то, что было двадцать лет назад. Их первое большое приключение. Им было тогда одиннадцать лет. Они жили в Афинах.

Они продолжали прогулку.

— Неделю, — произнесла Стефания. — Только одну неправдоподобную, невероятную неделю.

Через квартал от их гостиницы, перед магазином «Шанхайские торты и пирожные» на них налетел Николс Блакфорд, в руках у которого был сверток с пирожными. Он виновато улыбнулся:

— Кажется, трудно соблюдать диету, если ты далеко от дома. Мне следовало бы привезти с собой Амелию. Ты должна отругать меня, Сабрина, как ты обычно это делала, когда работала в нашем магазине и пыталась отучить меня от вредных привычек. Или я разговариваю со Стефанией? Знаете, мне стыдно сказать, но я вас не различаю. Не знаю, кто из вас Сабрина, а кто Стефания...

Сабрина и Стефания посмотрели друг на друга за большой широкой спиной лысого Николса Блакфорда.

Чужие люди часто путают их. Но Николс знал Сабрину десять лет. В ее глазах плясал восторг. Сабрина присела в низком реверансе:

— Леди Лонгворт, — ее голос звучал чисто и звонко. — Добро пожаловать в Шанхай.

Стефания протянула Сабрине руку:

— Миссис Андерсен, — кивнула она. — Я рада приехать сюда.

ГЛАВА 2

Они всегда переезжали с места на место. Казалось, глазом не успеешь моргнуть с момента приезда, расставить мебель, развесить одежду, как снова появляются картонки, в которые слуги начинают складывать вещи. Это началось, когда им было два года, в Вашингтоне, округ Колумбия, и с тех пор... Норвегия, Швеция, Португалия, Испания... И теперь...

— Уже! — застонала Сабрина, вернувшись домой после верховой прогулки и увидев, что мама заворачивала в одеяло хрупкую вазу. — Но мы же только что приехали!

— Два года назад, — заявила мама. — Еще весной мы с папой говорили вам, что в августе переедем в Афины.

— Не хочу в Афины! — завопила Стефания. — Мне нравится Мадрид. Мне нравятся мои друзья. У нас как раз должен быть в шестом классе лучший учитель в школе!

— У тебя будут новые друзья в Афинах, — мягко сказала мама. — И в американских школах хорошие учителя, и в Афинах много всего замечательного.

— В Афинах много развалин, — буркнула Сабрина.

— Которые мы осмотрим, — согласилась мама, убирая вазу в картонную коробку и запихивая туда свернутые газеты. — Простите, девочки, я знаю, что вам это не нравится, но мы не можем жить иначе...

— Папе-то нравится, — заупрямилась Сабрина. — Каждый раз, когда мы переезжаем, он все больше надувается и важничает.

— Сабрина, хватит, — резко оборвала ее мать. — Идите обе наверх и соберите вашу одежду, книги... Вы знаете, как.

— У нас достаточно опыта и практики, — прошептала Сабрина Стефании, когда они поднимались по лестнице.

На самом деле ее уже начинал воодушевлять переезд в Афины, но она не могла признаться в этом, потому что Стефания была так несчастна. Стефания хотела бы оставаться в одном и том же доме, в одной и той же школе и с одними и теми же друзьями на долгие годы. Она не любила, когда все менялось.

Но хотя Сабрина молчала, Стефания понимала, что она чувствует. Каждая из них всегда знала мысли сестры.

— Я тоже прихожу в восторг от всего нового, — сказала Стефания, швыряя свитера на кровать. — Но разве плохо иметь собственный дом?

— Не знаю, — честно ответила Сабрина. — У нас ведь никогда его не было.

Она не считала, что арендованные дома так уж плохи. Мама входила в них, как волшебница и делала все красивым и удобным. Они вряд ли скоро вспомнят о старом белом доме, сверкавшем на солнце, с садом и отдельными комнатами для Сабрины и Стефании. На новом месте мама расставила мебель, разложила ковры так, что каждая вещь оказалась именно на том месте, на котором ей надлежало быть. Потом, когда папа отправился в посольство, чтобы познакомиться с сотрудниками и вселиться в свой новый кабинет, они втроем поехали на лимузине осматривать Афины.

Пока они ехали, Сабрина просто дрожала от восторга. Сколько всего нового, сколько разных замечательных вещей ждали своего открытия: незнакомые запахи, виды и звуки; новые слова, которые предстоит выучить; новые песни; народные сказки, которые они услышат от слуг, нанятых мамой; новые друзья, с которыми они будут обсуждать эти сказки и другие истории.

Но несчастный вид Стефании заставлял сестру вести себя спокойно и скрывать свое радостное возбуждение. Она так же, как и Стефания, за обедом грустно опустила голову. Отец со стуком отложил вилку и сказал:

— С меня довольно, Лаура. Я думал, ты поговорила с ними.

Мать кивнула:

— Я говорила, Гордон. Несколько раз.

— Очевидно, недостаточно, — он повернулся к дочерям.

— Сейчас нам предстоит лекция, — шепнула Сабрина Стефании.

— Я объясню еще раз, — начал Гордон. — Наш Государственный департамент перемещает работников дипломатических служб на новые посты через каждые два года. Какие вопросы? Вы поняли?

— Глупо, — заявила Сабрина. — Ты каждый раз начинаешь все сначала и поэтому не можешь хорошо выполнять свою работу.

— Я не думаю, — произнес отец сухо, — что одиннадцатилетняя девочка вправе оценивать дела Государственного департамента США как «глупые». Или говорить, что ее отец не может хорошо работать. Я говорил вам и раньше, что перемещение сотрудников предотвращает такое нежелательное явление, как их личную заинтересованность во внутренних проблемах страны пребывания. Прежде всего мы должны быть патриотами Америки. — Он посмотрел серьезно на Сабрину и Стефанию. — Должен добавить, что это хорошо и для вас. Как иначе вы могли бы познакомиться со столькими странами?

— Ты имеешь в виду, — Сабрина говорила серьезно, как и ее отец, — что если что-то хорошо для твоей карьеры, то нам лучше считать, что это прекрасно и для нас.

— Сабрина! — мать вскинула голову и посмотрела в глаза дочери. Сабрина отвела взгляд.

— Простите, — сказала она.

Лаура подняла свой бокал.

— Расскажи нам о новой школе. И ты тоже, Стефания. Хватит дуться. — Пока Сабрина обстоятельно описывала своих преподавателей математики и точных наук, а Стефания перечисляла книги по литературе и истории, которые им предстоит прочитать, Лаура смотрела на них. Их становится все труднее держать под контролем. Она гордились своими умненькими и одухотворенными доченьками, уже красивыми и остроумными... Но как часто они бывают непослушными и скрытными, как они держатся друг за друга в своей борьбе за независимость.

Проблема состояла в катастрофической нехватке времени. Ее время принадлежало дипломатической карьере Гордона Хартуэлла. Когда они поженились, она поклялась всегда помогать мужу, пока он не станет послом, а может быть даже Государственным секретарем США, и за эти годы ничто не могло остановить ее, даже незапланированное рождение дочерей-двойняшек.

Лаура была постоянным партнером Гордона, занимала его место на встречах и приемах, на которых он не мог участвовать из-за занятости или просто потому, что ему было скучно; сидела рядом с ним на обедах, банкетах, приемах, встречах с американскими сенаторами и американскими бизнесменами; она была рядом с ним в его кабинете, когда он вслух обдумывал решение каких-либо проблем.

Гордон нуждался в ней. Когда-то он был бедным и неизвестным преподавателем истории в маленьком колледже в Мейне. Она подарила ему свою красоту и стиль, что повысило его престиж, а также свое богатство и ум, что открыло и ему самому путь к деньгам и власти. Даже сейчас, когда Гордон отшлифовал свое мастерство дипломата и имел репутацию специалиста по европейским культурам и политическим соглашениям, он нуждался в помощи жены. Им еще предстояло пройти долгий путь, и он знал — Лаура не позволит чему-либо помешать им достичь цели.

Если Лаура что-то задумала, ничто не могло остановить ее. Она управляла карьерой Гордона, их кочевой жизнью в Европе, их положением в обществе и воспитанием дочерей. Она сосредоточилась на Гордоне, но добилась того, чтобы опытные слуги заботились о Сабрине и Стефании, и всегда находила несколько часов, чтобы самой заняться воспитанием дочерей.

С раннего детства она стремилась развить в них индивидуальность. Зачем воспитывать их одинаковыми, если они и так родились двойняшками? Поэтому их спальни были обставлены по-разному, их одевали по-разному, им дарили разные подарки, чтобы развить в них разные интересы.

И снова Лаура добилась того, чего хотела: ее девочки не были похожи друг на друга. Она считала, что Сабрина больше похожа на нее, так как стремится познать неизвестное, в то время как Стефания напоминает Гордона — она спокойнее и осторожнее. Гордон прекрасно знал об этом и, хотя он не проводил много времени с дочерьми, тем не менее он больше внимания уделял Стефании, что наблюдала Сабрина.

Но они все же были не настолько разными, как хотелось бы Лауре. Даже она не могла отрицать, что их мысли работают в одном направлении, что иногда очень удивляло. А интуитивная связь между ними казалась настолько сильной, что никто не мог ее разорвать.

Но от этого их непоседливое поведение было тем более трудно контролировать. Две юные души боролись за свою независимость.

— Почему бы нам самим не осмотреть город? — спросила Сабрина. — Мы ничего толком не видели.

— У вас бывают школьные экскурсии, — ответила Лаура.

Она причесывалась за своим туалетным столиком и ее огненные пряди вспыхивали в зеркале.

— Ух, — Сабрина сделала гримасу. — Памятники-то мы видели, но за целый год не общались ни с одним живым человеком, если не считать школы! А там одни американцы! Нам просто хочется немного прогуляться. Вокруг посольства. Мы ничего не сделаем плохого!

— Нет, — ответил Гордон. Он завязывал черный галстук перед трюмо, собираясь на обед в королевский дворец.

— Почему? — удивилась Сабрина.

— Сабрина, — сказал Гордон резко. — Держи себя в руках.

Стефания стояла рядом с отцом:

— Почему, папа?

— Потому что это опасно. — Он поправил прическу. — Для девочек, особенно американок, отец которых работает в американском посольстве.

— В чем опасность? — спросила Сабрина. — Мама ходит одна по улице... Ей опасно? Почему не можем...

— Сабрина! — снова сказал Гордон. — Если я говорю вам, что это опасно, нужно поверить мне на слово. Я могу стерпеть, если премьер-министр Греции откажется поверить мне на слово, но не потерплю этого от моей дочери.

— Но что нам здесь делать? — Сабрина не обратила внимания, что Стефания предупреждающе взяла ее за руку. — Вы уезжаете и оставляете нас с прислугой, вы будете встречаться с афинянами и радоваться жизни... Кто угодно может быть рядом с вами, кроме нас!

Лаура вставляла украшенные драгоценными камнями гребни в волосы.

— Но мы же проводим время вместе...

— Нет! — выпалила Сабрина. — В основном совместный досуг заключается в показе нас старикам, приезжающим из Америки! — Прежде чем Лаура успела сердито ответить, Стефания отвлекла ее внимание:

— Большую часть времени ты проводишь с папой или ходишь за покупками. А папа всегда работает. В других семьях все по-другому. Они проводят вместе уикэнды... Там настоящие семьи...

— У нас нет другой семьи, кроме нас двоих, — закончила ее мысль Сабрина. — Стефания да я — вместе целая семья!

— Тихо! — набивая трубку, Гордон говорил, обращаясь к отражениям дочерей в зеркале. — Некоторые профессии требуют участия всей семьи. Мы работаем для нашей родины. Нельзя быть эгоистами и думать только о себе.

— Ты думаешь только о своем продвижении по службе, — вспыхнула Сабрина, отскочив назад под взглядом отца.

— Ты ничего не знаешь о том, что я думаю. И не будешь обсуждать проблемы нашей семьи ни здесь, ни где бы то ни было. Ясно?

Сабрина пристально посмотрела на отца.

— Если бы ты говорил так с русскими, давно началась бы война.

Лаура подавила смешок. Гордон просыпал табак. Сабрина не мигая стала смотреть, как крупицы табака падали, подобно маленьким червякам, на ковер.

— Выйдите из комнаты, — приказал отец.

— Минутку, Гордон, — Лаура встала — высокая и прекрасная, в черном шелковом платье с длинными белыми нитками жемчуга. Сабрина ненавидела ее за то, что она такая красивая и далекая, и в то же время ей хотелось всегда быть рядом. Но единственным человеком, который когда-либо обнимал ее, была Стефания. Сабрина размышляла: а вообще целуются ли ее родители? Наверно, нет. Они просто обожают свою красоту.

Но тут вдруг мать удивила ее.

— Девочкам нужно уделять больше внимания. Я возьму их с собой, когда отправлюсь за покупками.

— О!.. — воскликнула Стефания.

Но Гордон покачал головой.

— Не уверен, что ты права.

Лаура глубоко вздохнула.

— Гордон, я все делаю, как надо. Я знаю, что тебе не нравится, куда я хожу. Но уверяю, что это кварталы, где проживают простые труженики. Там нет никаких террористов. И я вынуждена ходить именно туда, чтобы делать хорошие покупки.

— Какие террористы? — поинтересовалась Сабрина.

— Не бывает здесь никаких террористов, — сказал запальчиво Гордон и посмотрел на часы. Сабрина знала, что с этой секунды он потерял к ним всякий интерес. — Можешь их взять, если ты настаиваешь, но пользуйтесь лимузином.

— Конечно, — Лаура повязала шелковый шарфик. — Пойдем?

Поездки по магазинам начались на следующий же день, сразу после занятий в школе. Сопровождаемые соседскими ребятишками, которые называли их «три прекрасные американские леди», они охотились за антикварными изделиями и произведениями искусства по магазинам, рынкам и частным домам. Лаура называла это своим хобби, на самом же деле увлечение давно стало ее страстью. Она занималась в библиотеках, беседовала с музейными работниками, посещала аукционы и наблюдала работу реставраторов мебели и предметов искусства. С годами дома, арендованные ими, превращались в выставки покупок: лакированное дерево и мозаика, скульптуры и картины, хрусталь и прекрасные ковры. К тому времени, когда она стала брать Сабрину и Стефанию с собой, Лаура превратилась в опытного ценителя и покупателя, лучшего в том мире, в который Гордон не входил никогда.

Она также стала консультантом для друзей и тех людей, которые постоянно околачиваются возле дипломатов. Ее приглашали так часто, что, не будь она женой Гордона Хартуэлла, Лаура могла бы жить по своему вкусу. Но она любила блестящую светскую жизнь, которую ей давал Гордон, и решила передать свое увлечение дочерям.

Сабрина и Стефания в одиннадцать лет стали подругами своей матери. Они попали в ее собственный мир, они говорили с ней на ее языке. Она выплескивала на них знания, а они жадно впитывали их.

Втроем они посещали темные, мрачные магазинчики, где по углам сплетничали старички и пыль щекотала ноздри. Они бывали в домах, где целые семьи собирались, чтобы показать им ковры и картины, которые передавались из поколения в поколение. Но лучше всего были рынки под открытым небом, где повсюду висели корзины, гобелены, выставлялись вазы, даже мебель, и почти возле каждой вещи кто-то стоял и кричал: «Купите это! Такое приобретение!» Сабрине и Стефании хотелось бы купить все, но их мама решительно отличала подделку от подлинника, спокойно отстраняя протестовавших продавцов, которые полагали, что американцы — доверчивые дураки. Лаура всегда была абсолютно уверена в себе, и Сабрина со Стефанией смотрели на нее во все глаза: она была совсем другой женщиной, чем та, с которой они привыкли иметь дело дома.

Но такие дни выпадали только два раза в неделю.

— Давай попросим сегодня отправиться за покупками куда-нибудь в новое место, — однажды сказала Сабрина, когда они со Стефанией забрались в принадлежавший посольству лимузин, который забирал их из школы и отвозил домой.

Шофер Тео, глядя в зеркало, заявил:

— Сегодня не будет никаких покупок, мисс. Ваша мама велела мне отвезти вас в посольство.

— О, нет! — воскликнула Стефания.

Сабрина раздосадованно швырнула школьные учебники. Наверно, отец хочет снова кому-то показать их.

— Ладно, я не буду вести себя так, как хочется отцу. Я им сделаю клыкастую улыбку.

Стефания оживилась.

— А я скошу глаза.

Гротескно ухмыляясь, Сабрина придвинула плечо к уху. Скосив глаза, Стефания выставила язык и лизнула себе подбородок. Они показывали друг другу позы и гримасы, которые они будто бы продемонстрируют гостям.

— Позвольте вам представить моих дочерей, — и сестры смеясь откидывались на сиденье автомобиля, хихикая.

— Черт возьми! — ругнулся Тео и девочки посмотрели на него: может быть, они что-то сделали не так? Но он проклинал транспортную пробку, которая возникла из-за автомобильной аварии где-то впереди. — Мы здесь проторчим не меньше часа. — Он опустил руки.

Сабрина и Стефания переглянулись, поскольку им пришла в голову одна и та же дикая идея. Каждая из них схватилась за ручку дверцы и обе, одновременно выскочив, помчались по улице, задевая прохожих. Тео, семенивший за ними, остался далеко позади.

— Как здорово! — запела Сабрина.

— Теперь мы сами будем осматривать достопримечательности города. — Земля казалась легкой и воздушной под ее ногами. — О, Стефания, разве это не прекрасно?

— Прекрасно! — отозвалась Стефания.

Рука об руку они пошли по магазинам, площадям, заполненным людьми, жуя палочки «баклавы», которую они купили у уличного торговца, читая вслух греческие вывески, чтобы попрактиковаться в языке, останавливались у лавок мясников, где слушали необыкновенные звуки воздуха, выходившего со свистом из бараньих легких, которые жарили в масле. Наконец, Сабрина посмотрела на свои часики и вздохнула.

— Да, уже прошло полчаса. Нам бы лучше вернуться, пока Тео не уехал.

В этот момент они услышали выстрелы и топот бегущих ног, а Стефания едва увернулась от камня, ударившего в стену дома над ее головой.

— Террористы! — воскликнула Сабрина. Она огляделась вокруг, схватила Стефанию за руку и толкнула ее вниз по лестнице к массивной двери, которую они едва открыли. Они проскользнули внутрь, плотно закрыв дверь за собой. В комнате было темно. После яркого солнечного света им понадобилась минута, чтобы разглядеть детей, сидевших в углу. Когда Сабрина подошла поближе, один ребенок начал плакать.

— О, не надо, — попросила Сабрина. Она повернулась к маленькому худому мальчику примерно их возраста с прямыми бровями и прямыми черными волосами, сказав по-гречески:

— Не могли бы мы побыть здесь недолго. Какие-то мужчины воюют на улице.

Мальчик и его сестра быстро заговорили по-гречески, и Сабрина и Стефания беспомощно посмотрели друг на друга — они не могли понять быструю речь. Но девочки поняли, о чем говорят эти дети. Мальчик широко улыбнулся, указывая на каждую из них.

— Вы зеркало, — медленно произнес он, и они все рассмеялись.

С улицы доносились громкие звуки, там, видимо, что-то ломали. Противный запах проник в комнату. Сабрина и Стефания прижались друг к другу и молча слушали. Запах щекотал ноздри. На улице загрохотали выстрелы. Мальчик повел свою сестру и маленького ребенка на кушетку и накрыл их одеялом. Он очень старался выглядеть смелым. Когда Стефания прошептала: «Что нам делать?» — он указал на дверь.

Сабрина рассердилась:

— Ты же знаешь, что мы не можем выйти? — ответила она по-гречески. Выстрелы становились все громче. — Там террористы.

Мальчик взглянул на нее осуждающе:

— Это — война за независимость. — Сабрина посмотрела непонимающе, и мальчик пожал плечами.

Она подбежала к высокому окну и вскарабкалась на ящик, чтобы выглянуть наружу, но мальчик подбежал к ней и толкнул ее. Сабрина упала. Стефания закричала, но Сабрина быстро вскочила на ноги:

— Он прав. Меня мог кто-то увидеть. Я только хотела знать, почему так пахнет.

— Жгут машины, — сказал мальчик.

— Жгут?.. Зачем?

— Чтобы забаррикадировать улицу, — прошептал он. — Глупая американская девчонка.

— Откуда ты знаешь, что мы американки? — спросила Сабрина.

— Где бы нам спрятаться? — испуганно спросила Стефания. — Нас не должны здесь видеть.

— Куда нам идти? — озабоченно спросила Сабрина. — Пожалуйста, помоги. У тебя будут неприятности, если они обнаружат нас. Здесь есть еще комната?

Мальчик сначала засомневался, потом указал под кушетку. Они отодвинули ее и увидели люк в полу. Мальчик подцепил пальцами крышку. Сделав глубокий вдох, Сабрина скользнула вниз, держа за руку Стефанию, чтобы та последовала за ней. Крышка люка закрылась над ними, и они услышали, как заскрипела кушетка, которую мальчик поставил на место.

Было так темно, что они не видели ничего вокруг. Стоял душный, сладковатый запах. Потолок был так низок, что девочки были вынуждены пригнуть головы, когда попытались встать. Наверху раздался стук в дверь. Ногти Стефании впились в руку Сабрины. Свободной рукой Сабрина ощупала грязный пол и нашла что-то вроде мешковины. Там оказался мешок с картошкой. От него шел сильный запах. Они были в погребе для хранения овощей.

Сестры сели рядом и обнялись, касаясь друг друга головами. В нескольких дюймах над ними топали сапоги и грубые мужские голоса задавали быстрые вопросы. Сабрина различила слово «оружие» и ответ мальчика: «Нет». Но потом она услышала, как на пол посыпались ящики.

Дрожь пробежала по всему телу Стефании. Сабрина крепко обняла сестру.

— Подожди! — прошептала она ей на ухо. — Они скоро уйдут. Положись на меня. — Она закрыла глаза, это было не так страшно, как смотреть по сторонам и ничего не видеть.

— Живот болит, — прошептала Стефания. Сабрина кивнула. Ей тоже было нехорошо. Запах гнилых овощей бил в нос. Ее затошнило. Она уткнулась носом в жакет и сделала глубокий вдох. Немного полегчало. Мужчины над ними заспорили. Ребенок заплакал. В темноте Сабрина почувствовала, как что-то ползет у нее по ноге.

Она тряхнула рукой, но то же самое почувствовала и Стефания, слегка вскрикнула и попыталась встать. Сабрина потянула ее вниз.

— Нет, — прошептала она, подумав, что плач ребенка заглушил крик Стефании. Она провела руками по Стефании. Пауки. Один пополз по ее пальцам, и она сбросила его на грязный пол.

Сабрина дрожала. Она изо всех сил старалась выглядеть храброй, но страх Стефании передался ей. Теперь с каждым шагом наверху она ждала, что их найдут, изнасилуют, убьют или будут держать для выкупа. Их изрежут на мелкие кусочки и пошлют родителям по частям. И мама будет плакать. Они никогда не увидят родителей. Думая об этом, Сабрина заплакала, как будто весь ужас стал реальностью.

Потом вдруг все закончилось. Мальчик сказал громко:

— Мой отец.

Мужчина спросил:

— Где?

Мальчик ответил:

— На Кипре.

Голоса мужчин изменились. Один из них засмеялся и сказал:

— Патриот.

Шаги направились к выходу. Хлопнула дверь. Слышался тоненький плач ребенка.

Сабрина продолжала упорно отряхивать свои ноги и ноги Стефании, крепко обнимая сестру другой рукой. В воцарившейся тишине она почувствовала новую опасность: а вдруг этот мальчик будет держать их здесь? А если он положит что-нибудь тяжелое на крышку люка, чтобы они не смогли выйти наружу? Она подскочила и ударилась головой. Стало больно. Но она толкнула потолок, пытаясь нащупать крышку люка.

— Ты куда? — прошептала Стефания испуганно, но Сабрина отчаянно двигала взад-вперед руками по потолку. Что-то острое поранило ее пальцы, и тут она поняла, что это крышка люка. В тот момент мальчик открыл люк. Сабрина заморгала, почувствовав облегчение и стыд. Он был так же молод и так же напуган, как и они. Как только она могла подумать, что он может причинить им зло?

Когда мальчик вытащил сестер наружу, Сабрина и Стефания посмотрели друг на друга. Они выглядели помятыми, их лица были измазаны грязью и слезами. Исцарапанные пальцы Сабрины кровоточили. Мальчик расставлял по местам разбросанные ящики. Маленькие дети затихли на кушетке.

Теперь, когда все кончилось, Сабрину снова охватило любопытство:

— Что они искали? — спросила она.

— Оружие, — ответил мальчик. — Это — греческие патриоты, сражающиеся за независимость на Кипре.

Сабрина вспомнила что-то из школьной программы.

— А почему они воюют здесь?

— Чтобы победить турок, — мальчик буквально выплюнул это слово.

— Но разве здесь есть турки?

— Нет. На Кипре. Воюют против греков. Мой отец там. Я должен быть с ним, воевать против турок.

— Тогда кто же стреляет на улицах? — требовательно спросила Сабрина, топнув ногой.

— Греки, турки и полиция, — сказал мальчик.

— Где твоя мама? — спросила Сабрина.

— Умерла. Моя тетя должна быть здесь, но она запаздывает.

— Умерла! О, Сабрина, мы должны бы... — Стефании стало неловко.

Но Сабрина внимательно посмотрела на мальчика.

— Ты бы действительно воевал? — спросила она.

— Если бы у меня было оружие, — ответил он. — Я бы убивал.

Глаза Сабрины потемнели.

— Как тебя зовут?

— Дмитрий Каррас.

В комнате стало тихо. На улице тоже все замерло.

— Сабрина, — сказала Стефания. — Уже поздно. Не пора ли нам идти? И может быть... раз его мама умерла... мы могли бы...

— ... взять их с нами, — закончила мысль Сабрина.

Дмитрий выступил вперед.

— Я забочусь о сестренках.

— Да, — сказала Сабрина. — Но пойдемте с нами. Пообедаем вместе, — предложила она так же грациозно, как ее мама на дипломатических приемах. — Наш шофер отвезет вас домой, как только вы захотите.

Дмитрий не мог оторвать от нее глаз. Такая гордая и красивая. Как королева.

— О'кей, — наконец произнес он.

В этот момент прибыли пожарные. Перед ними прошли пятеро детей. Греческая девочка несла на руках ребенка, а греческий мальчик, не отрываясь, смотрел на двух совершенно одинаковых американок, грязных, чумазых, но действительно очень красивых. Пожарные отвезли детей в полицию, а полицейские доставили их по адресу, который они назвали, в американское посольство.

Один из полицейских предварительно позвонил родителям девочек, и когда они прибыли на место, у посольства собралась большая толпа. Лаура выпорхнула из дома и обняла дочерей, сокрушаясь по поводу испачканной одежды и окровавленных ладошек Сабрины. За ней вышел Гордон с каменным лицом. Заработали фотовспышки. Репортеры, как и все, полагали, что киприоты похитили двух дочерей-двойняшек у американского дипломата.

Сабрина ощутила восхитительное тепло материнских рук. Все вокруг было хорошо. Потом, вспомнив о Дмитрии, она осмотрелась и увидела, как мальчик уходит сквозь толпу репортеров.

— Стой! — громко скомандовала она. Она и Стефания вырвались из рук Лауры и побежали к нему. — Это — наши друзья. Они спасли нас. Я пригласила их на обед.

— Сабрина! — ледяным голосом произнес Гордон. — Ни слова больше. Ты достаточно натворила неприятностей из-за своей безответственности. Сколько раз я должен предупреждать тебя?..

Сабрина замерла, открыв рот. Они были дома. Почему отец ругает ее? Он даже не обнял их. Она достаточно настрадалась за этот день, сильно устала и почувствовала себя в безопасности, когда увидела посольство и маму, которая обняла их... Почему папа заставляет ее чувствовать себя так ужасно? Слезы полились из ее глаз.

— Твое потворство своим желаниям показало, что тебе совершенно наплевать на мою карьеру. Ты втянула в неприятную историю свою сестру, этих детей. Иди домой. Я определю для тебя наказание, когда...

— Это не Сабрина! Ты!.. — Сквозь слезы Сабрина увидела, как Стефания колотит кулачком по руке отца. Стефания тоже расплакалась. — Она — Стефания, а не Сабрина. Ты спутал нас. Ты не можешь обвинять ее перед всеми, она ничего не сделала, и, как бы там ни было, идея выскочить из машины пришла нам обеим в голову совершенно одновременно. Тео расскажет. А потом начался бой и мы спрятались. Ты не можешь обвинять Сабрину... Стефанию... любую из нас.

Репортеры приблизились к ним.

— Сэр, можно юной леди... Сабрине? Или Стефании?.. Рассказать нам, что произошло...

Гордон, растерявшись, переводил взгляд с Сабрины на Стефанию и обратно. Сабрина слышала его голос:

— Какого черта, я полагал, что...

Но тут выступила вперед Лаура.

— Никаких интервью, пожалуйста, — сказала она. — Девочки перевозбуждены и не очень хорошо себя чувствуют.

Ее и саму парализовал страх и ощущение вины. Ей казалось, что она недостаточно много сделала для своих дочерей, мало заботилась о них, а теперь, может быть, их уже нет в живых. Но настойчивые репортеры и опасность скандального отношения к происшедшему со стороны Гордона заставили Лауру вспомнить о своем долге. Она решила на время забыть о своих душевных муках. С ними можно подождать. Об этом она будет думать потом, когда придет в себя и останется наедине со своими мыслями.

— Сабрина, Стефания, пригласите детей в дом. Дайте им поесть и ждите меня в офисе вашего отца. Сейчас же! — распорядилась она, и девочки побежали с сияющими лицами, а за их спинами учтивый, обходительный, мягкий Гордон обещал репортерам дать необходимые пояснения на следующий день.

Но сенсационные рассказы появились в утренних газетах без официальной версии Гордона, сопровождаемые большими фотографиями Сабрины и Стефании рядом с греческими детьми. К этому времени девочки были заперты в отельных спальнях, но служанка принесла им газеты, а когда родители ушли, выпустила сестер. Сабрина танцевала в комнате Стефании с газетой в руках.

— Еще никогда я не видела своих фотографий в газете. На первой странице, прямо как мама и папа! И тут еще сказано, что они нашли тетю Дмитрия! О, Стефания, какие приключения! Столько всего произошло!

Стефания сидела у окна. Она была смущена, все казалось ей перевернутым вверх дном.

— Папочка уволил Тео, — тихо сказала она.

Сабрина замерла на месте.

— Я знаю. — Она села на подоконник. — Некрасиво получилось. Папочка ведь знает, что Тео не виноват. Я хочу, чтобы он не выгонял его. Но все остальное так здорово...

— А как быть с плохими новостями? — заплакала Стефания. — Мама и папа очень рассержены. Посол сказал, что они неуправляемы, а американцам непозволительно быть вовлеченными в уличные бои...

— Но мы этого и не делали, — прервала ее Сабрина.

— А также мы виноваты в том, что уволили Тео. Я чувствую себя плохо.

— Я тоже, — Сабрина выглянула в окно. Ранки на ее пальцах болели, и она прижала их к холодному стеклу. — Каждый сходит с ума по-своему. Мы действительно наделали глупостей, но все это здорово интересно, не так ли?

— Я знаю... *Было* интересно... Теперь же все кончилось...

— Все в школе увидят нас в газетах...

— ... и будут так завидовать...

— Держу пари, у них никогда не было подобного приключения...

— Даже, если бы они оказались в такой же ситуации, они бы струсили, а не вели бы себя так храбро, как ты.

— Я трусила, и ты знаешь это. Каждый раз, когда они ходили над нашими головами...

— Но ты была храброй, Сабрина. Ты всегда такая. Я хотела бы быть такой, как ты.

— Не говори глупости, конечно же, и ты смелая. Ты сказала папочке, что ты — это я.

— О, я должна была что-то сделать после своей трусости в подвале. По крайней мере, теперь мы обе наказаны, а не только ты.

— Ты видела папочкино лицо? Нам удалось его обмануть!

— Но мама знала.

— Она знает, какую одежду каждая из нас носит.

— А папа едва смотрит на нас.

Они помолчали, думая о своем отце.

— Стефания, — медленно сказала Сабрина. — А что, если не может быть приключений без того, чтобы получалось плохое и хорошее одновременно? Ты бы отказалась что-то предпринять?

— О, я не знаю. Я полагаю, что нет. Хотелось бы только каким-нибудь образом знать, что нас ждет...

— Но мы же не знаем. — Они смотрели на птицу, сидевшую на ветке дерева возле окна так близко, что можно было разглядеть перышки. Сабрина любила сидеть рядом со Стефанией, именно так, удобно и мирно. Иногда ей хотелось быть такой же, как Стефания, не спорить со своими родителями и учителями, не думать, что существуют опасности. Но Сабрина была так неутомима, что не могла подолгу сидеть спокойно и, как ни странно, она думала, что мама считает ее жизненные ценности самыми верными. Поэтому иногда Сабрина спорила или старалась выполнить рискованный гимнастический трюк, особенно когда учителя запрещали делать это.

Но большей частью Сабрине доставляло удовольствие выкидывать разные штуки, потому что так много в мире непознанного, что предстояло открыть.

— Вот что я думаю, — сказала она Стефании, которая сидела тихо, ожидая, как поступит сестра. — Пусть лучше произойдет что-то плохое, чем не будет никаких приключений вовсе.

Стефания задумалась.

— Да, — кивнула она. — Самое хорошее — это то, что ты рядом со мной. Потому что без тебя ничего в жизни не происходило бы. Вообще. Хотя я и не люблю неприятностей.

Позже девочки читали о прекращении войны на Кипре. Дмитрий и его сестры уехали со своей тетей, а Сабрина и Стефания изучали греческие газеты и журналы, надеясь найти какие-либо сообщения о ком-нибудь по фамилии Каррас. Но ничего не было, и наконец они переехали в Париж, так и не узнав, как сложилась дальше судьба их друзей.

Гордон Хартуэлл был назначен поверенным в делах посольства Соединенных Штатов Америки в Париже летом 1960 года. В том же году президент Макариос занял свой офис на независимом острове Кипре, а Джон Кеннеди был избран президентом США. Но какие бы изменения ни происходили в мире, жизнь Сабрины и Стефании протекала так же, как в Афинах. Они сняли дом, который стал для них частицей Америки, посещали американскую школу, ходили за покупками на блошиные рынки на окраине Парижа только со своей матерью. И никогда одни.

Но Лаура знала, какой заряд энергии таится в Сабрине, и, когда девочкам исполнилось четырнадцать, она позволила им участвовать в общественной жизни вместе с детьми дипломатов из других посольств. Начались пикники, совместные купания, танцы, поездки за город в страну виноградников, походы на футбол, конноспортивные состязания, теннис, велосипедные гонки и лыжные праздники. У девочек появились друзья из десятка стран, в их разговоре появился акцент и всевозможные словечки, как будто у девочек возникла собственная страна, отдельная от всего мира.

Но потом снова все изменилось. В один из зимних вечеров за обедом родители сообщили сестрам великую новость. Президент США назначил Гордона послом в Алжир. Но здесь возникла проблема. Лаура сообщила, что Алжир только что завоевал независимость и там неспокойно. Возможна опасность для иностранцев. И уж, конечно, там не место для американских девочек.

— Но есть школа-интернат в Швейцарии, — продолжала она. — Может быть, там вам будет лучше.

Они перебрали дюжину рекомендованных школ. «Институт Джульетт» была средней школой с безупречной репутацией. Под доброжелательным диктаторским руководством профессора Л. Е. Боссарда богатые юные леди становились воспитанными дамами, закаленными спортсменками и образованными настолько, чтобы легко поступить в любой французский, американский или английский университет. Правила здесь были строгие, учащиеся находились под постоянным контролем. Профессор Боссард хотел быть уверенным, что ни один скандал не затронет воспитанниц, или их родителей.

— Папа займет свой пост весной, — сказала Лаура Сабрине и Стефании. А она останется с ними в Париже до конца учебного года. Затем Гордон присоединится к ним, и они все вместе отправятся в Швейцарию, чтобы посмотреть, как девочки устроятся под крылышком профессора Боссарда.

Сабрина грустно посмотрела на родителей. Вот ради чего мама старалась все эти годы. Отец стал послом. Мама победила и теперь отсылает их прочь.

— Дело не в Алжире, — сказала она, — а в том, что папочка стал послом и вы не хотите, чтобы мы доставляли беспокойство таким важным людям, как вы.

Лаура ударила ее по лицу. Это было впервые в ее жизни. Ей сразу же стало стыдно.

— Прости меня, — сказала она дочери,— но с твоей стороны говорить со мной так...

— Она не хотела тебя оскорбить, — быстро проговорила Стефания,— но мы не хотим от вас уезжать.

— Нет, я имела в виду именно то, что сказала, — ответила Сабрина. — И я хочу уехать. Я не хочу оставаться с людьми, которым я не нужна.

Глаза Лауры вспыхнули, но она старалась говорить мягко и с чувством:

— Конечно же, ты нужна нам, мы будем скучать без вас. Но мы не можем отказаться от назначения. Алжир — город, где все еще продолжаются беспорядки, подходящей школы там нет...

— Ничего, все нормально, — продолжала Сабрина. — Я все понимаю. — У нее даже заболел живот от того, как она ненавидела мать в этот момент и отца тоже, который смотрел в окно, как будто его ничего не касалось. — Судя по тому что мы слышали, в Швейцарии прекрасная школа. Мы там хорошо проведем время, не так ли, Стефания? Я полагаю, нам нужно больше практиковаться во французском. Мы должны начать прямо сейчас. Стефания, не хочешь ли подняться со мной наверх позаниматься французским?

Возникла долгая пауза. Семья Хартуэллов сидела неподвижно за обеденным столом в своем прекрасном парижском доме. Потом все тяжело вздохнули, затем Сабрина встала, за ней Стефания, и они обе пошли наверх, чтобы быть вместе.

ГЛАВА 3

Точно в 22.00 двери из красного дерева в главном бальном зале гостиницы «Женева» распахнулись и показался венецианский дворец, сделанный из папье-маше и красочно оформленный. Мраморные колонны поддерживали раскрашенный потолок, арочные окна выходили на нарисованные каналы с гондолами и гондольерами. На лакированном полу бального зала по кругу были расставлены столы. На каждом были орхидеи и столовые приборы — фарфор и серебро. Как только двери зала открылись, он превратился в калейдоскоп из четырехсот юных лиц в смокингах и бальных платьях, собравшихся на свой выпускной бал.

Они пришли из десяти избранных мужских и женских школ, расположенных на берегу Женевского озера, и они знали друг друга многие годы по различным событиям светской жизни, поездкам в великие столицы Европы и на спортивные состязания. Только что, утром этого дня они участвовали в соревнованиях ежегодного спортивного фестиваля Женевского озера, последний раз использовали шансы завоевать призы для своих школ. Их имена были выгравированы на бронзе и серебре за победы в стрельбе из лука, парусном спорте, хоккею на траве, плавании, верховой езде и футбольных состязаниях. С утра до полудня молодежь боролась, их кожа покрыта пылью и потом, мускулы охвачены жаждой победы. Теперь — вылощенные и мудрые — они тоже участвовали в своего рода спортивном состязании. Предполагалось, что среди молодежи возможны брачные союзы.

Стефания в облаке лимонно-желтого шифона, с волосами, ниспадавшими тяжелыми волнами ей на спину, сидела в золоченом кресле за одним столом с Деной и Анни, ожидая когда подойдет Сабрина. Она должна была поговорить с ней. Так много всего произошло, столько разных чувств плясали внутри нее, и ни с кем другим она не хотела делиться ими, даже со своими близкими подругами.

Не то, что она нуждалась в Сабрине так, как привыкла в прошлом. Теперь у них была разная жизнь, разные друзья. С самого начала, когда они только прибыли на холм с берега Женевского озера, они держались вместе, рассматривая дорогу, которая пробиралась среди виноградников. На вершине холма девочки прошли через железные ворота в парк и подошли к квадратному каменному замку. Это и был «Институт Джульетт». Стефания была размещена в комнате на четвертом этаже вместе с Деной Кардозо, а Сабрина — на третьем, с Габриэль де Мартель. Там они жили и учились вместе со ста двадцатью другими юными леди целых три года. Они никогда не жили так долго на одном месте.

Раньше Сабрина и Стефания все время проводили вместе. В швейцарской же школе жизнь изменилась. Они вместе посещали занятия по изобразительному искусству, обе вошли в спортивную команду по хоккею на траве, но в первый же год пребывания в школе Сабрина предпочла заняться парусным спортом, стала капитаном команды, под ее руководством команда завоевала первое место четырех гонках. Стефания же занималась бегом с препятствиями и вместе с Деной и Анни Макгрегор принесла школе четыре приза.

Сестры учились и занимались спортом в различных группах, но они всегда чувствовали присутствие друг друга. Они также обедали вместе или встречались по праздникам, гуляя отдельно от всех.

— Эй, — сказала Дена после того как официант наполнил их бокалы шампанским. — Ты опять задремала. Очнись. Я хочу предложить тост. — Она подняла бокал. — За наш колледж, черт его подери.

— Не глупи, Дена, — прервала ее Стефания, перестав искать глазами Сабрину. — Ты же не хочешь оставаться в средней школе.

— Я хочу, чтобы вы были моими подругами по комнате.

— Тогда поехали с нами в Париж.

— Вы поступите в Брин Мор вместе.

— Я хочу в Париж, Дена, в Сорбонну.

— Ваши родители решили отправить вас в Брин Мор.

— А мы настроились учиться в Сорбонне. Должны же они понять, что мы все равно своего добьемся.

Дена удивленно подняла брови:

— Круто сказано.

Стефания покачала головой. Сабрина решила все уладить сама. Она расскажет об их планах родителям и настоит на своем, даже если придется жить на свои собственные деньги, завещанные дедушкой. Лаура и Гордон хотели, чтобы девочки поехали в Брин Мор, потому что Лаура когда-то училась там и к тому же для девочек настало время пожить в Америке. Но Сабрина и Стефания хотели в Париж. Все эти годы они мечтали об этом.

— Ты не видела Сабрину? — нетерпеливо спросила Стефания. Скоро начнутся танцы, и у них уже не будет возможности поговорить.

— Не видела с хоккейного матча, — ответила Анни. — Но там был твой Чарльз. — Она сделала паузу. — У него очень приятное лицо. — Она замолчала в надежде, что Стефания доверит ей свои тайны. Но поскольку она продолжала молчать, Анни спросила напрямик: — Куда ты отправилась днем после матча?

— На прогулку, — сказала Стефания, глядя на Чарльза, сидевшего вместе с ребятами из своего класса. Она чувствовала, как его тонкое, красивое лицо улыбается друзьям, точно так же, как оно улыбалось ей, когда он провожал ее после проигранного матча.

Они с Чарльзом отправились обедать в Лозанну. В маленьком кафе с красными столиками и белыми занавесками они были совсем одни, без учителей-соглядатаев. Стефания поплакала немного о проигрыше.

— Я слишком *робкая,* — сказала она сквозь слезы. —

Бросаю все силы на одну атаку, чтобы заработать очко. Не знаю, почему. Сабрина смогла бы...

Но Чарльз заверил ее, что она замечательная, грациозная и прекрасная.

— Всем известно, что техника и мастерство важнее, чем сила, — заявил он. — Тебе и не нужно быть агрессивной. Вспомни, как тебя приветствовали. — Он говорил еще и еще, пока всхлипывания Стефании не прекратились, и она стала чувствовать себя не так уж безнадежно. Она склонилась к нему, счастливая и доверчивая, думая, что влюбилась. Его голос изменился. Стефания понимала, что Чарльз попытается предложить ей пойти в маленькую гостиницу, но для него это было впервые, и он никак не мог решиться. А Стефания, такая же неопытная, как он, не знала, как ему помочь. Во время своих разговоров о сексе с подругами они целыми часами обсуждали, как сказать «да» или «нет», но никто не заикался о том, как самой проявить инициативу.

Теперь, глядя на него сквозь толпу выпускников в бальном зале, Стефания вспомнила его руку, обнимающую ее за талию, когда они часами разговаривали и втайне думали о гостинице по соседству. «Я люблю Чарльза», — подумала она и улыбнулась своим мыслям.

— Ах, — продолжала Анни, — хорошая была прогулочка. — Но Стефания молчала. Единственной, с кем она могла поговорить о Чарльзе, была Сабрина. Но Сабрины нигде не было видно.

Под музыку вышли директора Объединенных школ, которых встретили аплодисментами. Оркестр сыграл традиционные школьные гимны и, наконец-то, первый вальс. Огни медленно погасли, и синяя вечерняя мгла осветилась сотнями свечей, мерцавшими как маленькие звездочки. Бальный зал пришла в движение и молодые люди толпились возле Стефании, приглашая ее то на один танец, то на другой. Она задумчиво скользила глазами по залу, мечтая о Чарльзе.

— Жаль, что так прошел матч, — сказал один из молодых людей, вернув ее из мира грез на землю. Она слегка кивнула. — Однако на тебя было очень приятно смотреть, — добавил он ласково. — Девушки на поле обычно не интересны, но ты была так красива, что я действительно наслаждался матчем.

Стефания посмотрела на него.

— До чего же глупое замечание.

2 Заказ 4631

— Эй, — сказал он, оправдываясь, — я только имел в виду...

— Знаю я, что ты имел в виду. — Он ее не интересовал. Ей нужен был Чарльз. Где он? Почему он не приглашает ее на танец?

— Извини меня, — сказала она и пошла прочь, двигаясь, как тень среди танцующих пар. Затем она увидела Чарльза. Он стоял в укромном уголке, доверительно разговаривая с какой-то девушкой в голубом платье. Ее тяжелые волосы были заколоты на затылке. «Сабрина!» — подумала Стефания и решительно шагнула вперед. Как интересно обнаружить их здесь обоих...

Стефания остановилась, увидев лицо Чарльза: страстное, нежное, обожающее. Они провели целый день вместе, и он не однажды так смотрел на нее...

Музыка закончилась, и один молодой человек приблизился к Стефании. Она не повернула головы. Она видела только Чарльза и Сабрину.

— ...на этот танец? — спросил молодой человек и потянулся к Стефании. Не глядя на него, она покачала головой.

— Почему? — удивился он. — Стефания, что случилось? — Его обиженный голос произнес ее имя как раз в тот момент, когда дирижер только поднял свою палочку, чтобы начать следующий танец. Чарльз резко обернулся. На какое-то мгновение взгляд Стефании встретился с его взглядом, а затем она, придерживая юбку и лавируя между танцующими парами, бросилась вон из зала.

Сабрина побежала за ней. Не обращая внимания на безумные вопросы Чарльза, она заметила, как мелькнуло желтое платье Стефании в закрывающемся лифте. Сабрина помчалась по коридору.

— Стефания? — она постучала в дверь комнаты, которую занимали ее сестра и Дена. Никакого ответа. Сердце Сабрины сильно забилось, когда она вспомнила то отчаяние, которое увидела в глазах Стефании. Она должна была догадаться.

— Стефания, пожалуйста...

— Дверь открыта, — сказала Стефания.

Она лежала, свернувшись на кровати калачиком, и плакала. Сабрина подбежала к ней, встала на колени и взяла сестру за руки.

— Прости меня. Прости. Я не хотела причинить тебе

боль, я люблю тебя больше всех на свете. — Стефания старалась убрать свои руки, но Сабрина крепко держала их. — Пожалуйста, Стефания, я не собиралась тебя обидеть. Я не флиртовала. Он только подошел ко мне...

Стефания оттолкнула ее руки прочь.

— Почему-то они всегда только подходят к тебе, — сказала она разъяренно. — Ты не можешь сказать «нет»? — Сабрина смотрела на нее.

— Я так и делаю. Но тут все получилось иначе. Чарльз...

— Не ври... Ты...

— Стефания, не расстраивайся. Он думал, что я это ты.

— Неправда, — возразила Стефания.

— Правда. Я поняла это позже. Когда он подошел, я не узнала его, ведь мы мало знакомы. Он не обращался ко мне по имени. Мы стали разговаривать, а затем он назвал меня Стефанией, но я не могла остановить его.

— Что значит «не могла»?

Сабрина резко опустила плечи. Она посмотрела на свое красивое платье и подумала, как плохо выглядеть такой красивой и при этом чувствовать себя так ужасно. Ей нужна была Стефания, она пришла на бал и хотела найти сестру, чтобы поговорить с ней. А сейчас она обидела ее, и они поссорились.

— Я полагаю, что мне не следовало прерывать разговор.

— Почему? Тебе всегда надо демонстрировать, что ты лучше меня?

— Стефания!

— Но ты лучше, не так ли? Все знают это. Ты победила на соревнованиях по парусному спорту сегодня утром, ты бы победила и на моем матче. Ты бы не потеряла своего парня! Ты бы никогда ничего не потеряла...

Упав духом, Сабрина увидела, какая пропасть разделяет их.

— Я не знала, что он твой парень, — сказала она беспомощно.

— Ты видела, что я ушла из гимнастического зала вместе с ним. — Глаза Стефании смотрели уныло. — Почему ты не сказала ему, кто ты?

Сабрина протянула руки.

— Кое-что произошло сегодня... Я искала тебя, чтобы поговорить, но ты танцевала, а потом...

Несмотря на свое плохое настроение, Стефания уловила грустные нотки в голосе сестры.

— Что произошло?

— Приехал Марко из Парижа. Я думала, что его не будет до завтрашнего утра. Он был очень обеспокоен.

Стефания услышала презрительные нотки в ее голосе.

— Чем?

— Некоторыми... играми, в которые, как он думал, я могла бы сыграть, поскольку уже выросла.

Они посмотрели друг на друга.

— Как ты поступила?

— Швырнула пресс-папье в него и приказала убираться.

Стефания засмеялась.

— А он?

— Полагаю, убрался в Париж.

— Ты не думаешь, что увидишь его снова?

— Я знаю, что не увижу. Он назвал меня дурой. Может быть, так и есть.

Стефания собиралась спросить, во что предлагал сыграть Марко, когда ей пришла в голову мысль, что Сабрина опять обошла ее; *ее* желают и преследуют, в то время как Стефания не смогла даже добиться, чтобы Чарльз увел ее в гостиницу.

— Но почему ты сегодня так поступила со мной? — заплакала она, и Сабрина почувствовала, что затишье кончилась и буря разразилась вновь.

Она вскочила и стала ходить по комнате, потирая локти и плечи, чтобы согреться. Ей было стыдно, что она обманула Чарльза и страшно было смотреть в глаза Стефании. Но самое худшее, что между нею и сестрой возникла пропасть. Как они могли настолько отдалиться друг от друга?

— Я не хотела тебя обидеть. Я никогда этого не делала, а сейчас действительно не знала, что он так важен для тебя. Когда стало ясно, что Чарльз спутал нас, мне захотелось подшутить над ним. Только на несколько минут. Я уже собиралась все сказать, когда мы услышали твое имя. Стефания, я никогда бы не обидела тебя...

— Это не имеет значения, — ответила Стефания. — Ты ему больше нравишься, чем я. Как бы я ни старалась, ты всегда поступаешь лучше.

— Неправда.

— Тогда скажи мне, почему ты ушла из нашей команды?

— Почему? Это не имеет никакого отношения к...
— Потому что ты была намного лучше, чем я.
— Ничем не лучше. Я просто другая.
— Более агрессивная, более решительная. Все знали это.
Сабрина молчала. Боль Стефании пронзила ее.
— Я хотела заниматься парусным спортом и знала, что могу стать капитаном.
— Ты понимала, что никто не обратит на меня внимания, пока ты в нашей команде. Вот почему и ушла.
— Нет. Мне больше нравится парусный спорт. Причина только в этом.
Она никогда раньше не лгала Стефании. «Прости, — подумала Сабрина, — я не знала в тот момент, как поступить».
— В любом случае, все в прошлом. Конечно, если ты хочешь, чтобы мы играли в одной команде в Сорбонне, почему бы нам...
— И тебе гораздо легче получать хорошие отметки, чем мне.
Сабрина покачала головой. Ей стало нехорошо. Как же долго Стефания скрывала свои чувства?
— Да, да. Ты никогда ничего не зубрила, а потом все равно получала «отлично». А мне всегда приходилось подолгу сидеть над книгами.
— И получать «отлично».
— Тебе все легко дается, Сабрина, отметки, спортивные победы... И Чарльз. А мне приходится над всем кропотливо работать, а потом крепко удерживать, чтобы все от меня не убежало. — Она заплакала, и Сабрина снова встала перед ней на колени.
— Пожалуйста, Стефания, прекрати. Прошу тебя, перестань. Я не могу видеть, когда ты плачешь из-за меня. Я искренне сожалею, что так получилось с Чарльзом. Но ты для меня важнее всего на свете. — Она заплакала тоже. Ей было жаль Стефанию, жаль себя, потому что она делала все неправильно, и гнев Стефании действовал на нее удручающе. — Я не знаю, что ты от меня хочешь, но я что бы то ни...
— Ничего не надо, — произнесла Стефания. — Сабрина, я решила ехать в Брин Мор, а не в Сорбонну.
Сабрина удивленно посмотрела на сестру.
— В Брин Мор?
— Там хорошо. Я уже получила направление благодаря папе и маме. Я поеду туда.

— Но мы же собирались вместе ехать в Париж.

— Сабрина, не смотри так... растерянно! О чем тебе беспокоиться? У тебя будет все в порядке. Я думаю о себе, хочу определить, что я собой представляю. Без тебя. Ты очень яркая и одаренная, а я остаюсь в тени в твоем присутствии. Никто не будет замечать меня, если ты не будешь отходить в сторону время от времени.

— Нет, нет, нет. — Сабрина потрясла головой.

— Конечно, обычно все обращают внимание в первую очередь на тебя.

Стефания замолчала, а Сабрина вскочила на ноги и стала снова ходить по комнате. Почему они не говорили раньше о таких вещах?

— Стефания, когда я делаю что-нибудь экстравагантное или даже безумное, это потому, что все ждут от меня именно этого. Мне говорят, какая я замечательная, и тогда я высматриваю, что бы еще такого натворить... — Она сделала паузу. — Я боюсь, что если я перестану так себя вести, меня перестанут любить и не будут думать, что я замечательная. Ты единственная, я в этом уверена, кто любит меня только потому, что я это я. Все остальные говорят только о том, какая я красивая, и как замечательно то, что я выигрываю в гонках и состязаниях, как замечательно я выгляжу. — Она немного помолчала, а затем выпалила: — Мне просто необходимо быть в центре внимания.

Стефания перестала плакать.

— Ты будешь в центре внимания всех, когда приедешь в Париж.

Сабрина спокойно постояла и посмотрела на сестру долгим взглядом.

— Я не заслуживаю твоего осуждения. Я старалась быть честной.

— Прости. Я имела в виду то, что каждая из нас будет в центре внимания. Первое время. — Ее глаза стали яркими. — Это будет приключение, Сабрина. Ты всегда говорила мне, что я должна мечтать о приключениях, помнишь?

Сабрина пыталась увидеть в ее ярких глазах тень обиды или унижения, но не нашла ничего похожего.

— Я никогда не старалась затмить тебя, — беспомощно произнесла она.

— Может быть. Но все равно я чувствую себя не больше, чем сестрой-двойняшкой знаменитой Сабрины

Хартуэлл. — Она посмотрела на свои руки. — Мы будем друг другу писать.

Сабрина услышала новые нотки в голосе Стефании и засомневалась. «Я смогу изменить ее решение, — подумала она. — Если я нажму, если я напомню, как мы нужны были друг другу последние три года, она поедет в Париж. Мы снова будем вместе. Однажды она уже сказала маме и папе, что мы — семья. Истинная правда».

Но она не смогла сделать этого. Стефания была права: их пути разошлись. Сабрину потряс ужасный факт — ее сестра не хочет быть вместе с ней. Она не могла отрицать того, что купалась в лучах своей славы, и Стефания бежала, спасалась, чтобы найти себя. «Я не смогу заставить ее так поступить, — подумала она. — Не имею права делать еще хуже, чем есть на самом деле. Сегодня вечером я нанесла ей и так слишком большую обиду».

Она села на кушетку рядом со Стефанией и глотала слезы, подступавшие к горлу.

— Мы о многом поговорим во время каникул! — воскликнула Сабрина. Они сидели рядом, не касаясь друг друга, положив руки себе на коленки, как воспитанные юные леди.

— Я люблю тебя, — тихо сказала Сабрина Стефании, и с этого момента стала жить своей жизнью.

ГЛАВА 4

Зал в оперном театре затих, как только погасли люстры. Пятна света от прожекторов падали на тяжелый золотой занавес, дирижер взмахнул палочкой, и чувственная испанская музыка поплыла по залу. Стефании захотелось танцевать. Она посмотрела на Дену.

— Спасибо, — прошептала она, поблагодарив за все: за Нью-Йорк на Рождество, за походы по магазинам, по театрам и за ложу вместе с Кардозо в оперном театре. Она позволила музыке полностью овладеть ею. Занавес волшебно открыл сцену.

Однако все очарование было испорчено некоторой суматохой. Кто-то толкнул дверь их ложи, а потом грохнуло кресло. Стефания и Дена обернулись.

— Простите. — Среди теней Стефания увидела высокого темноволосого мужчину, старавшегося закрыть дверь и снять пальто одновременно.

— Вы уверены, что не ошиблись ложей? — поинтересовалась Дена.

Он кивнул и сел в кресло за Стефанией. Дена подождала, но незнакомец ничего не сказал. Какое-то время она изучала его взглядом, потом посмотрела на Стефанию, пожала плечами и стала смотреть на сцену.

— Растяпа, — пробормотала она.

Стефания улыбнулась. Кто бы этот человек ни был, он выглядел прилично и респектабельно, даже несмотря на помятый пиджак. И, кроме того, он был достаточно уверен в себе.

Через минуту она забыла о нем. На сцене Кармен пела свою медленную возбуждающе-сексуальную песню несчастному молодому Хозе. Песня разлилась по залу, как расплавленное золото. Стефания наклонилась вперед, подчинившись неведомой силе. Но ее что-то смущало. Она обернулась и встретилась глазами с незнакомцем.

Стефания покраснела от настойчивости его взгляда. Ее смутило его мужественное лицо. Краем глаза Стефания видела, что он продолжает смотреть на нее.

— Извините, — наконец обратился он к ней. — Это не вы уронили?

Стефания повернулась, посмотрела на программу в его руке и отрицательно покачала головой. На ее лице опять появилась улыбка. Весь первый акт незнакомец смотрел не на сцену, а на нее.

— Гарт Андерсен, — сказал он, протягивая руку, как только в антракте зажглись люстры. Дена поспешила опередить подругу.

— Дена Кардозо. Вы друг Бартонов?

Его развеселил покровительственный тон Дены, она же почувствовала себя молодой и неуверенной в себе.

— Мы старые друзья. Я приношу извинения за мое шумное вторжение. Бартоны не удосужились вовремя предупредить, что они заказали ложу, а когда сказали мне — было уже поздно. Я увлекся работой и боялся пропустить увертюру. — Он протянул руку Стефании. — Мы с вами не знакомы.

— Стефания Хартуэлл. — Она положила свою красивую руку на его ладонь. «Музыкант, — подумала она. — Или художник».

— Работой? — спросила Дена.

— Научное исследование, — ответил он коротко

и пригласил выйти в фойе. Он пытался догадаться, почему все вопросы задает Дена. Она всегда так делает, а Стефания всегда молчит? Или Стефании не интересно?

Когда они пили вино, Гарт задавал Дене вопросы, рассказывал девушкам о своих занятиях молекулярной биологией. Дене хотелось узнать о его работе побольше, но он не счел нужным вдаваться в подробности. На самом деле он никогда не говорил о своей работе с чужими людьми, боясь, что им будет скучно и не интересно. Да он и не хотел рассказывать о себе. Ему хотелось узнать побольше о Стефании Хартуэлл.

В переполненном фойе, где было шумно от визгливого смеха и быстрой речи, она была островком тишины — стояла спокойно, почти не двигаясь. Гарт говорил, а сам в это время видел ее синие глаза, тонкий овал лица, ее прекрасный рот, нежный и благородный, удивительно беззащитный.

Дена наблюдала за ним, но без ревности. Ей было приятно, что его интересовала Стефания, а Гарт, в свою очередь, подумал, что иметь такую подругу как Дена совсем неплохо. А когда опустился занавес в последний раз, он спросил, не подвезти ли девушек до дома.

— У нас лимузин, — ответила Дена. Она посмотрела вдруг вверх, как будто что-то вспоминая. — Стефания, я обещала позвонить маме перед тем, как мы поедем домой. Я сейчас вернусь.

Оставшись одни, Гарт и Стефания улыбнулись друг другу.

— Как хорошо она поступила.

— Дена всегда так делает.

— Я хочу встретиться с вами. Завтра?

Она покачала головой.

— Тогда через день.

— Нет. Простите. — Ее глаза смотрели ясно и четко. — Я бы рада. Но я остановилась на каникулы в доме Дены, и ее семья спланировала наш отдых. Они так добры ко мне, что нельзя просто так исчезнуть, оставив их с билетами и расписанием нашего отдыха. Извините меня.

— А после каникул?

— Я возвращаюсь в Брин Мор.

— Последний курс?

Она засмеялась.

— Нет. Второй.

Он вздрогнул.

— Вы... сколько вам лет?

— Девятнадцать.

— Вы выглядите взрослее.

— А разве в девятнадцать мы не взрослые?

— Я так не думаю, — сказал он. — Но так должно быть.

Вернулась Дена, и они забрали свои пальто, находившиеся тут же, в ложе, приветливо и дружелюбно распрощавшись. Гарт отошел, чувствуя себя неотесанным крестьянским парнем, стоявшим на краю дороги, по которому проезжает королевский экипаж. Они богаты, умны, очаровательны, шикарны, перед ними открыт весь мир. Он посмотрел на сцену, где в течение трех часов пели и разыгрывали любовные страдания, а он все это время смотрел не туда. Крестьянский парень намеревался проследовать за королевским экипажем... Весь путь, до дворца.

Брин Мор расположен на холмах прекрасной Пенсильвании, в часе езды поездом от Нью-Йорка. Стефания только успела приехать и начала распаковывать вещи, как позвонил Гарт.

— Я буду с вами по соседству весь уик-энд, — сказал он как бы между прочим. — Мог бы заскочить в гости, если вы будете дома.

Она рассмеялась.

— А что вы собираетесь делать по соседству?

— Ждать вас.

Они встретились у входной арки — в обычном месте встреч в университетском городке, и формально пожали друг другу руки.

— Куда пойдем? — спросил Гарт.

— Мне нужно заскочить на несколько минут в библиотеку, а потом, я думаю, позавтракаем в Уиндхэмхаусе. Согласны? Очень рано, я полагаю...

— Слишком рано?

— Нет, нет, что вы.

Всю ночь шел снег, и они гуляли по заснеженным тротуарам среди каменных зданий, построенных в готическом стиле.

Гарт сходил со Стефанией в библиотеку, где они спустились по лестнице в подвал, а потом вышли ко входу.

— Никого больше здесь сегодня не будет, — сказала Стефания. — Поэтому тут выставили кое-какую мебель для аукциона антикварных вещей. Мне нужно подписать необходимые бумаги.

Гарт наблюдал, как Стефания, подойдя к машине, разговаривала с водителем. Через минуту она вернулась.

— Шофер сказал, что не работает подъемный кран, и он не сможет погрузить мебель. Вы не хотите пойти позавтракать, а я поищу грузчика? Не знаю, сколько времени это займет.

— Я вырос среди подъемных кранов, — произнес Гарт, — можно я посмотрю?

Она удивленно взглянула на него:

— Разве ученые проводят свои исследования, пользуясь подъемными кранами?

Он засмеялся и прошел через двери для погрузочных работ к машине.

— Парни на фермах Миннесоты пользуются подъемными кранами. И время от времени ремонтируют их. — Он быстро переговорил с шофером, который достал из кабины ящик с инструментами, а потом повернулся к Стефании. — Когда мы должны идти на завтрак?

— В три часа.

— Я нагуляю хороший аппетит. — Он склонился над мотором, работая быстро и легко. — Попробуй, — сказал он водителю через несколько минут и, улыбаясь, повернулся к Стефании. — Наука — это прекрасно.

— Так же, как парни на фермах Миннесоты.

Подойдя, она провела пальцем по его лбу. Палец покрылся смазочным маслом.

Он улыбнулся и выставил вперед руки.

— Я никогда не мог починить мотор без того, чтобы не перенести на себя половину смазки. Моя мама обычно бранила меня. Где тут можно умыться?

— Вон там, в холле.

— Не уходи без меня.

— Не уйду.

Гарт пошел, все еще ощущая на лбу прикосновение ее пальца, а когда вернулся, нашел ее на том же самом месте.

Стефания получила специальное разрешение позавтракать с Гартом в столовой Уиндхэм-хауса, лучшей в университетском городке. Ею обычно пользовались, так же как и номерами наверху, приезжавшие гости и родители студентов. Пока Стефания и Гарт изучали меню, сидя у большого окна, она бросала на него взгляды. Его карие глаза были глубоко посажены над выдававшимися скулами, рот широкий, подбородок мужественный, раздвоенный. Когда Гарт улыбался, от его глаз лучиками расходились морщинки. Все в нем было четко и ясно, никаких полутонов. Даже его голос, глубокий и сильный, легко был бы слышен в самых отдаленных уголках большого зала.

— У тебя до сих пор есть ферма? — спросила Стефания после того, как они сделали заказ.

— Нет. Я отдал ее моей сестренке и ее мужу. — Потом, поскольку это интересовало ее, Гарт спокойно рассказал о своей ферме, созданной еще его дедушкой, о пшенице, отливавшей золотом в солнечных лучах; о чувстве земли, на которой он работал, о тех часах, которые он мальчиком проводил в мечтах о том, как станет знаменитым ученым, и днях, проведенных со своим отцом.

— Мирное, спокойное, обеспеченное детство, — сказал он Стефании, когда официантка принесла хлеб с колбасками и налила кофе. — Прекрасное детство. Все в порядке, все на своем месте. Никакой боязни за свое будущее.

— Но все изменилось? — спросила Стефания, когда он замолчал.

— Да. — Гарт сделал паузу. — Когда мне было восемнадцать, я поступил в колледж. Я был первым в нашем роду, кто добился такого. Но вынужден был все бросить и снова заняться фермой, когда мои родители погибли в автомобильной катастрофе.

Стефания затаила дыхание.

— Ты говоришь об этом так спокойно...

— В то время я таким не был. Это разрушило почти все, о чем я мечтал, во что верил. Но уже прошло восемь лет.

«Восемь лет назад, — подумала она. — Ему было восемнадцать, его родители умерли и он управлял всем хозяйством фермы. Не имеет никакого значения, что он считает меня еще молодой. Я же ничего не сделала!»

— *Ты* действительно управлял всем хозяйством? — спросила Стефания.

— Год. Моя сестра еще училась в средней школе. И я должен был о ней заботиться. Кроме меня, у нее никого не осталось. А когда она вышла замуж сразу после окончания школы, я отдал ей ферму в качестве свадебного подарка. — Он еще раз сделал паузу, глядя в окно на заснеженный университетский городок. — А потом поехал в Нью-Йорк, в поисках другого мира, где все стоит на своих местах и есть возможность планировать будущее.

— Наука? — осмелилась предположить Стефания.

Гарт кивнул, улыбнувшись ей. Она слушала внимательно, и он подумал, что, может быть, Стефания слышит и невысказанные слова: о его бедности в Нью-Йорке, одиночестве, о жизни, отличавшейся от жизни на ферме. У него не было времени на то, чтобы обзавестись друзьями: он работал в трех местах, одновременно стараясь экстерном получить образование. Ему удалось закончить образование раньше времени и самому стать преподавателем. А позднее, когда он мог бы иметь свободное время, ему было страшно им воспользоваться. Он боялся оторваться от своих исследований, от подготовки к лекциям, боялся всего, что могло бы помешать ему. Лишь изредка он проводил вечера с самыми близкими друзьями. Но больше не бывал нигде.

— До сегодняшнего дня. — Он допил кофе и откинулся на спинку стула. — Теперь твоя очередь. Расскажи о себе.

— Но ты не закончил. Удалось ли тебе найти мир, где все стоит на своих местах?

— Почти. Но скажи, откуда ты? Я не могу определить твой акцент.

— Я выросла в Европе. Но что тебе удалось открыть? Я не представляю, какие исследования проводят в области молекулярной биологии.

Гарт засмеялся, ему было приятно видеть, как красивая женщина хочет узнать о нем.

— Мы изучаем структуру и поведение молекул в живых существах. Я специализируюсь на структуре генов. Ищу возможность лечения наследственных болезней.

Стефания, подперев подбородок рукой, пристально смотрела в его глаза.

— Если вы будете влиять на структуру генов, — сказала она, чуть помолчав, — не значит ли, что вы будете изменять жизнь?

Гарт посмотрел на Стефанию серьезно, как ее преподаватели, когда она задавала вопросы.

— Что это значит? Вмешиваться в то... что создает жизнь? Ну я не стал бы называть это вмешательством. Звучит так, будто моя цель создавать подделки. Послушай, разве скульптор делает подделку?

— У художника нет такой силы. Мраморная статуя не влияет и не заменяет мир. В твоем случае все иначе.

— Возможно.

— Ну тогда кто-то должен контролировать твои действия.

— Кто?

Она посмотрела на него поверх кофейной чашки.

— Правительство?

— Ничтожные, нечестные, узкомыслящие, без воображения и видения будущего людишки.

— Ну, тогда ученые.

— Вероятно, это не лучше. Большинство из нас слегка чокнутые. Но факт заключается в том, что ты не можешь ограничить исследования, они продолжатся сразу же в другом месте, если ты прекратишь их в одном.

— Мне кажется, над этим надо подумать. А чего ты хочешь добиться своими исследованиями?

«Снова она возвращается к моим личным проблемам», — подумал он, восхищаясь ее цепкостью. Но ответ был бы слишком долгим для сегодняшнего дня. Он решил пошутить.

— Хочу заработать кучу денег изобретением эликсира молодости.

Она рассмеялась.

— Гарт, ни за что не поверю.

— О, да, я не такой.

— Но ты допускаешь такую возможность?

— Если я буду продолжать идти своим путем, то нет. Не университетскими исследованиями. Частные компании платят хорошо, но они не в моем вкусе.

Она вопросительно посмотрела на него.

— Я не люблю коммерческий гнет. В университете никто не заглядывает мне через плечо, чтобы узнать, насколько я близок к открытию чего-либо такого, что может принести прибыль. Мне нравятся исследования сами по себе, хочу свободно искать что-нибудь такое, что может быть полезным...

— Человечеству.

— Что-то в этом роде. Хотя, ты права. Непохоже, что я когда-либо буду в состоянии позволить себе такую роскошь, как дружба с тобой. Пошли?

— Да, — Стефания стала вытаскивать банкноты из своего бумажника. — Это самая глупая фраза, которую я когда-либо слышала. Думаю, прекрасно, что ты так заботишься о своих исследованиях, о людях, что ты не хочешь много зарабатывать, а хочешь делать то, во что веришь. А вот та фраза была глупой.

Гарт схватил ее за руку.

— Подожди минутку. Во-первых, я плачу за завтрак.

— Ты мой гость.

— Я сам тебя пригласил. Если оставить в стороне мою глупую фразу, то почему мы уходим?

— Нужно вернуться в библиотеку и посмотреть, не нужна ли какая помощь в организации аукциона. Осталось меньше недели, а так много людей заболели, мы выбиваемся из графика. Извини, я обещала посвятить тебе весь день, но это — моя работа.

— Твоя работа?

— Я работаю на факультете искусств, и мы проводим аукцион.

— Почему ты работаешь на факультете искусств?

— Чтобы зарабатывать деньги.

— Я думал...

— Я знаю, что ты думал.

Гарт заплатил за завтрак, и когда они шли по университетскому городку, он вдруг почувствовал себя легко и свободно. Она не живет во дворце. Слепив снежок, он запустил его в корявое дерево, а попал в черный грузовик, к которому снежок прилепился, как белая звезда. Он взглянул в сияющее лицо Стефании.

— Расскажи мне об антикварной выставке. Ты знаешь, у меня всегда было тайное желание приласкать обнаженную статую. Может, у меня будет такая возможность? У вас будут обнаженные статуи?

Она рассмеялась. Какой у них замечательный день.

— У нас будут обнаженные статуи. В крайнем случае, можно раздеть любую.

Теперь была его очередь рассмеяться, он взял ее за руку и они пошли в библиотеку.

У Гарта было много времени, чтобы поразмыслить над противоречивым характером Стефании Хартуэлл, прежде чем она посетила его лабораторию в Нью-Йорке.

Он провел несколько суббот в Брин Море зимой и весной, узнал о ее сестре-двойняшке, о разрыве между ними, до сих пор не восстановленном, о ее родителях в Алжире, которые скоро переедут в Вашингтон, где ее отец займет новый пост и станет заместителем Государственного секретаря по европейским делам. Он выслушал ее рассказ о привилегированной, дурацки дорогой швейцарской школе. Он понял, что ее умудренность и искушенность — результат сумасшедшего воспитания, которое дало ей обилие ее энциклопедических знаний о Европе. Но она так мало знала о сексе и мужчинах, чтобы заполнить даже одну страничку в дневнике. Он ценил ее острый быстрый ум, тихую красоту и подруг, подобных Дене, которые обожали ее, наперебой предлагая остановиться у них во время каникул. Гарт влюбился в нее.

— Мы встретимся у тебя на работе, — сказала Стефания, когда он позвонил ей на квартиру к Кардозо. — Было бы глупо заезжать за мной. Как до тебя добраться?

Он объяснил ей дорогу, и Стефания направилась в свою комнату, чтобы одеться. Весенние каникулы в Нью-Йорке; целая неделя с Гартом, поскольку Кардозо знали о нем и не строили планов об организации ее отдыха. Неделя с Гартом... Она напевала. Но когда Стефания пришла в университет, шум прервал ее радостные мысли. Казалось, он раздавался отовсюду. Повернув за угол, Стефания обнаружила, откуда он исходил: множество молодых людей кричали, размахивали лозунгами и приветствовали веснушчатого паренька, который забрался на грузовик и что-то визжал в мегафон. Стена полицейских стояла между Стефанией и четырехэтажным зданием, в окнах которого было полно кричавших, жестикулировавших мужчин и женщин. Ничего не понимая, она осмотрелась, пытаясь найти дом, куда нужно было идти. Она начала спрашивать полицейского, но шум заглушал ее голос. Потом вдруг появился Гарт, обнял ее, быстро провел мимо шумного здания в одну из соседних дверей. Они поднялись на лифте на четвертый этаж.

— Добро пожаловать в мой уютный дом, — сказал печально Гарт. — Если бы я знал заранее, что будет, то не позволил бы тебе прийти сюда. Но давай быстренько все посмотрим, а потом уйдем отсюда.

— Я никогда не видела демонстраций. В Брин Море так спокойно...

— А у нас это происходит регулярно, это часть нашей университетской жизни. — Он открыл дверь. — Проходи в мою «гостиную».

Лаборатория была частично перегорожена высокими стальными шкафами. Когда они вошли, Гарт отстал, чтобы посмотреть, как будет реагировать Стефания. Поначалу она была озадачена, потом разочарована, потом заинтригована. Это была странная комната. Там не было сверкающего оборудования, пробирок и колб, в которых бы бурлила жидкость, не было даже микроскопа. Вместо этого на длинном, покрытом кафелем столе, были вещи, напоминавшие детские игрушки: конструкции из палочек, проволочек, комочков пластилина, пружинок и бумаги всевозможных форм, размеров и цветов. Стоявшие на полу коробки были наполнены тем же материалом, стены были покрыты фотографиями, изображавшими конструкции, большая классная доска, затертая до серости, также была покрыта изображениями разных конструкций. В углу — письменный стол, на нем — пишущая машинка, которую с трудом можно было разглядеть под грудой бумаг и книг. Гарт усмехнулся.

— Я здесь известен как мужчина, играющий в детские игрушки.

— Не удивляюсь, — сказала Стефания. — Гарт, что это такое?

Он обвел рукой комнату.

— Мои модели. Произведения искусства. Каждое сотворено руками...

— Гарт. Будь серьезнее.

— Знаешь ли, я не шучу. Это — мои произведения искусства.

— Объясни.

Он улыбнулся, глядя на ее серьезное лицо.

— Каждая модель представляет собой различные виды молекул. Шарики — атомы, палочки — силы, которые их удерживают в различных положениях. Ты знаешь, что собой представляют молекулы?

Она кивнула:

— У нас тоже были такие модели в Швейцарии.

— Извини, я говорю слишком примитивно?

— Да, хотя я действительно не так много знаю.

— Вот. — Он подошел к классной доске, стал рисовать и говорить. — Клетка, а внутри ядро... Вот это ленточки-хромосомы, сделанные из длинных ниток отдельных молекул. — Он отошел, чтобы взять в руки модель, но в это время раздался рев толпы внизу и он раздраженно посмотрел на окно. — Мы можем сюда вернуться в другое время.

— Нет, расскажи сейчас. — Она почувствовала близость к нему в молчаливой лаборатории. Вне дома была опасность, а здесь, с Гартом, она чувствовала себя спокойно.

— Хорошо, но коротко. Молекула, которая делает хромосомы, называется ДНК. Вот ее модель. Нечто вроде лестницы, скрученной в штопор. ДНК — молекула, которая контролирует наследственность. Вот — чертеж, разного рода ступеньки на лестнице, организованные в особый путь, который формирует код с информацией, необходимой для дублирования жизни. Вот к чему я пришел. Я стараюсь понять, как эта молекула устроена.

— А когда ты это поймешь?

— Тогда я смогу научиться чинить ее, если она повреждена. — Он положил модель ДНК на скамью. — Дети рождаются сейчас с болезнями, которые мы не можем лечить, потому что в лесенке их ДНК что-то становится не так с одной и более ступеньками. Если мы узнаем, как...

Он прервал свою речь. Крики стали громче. В мегафоне раздался голос девушки.

— Все не так просто, но поговорим в другой раз.

Когда они уходили, Стефания взглянула на другую сторону лаборатории. Там было все более знакомо: микроскопы, колбы, мензурки, шприцы, реторта. На другой стене рядом с большим окном дюжина белых мышек сидели в маленьких клетках. Посмотрев через ее плечо, Гарт сказал:

— Мы с Биллом обмениваемся информацией. Он работает над наследственными заболеваниями у мышей.

Стефания улыбнулась.

— Игрушечные конструкции и ручные мышки. Современная наука... — Она вдруг вскрикнула, грохнул взрыв и осколки стекла посыпались ей на ноги.

Гарт чертыхнулся.

— Не разговаривай, — сказал он грубо, — постарайся не дышать.

— А что? — спросила она. Но его рука зажала ей лицо, он потащил ее в коридор, а потом наверх по лестнице. Вдруг она почувствовала себя очень плохо глаза жгло, слезы потекли по обожженным векам и грудь стало давить от спазмов, горло горело.

Затем был холодный воздух и солнечный свет на ее лице. И сильная рука Гарта, поддерживающая ее.

— Я плачу и не могу остановиться, — сказала она. — Не могу открыть глаза.

Он погладил ее.

— Все будет в порядке, — произнес он через несколько минут. — Это всего лишь слезоточивый газ. — Всего лишь... — Никакого особого вреда. Подожди минуту. Я принесу немного воды.

— Где мы?

— На крыше. Отойди чуть-чуть назад.

Жжение продолжалось, но через десять минут Стефания смогла открыть глаза и посмотреть через парапет на полицию, загонявшую кашлявших и плачущих студентов в фургоны.

— Почему полиция бросила это в нас?

— Не в нас. Просто кто-то промахнулся. Будем надеяться, что со временем они приобретут сноровку. Стефания, я должен вернуться и закрыть чем-нибудь разбитое окно. Подождешь здесь?

— Я пойду с тобой.

Но в лаборатории она испугалась. Лицо Гарта стало красным, вены на шее вздулись.

— Ублюдки, — прохрипел он. — Проклятые ублюдки.

Стефания посмотрела туда же, куда смотрел он, — на место, где раньше были проволочные клеточки. Совсем недавно она посмеивалась над бегавшими мышами, теперь они лежали мертвыми, и ветерок из разбитого окна шевелил их мех.

Гарт поддал ногой пустой баллон из-под слезоточивого газа. Стекло скрипело под его ногами.

— Целый год работы Билла... Год опытов и изучения... — Он повысил голос. — Помнишь, я говорил тебе о детях, рожденных с болезнями, которые мы не можем лечить. Это конец пути, который начинается здесь. Видишь, что это означает? Видишь, в этом университете считают более важным очистить площадь от студентов, чем защитить работу ученых.

— Не надо так говорить, — сказала Стефания тихо. Она дрожала — не от слезоточивого газа, от возмущения Гарта, от того, насколько глубоко его все это затронуло. Он знал, как все это важно. Он знал, чего хотел и к чему идет. Его мир был гораздо больше, чем ее. Став на колени, Стефания начала подбирать рассыпавшиеся бумаги, складывать в коробку, которую она нашла на письменном столе. Гарт смотрел на ее склонившуюся голову, на тяжелые волосы, падавшие ей на лицо. Прекрасная, спокойная Стефания. Мудрая не по годам, молоденькая девушка. Ждет чего-то. А кто он такой, чтобы суметь дать ей то, чего она ждет? Рядом с ней он все еще чувствовал себя неотесанным крестьянским парнем. Она встала.

— Я думаю, что порезалась. — Кровь бежала по ее руке.

— Стекла, — сказал он сердито. — Дай посмотрю.

Она протянула руку, как ребенок. Гарт осторожно занялся ее рукой, достав аптечку из выдвижного ящика письменного стола. Теперь была ее очередь посмотреть на его склонившуюся голову, когда он копался в письменном столе.

— Здесь все есть, — пробормотал он. — В биологической лаборатории часто бывают порезы. — Он поднял голову и встретил ее взгляд. — Ты знаешь, — продолжал Гарт, — наверное, ты единственная в мире женщина, которая может выглядеть красиво после слезоточивого газа. Ты только что прошла через тест Андерсена по красоте. От слезоточивого газа красивые женщины немедленно превращаются в жаб. Почему ты смеешься? Я люблю тебя и хочу жениться на тебе. Думаю, что я нашел осколок, поэтому сиди спокойно, сейчас удалю его. — Он согнул ее руку и осмотрел рану. — Прости, — сказал он. — Я также хотел бы взять тебя к себе домой и любить вечно. И мечтаю я об этом все те несколько недель с тех пор, как мы встретились в Брин Море, — произнес он. Не глядя на нее, Гарт перевязал ей руку чистым бинтом. — Что ты думаешь? — спросил он тихо.

— О чем?

— Об одном или двух вышесказанных предложениях.

— Да, — сказала она. — Это ответ на оба предложения.

В мае кусты в университетском городке Брин Мор цветут розовым и белым цветом, и землю покрывает ковер лепестков. Жаркое солнце прогоняет прочь апрельские дожди, и птицы поют на ветвях старых деревьев. Самый подходящий сезон для свадеб.

Во дворе библиотеки Томаса рядом со Стефанией стояла Лаура, бросая критический взгляд на круглый пруд со спокойными, мирными, безмятежными утками, на ровный ряд стульев рядом с ним и длинные столы с едой и напитками.

— Слишком скромно для свадьбы, — сказала она задумчиво, — больше похоже на обычный праздник в саду. Не хочешь ли устроить что-нибудь более традиционное, дорогая?

— Я хотела именно так, — проговорила Стефания мечтательно, глядя на своих друзей и друзей Гарта, собравшихся малыми группами в ожидании начала церемонии.

— Стойте смирно, — скомандовал Гордон и щелкнул фотоаппаратом.

— Ты уверена, что нужно оставить учебу? — продолжала Лаура.

— Мама, если Гарт в Иллинойсе, как же я могу оставаться здесь?

— Он мог бы подождать два года.

— Нет, не мог. Работа на Среднем Западе — это тоже хорошо. — Она поцеловала Лауру в щеку. — Мы купим большой дом с множеством спальных комнат и вы приедете к нам. Ты никогда не была в Эванстоне, правда? Или в Чикаго?

— Ни там, ни там.

— Ну вот, теперь будешь.

Стефания увидела, как появилась Сабрина и подошла к судье Ферфаксу.

— Извини, — сказала она и поспешила в объятия сестры. — Ты прекрасно выглядишь!

— Нет, это ты прекрасно выглядишь... Можно ли быть такой счастливой?

— Когда я приеду на твою свадьбу, то задам тебе такой же вопрос.

Сабрина улыбнулась.

— Судья Ферфакс говорит, что в Вашингтоне он качал нас на коленях, когда мы были младенцами.

— И предсказывал, что буду председательствовать на ваших свадьбах, — добавил судья, — я жду, когда Сабрина даст мне подходящий предлог для поездки в Европу.

Сабрина подняла брови и тут же переменила тему. Стефания подумала, что сестра никогда не говорит о себе. Даже в письмах. Она писала, как добрая подруга, рассказывая о жизни вокруг, задавала интересные вопросы, но всегда несколько отвлеченно от себя. Точно так же она вела себя в Шотландии, где они прошлым летом были вместе с родителями. Кроме того, Сабрина была тихой, спокойно позволяя другим вовлекать ее в свои разговоры. Стефания все понимала. Она стыдилась своей мелочности, но ничего не сделала для того, чтобы Сабрина почувствовала себя лучше, и целый месяц ни одна из них не провела так хорошо, как могла бы.

«Каждая из нас — половинка другой, — подумала Стефания, наблюдая за Сабриной, которая беседовала с семейством Кардозо. — Сейчас я ничего не знаю о ней: кого она любит или о чем мечтает».

— Сабрина, — она коснулась локтя сестры. Они пошли погулять, склонив головы друг к другу. Гордон посмотрел на своих славных дочерей, похожих, но становившихся все более разными: Сабрина — странно холодная и тихая в своем розовом платье... Стефания — радостная и сияющая в белом подвенечном наряде, с камелией в волосах.

— Я должна извиниться, — сказала Стефания сестре.

— Не надо, — сказала Сабрина. — Думаю, что понимаю тебя.

— Неужели? Ты рано закончила занятия, и мы провели вместе всего несколько дней. Я все время говорила, что ты ничего не сказала о себе.

— Не имеет значения. Ты выглядишь счастливой, как никогда. Я люблю тебя и наслаждаюсь твоим днем.

— Тебе понравился Гарт?

— Конечно. Он обаятельный. Я счастлива за тебя. Обо мне поговорим как-нибудь в другой раз. Не сегодня.

Стефания положила руки на плечи Сабрины и прижалась к ней щекой. Она была рада, что Сабрина не будет рассказывать о себе. Жуткая правда. Но она не хотела знать, что за письмами Сабрины скрывается жизнь, более интересная, чем ее. У нее был Гарт, и ей не нужна сейчас Сабрина.

— Спасибо тебе, — сказала она Сабрине и сделала шаг назад, когда подошел Гарт. — У вас не было возможности познакомиться.

Сабрина и Гарт обменялись взглядами.

— Простите, — продолжал он. — Я думал, что смогу сделать это раньше. Последние дни было много дел. Конец учебного года. Конец моего преподавания в Колумбийском университете. Ностальгия по настоящему делу. Мы познакомимся позже.

Стефания покачала головой:

— Если, конечно, Сабрина покинет Париж и поселится в Иллинойсе.

Сабрина невольно улыбнулась, и Гарт был поражен бесенку, который едва не сорвался с ее, казалось бы холодных, отрешенных губ. Но улыбка пропала. Бесенок исчез.

— Мы встретимся, — заверила она. — Разве профессора не ездят в Европу для исследований, обмена опытом и... чем там они занимаются?

— Дети, — подошел к ним Гордон. — Судья готов.

Судья Ферфакс стоял перед высокими кустами, Стефания и Гарт — перед ним, с другом из Калифорнии по левую руку Гарта и Сабриной по правую руку Стефании. Когда они приводили себя в порядок, Гарт шепнул Стефании на ухо:

— Она холодная. В тебе больше жизни и красоты.

И вдруг Стефания поняла, что сделала ее сестра. Свадебный подарок. Она старалась казаться менее красивой, не такой обаятельной и жизнерадостной, хотела не мешать сестре быть в центре внимания. Стояла в тени и отдала весь солнечный свет Стефании. Она почувствовала, как на нее волной нашло чувство любви к сестре, а потом — ощущение вины перед ней. Но Стефания ничего не могла поделать. Они не так близки, как раньше, и не поверяли друг другу своих секретов. У каждой была своя жизнь.

Судья Ферфакс начал говорить, и Стефания оставила мысли о чувстве вины. Она только нашла время подумать о том, как удивительно, что она и Сабрина будут жить вдали друг от друга, что она нашла Гарта, который будет любить ее, а ей предстояло стать хорошей женой.

ГЛАВА 5

Замок вырос прямо из зеленых холмов Хемпшира, его башни и бастионы столетиями были окрашены в бледно-серый цвет. Окна-бойницы глубоко врезались в каменные стены. За ним — лес буковых деревьев с медными листьями, похожий на сверкающий бронзовый занавес, шевелившийся под июньским бризом.

— Замок Тревестон, — сказала Стефания благоговейным тоном, вспомнив письмо Сабрины. — Восемьдесят комнат, тысяча двести акров земли под фермами и парками... Гарт, смотри! — закричала она. — Павлины!

Гарт замедлил движение автомобиля, в котором они ехали, и посмотрел на двух павлинов, на замок, на серебристо-голубое озеро, которое, видимо, раньше было рвом, заполненным водой.

— Уютненький домишко, — сказал он с иронией, однако, замок произвел на него впечатление. «Как будто из сказки», — подумал он. Паренькам с ферм Миннесоты и профессорам со Среднего Запада трудно поверить в реальность таких вещей. Но замок стоял. Прекрасный, выдержанный в красивых пропорциях, огромный, больше, чем сама жизнь.

— Можешь себе представить Сабрину, живущую здесь после замужества? — спросила Стефания. — Чувствую себя... карликом. Как будто я вторгаюсь в дом, построенный для великанов. Даже не представляю, как она в нем живет.

— Спроси лично у нее, — предложил Гарт и остановил машину.

Подошел слуга, открыл дверцы автомобиля и внес багаж в дом. Они вышли из машины и немного погуляли вместе с хозяйкой.

— Я думаю об этих людях, — сказала Сабрина. — Не о четырехстах годах войн, рыцарях и королевских процессиях, а о семье, особенно о черных овцах *.

Они втроем гуляли по тропинкам, прорезавшим заросли из тысяч розовых кустов. Сабрина рассказывала о черных овцах в семействе Лонгвортов.

— Думаю, они были в каждом поколении, иногда опускаясь до полного скотства, но в основном это просто эксцентричные люди, которые ведут себя, как им нравится. Среди них обязательно есть тот, на кого все указывают пальцем.

Стефания засмеялась.

— Даже сейчас?

— Нет, насколько мне известно. Я думаю, что Дентон хотел бы быть как раз таким. Хотя его отец

* Так в англоязычных странах называют выродков. *(Здесь и далее примеч. пер.)*.

и совет директоров боятся общественного мнения и скандала.

— Я не знала, что он еще и работает. Как же так... Иметь столько времени для путешествий и для того, чтобы быть рядом с тобой.

— Он работает, когда ему заблагорассудится. Похоже, у него своя система...

Они гуляли, разговаривали. Гарт шел чуть позади, поглядывая на высокие изгороди Тревестонского лабиринта.

— Гарт! Мы уходим, — крикнула Стефания, — ты желаешь осмотреть дом?

— Как хочешь, — сказал он. Стефания показывала ему письмо Сабрины, в котором та описывала лабиринт: треугольник, каждая сторона которого длиной двести футов *, построенный в 1775 году Стонтоном Лонгвортом как лабиринт заборов, где посетитель мог бродить часами, не находя выхода. Гарт заглянул во вход, прикидывая, какие геометрические формулы мог использовать Стонтон Лонгворт. «Попробую попозже, — подумал он. — Или завтра, после церемонии бракосочетания».

Войдя в дом, Гарт пошел на голос своей жены, но вдруг обнаружил, что это была Сабрина, что-то говорившая в библиотеке. Странно, что с годами голоса сестер остаются одинаковыми, несмотря на то, что они живут в разных странах.

— ...отреставрировали потолок, — сказала Сабрина, жестикулируя, и Гарт в который раз подумал, что, хотя этот дом больше похож на музей, все равно он так красив, как никакой из тех домов, что ему приходилось видеть. Залы, все как один, были величественны, удивительно пропорционально и сказочно оформлены, от панелей и резных паркетов до красивых окон с рамами, покрытыми занавесками из камки ** цвета слоновой кости. Замок был построен в 1575 году сэром Уильямом Лонгвортом, членом Особого совета королевы Елизаветы, который получил в награду за свою службу землю в Тревестон Виллидж. Через пятьдесят лет его внук нанял величайшего архитектора Англии Иниго Джонса перестроить южную часть, а также добавить еще три зала и Большую лестницу. Другие наследники сделали свои дополнения. Получилось восемьдесят залов и комнат,

* Примерно шестьдесят метров.

** Узорчатая шелковая ткань.

а в девятнадцатом веке были усовершенствованы фермы и парки. Построена узкоколейная железная дорога, благодаря которой можно было ездить по всему поместью.

В главном зале Тревестона давала свои представления Шекспировская труппа, а поколения дальновидных Лонгвортов заполнили замок бесценными коллекциями картин Тициана, Рембрандта и Гейнсборо, редкими книгами и другими печатными изданиями, гобеленами семнадцатого столетия и мебелью.

— Конечно, я не могу просто так повесить картину или купить себе новый ковер, когда захочется, — сказала Сабрина Стефании позже, когда они сели на балконе спальни пить чай. — Это — первое правило. Но все равно, разве здесь не замечательно?

— Ты прекрасно выглядишь, — сказала Стефания. — Можно ли быть такой счастливой, как ты выглядишь?

Они засмеялись, вспомнив события четырехлетней давности. Четыре года сестры были в разлуке. В то время, когда Стефания поселилась в Эванстоне; Сабрина закончила Сорбонну, переехала в Лондон и поступила на работу в антикварный магазин Николса Блакфорда на Лоундес-стрит. Она жила одна в маленькой квартирке, завела новых друзей, помогла организовать два благотворительных аукциона. И в письмах она никогда не упоминала о своих чувствах. Но теперь она могла, по мнению Стефании, позволить себе это, потому что так прекрасно быть вместе. Она вспомнила взгляд Сабрины. Любовь и благодарность.

— Ты счастлива, да? — спросила она.

— Счастлива и возбуждена, — ответила Сабрина. — Я думаю, с Дентоном то же самое. Он такой... относится ко всему миру так, как будто это один из тревестонских парков. Ты даже не можешь себе представить, как он могуществен.

— О, да, могу, — сказала Стефания сухо, посмотрев на кровать-канапе, где лежали вещи Сабрины, которые служанка сложила и упаковала для медового месяца; на стол в стиле Регенства, на шкаф для одежды, на двухстворчатые двери балкона, на котором они сидели.

— Нет, дело не в деньгах, — возразила Сабрина. — Я хочу сказать, что, конечно, деньги — это прекрасно... Ведь я жила на одну свою зарплату с того момента, как приехала в Лондон. И дело даже не в том, что отец у Дентона — виконт, хотя это тоже имеет значение. Главное — путь, который избрал Дентон.

— Ты не нуждаешься в Дентоне, чтобы быть уверенной в себе.

— Нуждаюсь, в том-то и дело. Ты знаешь, как я всегда старалась произвести впечатление на людей, чтобы понравиться... Ладно, посмотри на маму, как она довольна мной и моим блестящим замужеством.

— Мама и так тебя любит.

— Возможно, но ты когда-нибудь видела ее в таком радостном настроении?

— Нет, — призналась Стефания.

На следующий день, глядя на Сабрину после церемонии бракосочетания, Стефания подумала, что она никогда не видела женщины, которая была бы настолько уверенной в себе. «Королева, — подумала она. — Я никогда не буду выглядеть так. Или иметь замок». Она почувствовала прилив зависти, но он тут же прошел, как только Сабрина повернулась к ней и их взгляды встретились. «Я только желаю ей быть счастливой», — подумала она.

Губы Сабрины послали ей тихое «спасибо», после чего Дентон повел ее представить гостям, которые выстроились в шеренгу.

— Моя дорогая Сабрина, ты взяла Лондон штурмом, — сказала герцогиня Уэстфордская. Она излучала восхищение, каким обычно женщины не балуют тех, кто моложе и красивее их. Сабрина приняла ее слова улыбкой. Она была в свадебном наряде из белого шелка и шифона. Ее шею украшало тройное ожерелье из жемчуга и бриллиантов, — свадебный подарок мужа. Под стать ожерелью была диадема, сверкавшая, как звезды, в ее прекрасных волосах. Герцогиня поцеловала ее.

— Я не обвиняю Айрис за то, что она взяла тебя в плен для своего сына. Если бы я обнаружила тебя первой, ты бы стала моей.

— Но это я взял ее в плен, — возразил Дентон. — Мама только нашла ее. Она искала письменный стол и нашла Сабрину.

— Она нашла и письменный стол тоже, — засмеялась Сабрина. — Я продала его ей, после чего она пригласила меня на чай.

— Превосходный вкус, — сказала леди Айрис Лонгворт герцогине. — Сабрина помогла меблировать дом в Вашингтоне... Разумеется, вы знакомы с ее отцом, заместителем Госсекретаря?

— Да, — герцогиня кивнула, менее озабоченная, чем ее подруга Айрис, рекомендациями Сабрины.

— Герцогиня, — раздался нетерпеливый голос. — Позвольте мне поцеловать мою старую подругу. — Габриэль де Мартель подошла и поцеловала Сабрину в обе щеки. — Ты выглядишь, как женщина, у ног которой весь мир и тебе будут дарить его по кусочкам.

— Если не найду чего-нибудь получше, — добавил Дентон.

— Ну, а что могу подарить тебе я, кроме луны? — спросила Сабрина.

— О, забудь про луну. Я ее хотел когда-то, но сейчас мне нужна ты. — Он держал Сабрину за руку, а она улыбалась этому человеку, глядя в его круглое лицо. Взгляд его черных глаз был обычно суров, но когда они смотрели на нее, то становились мягкими и нежными.

— Я даже сейчас все еще не могу поверить, что ты моя.

Шеренга двинулась.

— Сабрина, вы проведете неделю у нас в Рэмстеде...

— Скажи, что да, я очень рассчитываю на это. Нас будет очень мало, двадцать-тридцать человек, так мы сможем действительно все познакомиться.

— Но мы ожидаем вас в Харлетон-хаусе в августе, Сабрина, не забудь.

— Сабрина, Дентон говорил тебе, что мы приглашаем вас на две недели в Колбернское аббатство в сентябре?

— Сабрина, ты уже наняла секретаря? Я могу порекомендовать...

— Когда будет готов ваш лондонский дом, Сабрина? Я очень много слышала о нем.

— Никогда.

— Прошу прощения?

— Мы до конца своих дней будем ездить в гости в лучшие дома и замки, из одного в другой. Нам предлагают на выбор столько уютных гнездышек, что мы не нуждаемся в собственном.

Айрис Лонгворт взяла ее за руку и улыбнулась:

— Тебя осудят, если ты будешь посмеиваться над приглашениями наших друзей. Они относятся к этому очень серьезно.

Сабрина кивнула.

— Спасибо.

Она понимала, что в ее голосе не слышалось раскаяния, но, по крайней мере, она не улыбалась при этом, хотя так хотелось рассмеяться. Ее все забавляло. Она посмотрела на шеренгу, снова ища там Стефанию, но между ними оказалась Лаура, кивая одобрительно, поскольку Сабрина посмотрела в ее сторону. «Я подарила маме самый лучший антиквариат, — подумала Сабрина, — зятя, знатному роду которого четыре века». Гордон был не в таком восторге от выбора дочери. Ему больше нравился Гарт, чем Дентон.

— Более надежен, — сказал он. — Более серьезен. — Отец считал, что он более похож на самого себя, однако был дружелюбен с Дентоном. Сабрина почувствовала, что она наконец сделала приятное обоим родителям сразу.

А Стефания? Она отступила назад, чтобы посмотреть на сестру: спокойная, тихая, любезная, в то время как шестьсот чужих людей приветствуют ее и говорят об их поразительном сходстве.

За Стефанией Сабрина увидела Гарта. Он смотрел на нее с удивлением, которое даже не пытался скрыть. Она знала, что он думает и, прежде чем повернуться к гостям, слегка улыбнулась ему, как бы извиняясь.

Гарт отошел к окну. Он пытался совместить образ Сабрины, оставшейся у него в памяти, с этой веселой, живой женщиной, сверкавшей в облаке свадебной одежды, распространявшей тепло и жизнерадостность вокруг себя. Где та холодная, неприступная дама, которая была на их свадьбе четыре года назад в Брин Море? Где та свояченица, которая нанесла пару коротких визитов по случаю рождения их двоих детей, общаясь большей частью со Стефанией?

Гарт знал, что он никогда не был знаком с этой женщиной. Или в ней что-то изменилось... Или в прошлом Сабрина искусно скрывала свой настоящий характер.

Он посмотрел на свою жену. В длинном розовом платье, которое ей Сабрина купила в Париже, она была красива мягкой красотой, в легких пастельных тонах. Стефания сказала, что набирает вес, чего Гарт не заметил. Она затмевает своей красотой и манерами любую женщину здесь, за исключением Сабрины, держит себя весьма благородно рядом с аристократами Англии. Гарт гордился ею.

— Ах, хитрец, сбежал, — сказала Сабрина, тихо смеясь, неожиданно оказавшись возле него. Шеренга подходила к концу. — Я бы тоже хотела. Давай возьмем Стефанию и куда-нибудь исчезнем.

— А муж?

— Дентон обсуждает автомобильные гонки, он инвестирует одну из них для Гран-при. Ты знаешь что-нибудь о Гран-при? Я тоже не знаю ничего, но у меня есть сильное подозрение, что скоро буду знать. Хотя именно сейчас я испытываю глубокое желание найти местечко, где я могла бы снять туфли.

Он засмеялся. Они освободили Стефанию от беседы с толстым графом, который говорит только о спаниелях, как объяснила Стефания, когда они проскользнули в маленький кабинет.

— Он сказал, что бракосочетание напомнило ему последнюю собачью выставку.

Они посмеялись вместе. Сабрина сняла туфли и со счастливым вздохом устроилась калачиком на диванчике.

— О, как мне вас не хватало! Никто не может смеяться над тем, над чем смеюсь я, кроме вас. Стефания, как ты можешь оставаться в туфлях? Два часа стоять в этой очереди!..

Сидя на другом краю диванчика, Стефания решительно покачала головой.

— Я не могу снять их. Могу беседовать с твоими лордами, сидеть за твоим столом, но я не могу снять свои туфли. С этим все в порядке, — добавила она быстро. — Ты великолепна.

Сабрина успокоилась.

— Я так рада. Я боялась...

— Что я буду завидовать?

— Не совсем так. Тебе могло показаться, что внимание обращают только на меня.

— О, нет. Я так не думаю. Странно? Может быть, потому, что у меня есть нечто свое, что мне нравится.

— Ты больше не чувствуешь себя в тени?

Стефания секунду подумала.

— Похоже, все ушло.

Гарт посмотрел на них с терпеливым любопытством.

— Код? — догадался он.

Стефания замерла, она забыла о его присутствии. Целую минуту здесь были только она и Сабрина. Как и раньше, они обменивались мыслями и словами одновременно. Она повернулась к мужу.

— Однажды я сказала Сабрине, что ее блеск отодвигает меня в тень, где никто не замечает меня.

— А потом она уехала в Америку, — добавила Сабрина. — Оставила меня блистать одну.

Стефания посмотрела в окно на гостей, ходивших по саду, угощавшихся шампанским, которое официанты разносили на серебряных подносах. Четыре года назад, стоя перед судьей Ферфаксом в другом саду, она поняла, что Сабрина может нуждаться в ней. Но в действительности она не хотела об этом думать.

Но сейчас ее поразил голос Сабрины:

— Оставила меня блистать одну, — повторила сестра.

Стало быть, она была нужна Сабрине. Сабрине ее не хватало. Может быть, как и ей не хватало Сабрины, даже несмотря на то, что она была счастлива с Гартом. Понадобилось немало времени, чтобы понять это.

На лужайке гости начали собираться у навеса. Сабрина вздохнула.

— Если я не вернусь, мама Дентона скажет, что меня за это осудят. — Со стоном она надела туфли. — Бракосочетание нужно проводить в кровати. Там, где они большей частью начинаются, так или иначе.

Гарт усмехнулся. Стефания повернулась к окну.

— Сабрина, когда вы с Дентоном приедете к нам? Мы должны о многом поговорить.

Что-то шевельнулось в душе Сабрины. Глаза Стефании, чистые и сияющие, встретились с ее глазами без зависти.

— Я скажу завтра, если смогу. Посмотрю, что собирается делать Дентон. У него полно планов показать мне все свои любимые места. Но как только я смогу...

Она протянула руки. Стефания взяла их в свои и они долго стояли рядом, как в те далекие дни, когда жили одной семьей.

— Как только я смогу, — прошептала Сабрина. — Я буду. Обещаю.

Дентон Лонгворт работал в своей семейной корабельной компании, где он был вице-президентом по финансам и членом коллегии директоров. Он делал то, что отец ожидал от него. Закончив университет, Дентон немедленно вступил в руководство компании. Но он не собирался посвящать все десятилетие между двадцатью пятью и тридцатью пятью годами работе за письменным столом. Позднее он займется этим, но сейчас перед ним был огромный мир. Поэтому Дентон посвятил один год работе в офисе, сколотил штат знающих сотрудников, способных вести дела в его отсутствие, а потом отстранился от дел, чтобы развлекаться.

Он работал, когда чувствовал к этому желание. Перешагнув через тридцатилетний рубеж, Дентон обнаружил в себе талант в организации маленьких, боровшихся за жизнь, компаний, которые его отец приобретал по сходной цене. И поскольку это доставляло ему удовольствие, он тратил на такое занятие несколько дней в месяц.

Теперь же он посвятил себя более приятному делу — он решил показать своей жене все удовольствия мира. И с соответствующей энергией Дентон разрабатывал план поездки на несколько месяцев: Биарриц и Канны, Уимблдон и Буэнос-Айрес, Майорка и Церматт. Светские люди из многих стран стремились разбиться в доску, лишь бы быть представленными Сабрине Лонгворт и беседовать с такой красивой, умной, приятной во всех отношениях дамой. Кто последний раз в их кругах излучал столько обаяния? Никто не мог вспомнить.

Куда бы они ни приезжали, их ждали приглашения, отсылаемые секретарем Дентона в Лондоне. Дентон забавлялся ими, позволяя некоторым падать на пол, когда он передавал остальные Сабрине.

— Выбери любое, которое тебе нравится, и выброси остальные. — Но он смотрел за ней. — Ты не отложила приглашение Коры? Прекрасная хозяйка, никто не пропускает ее вечеров. А почему ты...

Так постепенно в мае они приехали в Монако, почти через год после свадьбы. Сабрина просто взглянула на приглашения и передала их обратно Дентону.

— Решай сам, я никого не знаю.

Он разложил карточки на кофейном столике в их номере, как игрок в покер, заполняющий дни и вечера, когда он не играет в казино и не смотрит Гран-при.

— Отлично, — сказал он сам себе, распределив все приглашения. — У нас даже есть время для Макса.

— Кого?

— Макса Стуйвезанта. Удивительно, что тебе пока

что не приходилось с ним встречаться. Приятный парень, в нем есть какая-то тайна, тебе понравится. Он хочет, чтобы мы поплавали на его яхте четыре дня, как раз после гонок. Прекрасная идея, новые впечатления.

— А почему с ним связана какая-то тайна?

— Потому, что никто не знает, каким образом он делает деньги. Не то, чтобы кто-либо пытался это выяснить. Но никого не устраивает ответ Макса Стуйвезанта. Он, якобы, зарабатывает на искусстве. Это может означать все, что угодно. Одни предполагали, что он владеет магазинами-галереями в Европе, другие — что он снабжает произведениями искусства богатых клиентов. Ходили слухи, что Макс помогает молодым художникам тем, что нанимает специальных людей, которые вздувают цены на аукционах, а потом он кладет себе в карман большую часть тех денег, которые коллекционеры платят за произведения искусства. Циники уверяют, что он грабит гробницы египетских фараонов.

Как бы там ни было, Макс был очень богат и красиво проматывал свое состояние. Он катал гостей на своем собственном самолете над Монте-Карло, брал с собой тридцать друзей на недельное сафари в Африку, перевозил двести человек поездом через всю Европу в Югославию на фестиваль танцев.

Сабрина облачилась в свой вечерний наряд из сине-черного шелка с открытыми плечами и спиной.

— Я думаю, подходящее платье. Коктейль в восемь. Если мы опоздаем, он посмотрит на нас своими ужасными глазами и превратит в статуи. Вот каким искусством он занимается! Он превращает людей в статуи, а потом продает скорбящим родственникам в качестве памятников.

— Сабрина! Мы его гости.

— Ах, прости, виновата, Дентон.

— Я надеюсь. Где мои запонки?

В их каюте над огромной кроватью висел французский гобелен. Ковер с большим ворсом, светлая мебель из ясеня с ручками черного дерева, голубая с серебром ванна. На яхте «Лафит», 104 фута длиной, было шесть таких кают и пять отсеков для команды. Палубы — из тикового дерева. В салоне Макса тридцать человек могли удобно передвигаться под хрустальной люстрой. На яхте был великолепный повар и прекрасный выбор вин. Сабрина никогда не спрашивала о том, что сколько стоит.

3 Заказ 4631

Но Дентон, планировавший купить подобную яхту, сказал, что все это, вместе с обстановкой и оборудованием, стоит два миллиона долларов.

Гостями Стуйвезантов на «Лафите» были пять пар. За коктейлями Бетси Стуйвезант, третья жена Макса, маленькая и мягкая, одетая в кашемир и шелк кудрявая блондинка, сказала им, что ей не позволено вмешиваться в какие-либо дела. Если гостям что-нибудь нужно, то к их услугам Кирст, старший слуга. Макс уже сделал все распоряжения относительно отдыха на берегу. Она замолчала и больше ничего не говорила весь вечер.

Они ели рыбный суп с шафраном и апельсиновыми дольками, за которым последовал осьминог в шампанском соусе. К нему подали охлажденное белое вино «Палетт» с холмов под Марселем. Макс предложил тост за хороший отдых. Он лениво улыбнулся своей соседке за столом, блондинке, которую он представил как княгиню Александру из страны, о которой никто не слышал. Через стол сидел ее муж, князь Мартов, сосредоточенно смотревший в свою тарелку.

Сидевшая рядом с князем загорелая женщина с заспанными глазами спросила:

— А куда мы поплывем завтра?

— На восток, — сказал Макс, все еще глядя на Александру. — Вдоль итальянской Ривьеры ди Поненте в Алассио и Геную. А потом обратно. Четыре дня, целая жизнь.

Александра улыбнулась.

Сабрина взглянула на Дентона и увидела, что он ухмыляется, глядя на Бетси Стуйвезант. Наутро им подали фрукты, круассаны и кофе в маленькую столовую. Макс сделал объявление: солнечные ванны на палубе для тех, кто хочет. Водные лыжи в четыре часа. Игры и спиртные напитки в салоне в любое время. Кинофильмы в маленьком зале. Кирст покажет вам, если захотите. Ленч у нас в час. Развлекайтесь, mes amis *!

Дентон предложил:

— Сначала пойдем в салон, я думаю. Потом солнечные ванны. Хорошо, моя радость?

В салоне было пять человек, набиравших кокаин, гашиш и разноцветные капсулы из шкафа в углу.

---

* Мои друзья *(фр.)*.

— Макс — замечательный хозяин, — сказала женщина с заспанными глазами. И спросила Сабрину: — Вам чего дать?

Дентон шагнул вперед.

— Спасибо, но я сам позабочусь о своей жене. — Он насыпал солидную порцию белого порошка в пустой пузырек и сунул его в карман. Глядя на него, Сабрина пыталась отделить этого Дентона от того, который жил с ней в Лондоне. Тот едва прикасался к выпивке, никогда не курил и не употреблял наркотики, никогда не поглядывал на женщин так, как он смотрел на Бетси Стуйвезант вчера вечером. А во время путешествий она видела другого Дентона. Теперь же он раскрылся полностью. Озабоченная, Сабрина последовала за ним из салона на палубу, туда, где загорали днем, выпивали и закусывали вечером. Александра была там с мужем и другими парами. Все подставляли свои красивые, загорелые тела средиземноморскому солнцу.

Дентон едва взглянул на них.

— Давай, моя радость, — он сбросил с себя одежду. Сабрина почувствовала себя глупо и неуклюже в своем нежелании делать то же самое. Здесь был Дентон, ее муж, и он показывал ей, как, по его мнению, должна вести себя приличная женщина. Он говорил о совершенно новых впечатлениях, когда они получили приглашение Макса. А когда она боялась новых впечатлений? Сабрина посмотрела на прекрасные женские тела. Ее тело было лучше. Она сбросила платье и легла возле Дентона, позволив его большой руке намазать маслом ей спину.

Но она отрицательно замотала головой, когда он взял немного белого порошка на палец и предложил ей. Он не стал настаивать, а понюхал порошок. Другие тоже нюхали и курили гашиш. Солнце грело тихую палубу, а Сабрина отдыхала, пока ей на глаза не упала тень. Она открыла их и увидела стоявшего над ней Макса. Ее мускулы инстинктивно напряглись, но он смотрел не на нее, а на Александру. И медленными, вялыми движениями Александра встала и пошла за ним по направлению к каютам.

И как бы ожидая этого, место Александры заняла Бетси. Дентон посмотрел на нее и похлопал рукой с маслом по ее белой спине. Она погладила себя по бюсту, мурлыкая что-то под нос, потом легла снова и через минуту уснула, сложив ладошки, как в молитве.

Он повернулся и встретил взгляд Сабрины.

— Ты была права, — он улыбнулся, как бы извиняясь. — Она котенок. Милый, ласковый, но не ценной породы.

Сабрина называла Бетси щенком, а не котенком, но не стала спорить.

За ленчем в порту Алассио Александра подошла и села рядом с Сабриной.

— Душенька, — промурлыкала она. — Успокойся. Ты слишком расстраиваешься. Они устанавливают свои правила, а мы следуем им. Все становится легко, когда ты понимаешь это. — Сабрина поигрывала тарелочкой с закуской, наклонив голову. — Если видишь, что твой Дентон думает о том, как бы раздвинуть ножки малышке Бетси, или уже делает это, то просто закрой глазки, загорай на солнышке, поспи или уйди с хорошей книжкой.

— Откуда ты знаешь?..

— Видишь ли, есть еще кое-что, что тебе лучше выслушать. Ничего не остается в секрете на этом маленьком суденышке. Ты можешь делать все что угодно, никаких ограничений нет, но что бы ты ни задумала, Макс узнает почти тут же, как только ты начнешь что-то предпринимать.

Сабрина обернула пластину розовой ветчины вокруг кусочка бледно-зеленой медовой дыни.

— А ты действительно княгиня?

Александра от души рассмеялась.

— Еще один урок, душенька. Все, что происходит вокруг, реально лишь частично. Ты это вспомни, когда увидишь, что твой муж поглядывает на другую женщину.

Днем, когда «Лафит» плыла на восток, они катались на водных лыжах за мощным, скоростным катером, который обычно был подвешен к борту яхты вместо одной из спасательных шлюпок. Сабрина и Александра катались рядом в золотисто-голубом тумане водяных брызг. Сабрина ощущала себя молодой, сильной и красивой. «Я могу делать все, что угодно», — подумала она.

На яхте, завернувшись в купальную простыню и потягивая вино на палубе, Александра сказала:

— Ты, черт возьми, отличная лыжница. Где ты научилась этому?

— В школе, в Швейцарии.

— В пансионе?

— Да.

— Жизнь привилегированных людей. А я ходила в обычную среднюю школу в Буэнос-Айресе. — Она засмеялась, увидя удивленный взгляд Сабрины. — Моя мама была актрисой. Она научила меня, как жить в этом мире. Она сделала меня еще лучшей актрисой, чем была сама. Разговаривая, ты немного задираешь нос. Это что, игра?

— Не знаю. Я только решила, что смогла бы сделать все, что хочу. Даже жить, как вы.

— Душенька, ты говоришь так, будто хочешь принять порцию мышьяка. Если считаешь нас ядовитыми, что ты делаешь здесь?

Сабрина вздрогнула от ветерка и плотнее укуталась в купальную простыню.

— Я не имела в виду тебя. Ты мне нравишься. Но мне не нравится смотреть на Дентона... Ожидать то, что я увижу... Проклятье, я говорю глупо, правда?

— Видно, что ты просто не готова к этому впечатлению. Разве Дентон не предупредил тебя? Все знают о круизах Макса.

— Я не знала. И Дентон никогда не рассказывал мне.

— А в Лондоне он другой? Уютненький у огонька, зевающий часам к десяти?

Сабрина заколебалась, посмотрела на итальянский берег, появившийся вдали.

— Нет. Но я всегда знаю, где он, когда он не рядом со мной.

— Да ну?

Сабрина проигнорировала ее недоверие.

— Проблема в том, что для Дентона не имеет никакого значения, нравится ли мне что-то или нет.

— Это не имеет никакого значения для всех, лапочка.

— Это — первое правило. Теперь второе. Я не знаю, где можно выбирать, а где нет.

Александра кивнула.

— Ты поняла. Что бы они ни делали, у тебя нет ни малейшего выбора. А теперь сделай себя красивой и шикарной. Обед в Генуе вечером. Прекрасная еда!

И как будто слыша их беседу, Макс организовал вечер так, чтобы продемонстрировать, на что способны он и Дентон. Лимузины повезли их по шоссе далеко от Генуи в ресторан с прекрасным видом на морской берег. После вкусного изысканного обеда, который подавали шеф-повар и метрдотель, с небольшим оркестром, они поехали на прием в дом из стекла и дерева над океаном, где пили мягкие рубиновые вина и играли до трех часов утра. А потом вернулись на яхту. Макс взял Сабрину за руку и проводил в ее каюту.

— Вы оказываете нам честь, будучи нашей гостьей. У нас будет много совместных круизов. Приятных снов, моя дорогая.

Дентон был уже в постели и сел, обрадовавшись, увидя жену.

— Ты произвела впечатление. Тебя все полюбили. Такого не было давно. Иди в постельку, радость моя, я жду.

Он притянул ее к себе, гладил ее тело, возбужденный победой и блистательным успехом Сабрины.

— Они теперь несколько месяцев будут говорить о нас, — промурлыкал он, с удовольствием ложась на нее. — М-м-м-м-м... Приятно и тесно, — прошептал он с тем же удовольствием и закрыл глаза.

Сабрина лежала под ним, двигаясь так, как ему нравилось. Он спешил, поэтому она знала, в какое время все будет кончено. Она была частично возбуждена и частично удовлетворена, потертая и побитая до бесчувствия. Она пыталась поговорить с ним о занятиях любовью, но он имел много благодарных женщин до нее и был уверен, что его техника секса достойна аплодисментов, а не обсуждения. Сабрина подумывала сказать ему, что женщины были признательны ему, потому что он позволял им быть рядом, фактически под будущим виконтом Тревестоном. Но она промолчала, потому как действительно верила в то, что он хотел сделать ее счастливой.

— Я никогда не наслаждаюсь сексом, пока моя женщина не насладится им тоже, — сказал ей Дентон в первый раз, когда они были в постели. И он действительно так думал. Точно так же, как он с уверенностью говорил, что ему никогда не доставляет удовольствие вечеринка или охота, если его компаньоны не радуются тому, что доставляет ему удовольствие.

И поскольку он был так благороден в своих намерениях и так сердито молчалив, если разочаровывался, то почти все лгали и говорили ему, что счастливы. Каждый, кто был с Дентоном, в чем-то фальшивил. Сабрина ускорила дыхание, на секунду напрягла ноги, а потом стала медленно двигаться.

— Вот и замечательно, девочка, — сказал Дентон удовлетворенно. И потом он вошел глубже и с силой, чтобы достичь последнего удовольствия этого дня.

Когда Дентон уснул, она вышла на палубу. Было полпятого утра. Яхта медленно шла на запад. Они возвращались в Монте-Карло. Сабрина услышала звуки моторной лодки и в свете, падавшем с яхты, увидела скоростной катер Макса, управляемый его секретарем Иваном Ласло. Она смотрела на него из темноты, как он и еще один матрос поднялись на яхту, потом ушли в сторону кают команды.

«Странно, — подумала она. — До берега далеко, где же они могли быть?»

Хотя какое ей дело до Ивана Ласло? И Макс ее не интересует. Она просто хочет, чтобы этот круиз закончился. Еще два дня. Сабрина постояла под прохладным бризом, пока ее не стало клонить в сон, а потом вернулась, легла рядом с Дентоном и заснула.

На следующий день они долго спали, проснулись поздно и завтракали в постели. Дентон поцеловал ее, и она улыбнулась ему уютно и тепло. Он улыбнулся в ответ.

— Радость моя, я хочу провести день с Бетси. Ты можешь делать все, что хочешь, но ты должна провести какое-то время вместе с Альдо Дероной. Он заинтересовался тобой, а он приятный парень...

Она отшатнулась от мужа.

— Я не готова к тому, чтобы меня одалживали.

— Послушай, радость моя, это несколько грубо. Ты не можешь быть удивлена, поскольку ты знала, что здесь происходит. Я ждал, но раз ты не говорила мне ни слова, ты вела себя прекрасно. Я горжусь тобой. Сомневаюсь, что мне понадобятся грубые слова.

Сабрина остолбенела, почувствовав себя так, как будто они говорили на разных языках. Она посмотрела на Дентона; было видно, что он спешит уйти от нее к маленькой фигуре в отдалении.

— Сабрина? — неуверенно произнес Дентон. Его глаза с беспокойством смотрели на жену, которая сохраняла ледяное молчание. Он протянул руки. — Радость моя, ты так возбуждена, неужели ты думаешь, что я не люблю тебя? Я люблю тебя, всегда люблю. — Он подождал. — Все это ничего не значит. Игра, развлечение. Мы делаем так потому, что, черт возьми, это разнообразие. Это имеет не больше значения, чем водные лыжи. О, слава Богу! — добавил он, поскольку Сабрина начала смеяться.

— Водные лыжи, — повторила она его слова, положив руки себе на голову. Но, поскольку он был Дентоном, то не услышал признаков отчаяния в ее смехе.

Оставшуюся часть круиза Сабрина избегала мужа. Она так и не знала, таскал он Бетси в постель или нет. Все проходило тихо и гладко, а в последний вечер Макс провозгласил тост в честь первой годовщины супружества Сабрины и Дентона, которую они будут отмечать в Америке, когда поедут к сестре Сабрины. Дентон наклонился и поцеловал жену, а Сабрина подумала, что им надо в конце концов наедине поговорить обо всем. Она положила ему руку на затылок, чтобы продлить поцелуй. Так было легче не обращать внимания на то, что они все еще играют по правилам Дентона.

ГЛАВА 6

Стефания подала Дентону длинную вилку с двумя зубцами и попросила проверить, готово ли мясо. Он взял ее, как будто это была клюшка для гольфа, и посмотрел с мольбой через головы других гостей на Сабрину, сидевшую в другом конце двора. Но она разговаривала с каким-то профессором, оставив Дентона с его проблемами. Как проверить, готово ли мясо? Он ткнул кусок мяса, потом сильней, набравшись храбрости, и наконец, по рукоятку вогнал вилку в мясо.

— Ву а ля! — сказала Стефания у его локтя. — Узнаю спортивную технику.

— Я испортил? Куплю на рынке, если...

Она засмеялась.

— Ты ничего не испортил, и тебе не надо убегать. Я хочу попросить тебя поработать еще.

— Это как раз то, в чем я не слишком силен, ты знаешь.

— Практически нет. Я позабочусь об этом, Дентон.

— Ладно. Потом. А сейчас мне нужно пообщаться с женой.

Сабрина, взглянув на него, подумала, что он похож на туриста, которому очень нужно найти туалет и он ищет кого-нибудь, говорящего на его родном языке, чтобы спросить об этом.

Стефания тоже смотрела на него. Она встретилась взглядом с Сабриной, и они обе улыбнулись.

— Отличия бывают культурные, перцептуальные и ситуационные, — сказал профессор Мартин Талвия, держа в зубах трубку. — Сравнивая ваши черты, вы со Стефанией одинаковы. В целом индивидуумы отражают сингуральные среды. Вы вполне различны и, будучи близнецами, больше дразните, чем шокируете.

Сабрина кивнула.

— Вы хотите сказать, что мы выглядим различными, потому что живем разными жизнями?

Он наклонился вперед, как журавль, заглядывая в ее глаза, синие, светящиеся честностью и ласковой насмешливостью. Конечно, она шутит над ним. Но до чего же она приятна!

— Вы могли бы так говорить, если бы были профессором социологии. А вы не стесняетесь выражать свои мысли так просто...

Она смеялась, когда подошел Дентон. Он положил руку ей на плечи и прижал ее к себе.

— Над чем смеешься, радость моя? — Сабрина напряглась. Во дворе было полно народу, с кем Дентон мог бы поговорить. Зачем он подходит и хочет, чтобы она общалась с ним, когда ей так хорошо здесь? Потому что он несчастлив? В этот момент Мартин спросил что-то об Англии, и Дентон ответил очень обстоятельно. Она поняла, что ему ужасно скучно. Он был чужой и обычно не общался с людьми не своего круга. Но она была здесь тоже чужой. Начиная с двухлетнего возраста она жила в Европе. Потом она только на короткое время встречалась с друзьями Стефании и Гарта, когда приезжала, чтобы отпраздновать рождение их детей. Почему же ей так хорошо?

Потому что ей нравилось знакомиться с новыми людьми, а Дентону — нет.

— Тетя Сабрина? — Она посмотрела вниз на маленькое умненькое личико четырехлетнего Клиффорда Андерсена. — Меня просили сказать всем, что обед готов.

Сабрина наклонилась к нему.

— Важное поручение.

Он серьезно кивнул.

— Так и мамочка сказала, но она просила поторопиться, поскольку очень много народу. Поэтому не могли бы вы взять меня на руки, чтобы я был достаточно большим, и все слышали меня одновременно.

Сабрина засмеялась и подняла его на руки.

— Такой же практичный, как твой отец. Готов? — Он сделал глубокий вдох и как можно громче прокричал:

— Обед готов! Во внутреннем дворике! — Обернувшись на крик сына, Гарт увидел живое улыбающееся лицо Сабрины рядом с маленьким личиком Клиффа, красным от натуги и очень важным. Эта картина напомнила ему Стефанию с Клиффом, когда он родился.

— Тетя Сабрина, а почему вы не дали мне сообщить новость гостям? — раздался плач во дворе и к ним подбежала трехлетняя Пенни Андерсен, упав на землю у ног Сабрины.

— Неужели никто не может присмотреть за этими детьми? — спросил Дентон.

Сабрина быстро взглянула на мужа и встала на колени, обняв Клиффа и его сестренку.

— Ну, а ты позовешь всех на десерт! — сказала Сабрина.

Девочка улыбнулась и кивнула.

— Вот и договорились. А теперь я хочу есть. Кто будет сидеть со мной за обедом?

— Я! — Воскликнули оба и повели свою тетку во внутренний дворик.

Во внутреннем дворике и на лужайке гости маленькими группами сидели на обтянутых нейлоном алюминиевых креслах, ели вырезку с маринадами, салат из помидоров, нарезанный толстыми ломтями французский хлеб. И пили красное вино. Они разговаривали о последних политических соглашениях, о Ричарде Никсоне и Герберте Хэмфри. О школах, о ценах на продукты питания, об университете, в котором большинство из них преподавали.

Стало темнеть, и Гарт зажег керосиновые лампы. Долорес Голднер склонилась к Дентону.

— Стефания рассказывала нам так много о вас, но она никогда не говорила, какую вы предпочитаете кухню и где вы делаете покупки. Мы так мало знаем о знати.

— О высшем свете, — твердо поправил Дентон.

— Да, конечно. Я боюсь, что мы, американцы, не принимаем так серьезно классовых различий, как вы.

— Дентон,— торопливо попросила Стефания, — расскажи нам о Тревестоне, немного об истории вашей семьи и замка.

— Тетя Сабрина прислала мне фотографию! — воскликнула Пенни.

— Мне тоже, сейчас принесу, — закричал Клифф и вскочил из-за стола, уронив тарелку себе на колени.

— Клифф! — крикнула Стефания, но он уже исчез в дверях дома.

— Так нечестно! — заплакала Пенни. — Я первая сказала.

Она побежала за своим братом.

— Пенни! — резко проговорила Стефания и стиснула руки.

Сабрина встала.

— Может быть, мне пойти за ними?

— Ничего, все в порядке, — сказала Стефания. — Я обещала им, что они могут оставаться с нами до конца обеда. А поскольку сейчас обед близок к завершению, я пойду укладывать их спать.

Она дрожала. Сабрина проследила, как она вошла в дом.

— Извините, — она встала и последовала за сестрой через кухонную дверь.

Стефания уже поднялась наверх, и Сабрина подождала ее на кухне. Это была прекрасная комната в старом стиле с высоким потолком, шкафами и полками из клена, с дельфтским фаянсовым канделябром над стареньким диваном и низким кофейным столиком, за которым часто играли дети. Большая кладовка рядом с комнатой для завтраков, где стояли большой кленовый стол, стулья и кленовый шкаф с тарелками в углу. Мебель была уже старой и побитой, когда Стефания купила ее и отреставрировала до совершенства, до нынешнего прекрасного состояния.

— Я больше нигде не сяду есть, только здесь, — заявила Сабрина, когда впервые увидела комнату для завтраков.

— Я тоже люблю эту комнату, — сказала Стефания. — По крайней мере, это — место, где я задерживаюсь, когда у меня есть время присесть.

Сабрина стояла возле круглого стола и смотрела, как Стефания спустилась вниз, остановилась в кухне, чтобы положить что-то в холодильник. Сабрина удивилась, что сестра не следит за собой. Она потяжелела, ее красота несколько потускнела. Сабрина, красивая и живая в своей красной итальянской юбочке и белой блузке, осознавала, что она затмевает красоту сестры, но, похоже, Стефанию это не беспокоило. Она в своем доме, со своей семьей и друзьями. Что может быть важней для Стефании?

— Можем ли мы посидеть вместе минуту? — спросила Сабрина. — Я могу спокойно пропустить очередное повторение истории рода Тревестонов. Лично тебе я могу повторить попозже.

Стефания улыбнулась.

— Мне ее рассказала мать Дентона на вашей свадьбе. Я думала, что Дентон будет рад возможности...

— Иметь слушателей?

— Ему это нравится, да?

— Ему это нравится, — они улыбнулись вместе. Сабрина протянула руку, и Стефания пожала ее. — Прости, что я целый год не могла побывать здесь. Мне было ужасно трудно оторвать Дентона от его международных развлечений ради недели в американском захолустье.

— А теперь здесь ему скучно.

— Сам виноват, Стефания. Вы тут ни при чем.

— Гарт повел его в свою лабораторию, но...

— Нет, наука — не то, что интересует Дентона. Ему нравятся эксперименты другого рода. — Стефания взглянула вопросительно, обратив внимание на горькую нотку в голосе Сабрины, но та продолжала: — В любом случае, жить раздельно не так плохо, как кажется. Ты это почувствовала? Только зная, что мы можем писать или звонить, просто понимать друг друга после всех тех бед, когда казалось, мы не могли... — Она слегка вздрогнула. — Поговорим о тебе, может быть, ты мне что-нибудь недорассказала? О себе и Гарте? Или детях?

— Ничего важного. Я получила то, что хотела, дом и семью. Стабильность. Когда у нас был нормальный дом? — Они рассмеялись, вспоминая прошлое. — *С тобой все* в порядке? Всю неделю мне казалось, у тебя что-то не так.

— О, да, кое-что было. Во время круиза. Но мы с Дентоном еще не говорили об этом. У тебя симпатичные дети.

— Извини их за назойливость. Но я и они так обрадовались обществу — ведь Гарт дни и ночи проводит в лаборатории. Я одна с детьми. Невозможно терпеть одиночество. Я не хотела, чтобы дети нам испортили вечер.

— Как они могли испортить! Прекрасно проведенное время. Я вытягивала из Мартина его академические выражения.

— Они ужасны, да?

— Да. Но забавны. Мне нравятся твои друзья.

— Я обменяла бы их на яхту, на которой ты была.

— Стефания, уверяю, тебе это не нужно.

— Нет, конечно, нет. Я бы не знала, что делать, если бы жила твоей жизнью. Она нереальна для меня. У меня есть все, что мне нужно. Кроме денег. Мне надоело скряжничать. Нет, — сказала она быстро, увидя лицо Сабрины. — Ты не можешь помочь нам. Гарт был бы обижен. И в любом случае проблема в том, что он здесь не бывает и мне не помогает. Но я его не осуждаю, он работает много, и на самом деле все прекрасно. Я даже не знаю, что случилось со мной этим вечером.

«Моя красная юбка, — подумала Сабрина, — круизы, о которых ты не знаешь. Мои письма тебе из четырнадцати стран за прошедший год. Номер «Таун энд кантри» на твоем прикроватном столике, где сказано, что Дентон тратит сто тысяч долларов в год на одежду для себя и меня. И то, что я потратила полмиллиона долларов на меблировку нашего лондонского дома...»

Но она ничего не сказала вслух, вместо этого дала знать Стефании, что она ее понимает.

— Довольно трудновато иметь Дентона в качестве гостя. Он просто не может запомнить, что у него нет слуг, которых можно было бы вызвать по любому поводу. Это у него в генах. Я думаю, для Гарта он хороший экземпляр для экспериментов. Я заставляю его вешать полотенца по утрам, а он называет меня революционеркой, которая хочет уничтожить светское общество.

Стефания улыбнулась.

— Он очарователен и заботится о тебе. Ты выглядишь замечательно.

— Средиземноморское солнце. И ты загорела бы также.

— Я знаю. И надо сбросить вес. Может быть, попробую этим летом. Действительно ли солнце единственная причина твоего очарования и счастья?

Сабрина задумчиво посмотрела на стиснутые руки сестры.

— Ты знаешь, за год я познакомилась с девятью тысячами человек. Но ни с одним не говорила откровенно. — «За исключением, довольно странно, — подумала она, — Александры». Но она не могла говорить об Александре и круизе со Стефанией. Ей было стыдно даже перед родной сестрой. — Я не привыкла разговаривать о том, счастлива я или нет.

— А ты и не разговариваешь. Избегаешь этой темы.

— Я знаю. — Она вздохнула. — Вспомни, однажды я рассказала тебе, что не могу определить, любовь у меня к Дентону или тяга к приключениям. Я и сейчас не могу. — «Потому что ты любишь своего мужа, — добавила она мысленно. — И у тебя есть дом, которому ты принадлежишь. И я не могу допустить, чтобы завидовали тебе. Я замужем только год. Мне нужно постараться, может быть, следующий год будет другим». — Но ты знаешь, что для меня приятнее всего на свете знать, что ты здесь, что есть с кем поговорить.

Глаза Стефании заблестели.

— Прекрасно. — Она стояла и смотрела на свое отражение в потемневшем окне, потом поправила прическу пальцами. — Пора снова приступать к обязанностям хозяйки, — она наклонилась, чтобы поцеловать сестру. — Хорошо, что мы снова вместе.

Во внутреннем дворике раздавались голоса, керосиновые лампы освещали лица, красное вино и черный кофе, розовые кусты и клумбы львиного зева. Сабрина почувствовала себя, как на островке спокойствия милой, спокойной, несложной жизни.

Проводив последних гостей, Стефания вернулась к куче посуды во внутренний двор и потрясла головой.

— Кто-нибудь знает магические слова для того, чтобы появились эльфы?

— Ты уже произнесла их, — сказала Сабрина. — Мы твои эльфы. Дентон и я вымоем посуду.

Обратив внимание на выражение лица Дентона, Гарт ухмыльнулся.

— Я вижу испуганного человека. Не волнуйся, Дентон. Ты неквалифицированный работник. Мы управимся сами.

— Не ты один, — Сабрина начала складывать тарелки. — Я должна сделать что-нибудь полезное.

— Ты тоже не лучший помощник, — добавил Гарт.

Стефания подавила зевок.

— Ну, а я нет. Я, пожалуй, уберу все быстрее вас всех вместе взятых. В любом случае, Сабрина — гость. Все. Марш в постель.

Сабрина поцеловала Стефанию в щеку и нежно подтолкнула ее к двери.

— Мы с Гартом все закончим. Тебе хватило сегодня дел. Иди. Завтра утром можешь критиковать нас, если хватит смелости.

Дентон наблюдал со спокойным интересом, как Сабрина и Гарт молча собирали тарелки и складывали их на подносы. Он мягко шагнул вперед и поцеловал Сабрину в лоб.

— Я буду ждать тебя наверху, радость моя.

Она кивнула, собирая чашки.

Гарт посмотрел на нее и сказал:

— Осторожно.

Сабрина не обратила внимания на его замечание и подняла поднос. В дверях кухни она споткнулась, и чашки посыпались, разбиваясь о камень, которым был выложен внутренний дворик. Сабрина прикусила губу и пошла на кухню за метлой. Гарт прошел за ней с подносом, наполненным тарелками, и вернулся с веником. В молчании они подмели осколки. На кухне Сабрина наполнила раковину водой *.

— Я подтвердила твою точку зрения, да? Неквалифицированный труд.

— Это было невежливо, прошу прощения.

— Почему? Ты действительно не был уверен в моих... или, скажем, наших способностях. Я видела твое лицо, когда рассказывала о наших путешествиях.

— Несчастная судьба — мое широкое и откровенное лицо. — Он взял чистое полотенце. — Сабрина, нельзя сказать, что я не одобряю вас. Не понимаю, это да. Ваш образ жизни, ваш взгляд на мир. Все это настолько отличается от моих взглядов, что до меня не доходит смысл. Такой уж у меня характер.

Сабрина двигала руками в теплой мыльной воде, вспоминая студенческие годы, проведенные в маленькой квартирке возле Сорбонны, и жизнь в Лондоне, прежде чем вышла замуж за Дентона. С тех пор она не мыла тарелок. За их спинами была кухня, окрашенная в цвет меда. В доме было тихо и спокойно. Она чувствовала себя очень хорошо и уверенно.

— Откуда ты так много знаешь о нашей жизни? — спросила Сабрина.

— Полные отчеты от Стефании, описывающей все в деталях. Ключевое слово — богатство. Можно мне спросить тебя кое о чем? — Он тщательно вытирал блюдо. — Чувствует ли себя Стефания несчастливой от того,

* Экономя воду, англичане и американцы не моют посуду под краном, а, заткнув сливное отверстие, наполняют раковину водой и моют в ней посуду. Кстати, умываются они точно так же.

что я провожу так много времени в лаборатории, или от того, что я не обеспечиваю ей того образа жизни, которого ей хотелось бы?

— Если думаешь, что она несчастна, ты ошибаешься...

— Я так не думаю. Послушай, я тебя прошу о помощи. Ты знаешь Стефанию лучше, чем кто-либо. Ты знаешь, что она чувствует на самом деле... — Он увидел, как она переменилась в лице. — Я не прошу тебя выдавать мне какие-либо секреты. Ты пойми, я ее муж. Я люблю ее. С этим все в порядке. Забудем пока о том, что ты ее сестра-близнец. Как? Представь себе, что ты ученый, который должен найти причины. Перед нами факт — Стефанию что-то беспокоит. Какое объяснение?

— Твоя работа.

Он взял другое блюдо.

— Трое — это уже целый ряд. Ты, Нат Голднер и Мартин Талвия — они бранят меня постоянно. Я знаю, как тяжело Стефании. Каждый день я клянусь исправиться. Но потом всякие проблемы затягивают меня. Всякие загадки... — Он остановился. — Извини, ты не поймешь.

Сабрина пропустила это мимо ушей.

— Ты счастливый человек.

— Потому что у меня есть Стефания? Тебе не нужно говорить мне...

— Нет. Ну, конечно, Стефания тоже, но я имею в виду другое: у тебя хорошие друзья, которые помогают тебе осознавать, кто ты есть.

Заинтересованный, Гарт перестал вытирать посуду. Сабрина смотрела невидящим взором в ночное окно.

— Дентон мотается по всему свету, чтобы открыть для себя, кто он есть, и не может ничего сделать. Люди заискивают перед ним, потому что он наследник Тревестонов, но большинство не любят его, а он не знает, почему. Он все время скучает, однако не знает, с какой стати. Он только ищет развлечений. Он не будет слушать меня, потому что, когда мне что-то не нравится, он уверяет, что я ничего не понимаю. Но если у него были бы друзья, глазами которых он мог смотреть на самого себя и свои поступки, все было бы иначе. Твои друзья ценят тебя и заботятся о тебе. Они помогают тебе понять, чего ты стоишь.

Его лицо выражало изумление.

— Хорошо сказано.
Она скребла сковородку.
— Как прекрасно, что я смогла произвести на тебя впечатление.
— Прости. Я не хотел тебя обидеть. Ты умный человек. Твой муж не такой. И ваш образ жизни...
— Почему ты все время говоришь о нашем образе жизни? Ты уже признал, что не можешь понять его. Кое-что в нем прекрасно...
— А остальное?
— Кое-что надо изменить. Это происходит в любом браке. Мы не будем мотаться по свету, когда у нас будут дети, мы будем жить в Лондоне в своем доме. Я хочу встречаться с различными людьми и работать с произведениями искусства и антиквариатом. Меня просили, чтобы я помогла организовать новый музей примитивного искусства — так много дел я хочу сделать. Я хочу заняться предпринимательством. Ты подожди, мы пригласим тебя, Стефанию и ребят к себе в дом.
Гарт рассеянно улыбнулся.
— Сабрина, не думаю, что тебе следует рассчитывать так серьезно на то, что Дентон перейдет на оседлый образ жизни.
Она прекратила мыть посуду.
— Почему?
— Мне кажется, у него не получится.
— О чем ты говоришь? Ты не знаешь Дентона.
— Я знаю его лучше, чем ты думаешь. Он был у меня в гостях неделю. И образ жизни, который он заставляет тебя вести...
— Не будь так строг! — Она стояла спиной к раковине и смотрела на Гарта. Какое он имеет право так судить о ней! Он такой скучный... Ни искры, ни огня. Он не знает, как смеяться. У него красивое лицо, строгое и уверенное, с теплыми и умными глазами. Но все равно он тоскливый. И самодовольный. Надменный, узко мыслящий профессор. Что заставило его думать, что я страдаю? Я веду самую прекрасную жизнь в мире. Похоже, он не может понять этого из своей стерильной лаборатории. Но Сабрине нравилась ее жизнь. Толпы людей, новые города, театры, вечера, банкеты, танцы, самые разные блюда, прекрасные магазины и рынки, новые наряды, книги со всего света...
— Стой! Ты убедила меня, Сабрина, я восхищаюсь

тобой. Прости мое занудство и попытки разрушить твой замок.

Она бросила на него быстрый взгляд, потом отвернулась, чтобы вытереть пролитую воду.

— Но ты все равно не думаешь, что Дентон согласится на нормальную жизнь?

Гарт, скрестив руки, прислонился к холодильнику.

— Сабрина, Дентон когда-либо говорил тебе, что он считает, будто жить в свое удовольствие — тоже искусство?

— О, он говорил что-то в этом духе...

— Искусство, которое отнимает все силы, все внимание, требует планирования, как любая работа. Если ты нажмешь на него, он скажет, что у него такая работа. Мало кто из мужчин бросает свою работу ради семьи. Я не думаю, что Дентон к ним относится. Многие мужчины ставят интересы работы выше интересов семьи. Я думаю, Дентон — один из них.

В комнате стало тихо, слышен был только мягкий шорох тряпки, которой Сабрина вытирала раковину.

— Ты не прав.

— Хорошо, если я ошибаюсь.

Он повесил свои полотенца. Сабрина мрачно смотрела на него, ведь он высказал те самые мысли и сомнения, о которых она не могла рассказать Стефании. Эти мысли, как она думала, были надежно скрыты в ее душе. А теперь они были облечены в слова человеком, от которого она менее всего ожидала этого и который, казалось, никогда особенно не интересовался ею или Дентоном.

Гарт пошел в кладовку и выключил свет. Когда он вернулся, Сабрина спросила:

— Ты думаешь, он хотел бы измениться, но что-то ему мешает?

Гарт кивнул.

— Ну, тогда что по-твоему?

— Я бы назвал это страстью, привязанностью.

— О, ради Бога, Гарт. У Дентона нет привязанностей ни к чему.

Она затаила дыхание. Теперь она себя выдала.

— За исключением его удовольствий, — сказал Гарт. — Его образа жизни. Вот к чему у него тяга. И это его устраивает. Полагаю, он мог бы побороть это в себе, но он не будет. Дентон не показался мне человеком, который любит чего-либо добиваться.

— Это что, научная догадка?

— Более чем, — голос Гарта стал жестче. — Я смотрел в его глаза. Существует много вида страстей и привязанностей, Сабрина, но в глазах Дентона то же самое выражение, которое я вижу каждый раз, когда смотрюсь в зеркало. Это я понял, как только увидел его. Странно, но я узнал родственную душу...

Сабрина услышала боль в его голосе, и она подумала о блеске в глазах Дентона, который старалась определить, как энтузиазм. Она вертела обручальное колечко на пальце — кружочек бриллиантиков, ловящих свет и отбрасывающих его обратно вспышками разных цветов.

— Спасибо тебе, — сказала она тихо и улыбнулась. — Я извиняюсь за то, что назвала тебя скучным и самодовольным. Ты не такой.

— Ты назвала меня строгим, что означает скучным и самодовольным?

Она снова улыбнулась:

— Я не могу вспомнить свои оскорбления. Я прошу прощения за мои недобрые слова. Ты не строгий, не скучный и не самодовольный...

— А ты не пустоголовая и не неквалифицированная.

Они рассмеялись.

— Выключить свет?

— Я сам сделаю это, когда буду уходить. Спокойной ночи, Сабрина.

— Спокойной ночи, Гарт.

Она пошла из теплой кухни через темную столовую и гостиную на ощупь, обходя мебель. На лестнице Сабрина обернулась и посмотрела на освещенную кухню. Гарт стоял в дверном проеме, задумчиво наклонив голову. Затем он пошел к входной двери, положил руку на выключатель и, когда свет погас, Сабрина медленно пошла по лестнице, чтобы лечь спать.

В магазине, пустом до голых стен, Сабрина оставила открытой дверь, чтобы плотники могли вносить свои грохочущие доски. Ее жизнь стала такой же пустой, как это помещение, которое она арендовала... «Я заполню и дом и свою жизнь одновременно», — подумала она, улыбнувшись этой мысли. Все будет новым и свежим, и в магазине и в ее жизни, раз она потерпела неудачу с Дентоном.

В задней части магазина, где плотники устанавливали помост, Лаура изучала чертежи. Сабрина стояла у входной двери, глядя, как дождь хлещет по крышам высоких черных такси, заполнивших собой Бромптон-роуд. «Три года. Все это у нас с ним осталось в прошлом. А потом мне понадобился еще год, чтобы понять, что больше ничего такого же не будет».

— Миледи, — голос плотника эхом отразился от стен. Когда Сабрина подошла к нему, он начертил мелом линию на пыльном полу. — Здесь вы хотели бы иметь дверь?

— Прекрасно, — согласилась она и печально улыбнулась матери. — Я себя чувствую самозванкой, теперь у меня нет титула.

— Почему же, пользуйся им, — сказала Лаура.— Он поможет тебе. Я в прошлом месяце беседовала в средней школе и кто-то меня назвал миссис супруга заместителя Госсекретаря США.

— Звучит куда более впечатляюще, чем мой титул.

— Зато твой ты носишь по закону. Дентон хочет, чтобы ты вернулась к нему?

— Не знаю. А какая разница?

— Я подумала, что, может быть, ты чувствуешь себя одиноко.

— О, — Сабрина подняла чертеж и сделала вид, что изучает его. Конечно, она была одинока. Одинока и напугана. Но так было уже целый год, с тех пор как она покинула Дентона. Она переехала в маленькую квартирку на первом этаже, ни с кем не встречалась, за исключением тех, кого видела в антикварном магазине Николса Блакфорда, где она работала до замужества. Шесть месяцев она жила одна, донимаемая телефонными звонками Дентона, его семьи, ее родителей, которые говорили, какая она глупая. Габриэль звонила из Парижа:

— Сабрина, теперь он успокоится, поскольку его отец умер и он унаследовал титул и поместье.

— Его отец умер год назад, — ответила Сабрина.— И ничего не изменилось.

Звонили другие друзья:

— Он обожает тебя, Сабрина. Его забавы — просто от избытка энергии. Ему надоест. Разве много мужчин так обожают своих жен? Ты даже не представляешь, какая ты счастливая.

«Я уже устала от его избытка энергии, — подумала она. — Я устала жить с таким ненадежным человеком. Я хочу иметь дом, детей, свое место в жизни». Но все, что она сказала, было:

— Мне нужно кое-что сделать в моей жизни, что никак не планируется Дентоном.

Звонила Стефания:

— Хочешь, я приеду в Лондон?

— Не сейчас, — ответила Сабрина. — Я пугливая, но послушная. Я дам тебе знать. И мама сказала, что может приехать. Разве это не удивительно?

Лаура приехала, побыла немного и вернулась в Вашингтон. В ноябре Сабрина и Дентон пришли к соглашению, и она вернулась в дом на Кэдоган-сквер, который она когда-то отреставрировала. Теперь он принадлежал ей. А потом, с ноября по апрель, целый лондонский сезон, она никого не видела и не слышала телефонных звонков ни от кого из окружения Дентона. Она потратила долгие часы, работая в магазине Николса Блакфорда, и долгие вечера в своем изысканном, но пустом доме. Лондон стал холодным и чужим. Поговорить было не с кем. Кроме Стефании. Но телефонные разговоры со Стефанией были роскошью, потому что ей теперь приходилось считать свои деньги: на содержание дома, на магазин, который она планировала открыть. «Да, мама, — подумала она, — я решила вернуться к Дентону, чтобы получить защиту его семьи, его окружения. В те дни я не думала, что ждет меня впереди. По крайней мере, с Дентоном я всегда знала, чего он хочет. Я даже догадывалась в большинстве случаев, с кем он спит».

— Когда ты была здесь прошлой зимой, — сказала она вслух, — до соглашения об имуществе, я почувствовала себя так, как будто мне двенадцать лет, и хотела пойти с тобой и Стефанией по магазинам.

— Ты мне этого не говорила.

— Конечно, оставалось только устроится уютненько у тебя на коленях. Нелепо, да?

— Миледи, извините, — сказал плотник. — Все ли правильно в ваших планах? Эта стена не достигает потолка?

— Да, — ответила Сабрина, посмотрев на чертеж, который он держал в руках.

— Но вы будете слышать шум из магазина, даже если закроете дверь кабинета.

— Я надеюсь, что это будут голоса посетителей, и ничего не имею против.

— А, ну конечно, миледи.

— Почему ты так грустно говоришь о своем детстве? — спросила Лаура.

— Потому, что ты никогда не позволяла сидеть на коленях, когда я была ребенком.

Воцарилось долгое молчание. Сабрина посмотрела на лицо матери и пожалела о том, что сказала. Зачем вспоминать прошлое, когда они научились быть подругами в настоящем? Лаура была горда и красива, а Сабрина была счастлива рядом с ней.

Она нарушила молчание:

— Что, по-твоему, мне следует сделать с новой стеной? Развесить полки или картины?

— А может быть, и то и другое? Картины здесь, а полки в углу? Или, может быть, поставить мольберт?

— Мольберты? Замечательная мысль. На маленький ковер. Если бюджет позволит.

— Сабрина, почему ты не потребовала денег у Дентона? К тому времени, когда ты закончишь, у тебя немного останется?

— На шесть месяцев хватит, если я буду бережливой. Я не могла просить у него больше. Он так часто говорил мне, что я принадлежу ему, поэтому хотелось вырваться от него любой ценой. Конечно, драматично, но не практично. Я взяла только то, что мне необходимо для начала самостоятельной деятельности. Тебе не надо волноваться, мама, я давала бесплатные советы друзьям Дентона и родственникам несколько лет. Они знают, на что я способна. Почему я теперь не могу рассчитывать на успех?

«Если они придут», — подумала она. Она не сказала Лауре, что они избегали ее шесть месяцев. Ей было стыдно, как будто в этом была ее вина. И она не хотела, чтобы Лаура волновалась из-за нее.

— Конечно, тебя ждет успех, — согласилась Лаура. Она провела рукой по панельной стене. — Ты знаешь, я всегда мечтала об этом! О собственном магазине, вместо того, чтобы перелетать с места на место и подбирать интересные вещи.

— Но ты можешь теперь завести магазин. Ты ведь постоянно живешь в Вашингтоне.

— О, теперь поздно. Я не могу начинать с самого

начала, у меня нет твоей энергии. Я ее потеряла где-то при переездах из посольства в посольство. Я могу только помогать тебе с «Амбассадором». Я очень тронута тем, что ты выбрала такое название.

Сабрина обняла маму за плечи и они смотрели, как плотники отделывают стену кабинета в будущем магазине. Выставочная комната — длинная и узкая с квадратным окном. Стены обшиты темными дубовыми панелями, потолок покрыт сделанными из штукатурки восьмиугольниками. Сабрина ощущала дрожь от удовольствия и удивления каждый раз, когда проходила в дверь... Это все принадлежит ей, она обратила мечты в реальность, наполнила свою жизнь новым содержанием и ритмами. Сабрина никогда не имела такого. От родителей она попала в пансион, оттуда — в университет, потом к Николсу, а затем к Дентону. Она никогда не жила по своим правилам и законам. Под влиянием чувств Сабрина раскинула руки.

— Разве все это не прекрасно?! — воскликнула она.

Лаура улыбнулась, и Сабрина снова положила ей руку на плечи. Им обеим было хорошо. Им необходимо больше общаться, поскольку время шло неумолимо быстро. И им необходимо больше любви: давать и получать. — Мама, спасибо, что ты приехала. Ты делаешь все на свете замечательным, и мне не так страшно, когда я рядом с тобой.

— Спасибо за то, что обращаешься ко мне за советами, — ответила Лаура. — За то, что даешь мне возможность, спустя столько лет, иметь магазин. Я думаю, что если мы ждем уже столько времени, то получим большинство вещей, которые хотим иметь. Сабрина, почему бы тебе не переехать в Америку? Мы были бы так рады. Нет ничего, что бы удерживало тебя в Лондоне.

— Нет, есть. Сейчас здесь мой дом. И я знаю Лондон лучше, чем любой другой город. Богатые люди, рынки, конкуренты. И старики. Особенно больные. Мерзкая правда заключается в том, что единственный путь забрать себе лучшие антикварные вещи и произведения искусства — это знать, кто умирает, чтобы иметь готовые наличные деньги, когда их имущество продают на аукционах. И у меня есть друзья в Лондоне.

— У тебя сестра и родители в Америке.

— Мама, пожалуйста, пойми меня. Я люблю всех вас, мне не хватает вас, но здесь я потерпела неудачу с Дентоном и здесь я должна преуспеть самостоятельно. Я хочу выяснить, что же я могу сделать сама. Можешь ты понять это?

— Да, — сказала Лаура. Она сделала паузу. — Я думаю, что могу быть завистливой. — И впервые с тех пор как Сабрине было пятнадцать и она уехала из дома учиться в пансион, она обняла дочь и поцеловала ее. — Я горжусь тобой, — добавила она. — И люблю тебя.

ГЛАВА 7

Леди Андреа Вернон сделала Олдерли-хаус знаменитым своими балами, и когда Сабрина стояла в дверях рядом с Николсом и Амелией Блакфорд, она упивалась светом, цветами и музыкой, как будто этого ей никогда не хватало. Когда загорелый молодой человек с худым лицом пригласил ее на танец и они заскользили по темно-красному с золотом залу, она впервые за эти месяцы почувствовала себя молодой и беззаботной. Ее платье из тафты кружилось янтарным облаком, когда она поворачивалась под музыку, оглядывая зал вокруг себя. С тех пор как она видела его год назад, в нем многое изменилось. Ей понравилась реставрация позолоченного потолка. Но она смотрела с недоверием на светильники на стенах. Они напоминали венозные носы алкоголиков. Где, ради Бога, раскопал их оформитель, нанятый Андреа? Она встряхнула головой, ей так хотелось очистить стены и украсить их просто и красиво, чтобы они гармонировали с потолком.

— Вам что-то не нравится? — спросил молодой человек.

— О, простите, я замечталась. Что вы сказали? — Она слушала, что он говорил, но ее мысли возвращались к стенам зала, принадлежавшего Андреа Вернон, и другим стенам, другим залам и комнатам, которые, как она думала, будут декорировать с ее помощью.

— Я слышал, что вы открыли магазин, — спросил ее партнер. — Как вы его назвали?

— «Амбассадор», — сказала она.

— Хорошее название. Все идет успешно?

— Успешно? — она старалась говорить уверенней. — Конечно.

— Хорошо, — кивнул он. Сабрина понимала, что на самом деле он ее не слушал или же решил не обращать внимания на дрожь в ее голосе, чтобы не спрашивать, какие она испытывает проблемы. Никому на балу не хотелось знать, что красивая, молодая женщина испытывает трудности.

Правда заключалась в том, что нигде никто не хотел этого слышать.Сабрина никому не говорила, что у нее просто нет покупателей. Вокруг нее была аристократия и богатые деловые люди, на которых она рассчитывала. Однажды они были ее друзьями. Она сделала ставку на эти дружественные отношения. Но прошло восемь месяцев, и она все больше убеждалась в том, как она ошиблась. Ни один из них не пришел.

Она разослала объявления всем, кого знала. Николс посоветовал обратить особое внимание на Оливию Шассон.

«Куда идет она, туда идут и другие. Если ты завоюешь ее расположение, тебе будет не о чем беспокоиться».

Каждый день Сабрина с надеждой отпирала дверь магазина и ждала в своем кабинете Оливию Шассон и ее друзей, чтобы пройти с ними в украшенный гобеленами зал, который Лаура оформила в духе салонов знаменитых домов и замков Англии восемнадцатого столетия. Надежды угасали. Первоначальные восторги прошли. Она ждала того самого шума, который, как сказал плотник, будет слышен в кабинете из выставочного зала. Она молилась каждый день, чтобы услышать хотя бы редкие звуки, вроде шороха. Но только несколько туристов зашли из любопытства и мало кто делал покупки.

Теперь деньги были на исходе. Сабрина взяла кредит в банке. И скоро она будет вынуждена продать дом. После этого... Но она не хотела даже думать об этом.

— Обед, — ее партнер по танцу отвлек ее от грустных мыслей. — Пойдемте поедим.

Они наполнили тарелки и сели на диванчик в алькове из занавесок. Ели молча. Сабрина мечтала о том, чтобы поговорить со Стефанией. Ей нужен был друг, с которым можно было забыть об этих тоскливых днях и вечерах, и поговорить, посмеяться, а может и поплакать. Она теперь мечтала о тех приглашениях, которые обычно отклоняла, когда была женой Дентона.

— Но если она вышла замуж за Дентона ради его денег, — раздался женский голос из-за занавесок, — почему она не потребовала больше денег при разводе?

Сабрина сидела, не шевелясь. Когда мужчина начал было говорить, она прижала палец к своим губам.

Второй голос ответил высоко и негодующе:

— Откуда ты можешь знать, сколько она получила? Дентон — джентльмен, он не скажет правды, но я знаю, что она потребовала три миллиона фунтов плюс Тревестон и новую яхту. Ее поверенный был возмущен, но вы знаете, как Дентон обожает ее, он отдал ей все, чем владеет.

— Кроме Тревестона, — сказал сухо голос первой женщины, удивительно знакомый Сабрине.

— Ну, дорогая моя, не мог же он отдать национальное сокровище, каковым является Тревестон. Тебе известно, что она отобрала у него лондонский дом?

— Мои дорогие бальные сплетницы, — раздался мужской голос. — Можно ли мне догадаться, кто попался на ваш острый язычок? Может быть, красивая леди Лонгворт? Лучше человека ударить ножом в темноте, чем уничтожать так, как вы.

— Питер, как некрасиво!, — сказал голос негодовавшей женщины. — Мы просто обсуждали соглашение, которого достиг бедный Дентон.

— Бедный Дентон? — холодно добавил голос первой женщины. — Дал ей так мало, что он, наверное, отнес это в графу «разные мелкие расходы». Сабрина получила мелочь по сравнению с тем, сколько он постоянно проматывает.

— Тогда откуда она взяла магазин на Бромптон-роуд? — требовательно спросила негодовавшая женщина. — Я проходила как-то мимо и увидела, что там на окнах ставни ценой не меньше, чем две тысячи фунтов.

— Роза! Ты проходила мимо и не зашла?

— Моя милая Роза не зайдет, — отрезал мужской голос, — до тех пор, пока этого не сделают остальные.

— Питер, не будь так груб. Ты только в лицо ей посмотри, сразу поймешь, почему она вышла замуж за Дентона. Она даже не пыталась ничего скрыть, разведясь с ним, меньше чем через год после смерти его отца, передавшего Дентону по наследству титул виконта. Американки очень откровенны, разве не так?

Сабрина сидела, выпрямившись и опустив глаза, как будто обдумывая, что она собирается делать завтра, послезавтра и в последующие дни.

Она услышала скрип стула и голос первой женщины, раздавшийся из другого места:

— Она никогда не играла по вашим правилам и вы никогда не прощали ее. Думаю, я смогу сделать что-нибудь для нее.

Сабрина повернула голову. Наконец-то, она узнала голос. Он принадлежал той, которая очень давно говорила, что ей придется играть по «их» правилам.

Ее партнер коснулся ее руки:

— Хотите я отвезу вас домой?

Сабрина взглянула на него. Глаза ее горели.

— Нет, спасибо. — Ее голос стал тверже. — Я предпочитаю еще потанцевать. «И решить, как бороться с ними, — подумала она, — теперь, когда я знаю, что происходит».

Его глаза смотрели на нее с обожанием.

— Храбрая леди. Они несколько вульгарны, эти Рэддисоны, особенно Роза, но...

— Какая приятная встреча, ну и загадочная штука жизнь... — сказал спокойный голос со стороны занавески, и Сабрина повернулась, чтобы увидеть ленивую улыбку княгини Александры Мартовой. — Твой друг извинит нас? — спросила княгиня. — Я собираюсь взять тебя под свое крылышко.

Александра Мартова была владелицей шикарного каменного четырехэтажного особняка. Она прибыла в Лондон одна, не имея ничего, кроме того, что получила при разводе: счет в швейцарском банке, дом на острове Майорка, квартиру в Париже, алименты в десять тысяч долларов ежемесячно и датского дога, которого она назвала Максом в честь друга. Она была высокой и стройной блондинкой со слегка раскосыми голубыми глазами и волосами, ниспадавшими ей на плечи. От нее исходил дух уверенности, решительности, которого не было, когда Сабрина впервые встретила ее на яхте Макса Стуйвезанта.

— Я решила устанавливать свои правила, — сказала она Сабрине. — Похоже, ты тоже. Я приехала в Лондон, потому что мне скучно. Никто не знает, как организовать хороший прием, вечеринку. Поэтому я решила показать, как это делается. Душенька, я намереваюсь стать самой знаменитой хозяйкой в Европе.

Но прежде всего ей был нужен дом. Она нашла такой в Белгрейве: высокий и узкий с высокими окнами, напоминавший викторианскую леди, удивленно поднявшую брови. Там была красная дверь с головой льва. Александре очень нравился внешний вид здания, но было совершенно неприятно его убогое и мрачное внутреннее оформление. Поэтому она выбросила внутренности, оставив скорлупу.

— Я хочу, чтобы ты переделала его для меня, — объяснила она Сабрине. — Сверху донизу. Выпей еще вина. — Она сдула пыль от штукатурки с бутылки и наполнила хрустальные бокалы, которые принесла в корзинке для пикников. Сабрина сидела на одном из тюков, попивая легкое винцо «Божоле» и осматривая то, что было вторым этажом дома Александры. Поскольку внутренние стены были удалены, она видела весь этаж. Остался невыброшенным только мраморный камин. Лучи солнца, танцуя с пылинками, освещали куски дерева и мрамора, что напоминало Сабрине те антикварные изделия, которые они покупали с мамой, зная, что они засияют, если их почистить и отполировать. Сабрина ощутила то же самое желание, которое было у нее тогда, когда она с завистью смотрела на умелые руки матери. Сияя глазами, она повернулась к Александре:

— Спасибо тебе.

Александра подняла бокал.

— Я рассчитываю, что мы будем помогать друг другу. Тебе нужно, чтобы процветал твой магазин, мне нужно большее: дом и респектабельность, уважение других. Я знаю всех в Лондоне, но, грустно признаться, я для общества тоже загадка. После тех лет и всех кроватей в Монте-Карло и западнее, быть княгиней еще не достаточно. Мне нужно достичь многого. Вот и все.

Сабрина грустно покачала головой.

— Я, наверное, не тот человек...

— Душенька, ты многому научилась с тех пор, как вышла замуж за Дентона. Тебя просто потрясло то, что тебе удалось услышать и ты рассуждаешь не вполне трезво. Так вот. Ты поможешь мне, а я тебе. Разве ты не слышала, когда я сказала, что беру тебя под свое крылышко? Ты сделаешь мой дом красивым. Мы покажем его всему свету, устроив грандиозный прием. А в результате через неделю люди будут говорить, что если леди Сабрина Лонгворт не снизошла до того, чтобы быть вашим консультантом по оформлению дома, значит вы — никто, включая высокопоставленную и могущественную

Оливию Шассон. — Александра взяла бокал и пошла по этажу, оставляя следы на пыльном полу. — А когда взлетит твоя ракета, взлетит и моя, и я прочно буду членом респектабельного общества, которое окажется у моих ног. Потому что, скажу тебе, Сабрина, похоже, ты не понимаешь, что эти люди в неистовом восторге от тебя. Ты очаровательная женщина — гораздо больше, чем я, чего бы я не допустила больше ни в ком. Ты забавна, оригинальна, и никто не может заранее предугадать, что ты скажешь или как ты поступишь. С твоим именем не связан никакой скандал, и люди, ненавидящие друг друга, тем не менее любят тебя. Знаешь ли ты, когда я впервые услышала о тебе? Сразу же после того, как ты вышла замуж. Где бы я ни была — в Рио, в Каннах, на Майорке — люди говорили о тебе. Целый год я ждала встречи с тобой. Потом на суденышке Макса ты была такой невинной и несчастной, что я просто не могла поверить, что ты это ты, а потом ты мне начала нравиться. Вот какая чепуха. — Она села на тюк, скрестив свои длинные стройные ноги. — Понимаешь, единственная причина, почему они сходят с ума, заключается в том, что никто не знает, из-за чего вы с Дентоном разошлись и что ты за это получила. Ты должна была рассказать им... И не качай так головой, я говорю только, что так считаю. Они уверены, что ты появилась ниоткуда, вышла замуж за одного из них, бросила его, получив Бог знает сколько денег, и открыла великолепный магазин. Такое, мол, у тебя хобби, финансируемое бедным Дентоном. А бедный Дентон рассказывает о своем разбитом сердце в каждой постели, в которую забредет. Я знаю, что ты получила. Так уж вышло, что у нас был один и тот же поверенный при разводе и он просто стонал, как много ты упустила. Это твоя история, поэтому я ее никому не рассказывала, но большинство ждет, чтобы ты доказала их неправоту. Сабрина, слушай.

Александра разлила остатки вина в бокалы. Солнце светило в окна не так ярко, поскольку день шел к концу, и при бледном освещении она казалась похожей на мраморную статую.

— На мой взгляд, ты само совершенство. У тебя есть стиль и независимость. Я приглашаю тебя оформить мой дом. Ты будешь стоять рядом со мной, когда я дам первый прием. Что ты на это скажешь?

Сабрина смотрела куда-то вдаль. Она слышала все,

что говорила Александра, но в то же время была далеко. Мысленно она уже оформляла этот дом, прикидывая размеры комнат, стиль мебели и ее расположение, работу художников, занавески, ковры. Ей не терпелось начать. Но она хотела быть уверенной в одном.

— Carte blanche? * — спросила она мягко.

Брови Александры поднялись вверх насмешливо-удивленно.

— Ха, ну а зачем же иначе ты мне нужна?

Благодарной, приятной несколько минут назад Сабрины теперь не было. На ее месте была уже другая Сабрина, уверенная в себе, профессионал. Она осмотрела дом и спросила:

— Какую сумму ты бы хотела потратить на это?

— Сколько понадобится.

Сабрина кивнула.

— Расскажи мне, какого эффекта ты хочешь добиться, и я все сделаю.

— Слушаюсь, мадам, — Александра улыбнулась восхищенно.

— К вашим услугам, мадам. — Они засмеялись и слегка чокнулись бокалами перед тем, как допить остатки вина.

— Когда начнешь? — спросила Александра.

Сабрина надела пальто.

— Я уже начала.

Они встречались за ленчем и обедами и проводили так много часов вместе, что в конце концов Александра перебралась из своего номера в «Коннот-отеле» в одну из гостевых комнат дома Сабрины. Они говорили об Александре, а Сабрина тем временем набрасывала чертежи и эскизы интерьеров. Она наняла того же подрядчика, который переделывал «Амбассадор», чтобы он наблюдал за работой электриков, водопроводчиков и штукатуров. Специалисты выложили сложный паркет, который она задумала. Через несколько недель прибыла мебель: настолько оригинальное, нетрадиционное сочетание, какого Александра даже представить себе не могла.

Там были элементы стиля неорококо из 1850-х годов в плавных изгибах и завитках с перламутром. Этот стиль как бы означал стройную, гибкую, фривольную Александру и ее приемы. Сабрина противопоставила этому ме-

* Здесь — полная свобода действий. *(фр.)*.

бель Георга Джека 1890-х годов: обманчиво простую, украшенную сикомором и другими сортами дерева, вписывающимися одно в другое. Это была Александра, которая мечтательно говорила об «одном прекрасном дне», когда она сделает что-нибудь такое, что потрясет всех. И наконец Сабрина добавила несколько потрясающе современных «карет» Сорианы и оттоманок Скарпы: низких, почти у самого пола, сделанных из мягкой кожи с хромированной сталью. Это — Александра, мягкая и твердая одновременно. Расчетливая и любящая, земная, сексуальная, сдержанная, но такая удобная, когда она отдыхает с тобой. Александра ходила по комнатам, залам, вверх и вниз по ступеням, трогая все руками, присаживаясь и вскакивая, чтобы бегать снова.

— Мне нравится это, мне нравится то. Я хочу, чтобы все это работало на меня. Я хочу устроить прием. Можем ли мы начать этим заниматься?

Церемонно Сабрина подала ей ключ, которым пользовалась четыре месяца и список гостей, которых следовало бы пригласить. Она составила его предыдущим вечером. На следующий день они стали планировать взлет Александры.

Это был первомайский бал, начавшийся в десять вечера и окончившийся завтраком утром следующего дня. Он стал триумфом сезона 1976 года, единственным событием общественной жизни, одинаково освещенным как в отделах светской хроники, так и на страницах, посвященных архитектуре, мебели и домашнему уюту, как британских газет, так и международных журналов.

«Опытный глаз нашел бы обстановку в доме Мартовой возмутительной и хаотичной, — писал известнейший в Европе критик по дизайну и интерьеру. — Но только поначалу. Вскоре этот глаз обнаружил бы, что оформление освежает, поет и отражает сильную индивидуальность оформительницы, знающей себя и своего клиента».

«Что же касается самого бала, — писал репортер светской хроники, чей отчет был иллюстрирован фотографиями наиболее выдающихся из двухсот гостей, — то оркестр был приятнейший, так же, как и любовные песни, исполнявшиеся одетыми в соответствующие костюмы певцами и танцорами в салоне. Наряды дам были произведением величайших мастеров мира, а столы никогда не пустовали, заполняясь экзотической пищей.

Княгиня Александра казалась статуей богини в белом платье с ожерельем из изумрудов. Звездой вечера была леди Сабрина Лонгворт в платье цвета золота, фаворитка лондонского светского общества с того времени, как она вступила в брак со своим бывшим мужем, лордом Дентоном Лонгвортом, виконтом Тревестоном (который не присутствовал на этом балу). Прекрасный дизайн дома княгини Александры в Белгрейве — дело рук леди Лонгворт. Среди гостей были Питер и Роза Рэддисон (компания «Автомобили Рэддисон»), леди Оливия Шассон и Габриэль де Мартель, дочь министра финансов Франции, которая сказала, что будет подыскивать себе собственную квартирку в Лондоне».

Сабрина ходила по комнатам и залам дома, созданного ею. Она забыла о репортерах и едва замечала гостей, толпившихся, чтобы поздравить ее с прекрасным оформлением. Она слышала, как говорили о том, как бы «поскорее собраться вместе», и знала, что этот вечер был ее триумфом, но она двигалась, не желая разговаривать, только осматривая дом, оживленный светом, разговорами и смехом. Она уже оформляла другие места: дом, который Дентон купил для нее на Кэдоган-сквер, и «Амбассадор» — но она делала это только ради собственного удовольствия. Этот случай был первым, когда она сделала дом для кого-то еще, как место для жизни, любви и возвышения.

Стефания гордилась бы ею, думала Сабрина в тот день, когда послала ей фотографии каждой комнаты. На одной из них было изображено нечто личное, против чего она не могла устоять. В темном углу салона на первом этаже * она убрала пять секций паркета и заменила их дополнительным украшением, выразительной буквой «S» (с которой начинаются имена Сабрина и Стефания), единственной в этом доме. Никто даже не заметит. Но она оставила свою отметку.

Воскресенье было днем восстановления сил. А в понедельник утром, стирая пыль с мебели в выставочном зале, она услышала нежный звон восточного колокольчика, звякнувшего, когда открылась дверь магазина. Она вышла приветствовать улыбкой леди Оливию Шассон, пожелавшую посетить «Амбассадор».

---

* Так англичане и американцы называют второй этаж, начиная с него отсчет.

ГЛАВА 8

Промозглым октябрьским утром Сабрина и Стефания стояли на Кэдоган-сквер, откуда шел длинный ряд пятиэтажных викторианских особняков из красного кирпича. На противоположной стороне располагался закрытый частный парк, принадлежащий владельцам особняков. К последним относилась Сабрина; особняк ее, подобно остальным, был украшен множеством готических башенок и арок, балконов, веранд и стрельчатых окон с затемненными стеклами.

Миссис Тиркелл внесла наверх чемоданы Стефании.

— Хочешь все осмотреть? — спросила Сабрина.

Стефания кивнула. Еще никуда не поднявшись с первого этажа, она ощутила, как ее окутывает холодная элегантность всего окружающего. Внизу находились приемная для посетителей, столовая и кухня. Второй занимала большая гостиная. Третий — кабинет и бильярдная, разделенные книжным стеллажом, который можно было поворачивать к стене и тогда получалась одна большая комната. На четвертом этаже были спальни. В каждой из них Стефания помедлила, восхищаясь гармонией и равновесием света и тени, которых удалось достичь Сабрине, сочетанием мягких полутонов и ярких пятен, элегантных извивов струящегося шелка и строгости вельвета, полированной мебели, приглушенных обоев, светящемуся прожилками мрамору.

— Мне бы так жить, — вздохнула она. — Дом моей мечты.

Спальня Сабрины, которая при Дентоне была оформлена коричневым с золотым, теперь казалась по-павлиньи пестрой и была украшена слоновой костью. Там же находились две комнаты для гостей.

— Выбирай любую, — сказала Сабрина, и Стефания, не задумываясь, прошла в ту, что бледно-розовыми и зелеными тонами напоминала цветущий весенний сад.

— А на пятом этаже — квартира миссис Тиркелл и склад, — добавила Сабрина, помогая Стефании разобрать вещи. — А не пора ли нам перекусить? Какое чудо, что ты, наконец, здесь... Что такое? Что-то не так?

Стефания стояла у высокого зеркала в простенке, и паника волнами накатывала на нее при каждом новом движении или наклоне Сабрины. Когда-то и она так выглядела. Увы...

— Я ведь даже не пухленькая, — с честностью отчаяния сказала Стефания. — Обрюзгла. Стала сутулая. В «Джульеттах» сказали бы, что я не похожа на леди. И были бы правы. Только почему-то не научили меня, как сохранить осанку, когда драишь полы или только и смотришь, где раскиданы куски мела и хоккейные шайбы, чтобы не споткнуться. Но и это еще не все... А волосы, — горестно продолжила она, — ногти, руки... У меня ведь не было времени, чтобы как ты нежиться и млеть в салонах красоты...

Она знала, что все это не так. Целых три года, с того самого момента, как Сабрина оформила дом для Александры Мартовой, ей пришлось трудиться столько, сколько никто из знакомых Стефании не был бы способен. Она обставляла посольства, носилась по всей Европе на аукционы, ездила по загородным усадьбам обустраивать новые помещения, даже летала в Нью-Йорк за покупками для клиентов, где Стефании пару раз довелось с ней встретиться. И несмотря на все это, Сабрина сохранила трепетную миловидность, в то время как Стефания, сидя дома в Эванстоне, поблекла и потускнела.

Сабрина обняла сестру за плечи.

— У тебя совсем не остается времени? Неужели вы с Гартом даже в теннис больше не играете?

— Сто лет уже. Он просил иногда, но я вечно занята то по дому, то с детьми. В итоге Гарт стал регулярно поигрывать с друзьями.

Они умолкли и смотрели на свои отражения.

— Как же все так внезапно? — спросила Сабрина.

— Не внезапно. Весь последний год. Так все и покатилось.

— Но ты мне не говорила, что год для тебя выдался тяжелый.

— Я не знала, что сказать. — Мир ее был столь хрупок, что она боялась, как бы от неосторожных слов он просто не рассыпался. Пенни и Клифф подросли, и она их почти не видела; Гарт целиком ушел в работу. Стефания открыла свое дело по торговле недвижимостью в пригородах на северном побережье. Сначала все пошло настолько здорово, что она едва поспевала, а потом так же неожиданно все застопорилось.

— А как дела с торговлей недвижимостью? — спросила Сабрина. Стефания так и подпрыгнула.

— Я как раз думала... Неважные дела.

Стефания продолжила раскладывать вещи, а Сабрина села на подлокотник кресла.

— Но у тебя ведь все хорошо получалось. И дело свое ты знаешь.

— Я разбираюсь в домах и интерьерах, но не в людях, которые в них живут. Хорошо тебе — скажешь миссис такой-то, что эта супница не середины, а начала девятнадцатого века — и впариваешь ее за сто девяносто пять вместо ста пятнадцати. Я успею переодеться к ленчу? — Сабрина кивнула. — А я себя неуютно чувствую, когда приходится разочаровывать людей. Я сразу отступаю и говорю им, что перепроверю, а они потом думают, что я плохо знаю свое дело. Этот свитер с юбкой пойдут? Я неловко себя чувствую.

— Отлично смотрится. Мы до вечера никуда не пойдем.

— До вечера?

— Будет спектакль, а потом банкет в честь автора и труппы.

— Сабрина, я не пойду. Мне надеть нечего.

— Можешь взять у...

— Уже не могу. Раньше хорошо было, а теперь я на два размера больше.

— Подыщем что-нибудь. Я думала, тебе захочется познакомиться с моими друзьями, посмотреть Лондон.

— Конечно. Только вот...

— Стефания. Мы сделаем так, как ты захочешь. Давай поедим, а потом обо всем переговорим. Только скажи мне сразу, что у тебя еще стряслось за этот год.

Они спускались по лестнице.

— Очень странный был год. Все было как-то не так, и я просто махнула рукой. Но как далеко все зашло, я поняла только сегодня.

Сабрина замялась.

— А Гарт?

Стефания пожала плечами.

— А что Гарт? Он весь в работе, из лаборатории не вылезает, вступил в какой-то комитет у себя на факультете, консультирует студентов, а ночью — снова в лабораторию.

На круглом столе, стоящем в гостиной у окна, миссис Тиркелл накрыла обед на двоих. Был суп из устриц, салат, белое вино, зимние груши...

— Но ведь в теннис можно играть не только

с Гартом, — сказала Сабрина, когда они уселись за стол. — Чтобы прическу сделать, да и просто за собой последить он тоже не нужен. Подумала бы немного о себе.

— А какая разница? Нет, то есть мне не нравится, что я так выгляжу, но ведь мы и не ходим никуда, где хотя бы требуется прилично одеваться, так, к друзьям, в кино иногда. А если хочешь на самом деле узнать про Гарта, то я и не помню, когда он в последний раз на меня посмотрел. А Пенни с Клиффом — так им десять и одиннадцать, они целиком поглощены собой. Я для них, как шкаф, который надо обойти, когда бежишь по своим делам. Какое им дело, что я растолстела? Извини, мне грешно скулить. У нас чудесная семья, я их люблю, и дома у меня лучше, чем у многих. Мы почти не ссоримся. Но вот, насколько я понимаю, Сабрина, одно плохо — всем на всех наплевать, по правде говоря. Из-за этого-то и желания никакого нет затевать всякие диеты, физкультуру и покупать новые вещи.

— Мне не наплевать, — возразила Сабрина. — Потому что ты к себе несправедлива. Если Гарт чокнулся настолько, что не обращает на тебя внимания, то тебе сам Бог велел удвоить усилия.

Стефания посмотрела на сестру и недоверчиво покачала головой.

— Я так зашиваюсь по дому, что совершенно забываю, как хорошо бывает с тобой. Почему я так долго не приезжала в Лондон?

— Ты говорила, денег нет, а мне платить за билет не позволяла.

— Конечно, а то можно было взять в привычку позволять тебе за меня расплачиваться, а от этого никому пользы бы не было. Но если Гарт почаще будет принимать приглашения на европейские конференции, то я часто буду тут бывать, к тому же за полцены. Фактически, я вовсе могу переехать. Я же тебе говорила, что ты воплотила в реальность дом моей мечты?

— Извини, — сказала Сабрина Майклу Бернарду, когда Брайан вручил ей корреспонденцию. Она пробежала глазами список. — Да — Оливии Шассон; нет — Питеру и Розе Рэддисон. Да — герцогине, но сообщите ей, что приступить я смогу не раньше следующего месяца, если не в августе; нет — Николсу и Амелии Блакфорд, но скажите, что я рада буду заехать на уик-энд в следующем месяце, когда все успокоится. Так, Антонио говорит в восемь, а не в восемь тридцать? Ладно. После того как с этим разберетесь, почему бы вам не пойти домой? Я закрою.

Она снова повернулась к Майклу.

— О чем мы?

— Да говорили о той газетной истории. Я при тебе себя просто бездельником чувствую. У вас всегда десять дел разом делается?

— В последнее время всегда. Невероятно, правда?

— Самое невероятное — это ты. Сама же знаешь, мы эту историю по всей Европе раскапывали, и везде только и слышно о тебе и «Амбассадоре».

Сабрина глубоко вздохнула. Это Майкл-то ей рассказывает. Старый друг. Еще со времен колледжа, когда он начал жить с Джоли Фэнтом, стоило ей вспомнить о них, как она чувствовала себя уже не так одиноко — будто была членом их маленькой семьи. А теперь они пишут вместе и, рыская по миру в поисках материалов для своих статей, то появляются на ее горизонте, то исчезают. Она много месяцев ничего о них не слышала, и тут Майкл объявился, чтобы узнать подоплеку волны подделок международного масштаба, захлестнувшей небольшие галереи, о которых они готовили статью.

Джоли с Майклом были единственными друзьями Сабрины, которым, как и ей, приходилось зарабатывать себе на жизнь, и с ними она позволяла себе расслабиться, проявить свой энтузиазм, чего никак не могла себе позволить в обществе богатых клиентов и друзей, которые ожидали от нее такого же, как у них, пренебрежения к деньгам.

— Ты на самом деле слышал об «Амбассадоре» за границей? Интересно. На той неделе были звонки из Парижа и Брюсселя. О, Майкл, что бы ты стал делать, если бы вдруг разом начали сбываться все твои мечты?

— Радовался. Ты заслужила признания. Ты сама всего достигла.

— Но мне иногда страшно. Все случилось так быстро. Ты знаешь древнюю китайскую примету — если начинаешь разглядывать что-то прекрасное, оно может исчезнуть? Можно смотреть украдкой, но пялиться нельзя ни в коем случае, потому что все прекрасное — хрупкое и преходящее, и грубым взглядом можно все только испортить. Вот такая, по-моему, и моя нынешняя жизнь. Если я начну о ней распространяться, или слишком пристально на ней зафиксируюсь, все может рухнуть.

Майкл пожал плечами. Суевериям нет места в современной журналистике.

— Ты добилась невероятного успеха, все в Лондоне только о тебе и говорят. Едва ли такое исчезнет без следа. А кто такой Антонио?

— Что?

— Антонио. Восемь вместо восьми тридцати. Или я наглею?

— Друг.

— Ага. Значит, наглею. Ладно, оставим дела любовные. У тебя — успех, слава и, несомненно, немалые доходы. Чего же ты еще хочешь?

— Дела. Оно у меня, правда, тоже есть. Но хочется большего. Это — лучше всего.

— Лучше всего, — сказала, входя в офис, Джоли, — независимость. Особенно после того, как тобой повертел такой диктатор, как твой бывший муж.

— Лучше всего деньги, — возразил Майкл. — Поди-ка, купи на независимость хоть пучок укропа.

— О Господи! Опять ты...

— Не хотелось вам мешать, — Сабрина услышала звонок в дверь, — только при клиенте стульями не кидаться.

В мягко освещенном выставочном зале Рори Карр восхищенно рассматривал высокие французские напольные часы, украшенные фарфоровыми ангелами по периметру круглого циферблата.

— Очень мило, миледи, — он низко склонился к протянутой руке. — Не иначе, как из усадьбы графини дю Верн, полагаю?

Сабрина улыбнулась.

— Вы всегда меня поражаете, мистер Карр. Я не видела вас на аукционе.

— Я был знаком с их семьей долгие годы, миледи. Я виделся с ними не далее, как на прошлой неделе, в Париже, и юный граф передает вам свое почтение. Но сегодня я здесь по делу, мне хотелось бы показать вам нечто особенное. С вашего позволения, конечно.

Сабрина кивнула, он водрузил на стол и открыл кожаный чемоданчик. Вынув оттуда крупный сверток, он медленными, плавными движениями стал его распаковывать. Сабрина восхищалась его манерой двигаться. Одет он был безупречно, а серебрящиеся сединой волосы и небольшие мешки под глазами только подчеркивали его артистизм. Но он был непревзойденным знатоком искусства и за последний год продал ей шесть превосходных фарфоровых изделий XVIII века. В отличие от многих работ, эти в ее салоне не застоялись.

Сейчас Карр благоговейно выставил на стол фарфоровую группу: летний домик, похожий на пагоду в ярких спектральных тонах с резной лесенкой, и четырех мальчиков, одетых в белое с желтым, в соломенных шляпках с сачками и корзинками.

— Люк, — прошептала Сабрина. Давным-давно в каком-то берлинском музее Лаура показала им со Стефанией работы Люка и других мастеров франкентальской фарфоровой фабрики 50-х годов XVIII века. Сабрина подняла пагоду и с удовлетворением удостоверилась, что на днище и в самом деле красуется франкентальское клеймо в виде готической «F» с короной.

— Владельцы? — спросила она.

Карр вручил ей свернутый в трубочку документ.

— Всего трое? — удивилась она, развернув и пробежав глазами бумагу.

— Похоже на то, миледи. Я так полагаю, что продажа была вызвана крайними обстоятельствами. Сами видите, как хороши вещи...

Сабрина изучила статуэтку.

— И сколько?

— К сожалению, не дешево. Четыре тысячи фунтов.

Ни один мускул не дрогнул на лице Сабрины.

— Три тысячи.

— О, миледи, я на самом деле... Хорошо, исключительно ради вас, три пятьсот.

— Завтра пошлю чек, — сказала она.

Он поклонился.

— О, леди Лонгворт, вы восхитительны. Если бы каждый был так решителен в принятии решений! Желаю вам приятно провести день.

— Сабрина, — окликнул ее Майкл, как только дверь за Карром затворилась. — Ты часто имеешь с ним дело?

Она обернулась.

— За этот год несколько раз. А ты его знаешь?

— Рори Карр, верно?

— Да.
— Мы с ним сталкивались.
— Недавно?
Он кивнул. Холодок прошел по спине Сабрины. Она пробежала пальцами по холодному фарфору: превосходный колорит, изящно затемненная изнутри хрупкая конструкция.
— А как вы на него натолкнулись?
— Он из фирмы «Вестбридж импорт». Высококлассные штучки со всего мира — как современные, так и старинные. Продает их через небольшие галереи типа «Амбассадора». И, похоже, иногда подсовывает туфту.
— Подделки?
— Семь так или иначе связаны с «Вестбриджем»... Но это строго конфиденциально, кстати.
— Это же не значит, что Рори Карр...
— Совершенно верно. Его могли вовлечь случайно. Но он-то не дурак, к тому же связи с галереями — все его. Мы гораздо больше узнаем, когда проследим, что за денежные мешки стоят за «Вестбридж» и другими торговыми фирмами в Европе и Америке. Точно известно лишь то, что по документам владельцем «Вестбридж импорт» является некто Иван Ласло.
— Иван Ласло? Что-то слышала, только очень давно. Франция? Италия? Не помню.
— Если вспомнишь — дай нам знать. И смотри в оба с тем, что предлагает Карр. А до сих пор он что тебе приносил?
Она прикрыла глаза.
— У всего были сертификаты владельцев. Клейма на всем были подлинные. Я всегда — как ты выражаешься — смотрю в оба, если что-то приобретаю. Иначе бы я и недели не протянула, потеряв доверие клиентов.
— Да я же не хотел...
— Миледи. — В дверях офиса возник Брайан. — Сеньор Молено на проводе.
— Дружба. — Майкл поцеловал Сабрину в щеку. — Мы пойдем.
Антонио Молено за день успевал переговорить по телефону десятки раз. Он был миллионером, заработавшим все сам и унаследовавший беспардонность отца-португальца и мистицизм матери-индианки. Пятьдесят один год он дожидался, когда же появится женщина, достойная стать хозяйкой его империи. Когда в новогод-

нюю ночь в загородном доме Оливии Шассон он встретил Сабрину, то в течение десяти минут, за которые уходящий 1978 год успел смениться 1979-м, принял окончательное решение — на ком женится и кто родит ему первенца.

Он разогнал любовниц, должным образом вознаградив каждую, и ринулся на Сабрину подобно огромной хищной птице, на которую, кстати, весьма был похож и внешне. В течение пяти месяцев он преследовал ее с той самой целеустремленностью, которая сделала его владельцем крупнейших плантаций провинции Бахия и скотоводческих ранчо в материковой провинции Сьерра де Амамбаи. К настоящему времени в его планах значилось, что Сабрина давно уже должна быть замужем за ним, вести хозяйство в его доме в Рио-де-Жанейро и ждать от него сына. Вместо этого он вынужден был без дела околачиваться в Лондоне и подстраиваться под ее рабочий распорядок, чтобы она соизволила его принять.

Потому что она никак не могла решиться.

Все говорили ей, что женщине больше и желать нечего: огромное богатство и власть; современный принц, прилетевший за ней на собственном самолете, хотя в речи его там и сям проскальзывали отзвуки прекрасных старинных народных преданий племен его матери и бабушек.

— Хорошо, — говорил он Сабрине, — что ты меня по-прежнему не любишь. Боги племени гуарани говорят, что любовь приходит последней. Она медленно прорастает из зерен совместной жизни и творения. Вот когда поживешь подольше, народишь большую семью, тогда и приходит любовь.

В свете тоже ждали от Сабрины повторного брака. Ей на каждом приеме представляли все новых и новых холостых мужчин из высшего общества. Все они заметно уступали Антонио, которому не было равных в его решительной любезности, непоколебимой уверенности в их будущем счастье; он был одновременно могуч и легок, таинственен и практичен, этакий бизнесмен и плейбой. Их с Сабриной видели на многих спортплощадках, куда ее с гордостью приводил в свое время Дентон. Но работать он умел не хуже, чем развлекаться. В перерывах между кинофестивалями и автогонками, балами и дерби, охотами и загородными уик-эндами он успевал слетать в Бразилию, где работал по двадцать четыре часа в сутки, или запирался вдруг в Лондоне у себя в квартире и совершал телефонный марафон, надиктовывая длиннющие документы сотрудникам своего секретариата в Рио.

И ежедневно звонил Сабрине, напоминая, что ждет.

Но она выжидала.

— В конце-то концов, — жаловалась она Александре, — я ведь думала, что выйти за Дентона — тоже неплохая идея.

Александра хмыкнула:

— Ты была молода и невинна. Зависима. А теперь у тебя все есть — бизнес, дом, я, чтобы давать советы.

— Ну хорошо. Посоветуй тогда. Почему мне следует выходить за Антонио?

— Потому что, как и для всех женщин, мужчина рядом — это то, что необходимо для полного счастья.

— Любой?

— Милая моя! Сабрине Лонгворт вовсе ни к чему цепляться за любого. Твой Антонио — птица очень редкого полета.

Он работал над планом строительства жилья, больниц и школ для крестьян тех провинций, где простирались его владения. В его задачу входило не дать этим самым крестьянам организоваться против него самого и ему подобных латифундистов; публично же он, естественно, заявлял, что движет им исключительно забота о бедных и несчастных. В этой важной работе Сабрине отводилась немаловажная роль. Вдобавок к воспитанию его детей и исполнению роли хозяйки дома, она должна была поспособствовать ему в поднятии жизненного уровня тысяч людей.

— Король Антонио Первый, — отшучивалась она.

Когда Сабрина впервые оказалась в его постели, он удивил ее нежностью рук, плавными, мягкими ласками, выдержанными в том же чувственно-неотразимом ритме, как и его назойливые любезности и ухаживания, и только доведя ее до крайней степени желания и готовности, овладел ею. Когда же он почувствовал, что хочет ее тело, то не стал, подобно Дентону, вынуждать ее подстраиваться под себя, и она испытала, наконец, то удовлетворение желания, а не притупление его, которое бывало с Дентоном. Впервые Сабрина поняла, что значит радость от секса, благодарность партнеру.

— Но если я снова выйду замуж, — сказала она Александре, — то только по любви.

Она-то знает, что такое настоящая любовь. Она познала это благодаря Стефании. За годы одиночества она искала того, кому нужен спутник в жизни, а не красивая вещь; того, кто успокоит ее страх, а не будет просто аплодировать ее умениям; того, кому нужна будет ее забота, а не самообладание и положение в обществе; того, кто будет лелеять ее, а не перековывать под свою жизнь. Она знала, что такое общность жизненных интересов, а Антонио в эту схему не укладывался.

И вот, едва лишь Майкл предупредил ее насчет Рори Карра, позвонил Антонио. Может, и впрямь есть что-то этакое у этих индейцев гуарани; вдруг это и впрямь знак? С чего это она решила, что Антонио не станет принимать близко к сердцу ее трудности и не захочет в них поучаствовать? Самое время все выяснить. И она с радостным предвкушением взяла трубку.

Гарт открыл окно, в кабинет ворвался ветер с озера, а на утреннем небе всходило солнце. Было уже гораздо жарче, чем бывает обычно в конце мая, какие-то студенты болтали босыми ногами, сидя на прибрежных камнях, и визжали, обжигаясь семиградусной водой. Над рассеянными здесь и там группами готовящихся к выпускным экзаменам взлетали разноцветные тарелочки, велосипедисты обгоняли жмущихся поближе к деревьям влюбленных, запускающих пальцы в задние карманы джинсов друг друга. Пахло летом. Тянуло на улицу. Но у Гарта была назначена встреча. Он посмотрел, где у него бумаги Вивьен Гудман. Если повезет, можно будет немного прогуляться перед двухчасовым семинаром. Он был уже на полпути к двери, когда зазвонил телефон.

— Гарт, — раздался голос Стефании, — мне нужно поговорить с тобой о Клиффе.

— Я встречаюсь с деканом. Я позже тебе пере...

— Нет, я сейчас одна в офисе, все ушли, потом такого случая не будет. Пожалуйста, Гарт.

— Ладно, если до вечера нельзя потерпеть. Что такое у тебя?

— По-моему, он ворует.

— Ворует? Не верю. С чего ты взяла?

— Я нашла приемник и два калькулятора у него в шкафу. Сегодня утром, под одеждой. Собиралась постирать...

— Под одеждой?

— Да. Запечатанные, новые.

— Не верю. Он их не украл.

— А как они там оказались?

— Может, друзья дали.

— Но, Гарт, он же их *спрятал!*

— Ну, и что такого, по-твоему, стряслось?

— Мне на работе рассказывали, что дети сейчас воруют на продажу...

— Зачем? Мы ему все даем, к тому же он весь год зарабатывал сам, убирал чердаки и подвалы. И вообще, зачем шестикласснику деньги? По-моему, даже самые богатые из его друзей раньше седьмого класса на «мерседесы» не пересядут.

— Гарт, не шути; это не смешно.

— Совсем не смешно. Стефания, Клифф устойчивый, открытый мальчик, он не вор. Но вот, сдается мне, что завидовать всем этим богатеньким сынкам, которые учатся вместе с ним, он может. Или стыдиться их. И если кто-нибудь из его дружков нашел себе такое развлечение, как чистить магазины, то за компанию с ними он вполне мог увязаться. Кстати, ты не интересовалась, каково ему смотреть на одноклассников, покупающих все, что их избалованным душенькам угодно?

— А *ты* не спрашивал?

— Потому что и так знаю. Извини, Стефания, мне пора. Опаздываю на встречу с деканом. Вечером закончим этот разговор.

— Я хочу, чтобы ты пришел пораньше. Неужели ты *только сейчас понял,* что он может завидовать другим? Мне это давным-давно известно. Ты же с ним не разговариваешь! Даже не знаешь, что у него на уме.

— Но могут же у него быть от нас секреты? Не всегда, конечно. У меня в его возрасте были. Мне казалось, что родители вечно суют нос куда не надо. Кстати, Клифф знает, что ты роешься в его комнате?

— Нет, и говорить не надо. Он меня просил, чтобы я к нему не заходила.

— Тогда что я буду говорить ему?

— Придумай что-нибудь. Мы не имеем права не обращать на это внимания. Когда ты будешь дома?

— Около шести.

Гарт помчался вверх по лестнице. Уильям Вебстер, декан по науке, поджидал его за своим столом, плавая в клубах табачного дыма. Гарт сел напротив и раскрыл свое досье.

— Билл, я хотел бы попросить вас пересмотреть решение ученого совета факультета касательно Вивьен Гудман.

— Так я и думал.

Вебстер откинулся, и кресло заскрипело под тяжестью его тела. Счастливый человек с самодовольным пузом и сияющей от радости лысиной, он не терпел возражений. В течение недели он пытался настроить Гарта против его ассистента, но одиннадцать лет в университете не прошли даром, и Гарт хорошо разбирался в политических маневрах.

— Вы представляли ее дважды? Зачитывали ее статьи и книги по исследовательским методам? Зачитывали отзывы других биохимиков? — Гарт кивнул. — Следовательно, вы выполнили все формальности. И одиннадцать против девяти проголосовали за отказ миссис Гудман от кафедры, не пожелав, таким образом, видеть ее на факультете. Гарт, вы же знаете, предоставление кафедры — это как женитьба: преподаватель получает пожизненную работу, его принимают в профессиональную семью навеки. И в нем следует быть совершенно уверенным.

— Или в ней.

— Мне говорили, — продолжил Вебстер, не обращая внимания на вставку, — что публикации у нее жидковаты, а книга не блещет новизной подхода. Наибольший энтузиазм в ее поддержку, насколько я знаю, проявляют студенты. Что, конечно же, ничего не решает. Дорогой вы мой, никто не пользовался такой популярностью у студентов, как вы, но никогда вы бы не попали на кафедру, если бы ваши труды и опыт работы не были первоклассными сами по себе. И мы гордимся, что вы среди нас. И студенты вас по-прежнему любят, и преподаватели. Да что там говорить, вы бы и меня могли подсидеть, будь у вас побольше амбиций. К моему счастью, — сердечно рассмеялся он, — вы предпочитаете свою лабораторию. Короче, я очень рад, что мы с вами побеседовали. Очень жаль, что миссис Гудман придется уйти, но она найдет себе другое место, а мы и без нее справимся. Очень рад, что вы зашли, Гарт.

Гарт не шелохнулся, когда Вебстер поднялся со своего места, разгоняя завесу дыма, чтобы проводить его до двери.

— Присядьте, пожалуйста, Билл, — спокойно сказал он.

Вебстер заколебался, нахмурился и сел.

— Вивьен разбирается в биохимии не хуже, — сказал Гарт, — чем кто бы то ни было на кафедре. И труды у нее не жиденькие, а доскональнейшие. Да, новизной она не блещет, а кто у нас на кафедре блещет? Большая часть профессорско-преподавательского состава, с которым я, по вашему утверждению, состою в каком-то таинственном браке, проводит время за пережевыванием старых идей, а не гоняясь за новыми. Правда же заключается в том, что Вивьен зарубили, потому что она женщина.

— Ну, знаете ли, как вам только не стыдно, мальчик мой. Вам прекрасно известно, что я не перевариваю предрассудков. Уж меня в этом не обвинишь. Миссис Гудман прошла стандартную процедуру, как любой преподаватель, и против нее проголосовало большинство. А я не собираюсь никому предоставлять кафедру исключительно из-за того, что это женщина, невзирая на качество ее работы...

— Я уже говорил, что работа ее вполне удовлетворительна.

— Вы так говорите. А другие...

— То же самое подтверждают независимые оценки из других университетов.

— Но наш совет, Гарт, ученый совет, в который вы сами входите, так проголосовал. Как я могу что-то изменить? Сам я, конечно, не читал работ миссис Гудман, но опыт подсказывает мне, что тот, на ком держится дом, муж, двое детей, не может трудиться с такой же стопроцентной отдачей, как мужчина. И это не критика; я встречался с миссис Гудман, она привлекательна и, видимо, умна. Но мы должны учитывать, что она ограничена во времени. А у нас — долг перед наукой.

Гарт старался не повышать голоса.

— Билл, одиннадцать мужчин могли проголосовать против повышения женщины, которая такой же, как и они, ученый, а преподаватель — лучше, чем они. И я не хочу прикрываться соблюденными формальностями. Я оставлю заявление о пересмотре вашего решения. — Он протянул папку. — Здесь особое мнение меньшинства, подписанное девятью из нас. К нему приложен список женщин, которым было отказано от кафедры на протяжении последних двенадцати лет, вместе с их послужным научным списком. Я все это оставлю у вас, а через неделю зайду, и мы еще раз поговорим.

Вебстер молчал.

— Знаете, Гарт, я не смогу с этим ознакомиться. Мне очень жаль, но завтра я уезжаю в командировку.

Гарт отдернул руку с папкой.

— В таком случае я вынужден буду отнести все документы проректору. Билл, поймите меня правильно.

— Гарт, да какая вас муха укусила?! Что вы изображаете из себя ковбоя на белом коне? Уж не хотите ли вы сказать, что у вас с этой дамочкой что-то есть? Вы же себя дураком выставите, если обратитесь через мою голову. А если дойдет до склоки, то я против вас такие силы выдвину, что вам не поздоровится.

Гарт встал, возвышаясь над деканом. Взгляд его пылал, но голос оставался спокойным.

— Вы назвали меня ковбоем, дураком, лжецом и обвинили в связи — и все это в течение минуты. Это вам даром не пройдет, рекордсмен. Приятной поездки, Билл.

Вебстер ахнул, но Гарта уже и след простыл — он гордо шел по коридору, спустился по лестнице, потом прошествовал по другому коридору и вошел в кабинет. В углу за рабочим столом он нашел свою теннисную ракетку, схватил ее и шмякнул по невидимому мячу. «Дурак проклятый! Осел! Кичится своим тупым упрямством!»

— Ой, простите, — раздался смущенный голос. Он обернулся и увидел покрасневшую Риту Макмиллан, старшекурсницу, пришедшую на двухчасовой семинар по генетике.

Он усмехнулся и положил ракетку.

— Спускаю пары. Чем могу быть полезен, Рита? Садитесь. Я не опасен.

Она села на краешек стула.

— Я насчет... дипломной работы.

— Вы решили писать работу вместо экзаменов?

— Я просто, ну, вроде как боюсь, что если... ведь на экзамене можно переволноваться, правда?

Он кивнул и подумал: «Интересно, почему студенты так часто утверждение подают в форме вопроса? Будто не уверены, именно ли это собирались сказать».

— А теперь у меня возникли трудности и с работой.

— Так сдайте экзамены. Это же на ваш выбор.

На глазах девушки навернулись слезы.

— По-моему, у меня ни то, ни другое не выйдет.

— То есть, вы хотите отложить все до осени?

— Нет, тогда у меня точно уже не получится, и родители... — Слезы покатились крупными каплями, и она принялась утирать их платочком.

Гарт нахмурился.

— Так чего же вы, в таком случае, хотите?

Она пристально посмотрела на него сквозь слезы.

— Помните, как мы, бывало, за кофе обсуждали мой исследовательский проект? Я часто об этом вспоминаю... Знаете, мне, по-моему, лучше в жизни не было, чем теми вечерами... И еще в тот раз, помните, когда мы пили чай в студенческом союзе? Мы все говорили и говорили, и я так поняла, что нравлюсь вам, и... ну, знаете, мне, вроде как, девчонки сказали... знаете, не с нашей кафедры, а... ну, короче, мы ведь могли бы еще за кофе посидеть, только, я имею в виду, что в этот раз у меня... и мы могли бы... то есть, я могла бы... ну, показать вам свою работу, а? То есть, я ее еще не доделала, но, может, вы могли бы... ну, типа троечки мне за нее, чтобы я могла закончить и... ну, не смотрите же вы на меня так!

Вся ярость, скопившаяся в Гарте при посещении кабинета декана, взорвалась в нем.

— Ты дура! Тупица! Ты... шлюха! — Он зашагал к окну и обратно. — Торговать собой за оценку, когда другие женщины из сил выбиваются ради степени, работы, хорошей ставки, места... а самодовольные мужики их отпихивают! Но ты-то знаешь, как добиваются своего, правда? Тут мозгов не требуется, тут достаточно слез и... О Господи! — Он тяжело вздохнул и прошел мимо нее к двери. — Лучше уходи. Получишь справку о незаконченном образовании, если не сможешь доделать работу или сдать экзамены. А большего от меня не жди. Иди. Убирайся.

Она обошла его стороной с широко раскрытыми глазами — от удивления, а вовсе не от страха, как подметил он. Она явно ожидала совершенно иной реакции. Неужели он и в самом деле давал для этого хоть какой-то...

Зазвонил телефон.

— Андерсен, — рявкнул Гарт.

— Профессор Андерсен? С вами хотел бы поговорить мистер Каллен.

Каллен? Что еще за Каллен?

— Профессор Андерсен, это Хорэйс Каллен, президент «Фостер лабораториз» в Стэмфорде, штат Коннектикут. Вы были участником семинара, который мы проводили в прошлом году в Чикаго.

— Мистер Каллен, у меня занятия через пять минут.

— Я вас не задержу. На следующей неделе я опять буду в Чикаго, и я подумал, не могли бы мы вместе провести ленч?

Гарт заинтересовался. Президенты международных компаний так просто профессоров на ленч не приглашают; обычно это делают секретари.

— Я думаю, вполне, — сказал он. — Но если дело касается еще одного семинара...

— О нет! — В трубке раздался смешок. — Мы хотели бы переговорить с вами, не согласились бы вы присоединиться к нам в Стэмфорде в качестве директора нашего нового исследовательского центра. Мы рассматриваем несколько кандидатур, но ваша — бесспорно основная.

Часы на административном здании пробили два раза.

— Когда вы здесь будете? — спросил Гарт.

— Во вторник. Давайте договоримся на час дня в «Ритц-Карлтон»?

— Хорошо.

Позже, сидя на диванчике в ожидании обеда, который готовила Стефания, он рассказал ей о звонке.

— Год назад я сразу бы отказался. Но после того как Билл принялся мне угрожать...

— А сколько ты там будешь получать? — спросила Стефания. Она стояла к нему спиной и резала овощи.

— Не знаю. А тебе хотелось бы переехать в Коннектикут?

— Хоть завтра.

Он опешил.

— Но тебе ведь нравится Эванстон. Тут наши друзья, у детей школа, у тебя работа...

— Работа скучная, друзей новых заведем, а школы в Стэмфорде наверняка не хуже. — Открыв холодильник, Стефания достала чеснок, красный перец, мелкие помидоры. Посмотрев на мужа, она сказала:

— Знаешь, как чудесно было бы иметь деньги. И жить поближе к Нью-Йорку. Хоть какое-то развлечение.

Гарт почувствовал себя неуютно. На ленч он согласился исключительно от злости на Вебстера, да еще подлила масла в огонь Рита Макмиллан. Причин, чтобы бросать университет, у него не было. А Стефания за это ухватилась. Они еще ничего толком об этом предложении не знают, а она уже подыскивает причины, по которым следует согласиться, в то время как сам Гарт, успокоившись, не видит уже смысла даже и собственно в ленче. Но, конечно же, придется пойти, хотя бы ради Стефании.

— Посмотрим, что скажет Каллен. — Он наблюдал, как Стефания возвращается к разделочному столику. — Кстати, я тебе еще не рассказал про Риту Макмиллан. Эта тварь...

— Так ты собираешься принимать предложение?

— Мне еще ничего не предложили.

— Если предложат.

— Не знаю. Я же говорю, посмотрим, что скажет Каллен. Я тебе начал говорить про Риту...

— Мам! — В кухню с воплем влетела Пенни. — Мы с голоду пухнем!

— А ты на стол накрыла?

— Сегодня очередь Клиффа.

— А он накрыл?

— Накрывает.

— Проследи, чтобы не забыл про салфетки. Кстати, вы с ним руки помыли?

Стефания достала из духовки картошку. На кухне воцарилась тишина. Гарт пожал плечами и взялся за газету.

— Мам... — заныла Пенни.

— Ладно. Пенни, Гарт, — сказала Стефания, — давайте обедать.

— Стефания...

— Сабрина! Я звонила и звонила...

— А я была за городом, а миссис Тиркелл я на весь июль отправила в отпуск.

— Я уже забеспокоилась, не приключилось ли чего с тобой.

— А что, мои дурные предчувствия донеслись и до Эванстона?

— У тебя неприятности?

— Нет, но я испугалась, что они могут быть. Пару недель назад мне показалось, что я купила липовый фарфор, но потом проверила, и оказалось, что подлинный. Больше ничто не тревожит. А как твои дела с недвижимостью? Не разыскала мне какой-нибудь занятный чердачок с прелестями?

— Я... я некоторое время уже этим не занимаюсь...

— Но почему, Стефания? Ведь тебе нравилось...

— Да, но дела не идут. Я теперь в университете работаю. Удовольствия, конечно, мало, зато есть чем платить за дом. Если вот переедем, то, может быть, снова займусь недвижимостью. Сабрина, Гарту предложили новое место. Директором исследовательского центра при фармацевтической фирме в Коннектикуте.

— Гарт уходит из университета?

— Мне бы хотелось. Там предлагают девяносто тысяч в год.

— О, Стефания, это чудесно! Тебе не пришлось бы больше волноваться из-за денег; можно заняться, чем хочется. Почему бы тебе не открыть филиал «Амбассадора» в Америке? Мы бы заимели клиентуру по ту сторону океана. И друг с другом бы виделись почаще. А Гарт рад?

— По-моему, он собирается отказаться.

— Но... почему?

— Не знаю. Он пару недель назад встречался за ленчем с президентом фирмы и говорит, что все еще не решил, но энтузиазма особого он, по-моему, не проявляет. Они хотят, чтобы мы перебрались в Стэмфорд, а для этого и мне тоже предстоит пройти проверку. Но Гарт говорит, что он слишком занят.

— Но на новом месте он не будет перегружен?

— Нет. Ему просто надо будет встречаться с людьми, беседовать с ними, а выходные он сможет проводить с женой. Он тогда даже сможет заметить, что я похудела.

— В самом деле?

— Ты можешь мной гордиться. После нотации, которую ты прочитала мне в Лондоне, я стала другим человеком. Диета, физкультура, а потом я откопала на Мичиган-авеню местечко, смахивающее на бордель. Так они половину грязи из Миссисипи перевели на то, чтобы привести в порядок мое лицо, и сделали мне классную прическу. Дома никто и не заметил, но мне было так хорошо, что я даже не обиделась. Вот если бы нас сейчас поставить перед зеркалом, то еще подумать бы пришлось, кто из нас модный европейский дизайнер, а кто — скучная университетская домохозяйка.

— Не говори так, это несправедливо, ни к чему

высмеивать собственную жизнь, ты представить себе не можешь, как мне иногда хочется пожить именно так.

— Но не до конца дней...

— Стефания, что еще не так?

— Да с Клиффом проблемы, а Гарт даже слушать не желает. А Пенни хочет брать уроки рисования, и она это заслужила, у нее неплохие знания и способности, но стоит это ужасно дорого, что опять же возвращает нас к предложению, которое получил Гарт. И я чувствую себя настолько... беспомощно. Будто меня на булавку насадили, а я пытаюсь рыпаться. И знаешь, что я сделала?

— Что?

— Только не смейся. Я попросила китайскую визу. В сентябре будет поездка, которую спонсирует «Международный антиквариат», и я решила, что...

— Так и я тоже! Звучало так заманчиво, что я...

— Ты тоже попросила визу?

— Пришлось. Ведь на это уходит...

— Шестьдесят дней на одну визу.

— Какое чудо! Мы поедем вместе! А ты можешь себе это позволить? Я ведь хотела тебя позвать, но...

— Конечно, не могу. То есть, на срочных вкладах у нас деньги есть, но не на поездку же в Китай. Я Гарту еще не говорила.

— Так ты думаешь, тебе не удастся поехать?

— Вероятно, нет. Я просто рада была почувствовать себя авантюристкой, когда заполняла анкету, а так приятно бывает помечтать...

— Я тоже не уверена, удастся ли мне выбрать время. Сентябрь может выдаться очень загруженным. Вот если бы нам придумать способ, как...

— Если бы получилось? Какая сумасшедшая, прекрасная мечта!

Повесив трубку, Сабрина сидела в полночной тьме своей спальни, поглубже зарывшись в подушки мягкого кресла, и размышляла о себе и Стефании. У них такая разная жизнь, и каким-то чудесным образом они становились все ближе и ближе. Александра и некоторые другие — хорошие подруги, но лишь голос Стефании звучит, как родной.

Зазвонил телефон.

— Сабрина, милая, прости, — раздался голос Антонио. — Я знал, что ты не спишь, потому что было все время занято.

Ее охватила паника.

— Я думала, ты сегодня улетел в Бразилию.

— Я улетел в Нью-Йорк. Через два дня буду в Рио. Звоню пожелать тебе приятных сновидений. Вернусь пятнадцатого августа, и тогда ты, наконец, дашь мне окончательный ответ, чтобы можно было строить совместные планы на будущее.

Сабрина облегченно вздохнула. Он на самом деле улетел. И теперь целых четыре недели в ее полном распоряжении, и она может делать все, что заблагорассудится, без его навязчивого давления.

Но недели пролетели, и не успела Сабрина как следует привыкнуть к свободе, которую давало отсутствие Антонио, как он позвонил и сообщил, что возвращается через два дня. Сабрина горестно посмотрела на свой календарь, и тут вошли Майкл с Джоли, чтобы попрощаться.

— Мы — в Берлин, потом в Нью-Йорк, — сказала Джоли. — История разрастается. Пришли предостеречь тебя насчет Рори Карра.

Сабрина покачала головой.

— Летний домик Люка оказался подлинным. Я знаю, что вы желаете мне добра, но поймите правильно. Он мог бы относить все эти статуэтки к Адамсу или другим крупным торговцам фарфором и получить за них, вероятно, даже больше, но он любит помогать мелким салонам, и я ему за это благодарна. Я не верю, что он способен принести подделку, и по крайней мере, со мной он таких штучек не проделывал. Поэтому я не уверена, что он в чем-то замешан.

— Замешан по самые свои мешки под глазами, — грубо сказал Майкл. — Сколько изделий ты успела у него купить?

— Семь. И все, кроме летнего домика, давно проданы.

— Сабрина, — продолжала Джоли, — нам пора на самолет, и времени у нас нет. Но выслушай нас, пожалуйста. Ведь мы хотим тебе помочь. Мы проследили за пятью подделками, исходящими от Карра и Ласло из «Вестбридж импорт». Все они проданы ими через маленькие салоны типа «Амбассадор».

— Пять? — переспросила Сабрина. — Вы уверены?

— Да. И более того, некоторые салоны, похоже, сотрудничают с «Вестбриджем» ради сверхприбыли. Они платят меньше, поскольку покупают липу, а потом загоняют по цене подлинных вещей. Это то, до чего нам удалось докопаться. Но и это уже гадость порядочная. И, поскольку ты имеешь дело с Карром, перепроверь, будь добра, еще разок, что он тебе продал. Сделай это, ладно? Все, нам пора бежать. Вот наш парижский телефон. Может, созвонимся сегодня вечером? А, Сабрина?

— Что? Извините, я не расслышала. — Голова у нее кружилась, и ей хотелось, чтобы они поскорее ушли. Некоторые из самых богатых и влиятельных ее клиентов покупали у нее вещи от Карра. Голова гудела. — Что вы сказали?

— Мы вечером позвоним, справимся, как ты. Хорошо, Сабрина? А ты эти вещи перепроверь и сообщи нам результаты. Хорошо?

Она проводила их до двери.

— Постараюсь. Не знаю, что из этого выйдет, но постараюсь.

Уже на улице, пока Джоли ловила такси, Майкл лениво поинтересовался у Сабрины:

— Кстати, ты не вспомнила, где тебе доводилось пересекаться с Ласло?

— А как же. Только это было так давно — лет семь тому назад, по-моему. Он работал секретарем Макса Стуйвезанта. Я с ним встречалась во время круиза на яхте.

Майкл склонил голову набок.

— Стуйвезант.

— Старая история, — сказала Джоли, поймав такси. — Сейчас у него секретарем какой-то Деннис. Я с ним встречалась, когда делала фотографии коллекции скульптур Макса для «Мира искусств».

— Ладно, — небрежно махнул рукой Майкл, — может, и нет за этим ничего. Вечером созвонимся, дорогая. — Они распрощались, и Сабрина ушла со слепящего августовского солнца в прохладную полутьму своего магазина. Шесть работ из фарфора, которыми предстоит заниматься, и появление Антонио на носу. Она заглянула в календарь: обеды, пикники, концерты, домашние вечеринки. Август считается скучным месяцем, это то время, когда все в разъезде. Ну, как она могла предполагать, что ей и в августе не будет покоя?!

Она уселась за свой вишневый стол. Зазвонил телефон, и в дверях возник Брайан.

— Миледи, сеньор Молена...

— Нет, — сказала она. Никакого Антонио до личной их встречи. — Некоторое время никаких звонков. Пусть передаст через вас, Брайан.

Пока он вновь не появился, она сидела, уставившись на свои сжатые руки.

— Сеньор Молена сожалеет, но он вернется на неделю позже, миледи. Он надеется встретиться с вами двадцать второго или двадцать третьего августа, а сегодня вечером он вам позвонит.

— Спасибо, Брайан. — Как она только помыслить могла, что можно выйти замуж за человека, от которого самое радостное известие — что он задерживается на неделю?

Но об Антонио она поразмыслит позже, а теперь самое время заняться проверкой фарфора. Вот только непонятно, как к этому подступиться. Ведь не пойдешь к Оливии Шассон и не попросишь у нее на время статуэтку, которую она ей продала без каких-либо объяснений? Александре можно все выложить на чистоту, но как быть с остальными?

— Брайан, — сказала она внезапно, — давайте закрываться. Лето, пятница, у вас с завтрашнего дня отпуск. Увидимся через две недели.

Сабрина отправилась домой. Солнце давило на больную голову, ей приходилось щуриться. Обычно Сабрине нравилось возвращаться домой пешком, но сегодня она с трудом сознавала, где проходит. Маленькие элегантные магазинчики на Бошамп-плэйс, дремлющие в предвечернем зное, не искушали ее, и даже выносные фруктовые лотки, которые она так любила, не могли заставить ее остановиться. От жары Сабрина чувствовала головокружение и неожиданную усталость, но старалась идти как можно быстрее, свернув на теневую сторону Кэдоган-сквер. Через несколько минут она была у дверей своего дома.

Миссис Тиркелл открыла раньше, чем она успела достать ключи.

— Миледи! Неужто вы пешком? В такую жару! — Но Сабрина ее не слышала. Она смотрела на начищенный дверной молоток в форме руки, сжимающей свиток. Сертификаты. У нее есть копии сертификатов, удостоверяющих владельцев вещей, принесенных Рори Карром, которые он прилагал к каждому произведению. Она может их проверить. У нее осталась неделя, пока Брайан в отпуске.

— Миледи! Вам следует отдохнуть.

Она улыбнулась миссис Тиркелл.

— Сначала приму ванну. А потом — легкий ужин. Я сегодня весь вечер собираюсь работать.

Миссис Тиркелл передала сожаления Сабрины по поводу ее отсутствия на званом вечере, куда она была приглашена, а сама она тем временем вернулась в «Амбассадор» за копиями сертификатов. Весь вечер Сабрина провела в офисе, отыскивая в справочниках номера телефонов в Париже, Бонне, Женеве, Милане и Брюсселе, а наутро принялась за звонки.

Времени ушло немало. Никого, похоже, на месте не было. Европа в августе похожа на огромную шахматную доску, где обитатели непрерывно перемещаются с клетки на клетку. Но слуги и секретари сообщали ей очередной телефон, по которому можно разыскать хозяина, и постепенно Сабрина сдвинулась с мертвой точки.

За пять дней она убедилась в подлинности сертификатов владельцев четырех статуэток. В среду ей удалось удостовериться в подлинности еще одной вещи, сменившей шесть владельцев, каждому из которых ей удалось дозвониться. А в четверг она принялась за последний сертификат и стала обзванивать предыдущих владельцев редкого аиста майсенского фарфора. Выяснилось, что таких людей в природе не существовало.

Следующие три дня она провела в офисе, с замиранием сердца звонила по десяткам телефонов, но не было ни ошибок в написании, ни неправильных адресов. Просто все фамилии были вымышленными.

Следовательно, аист — подделка.

Она слепо смотрела на пейзаж, висевший напротив. Она проявила халатность. Пять превосходных фарфоровых статуэток, безупречная внешность Рори Карра, его дружба с самыми титулованными европейскими семействами, покупатели, требующие все новых и новых изящных изделий, и она, поспешив, проявила небрежность. Ее дело приносило успех исключительно благодаря острому глазу и знаниям, но каким-то образом она купила и перепродала фарфор, не изучив его должным образом.

И когда это станет достоянием публики, кристально чистая репутация, выделяющая «Амбассадор» из множества других мелких антикварных и дизайнерских салонов, померкнет. Клиенты, верившие ей с закрытыми глазами, подыщут себе других дизайнеров. Некоторые, конечно, могут предоставить ей шанс исправиться, но большинство, признавая, конечно же, за каждым право на ошибку, просто отвернутся. Неудачников плохо переносят в тех кругах, где можно позволить себе абсолютно любой выбор.

Сабрину затрясло. Есть выход. Нужно выкупить аиста по его текущей рыночной стоимости. Если у нее не хватит наличности, Александра, вероятно, сможет подкинуть. Не в деньгах дело. Дело в огласке. Она не сможет его выкупить, не сказав клиенту правды.

А кто же владелец? Она прочла чек, прикрепленный к сертификату. Леди Оливия Шассон.

— Ну что же, — пробормотала она, — это и лучше, и хуже всего. — Леди Оливия была лучшим клиентом Сабрины и тратила на переоформление своих владений и подарки по пятьдесят тысяч фунтов ежегодно. Нередко она присылала в «Амбассадор» новых покупателей, в том числе иностранцев, которые делали заказы по почте или телефону. Она была одной из самых влиятельных клиенток Сабрины.

И она могла уничтожить за ночь кого угодно, стоило ей заподозрить обман.

Но ведь они хорошо знали друг друга. Сабрина могла быть искренней. Оливия Шассон была одной из тех немногих, на кого можно положиться в том плане, что она не станет болтать лишнего без особой необходимости. Сабрина надеялась на успех. Зазвонил телефон, и трубку она сняла не задумываясь. Голос ее звучал легко и немного приглушенно — Сабрина пыталась избавиться от страха.

Звонил Антонио. Он вернулся на три дня раньше, чем предполагал, и сообщал, что заедет за ней в восемь и повезет обедать.

«Почему в моей жизни всегда столько проблем? Но ведь, — честно добавила она про себя, — я и не искала себе легкой жизни. Я хотела восторга, смерча, приключений. А теперь остается только со всем этим управляться».

Сначала с Антонио. Потом с Оливией. С ответом Антонио можно еще подождать. Что касается Оливии, то она теперь должна иметь о Сабрине другое мнение. Ее знают, ей доверяют, у нее свое положение в обществе — не отражение влиятельности Дентона, а ее собственная репутация. Что бы ни произошло, она со всем справится...

Для вечера Сабрина выбрала платье достаточно открытое, учитывая августовский зной, но отнюдь не вызывающее, а волосы подобрала перламутровыми гребнями. Она удивилась, поймав себя на том, что с нетерпением ждет встречи с Антонио. Его присутствие всегда было настолько довлеющим, что, когда он уехал, осталась пустота, будто выемка под фундаментом. Падать в нее Сабрине отнюдь не хотелось, но и не обращать на нее внимания было никак нельзя.

Беда была в том, что пустоту эту нечем заполнить даже в его присутствии, поскольку того, что ей нужно, он дать не мог. Она вспомнила, как несколько месяцев назад она попыталась рассказать ему о подозрениях Майкла в адрес Рори Карра. Он упорно уводил разговор в сторону, пока, наконец, Сабрина не оставила своих попыток хоть что-то поведать ему.

Но сегодня придется.

— Прояви участие, — шепнула она фотографии Антонио, стоящей на туалетном столике. Он знает Оливию; он может посоветовать, как к ней лучше подойти. Сабрина сама себе удивлялась, искренне радуясь встрече с ним.

Но к тому времени, когда, сидя напротив Антонио за его излюбленным столиком в «Ле Гавроше», Сабрина выслушала все его долгие рассказы о сложностях с банкирами, клерками, перепиской с восемью разными странами, сборщиками кофе в Бразилии и грузчиками в Новом Орлеане, а также с новыми таможенными правилами, установленными администрацией США для импортеров говядины, она потеряла всякое желание говорить о чем бы то ни было, кроме погоды.

— Да, Сабрина, да, очень возможно, будет дождь, — нетерпеливо сказал Антонио и, будто вспомнив что-то важное, добавил: — А в Бразилии сейчас дождей нет.

От этого она засмеялась, и на какое-то время ей стало получше.

— Как ты прекрасна, — мягко произнес Антонио. — Подобна принцессе. Я пришел за ответом, Сабрина. Скажи, ты станешь моей королевой, чтобы я смог положить весь мир к твоим ногам...

У Сабрины мелькнуло воспоминание, как Дентон давал подобные обещания. Почему мужчины предлагают ей вещи вместо чувств?

Нанизывая на вилку кусочек телятины и обмакивая

поочередно в три разных соуса, Антонио вдруг заметил, что Сабрина нахмурилась. Он отложил вилку.

— Ты зря удивляешься. Я же сказал, что сегодня вечером буду ждать ответа.

— Антонио, я хочу с тобой поговорить.

Быстро, не давая ему времени опомниться, она выложила все подозрения Джоли и Майкла в адрес Рори Карра и об обнаруженной подделке. Она не обращала внимания на то, что у него портится настроение.

— Конечно же, я выкуплю аиста у Оливии и скажу ей правду. Я уверена, что она не разболтает. Зачем ей это? Вот если бы ты помог мне придумать, как лучше завести с ней этот разговор...

— Сабрина. — Она стала ждать. — Твои друзья сказали, что было пять подделок? И, похоже, некоторые галереи являются соучастниками «Вестбриджа»? — Она кивнула. — И твои друзья опубликуют об этом статью в газете? Обличат «Вестбридж»? И всю их бухгалтерию?

Мягко освещенный зал потемнел в ее глазах, и все страхи последних дней вернулись.

— Конечно, — медленно выдавила она. — С описанием каждого произведения, которое они продали галереям, включая и «Амбассадор».

— Наивная ты девочка, — усмехнулся он. — Ты хочешь попросить Оливию молчать, хотя на самом деле собираешься просить ее лгать в глаза всем своим друзьям, когда те прочитают в статье про фальшивки. А с чего ей собственно лгать всем ради тебя?

Сабрина оглядела изысканную публику, закусывающую фирменным блюдом ресторана — телятиной, и подумала, что многие станут лгать ради себя, но мало кто — ради другого. Кое-кто из друзей мог бы прикрыть ее, — Александра, Антонио, еще пара-тройка человек... Хотя сейчас она не была уверена ни в ком.

— Милая Сабрина, — сказал Антонио, подавая знак официантам, чтобы те убрали тарелки и принесли кофе. — Я очень рад, что ты, наконец, рассказала мне о своих трудностях. Я восхищаюсь силой твоего духа, но есть предел тому, на что способна одинокая женщина в мире коммерции. Я найду способ, как выпутать тебя из этого дела. Найму юристов, и они живо разберутся с «Вестбриджем», а тебе я помогу тихо прикрыть твою лавочку, а потом увезу далеко-далеко, где у тебя не будет больше никаких проблем...

— И где скупишь все тучи, чтобы не было дождя.
— Прошу прощения? Ты так шутишь, Сабрина?
— Нет. Извини, пожалуйста.
Да, она может выйти за него замуж и дать ему увезти себя в те края, где он и в самом деле король, и чувствовать себя в полной безопасности рядом с ним. Но она всегда при этом будет оставаться в его тени и без своей «лавочки».
А ей этого мало. Сабрина поднесла к свету рюмку коньяка и стала рассматривать, как играют в нектаре отблески. Ей нужно нечто большее, чем надежное укрытие. Ей нужен кто-то, кто поймет, что эта «лавочка» составляет огромную часть ее жизни, потому что она ее построила и ею гордилась. Сабрина хотела, чтобы рядом был человек, который спокойно обнял бы ее, если бы она вдруг проснулась посреди ночной тишины в страхе за завтрашний день. Она искала защиты, спасения от одиночества. А Антонио, похоже, даже исключал саму возможность ее страхов, если она будет рядом с ним.
Сабрина опустила рюмку. Она не может принять решения, она не хочет идти на поводу у обстоятельств. Придется Антонио еще немного потерпеть. А если он откажется, то, делать нечего, так тому и быть.
Антонио ждал ее решения. Она сменила тему разговора, что избавило ее от многих неприятных вещей. Наконец, Сабрина сказала, что устала и хочет домой.
Он резко встал и сорвал с ее плеч шифоновый шарф, а удивленные официанты поспешили узнать, не требуется ли помощь.
— Ты, милая моя Сабрина, создаешь мне трудности. Я всего лишь хочу тебе помочь.
У дверей ее дома он сухо сказал:
— Завтра позвоню.
В тишине своего прекрасного кабинета она заново переживала события этого долгого дня — с того момента, как обнаружилась фальсификация, до того, как она отказалась дать ответ Антонио, какими бы последствиями это ни грозило. Она поджала ноги и откинула голову на спинку стула.
Все навалилось разом. Она вечно бежала, боясь, как она объясняла Майклу, что жизнь может пройти мимо. Все ее силы и время уходили на поддержание на плаву своего бизнеса и на то, чтобы поспевать за толпой дру-

зей, которые одновременно являлись и ее клиентами. Ей все нравилось — яркая, шумная жизнь Сабрины Лонгворт становилась известной благодаря фотографиям и описаниям в газетах и журналах всего мира: друзья-аристократы, роскошные дома, экзотические блюда, круизы, новые наряды, знаменитый «Амбассадор»... Мир вертелся вокруг нее, и она, сколько могла, держала все под своим контролем. А теперь равновесие утеряно, все ускользает от нее...

Сабрина чувствовала помимо усталости пустоту и одиночество. Часы в парке пробили десять тридцать. Так рано она давно не возвращалась. Много месяцев. Сейчас у нее есть время подумать. Но она не могла. На самом-то деле, ей хотелось только плакать — и больше ничего.

Но это надо оставить на потом. Если потребуется. Потому что она не одна. Сабрина быстро подсчитала: раз в Лондоне пол-одиннадцатого, значит в Эванстоне полпятого. Стефания должна уже вернуться с работы. А Пенни и Клифф играют на улице. Самое время позвонить. Она сняла трубку.

По дороге на работу Стефания остановилась и прочла на доске объявление, датированное восемнадцатым августа и сообщавшее, что офис будет работать по полному расписанию с первого сентября, хотя занятия и возобновятся только в конце месяца. Вот и еще одна причина, по которой ей не поехать в Китай. Как будто домашних забот, детей и отсутствия денег недостаточно. Будь она профессором, университет оплатил бы ей дорогу. Отпирая свой рабочий стол, который находился в одной комнате со столами еще двух сотрудниц канцелярии, она испытывала новый прилив гнева, как всегда, когда вспоминала о месяце, проведенном Гартом в Беркли и Сан-Франциско.

У него начинался отпуск, а она торчала дома и работала. Он собирался провести месяц у океана, ознакомиться с восхитительным городом; а ей оставалось озеро Мичиган, Эванстон, двое детей, дом и работа.

— Это не отпуск, — объяснял Гарт. — Я там буду работать в университете. И ни минуты не будет на осмотр тамошних достопримечательностей, равно как и злачных мест.

А теперь в конце летней сессии, измотанная канцелярской работой и душной августовской жарой, Стефания едва ли встретит его с улыбкой, когда он вернется. Как же ей скрыть свое раздражение и не испортить всей семье день его приезда? Она просто будет молчать. Пусть остальные разговаривают.

— Стефания, — обратилась к ней одна из секретарш, — хочешь кофе?

— Нет, спасибо, — ответила она. — Хочу поскорее управиться и пораньше уйти.

Она разобралась на столе, пока сотрудники смаковали подробности очередного университетского скандала. Очередные страсти разгорелись из-за слухов, что студентки и преподаватели обмениваются сексом за отметки. Слухи об этом ходили все лето, но в последнее время эмоции значительно усилились.

Стефания начала перепечатывать замечания, составленные преподавателями, принимавшими экзамены у студентов. Но через несколько минут ее прервали; все женщины с любопытством смотрели на нее.

— Что-то случилось? — спросила она.

— Стефания, — сказала секретарша Уильяма Вебстера, — не может быть такого, чтобы кто-то хотел подложить вам с Гартом свинью?

— Представить не могу... — Она осеклась. — А в чем дело?

Секретарша протянула ей бумагу.

— Это лежало на моем столе. Из почты Вебстера.

Стефания взяла письмо, отпечатанное на розовой бумаге:

«Если вы и в самом деле хотите знать, кто платит оценками за внеклассную работу в постели, присмотритесь повнимательнее к небезызвестному профессору Гарту Андерсену, который помалкивает, как мышь, а трахается, как кот».

Она перечитала послание снова и снова. По-детски, но очень гадко и очень действенно написано. В горле встал комок. Она сглотнула, чувствуя, как внутри все жжет. Только не Гарт. Нет никого честнее и порядочнее Гарта.

Но Гарт целыми ночами оставался, как он выражается, «поработать», и ночевал у себя в кабинете, «чтобы ее не тревожить». И он больше на нее даже и не смотрит. Не заметил, как она опять похудела, сделала новую прическу, купила другую одежду. И не захотел ехать с ней в Стэмфорд. Сколько же времени прошло с тех пор, как они фактически уже не живут в браке?

Стефания аккуратно сложила записку и убрала ее в карман летнего платья.

— Стефания, — успокаивала ее секретарша. — Это неправда. Гарта все знают...

— Спасибо, — она слепо уставилась на пишущую машинку. Посидев так, пока не перестало сосать под ложечкой, Стефания принялась за работу и, не прерываясь даже на ленч, проработала до трех часов, после чего отправилась домой.

Пенни и Клифф были в гостях у друзей в Хайлэнд-парке; она собиралась захватить их оттуда завтра по дороге в аэропорт. В полном одиночестве в тишине поскрипывающего дома она отрепетировала тщательнейшим образом свой завтрашний разговор с Гартом, не забыв ни одной детали их совместной жизни, вспоминая заново все, что было у них хорошего и плохого за эти двенадцать лет.

И почти все забыла на следующий день, когда они остались наконец одни, уединившись в спальне, пока Клифф с Пенни играли на улице.

Гарт стоял у широкого окна, выходящего во двор, поставив одну ногу на батарею отопления, повторяющую изгиб выгнутого фонарем окна.

— Почему ты так злишься?

— А я что, не имею права злиться?

Стефания села на краешек откидного кресла рядом с окном.

— Нет.

— Ты срываешься и отправляешься развлекаться со своими дружками, а потом еще хочешь, чтобы тебя встречали, как Александра Македонского, завоевавшего полмира и вернувшегося домой.

— Я, кстати, в этой поездке завоевал гораздо больше, чем смел мечтать. Только тебя все это не интересует.

— Мы квиты. Тебя мои проблемы не волнуют тем более. Или тебе есть хоть какое-то дело до того, что происходит вокруг нас — хорошего или плохого?

— И что с тобой плохого?

— Если после двенадцати лет совместной жизни тебе приходится об этом еще и спрашивать, то я не знаю, с чего начать.

— Ну, ради Бога, это же абсурд какой-то. — Он стал

ходить туда-сюда вдоль окна. — Стефания, я тебя люблю, я же дождаться не мог, когда, наконец, вернусь сюда, чтобы рассказать тебе о...

— Гарт, я решила уехать ненадолго.

Он остановился.

— Что-что?

— Через пару недель намечается поездка в Китай по делам торговли антиквариатом. И я поеду. У меня уже виза получена и взнос оплачен.

— И ты ни словом со мной...

— А ты и слушать бы не стал. Ты бы только кивал и говорил, — она понизила голос, — «да, да, звучит заманчиво».

— Я с тобой так не говорю.

— А ты попробуй как-нибудь ради разнообразия себя послушать.

— Не верю. А если такое и было, то извини, конечно, только когда ты последний раз сама-то слушала, что именно я сказал.

— А что слушать? Ты же говоришь исключительно про университет. А тебе в голову не приходило, что меня от университета тошнит? Тебе ни до чего другого и дела нет. До меня, в частности. Да когда ты хотя бы в последний раз на меня взглянул? Говорим на кухне, едим за общим столом, одеваемся, отправляемся куда-нибудь, а ты за все это время даже глаз на меня не поднимаешь. А если смотришь, то как будто сквозь меня и думаешь о чем-то своем. Об университете, наверное. А если ты закроешь глаза, то, сможешь представить, как я выгляжу? Или детей своих вспомнить? У тебя есть представление, о чем мы думаем? Может быть ты помнишь, как мы раньше занимались любовью, до тех пор, пока это не превратилось в рутинное упражнение, которым ты изредка вознаграждаешь меня, когда соизволишь спать дома, а не у себя в кабинете? Только об одном ты и помнишь, только об одном и заботишься — об университете. Уж не знаю, чем ты там занимаешься...

— Ты знаешь, чем. Я тебе до последней мелочи все...

— И с кем именно ты там этим занимаешься.

— Что это значит?

— Ты знаешь, что это значит.

— Не знаю и знать не желаю. Единственное, что я знаю, это то, что ты вот тут сидишь и жалуешься мне, что я о тебе не забочусь. А ты поинтересовалась у меня насчет Беркли? А когда я пытаюсь тебе рассказать, поделиться с тобой одним из самых значительных событий в моей жизни, ты затыкаешь мне рот!

— Откуда мне знать, что там было что-то значительное? Ты мне хоть что-то об этом...

— Я тебе сто раз за этот год говорил, а потом снова и снова, каждый раз, как только звонил из Беркли...

— И вечно ты только о себе рассказываешь. Хотя бы раз Клиффом поинтересовался.

— Клиффом?

— Ты ведь собирался с ним поговорить — помнишь? Это уже больше месяца назад было, я тебе рассказывала, что я нашла у него в комнате — радио и еще там... не помню...

— Я собирался. Извини, Стефания, я на самом деле собирался, но последние недели, подготовка к семинару...

— Ты так говоришь, будто это что-то неслыханное. Да ты и во сне бы к нему подготовился...

— Я попытался тебе объяснить доступными способами, что это нечто особенное. Стефания, выслушай меня, пожалуйста. Я ради этого работал два с лишним года. Конечно, в ущерб семье, но нужно было столько всего успеть, ведь я собирался предстать перед ведущими генетиками мира и сделать основной доклад этого семинара. Я собрал все, накопленное мной за двенадцать лет исследований — и сделал фантастический прорыв в будущее, предварив дело, которым мы все будем заниматься ближайшие годы. А потом видные ученые проанализировали мой доклад, и несколько дней мы провели за обсуждением результатов. Я жив остался исключительно благодаря тому, что научился успокаивать нервы и желудок. Служащие отеля решили, должно быть, что подверглись нападению математических кришнаитов.

Она поневоле рассмеялась.

— Стало быть, ты говоришь, что все прошло хорошо?

— Не просто хорошо. Фантастически, был триумф! Все мои надежды сбылись и...

— Вот и чудесно. Стало быть, ты закончил свою работу здесь? Теперь можно принять предложение из Стэмфорда.

Гарт вытаращился на нее.

— Ты только об этом и мечтаешь?

— Это очень важно для меня. И ты бы тоже так считал, если бы тебе не было на меня наплевать.

5 Заказ 4631

Гарт отошел от окна и встал позади глубокого кресла, в котором по вечерам Стефания читала, свернувшись калачиком. Он положил ладони на спинку кресла и стал их внимательно рассматривать.

— Мне не наплевать. Но я не могу бросить все, что для меня важно. Даже ради того, что хочется тебе. Я разрываюсь, Стефания. Мне хочется, чтобы ты поняла, как мне непросто сделать выбор. Там деньги. Да. Это для всех важно. Знаешь, какие там предлагают средства на исследования и зарплату сотрудникам? Но есть и другая сторона. Университетская свобода, преподавание, которым я так дорожу.

— Об этом я слышу со времени нашей свадьбы. Не кажется ли тебе, что пора повзрослеть и начать стремиться к чему-то другому?

— Мне хочется, чтобы мою жену интересовали мои дела, чтобы от нее можно было ждать в трудную минуту поддержки, а не...

— Как ты смеешь меня обвинять? И это после того, как мне пришлось самой зарабатывать деньги для уплаты за дом, в котором ты живешь, гладить твои рубашки, готовить тебе еду, вычищать за тобой ванную, заботясь о том, чтобы мыло у тебя было подходящее для твоей чувствительной кожи...

— Черт возьми! Это по-твоему поддержка? Стефания, ведь раньше мы вместе мечтали, ты подбадривала меня, вдохновляла...

— То время ушло. Я отдала тебе двенадцать лет; а теперь ты мог бы посвятить немного времени и мне. Я хочу уехать со Среднего Запада, познакомиться с новыми людьми, зажить по-другому. Мне не хватает Нью-Йорка с его кипением...

— Христа ради, скажи, ты опять с сестрой разговаривала?

— Что?

— С миледи Сабриной, которая изволит обедать в замках и танцевать до утра на званых балах. С каждым ее звонком ты становишься все больше недовольна жизнью. Ты никогда не рассчитывала, что мы разбогатеем... А теперь ты занудствуешь! Я должен стать тем, кем я быть не желаю, только ради праздного, паразитического образа жизни, как у твоей сестры?

— Но она не такая! Какое ты имеешь право? Ты ее не знаешь!

— А кто виноват? Она что, часто приезжает сюда? Ты вечно несешься сломя голову то в Нью-Йорк, чтобы с ней повидаться, а то и вовсе в Лондон... Господи! Идиотская затея с Китаем — часом не ее? Не она тебя надоумила?

— Нет! Нет! Нет! — Стефания ходила по комнате то поднимая, то опуская руки. — Это моя идея. Сабрина ничего не знает... Из-за Клиффа и...

— Я уже извинился. Надо поговорить с ним, я обещаю...

— Знаю я цену твоим обещаниям! Кстати, можешь у него поинтересоваться насчет запонок, галстучных булавок и подарочных наборов авторучек...

— Боже милостивый! И все у него в комнате?

— Под грязной одеждой. Слава Богу! Отпетый преступник придумал бы тайник получше...

— Извини, Стефания. Странно... получается так, будто он хочет, чтобы его поймали за руку. Он же знает, что ты стираешь его одежду и обязательно наткнешься на то, что он прячет. Ты больше ни с кем об этом не говорила?

— Да я Клиффу слова сказать не могу, он тут же настраивается враждебно. А чтобы еще кто-то знал... Зачем? Мы сами разберемся.

— Да, тяжело держать такое в себе...

— Неужто дошло, наконец? Неужели твой биологический ум наконец-то осознал, что я одинока?

— Погоди, как же, ведь у тебя есть близкие подруги...

— Я о подругах не говорю. Это совсем другое. Я имею в виду близкого человека. Если я вдруг проснусь посреди ночной тишины в страхе за завтрашний день, кто меня обнимет и успокоит?

Гарт пристально посмотрел на жену.

— А тебе никогда не приходило в голову, что и я мечтаю о том же самом? А ты поворачиваешься ко мне спиной, когда мы вместе в постели, отстраняешься, когда я пытаюсь тебя обнять, отворачиваешь голову, когда я хочу тебя поцеловать.

— А когда ты в последний раз все это делал?

— Давно. И мне этого очень не хватает. Мне плохо от твоего равнодушия.

— И ты нашел выход? Больших ученых не отвергают. Кое-кто знает, где найти себе развлечение и усладу, не так ли, профессор?

— Да что за чертовщину ты несешь?

— Я говорю о милых юных прелестницах, с которыми ты занимаешься любовью. О студентках! Или ты думаешь, тайное не становится явным? Ведь тебе и прочим большим людям от науки даже не приходится раскошеливаться, как простым смертным, на проституток на улице. Хочешь оценочку — пожалуйста!

— Заткнись!

— Ты не смей со мной так раз...

— Как хочу, так и разговариваю! Мы прожили двенадцать лет! Ты на самом деле веришь, будто я... Иди к черту!

Его трясло, сдавленное дыхание участилось. Он сложил руки на груди, резко развернулся и вышел из комнаты. Стефания сжалась, испугавшись выражения его лица и скривившейся челюсти. Она слышала, как Гарт остановился, и решила дождаться, когда он вернется в комнату, чтобы все-таки узнать правду. Стефания была в смятении, они не смогли ничего выяснить... В этот момент она услышала, что Гарт сбежал вниз по ступеням, и через несколько минут хлопнула входная дверь.

Стефания в отчаянии озирала комнату. Не может быть! Она не видела выхода... Ей стало страшно...

Одно она знала точно — надо ехать в Китай. Ей необходимо сменить обстановку, и Гарту она уже сказала... Он позаботится о детях, в этом она может на него положиться, хотя во всем остальном они стали друг другу совершенно чужими. А когда она вернется, все встанет на свои места. Она посмотрела на часы. Четыре тридцать. Значит, в Лондоне пол-одиннадцатого. Она хотела снять трубку, и тут телефон зазвонил.

ГЛАВА 9

Совсем недалеко от их отеля был магазин шанхайских сладостей, около которого они и столкнулись нос к носу с Николсом Блакфордом, несущим целый штабель упакованных кондитерских изделий. Он виновато улыбнулся.

— Тяжело, знаете ли, сидеть на диете вдали от дома. Надо было Амелию с собой взять. Вы, конечно, можете надо мной смеяться, Сабрина, что вы, собственно, и делали, когда подмечали все мои дурные привычки. Или я разговариваю со Стефанией? Вы знаете, стыдно признаться, но, уверяю вас, ни за что не отличу Сабрину от Стефании.

Сабрина со Стефанией переглянулись. Блеснув глазами, Сабрина присела в низком реверансе.

— Добро пожаловать в Шанхай, леди Лонгворт.

Стефания улыбнулась Сабрине.

— Ах, миссис Андерсен, — сказала она. — Как я рада, что оказалась здесь.

Как раз в этот момент под их дружный смех Николс Блакфорд не уследил за своими свертками, и они посыпались из его рук.

— О, — Стефания чувствовала себя немного виноватой, — давай поможем.

Они с Сабриной помогли Блакфорду собрать рассыпавшиеся пакеты и донести их до номера, где он настоял, чтобы они приняли от него немного сладостей в подарок, раз уж они «такие добрые самаритянки».

Стефания покачала головой, а Сабрина приняла дар.

— Индейцы гуарани сочли бы твой поступок предвестием сладкого времени. Или еще чего-нибудь в этом роде. Спасибо, Николс.

— А кто такие индейцы гуарани? — спросила Стефания, когда они шли по коридору к своему номеру.

— Племя в Бразилии. Это предки Антонио. По крайней мере, он так говорит. Хотя гораздо больше похоже на то, что он происходит от многих поколений португальских пиратов, но Антонио любит цитировать индейцев, что придает определенную пикантность загородным уик-эндам в Дербишире. Ты с ним не встретишься, потому что он уехал в Бразилию на месяц, но у тебя все равно будет возможность узнать и о гуарани, и прочих его пристрастиях.

В номере они посмотрели друг на друга, соприкоснувшись пальцами, будто глядели в зеркало.

— Так мы на самом деле поменяемся местами? — спросила Стефания.

— Ты хочешь?

— О... гораздо больше тебя, но боюсь. Перестать на какое-то время быть собой, поиграть в тебя и в твою чудесную жизнь, пожить мечтой. Не верю, что такое возможно.

— Тогда давай попробуем. Если ты уверена, что не прибежишь домой и не зарычишь, как три медведя: «Кто тут спал на моей кроватке?!»

— Рычать будет не из-за чего. Секс не является важной составляющей нашего брака. Я же знаю, что ты не станешь заниматься любовью с Гартом. Он вовсе не в твоем вкусе... Представить себе не могу кого-либо столь непохожего на бразильского миллионера, как Гарт. А впрочем, и проблем не возникнет.

— После твоего двухнедельного отсутствия?

— По-моему, для него разницы никакой. А если что, скажешь, что у тебя месячные.

— Руки прочь?

— А как же. Впрочем, в нашем доме давно уже «руки прочь». Я же тебе говорю, Гарт, как правило, ночует в кабинете.

— Но, Стефания, «как правило» не значит всегда.

— Ну, тогда просто повернешься к нему спиной — и все.

— А ты так и делаешь?

Возникла пауза. Стефания обошла резные кровати XIX века и встала у окна, глядя на поверхность реки.

— Я в ярость прихожу, когда Гарт ко мне не подходит по две-три недели, и когда он, наконец, входит в спальню, у меня единственная мысль — что он не имеет права в нее входить. Но он меня обвинил в холодности, когда... — Стефания осеклась.

— Когда что?

— Мы поссорились пару недель назад, после его возвращения из Калифорнии. Но все быстро сгладилось. Ничего особенного, обычная семейная сцена. У вас с Дентоном наверняка бывали подобные.

— Редко, — сухо сказала Сабрина. Стефания сжимала и разжимала руки, и Сабрина знала, что ее сестра нервничает потому, что не договаривает всего. Боится. Вдруг Сабрина откажется с ней поменяться местами, чтобы не нарваться на... на что? На скандал? На нежелание Гарта переезжать в Стэмфорд и менять работу? Но это же несерьезно с точки зрения постороннего наблюдателя. А за эти несколько дней Сабрина только и будет заниматься наблюдением. А потом уедет.

— Ну да ладно, — резко сказала Стефания. — Нет у меня права просить тебя оставлять твою прекрасную жизнь. Слишком по-разному мы живем. Не знаю уж, что меня дернуло так загореться этим... Забудем — и все. Это безумие.

Сабрина подошла к сестре и обняла ее за талию.

— Не говори так. Не грусти. Естественно, это безумие, но мы и раньше вытворяли подобное. Будем считать это шуткой.

— Но, Сабрина, не можешь же ты и в самом деле такого хотеть! У тебя жизнь — сказка, у меня — сплошная обыденность. И я тебе еще не все рассказала.

— И не рассказывай, если только это совершенно необходимо, чтобы мне прожить в твоем доме неделю и не выдать себя. Я ведь не врала, когда говорила, что мне хотелось бы испробовать твоей жизни. Со стороны моя жизнь, может быть, и кажется сказкой, но в ней — свои драконы.

— Огнедышащие?

— Огнедышащие.

— В таком случае, знать о них ничего не хочу. Если без этого можно обойтись.

— Думаю, можно. Я закрыла «Амбассадор» и дала Брайану дополнительную неделю к отпуску, продлим еще на неделю. Антонио на месяц уехал в Бразилию, чтобы у меня появилась возможность по нему соскучиться, поскольку я не позволяю ему вмешиваться в свою жизнь и не отвечаю ни «да», ни «нет» на его предложение о свадьбе. Он сказал, что даже звонить не будет. Что, зная Антонио, вообще можно считать чудом. В календаре у меня чисто; я специально оставила неделю незанятой, чтобы отойти от китайских впечатлений. Миссис Тиркелл дома, но она кроме плиты ни на что не смотрит. Неделя будет тихая, можешь целиком посвятить ее себе и Лондону.

— И полному шкафу одежды. Ты не возражаешь?

— Конечно, нет. Я ведь буду носить твою.

— Джинсы и рубашки.

— Вот это новость. Я джинсы уже много лет не носила. Стефания, ну прекрати же ты стесняться своей жизни. И за меня не беспокойся. Мы же говорим об одной неделе, а не о всей жизни.

— Если ты и в самом деле хочешь... Только не надо мне лгать.

— Я не лгу, Стефания. Неужели ты думаешь, что мне не хочется того же, что и тебе? Перестать на какое-то время быть собой. Пожить другой жизнью. Я хочу испытать, что такое семья, дом, городок, где все друг друга знают. Мне нужен шанс остановиться, побыть одной, поразмышлять — всего этого мне не хватает. А мы с тобой так близки, что все это я смогу испытать в твоей семье, и нигде больше. Фантастическая идея. Это же, фактически, тайное желание любого человека. На одну великолепную неделю мы оставим позади прошлое и откроем для себя чудесные и странные вещи, пожив совершенно по-другому. А в конце недели мы поднимем повыше воротники пальто и отправимся на таинственное свидание, шепнем тайный пароль и снова поменяемся местами. Ты вернешься домой, а я полечу к себе в Лондон. *И никто, кроме нас двоих, ничего не узнает*. Что может быть проще? И веселее?

— О, Сабрина! — Стефания обхватила сестру руками и крепко прижала ее к себе. — Спасибо. Как я тебя люблю!

Сабрина еще раз ощутила, что не все так гладко в жизни Стефании, но сестра держит это в тайне. Раз не хочет говорить, значит не надо обращать на это внимания. Идея так захватила сознание Сабрины, что она уже мысленно представляла себя в ее мире.

— А мебель ты поменяла? — спросила Сабрина. — Давай начнем прямо сейчас. У нас ведь всего неделя...

На следующее утро их группа совершила перелет из Шанхая в Сиань, где им довелось постоять на краю гробницы первого китайского императора, умершего две тысячи лет назад. Невероятных размеров захоронение было совсем недавно открыто, и раскопки все еще продолжались. Археологи продвигались дюйм за дюймом, открывая взору армию, состоящую из более чем семи тысяч терракотовых всадников больше их натуральной величины. Это воинство было под командованием императора в его загробной жизни.

В сианьском музее они смогли рассмотреть некоторые из гигантских фигур, извлеченных из гробницы. Воины были идеально сложённые, вид у них был благородный и спокойный.

— Величие облика, — прошептала Стефания. — Не знаю, у кого можно обнаружить подобное сегодня. Разве что у Гарта. — Она, похоже, сама удивилась своим словам.

Сабрина быстро взглянула на нее.

— Но это же чудесно.

— Полагаю, да. Только жить с ним тяжело.

На следующий день они проезжали величественные окрестности Гуйяна. Прямо с зеленых равнин уходили вертикально вверх горы, состоящие из известняка, зазубренные вершины их были окутаны туманом, а склоны источены водой, пробурившей глубокие пещеры и оставившие игольчатые пики. Вездеход пробирался между плантациями сахарного тростника и грейпфрутовых садов, а по зелено-голубой реке Ли плыли сотни лодок, от крошечных скорлупок с единственным рыбаком, использующим рис в качестве наживки, до переполненных плавучих домов, накреняющихся под огромными прямоугольными парусами.

Сабрине казалось, будто она попала на лист книжной иллюстрации или на страницу старинного свитка. Но нереальная, подобная сну красота окружающего зачаровывала ее — столь спокойны были туманные сцены из жизни рыбаков и крестьян, живущих в этих крошечных, аккуратных домиках.

— Как вы думаете, люди становятся более счастливыми от окружающей их красоты? — спросила она.

— Если у них есть пища, — с улыбкой ответил гид и повел группу на фарфоровую фабрику.

Сабрина со Стефанией не пошли.

— Это уже не то четырнадцатая фабрика, не то пятнадцатая за время поездки, — сказала Сабрина. — Какая бы ни была, можно и пропустить.

Они решили прогуляться вдоль реки.

— Что у нас остается? — спросила Стефания. — Друзья, распорядок дня, магазины, канцелярия — вроде все. Ты ведь скажешься больной на работе?

— Куда деваться. Я ведь не умею печатать.

— Тебе так и так не следовало бы работать. Работа в офисе декана университета на Среднем Западе не подпадает ни под одно определение, объясняющее грандиозную авантюру. Попросишь Тэда Морроу — это декан — и наплетешь ему все, что вздумается. Он будет недоволен, но ты его не слушай; он гораздо лучше, чем кажется. Если Пенни будет спрашивать про занятия искусством, скажи ей, что мы еще не решили. У Клиффа на той неделе будет, по-моему, футбольный матч, но если ты не пойдешь, он будет только рад.

— А почему бы мне не сходить? Я ведь ни разу не видела, как Клифф играет в футбол. Мне бы хотелось.

— Ему-то, на самом деле, тоже хотелось бы. Один из нас всегда старается выкроить для этого время. Дом, вполне вероятно, окажется грязным, поскольку мне трудно представить, чтобы Гарт или дети занимались уборкой, но если будет для тебя терпимо, то плюнь на чистоту. Приберусь, когда вернусь.

— Я и сама могу прибраться.

— А когда ты в последний раз делала уборку дома?

— На первом году замужества. Но это как езда на велосипеде — раз научишься и все.

Стефания рассмеялась.

— Я вовсе не хотела, чтобы мои слова прозвучали так, будто ты не сможешь управиться с домом. Просто хочу сказать, что это совсем не обязательно.

— Стефания, мне бы хотелось делать все, что я сочту нужным. Иначе как я сумею почувствовать, что значит жить твоей жизнью?

— Извини. Конечно, делай все, что захочешь. Так и надо. Даже не знаю, почему я несу такую чушь. Наверное, это от нервов. Еще два дня...

— Понятно. Я тоже вся на взводе.

Тем же вечером они уже были в перенаселенном промышленном городе Сянтань, а наутро отправились в расположенный там знаменитый зоопарк. В этом тропическом раю, благодатном оазисе, расположенном среди шумного города, у Сабрины возникло головокружительное ощущение отрезанности от всего и вся. Она отстала от группы и села на скамейку среди орхидей, окруженная бунтом экзотических красок. Вот уже две недели, как она поймана землей и обществом, столь не похожим на ее привычное окружение. И вот теперь, вместо того чтобы вернуться домой, она отправится еще в одно место, незнакомое и чужое. Ее ждет другая страна, другое общество, другой дом. Она будет жить с чужими людьми — ибо неужели она имеет право сказать, что понимает Гарта или детей? Ей не за что будет там ухватиться. «Какая глупость, — подумала она. — Меня же не будет всего на неделю дольше, чем я планировала, а потом я вернусь к привычному образу жизни. Случалось, я гораздо дольше не появлялась дома».

Стефания отыскала ее, и они отправились дальше осматривать зоопарк, восхищаясь редкими огромными пандами. А на следующий день они сели на поезд, идущий до Гонконга. Путешествие по Китаю подошло к концу.

Позже Сабрина жалела, что была настолько напряжена в предвкушении незнакомого будущего, что не сумела по достоинству оценить викторианское великолепие поезда. Это был старомодный паровоз с огромными красными колесами, тихо и аккуратно бежавшими по рельсам. Сестры сидели на сиденьях с мягкими подушками, с вышитыми салфетками на подголовниках, под ногами был постелен ковер, бархатные занавески красовались на окнах, за которыми проносились пышные тропические пейзажи с кряжистыми деревьями и густой зеленью. Но Сабрина и Стефания на все это не смотрели. Они были поглощены своей игрой — повторяли, заучивали, вспоминали людей и места, оставшиеся в памяти по прошлым визитам. Стефания без конца складывала и разнимала ладони, а Сабрина поймала себя на том, что невольно делает то же самое.

— Да, деньги, — сказала Сабрина. — Вот моя чековая книжка; по ней можешь где угодно расплатиться. На неделю более чем достаточно. Если случится что-то непредвиденное, позвонишь в банк мистеру Эклзу — он переведет сколько потребуется. Расписывайся моей фамилией.

— Что?

— Расписывайся моей фамилией. Попробуй подписать чек.

— Сабрина, я не собираюсь тратить твоих денег.

— А что ты собираешься тратить? У меня наличных всего пятьдесят фунтов. Тебе до конца недели больше потребуется. И что ты будешь делать? Ведь твои доллары будут у меня.

— Не так уж их много.

— Итоги позже подобьем. Стефания, ты насчет денег не волнуйся. Развлекайся, как сумеешь. А я тебе обещаю, что после того как мы разъедемся по домам, потребую от тебя возмещения всего, до последнего пенни. А теперь попробуй, распишись за меня.

Стефания, прикусив кончик языка, старательно вывела фамилию сестры.

— Ну, что скажешь?

— Прекрасно. Букву «Л» пиши немного повыше, а в конце росчерк делай чуть подлиннее — и все будет отлично. А мне как быть? Чеки обналичивать?

— Да, в бакалее. Я всегда так делаю, когда хожу по магазинам. У меня с собой тридцать долларов. Когда понадобится, обналичишь еще. — Она порылась в сумочке. — Вот кредитка «Доминикс», вот «Джюел». Я держу их в чековой книжке.

Сабрина уверенно расписалась за Стефанию, и пока поезд вез их через живописную равнину, они разговаривали об эванстонской почте, аптеке, хозяйственном магазине, химчистке самообслуживания и о доме Стефании. У скороварки клапан неисправен, дополнительные свитера в полотняных мешочках, болоньевые накидки в шкафу, у стиральной машины петля поломана, две библиотечные книги просрочены...

Подъезжая ближе к Гонконгу, они разговаривали о Лондоне: о ресторанах и пабах Белгрейва и Найтсбриджа, о магазинах и лавочках Челси, о Тейт-гэллери, Вестминстерском аббатстве, Портобелло-роуд, выходных миссис Тиркелл, о номерах скорой, полиции и пожарной охраны. Сабрина записала имя и телефон и подала бумажку Стефании.

— А если произойдет что-то действительно чрезвычайное, когда не поможет даже звонок мне в Эванстон, позвони по этому номеру.

— Александра Мартова, — прочитала Стефания.

— Когда ты была в Лондоне, она уезжала, но я тебе про нее рассказывала. Если ничего другого не останется, можешь рассказать ей о том, что мы сделали. Ей можно доверять во всем.

— Спасибо. Я думала, мне там будет совершенно одиноко.

— Только не с Александрой.

Едва они сошли с поезда, как тихое течение их жизни было нарушено хаосом и гвалтом Гонконга. После обеда Сабрина со Стефанией отправились из ресторана «Джейд гарден» к себе в отель. Они пробирались сквозь толпу, мимо предсказателей судьбы, сапожников, мангалов, торговцев с расстегнутыми ширинками и ремесленников, сидящих за столиками, уставленными резными украшениями из камня.

— А Гарт? — сказала Сабрина.

— Что? — спросила Стефания.

— Ты ему ничего не купила?

— Ой, нет.

— Так ради мира в семье... — Сабрина стала рассматривать содержимое одного из ювелирных лотков.

— Сикарно! — с жаром заявил продавец на ломанном английском.

Она покачала головой.

— Осень сикарный вещь! — настаивал он.

Она пожала плечами и отвернулась.

— Стойте, — сказал продавец. И, склонившись куда-то под прилавок, достал маленький подносик.

— Такие?

Она внимательно рассмотрела все лежащее на подносе и показала на булавку для галстука с круглой головкой, тускло поблескивавшей под мутными уличными фонарями.

После этого они в течение десяти минут в сумасшедшем темпе торговались, перебрасываясь ценами, как шариком от пинг-понга. Наконец, Сабрина кивнула и расплатилась. Послышались аплодисменты окружающих.

— Мама делала это блестяще, — сказала Стефания.

— Иногда это бывает в радость. Игра.

— Мне самой следовало подумать о подарке для Гарта.

Сабрина задумалась.

— А не странно ли? Кажется, будто мы уже поменялись местами.

Спали они в эту ночь урывками.

— Сердце колотится, — произнесла Стефания.

— И у меня, — отозвалась Сабрина.

Утром они оделись — каждая в одежду другой. Стефания в темно-синий костюм с красной оторочкой, а Сабрина в коричневый костюм и белую блузку Стефании. Две верхние пуговицы блузки она застегивать не стала, Стефания с робкой улыбкой исправила упущение.

Они еще раз перебрали содержимое сумочек и кошельков друг друга, проверили паспорта, авиабилеты. В последний раз постояли перед зеркалом.

— Я себя так странно чувствую, — заметила Стефания.

Сабрина только кивнула, разрываемая чувствами нетерпения и утраты, которую она впервые ощутила среди орхидей в Сянтане.

Они принялись упаковывать чемоданы.

— Ой! — воскликнула Стефания. — Совсем забыла!

Она торопливо сняла с пальца обручальное кольцо и подала его Сабрине. Рука Стефании дрожала.

— Я ни разу в жизни его не снимала, — сказала она.

Сабрина коснулась пальцами ее руки, принимая кольцо.

— Я буду очень внимательна.

Она надела кольцо и подумала: «Сколько же лет прошло с тех пор, когда у меня было такое?»

Раздался стук в дверь.

— Этажный, — произнесла она.

Впустив его, они повесили сумки на плечо.

— И, наконец, — проговорила Сабрина. — Я до последнего момента не решалась. — Она сунула руку в карман и, достав что-то оттуда, протянула Стефании.

Стефания улыбнулась.

— И я тоже.

На шестом этаже отеля «Фурама интерконтиненталь» в Гонконге Сабрина Лонгворт и Стефания Андерсен вручили друг другу ключи от своих домов в Англии и Америке.

Пора идти.

ЧАСТЬ ВТОРАЯ

ГЛАВА 10

Сабрина лежала в теплой постели, утопая в подушках и одеялах, вдруг она услышала, как открылась дверь, затем зашуршала одежда, а потом приглушенно стукнула закрываемая дверь. Она удивилась, почему миссис Тиркелл пришла в ее комнату так рано?

Она почувствовала, как кто-то медленно и тихо выдвигал ящик.

Сабрина открыла глаза и ощутила легкий испуг. Высокий мужчина в пижамных брюках стоял спиной к ней, его черные волосы были взъерошены после сна, на одной руке висели брюки, а в другой руке он держал аккуратно сложенную рубашку.

Сабрина закрыла глаза. Это не миссис Тиркелл. Это не ее спальня, не ее кровать. Это дом ее сестры, который находится за тысячу миль от Лондона, целую вечность от...

— Здесь нет копченой колбасы, — нарушил тишину спальни возмущенный крик.

Гарт подошел к двери и ответил низким приглушенным голосом:

— Клифф, я просил тебя разговаривать тише. Сейчас спущусь и помогу тебе сделать завтрак. Если будешь так кричать, разбудишь маму.

Сабрина почувствовала себя так, как будто ее приковали к постели. Ложь. Предполагалось, что будет веселое приключение, но получилось совсем другое. Она испытывала чувство стыда и страха. «Я не имею права находиться здесь. Я не принадлежу этому дому. Они — настоящие, а я обманщица, подставная фигура».

Еще вчера ночью их затея казалась шуткой, беззаботной и увлекательной, но с момента, когда она вышла из самолета и увидела их, встречающих...

Ящик задвинут обратно. Тишина. Потом послышались шаги босых ног, заглушаемые ковром, лежащим на полу; по ее освещенному солнцем лицу скользнула тень, и она почувствовала тепло нежного поцелуя на своей щеке. Сабрина изо всех сил старалась перебороть волнение, заставляя себя спокойно лежать в постели и дышать глубоко и размеренно.

Тень исчезла с ее лица. Дверь ванной комнаты открылась и закрылась, послышался щелчок выключателя, шум воды.

Сабрина еще глубже зарылась в постель, служившей ей защитой. «Я не встану. Я буду лежать здесь всю неделю, пока не вернется Стефания. Это ее жизнь, не моя. Что я здесь делаю?»

Той ночью Сабрина была очень напряжена, взволнована и внимательна, она не переставала следить за всеми своими поступками, движениями и словами. Оказалось, это совсем не трудно. Возможно, здесь и была скрыта причина беспокойства. Все получилось слишком легко, шло как-то гладко — маленькая шутка. Но сегодня, когда Гарт подошел к постели, где она спала, все изменилось. Его постель, его дом, его жизнь...

Они ждали в аэропорту, когда прилетел ее самолет. Обеденное время в Чикаго, 6 часов 15 минут, и все они были там, стояли на затемненном балконе и наблюдали сверху за ней, когда она проходила таможенный контроль. Пенни и Клифф возбужденно подталкивали друг друга локтями и громко выкрикивали приветствия, в то время как Гарт спокойно стоял, глядя на нее.

Сабрину все сильнее пробирала дрожь по мере того, как она приближалась к ним. Она подумала, что у нее появилась боязнь сцены.

Но когда, наконец, Сабрина прошла таможенный контроль и очутилась в кругу семьи, она забыла пугавшее ее чувство. Пенни кинулась к ней и обняла за талию, даже Клифф, слишком высокий для своего двенадцатилетнего возраста, с ярко-рыжими волосами, вздернутым носом и выражением притворного равнодушия и спокойствия на лице, все время теребил ее руку, чтобы убедиться, что она на самом деле здесь. Стоя позади, Гарт наклонился, чтобы поцеловать ее в губы, но она слегка повернула голову, когда говорила Пенни, и его губы только коснулись уголка ее губ.

— Добро пожаловать домой, — сказал он. Его глаза настойчиво искали встречи с ее глазами, когда она повернулась к Клиффу и Пенни, которые с еле скрываемым любопытством смотрели на коробку, с которой Сабрина вышла из самолета.

— Здесь подарки? — спросила Пенни. Она посмотрела на Сабрину своими темно-голубыми глазами; глазами Стефании, глазами Сабрины. Ее маленькое личико, обрамленное черными кудряшками, как у отца, уже сейчас выражало ту красоту, которой отличались Сабрина и Стефания, когда им тоже было одиннадцать. У Сабрины возникло ощущение, как будто она смотрится в зеркало, возвращающее давно прошедшие времена.

— Подарок для дома, — ответила она. — Великолепная бронзовая лампа. Я купила ее в Шанхае у маленького человечка, который когда-то тоже жил в Чикаго.

— Для дома, — разочаровалась Пенни.

— И, — продолжала ободряюще Сабрина, — у мистера Су был в магазине удивительный ящичек, наполненный магическими предметами. Каким-то образом, возможно, с помощью магии, два из них попали ко мне в сумку.

Глаза у Клиффа загорелись любопытством:

— Китайское волшебство? Что оно делает?

— Оно делает так, что слишком любопытные мальчики исчезают, — сказала она и наклонилась, чтобы поцеловать его в лоб. — Какой же это будет сюрприз, если я сейчас расскажу тебе о нем. Подожди, пока придем домой.

В машине дети засыпали ее вопросами. Гарт молчал, и Сабрина не могла понять, слушает он их разговоры или нет. Сабрину внезапно охватило приятное возбуждение: как хорошо, когда семья ждет твоего возвращения, как здорово разговаривать с ними, смеяться всем вместе. И никто ничего не заметил. «Все идет, как по маслу, — подумала она, — и все будет нормально».

— Мы хотели приготовить что-нибудь из китайской кухни, — сказал Клифф, когда Гарт начал выносить багаж из машины, — но мы подумали, что тебе она наверное надоела...

— Я буду готовить пиццу! — провозгласила Пенни, включая духовку.

— Тебе нужно всего лишь разогреть ее, — сказал Клифф.

— Нет, я приготовлю ее, — Пенни вытащила две пиццы из холодильника, — а поскольку я повар, Клифф будет мыть посуду.

— Тоже мне повар! Взяла и поставила в духовку. А я нарвал сегодня днем салата, сделал больше тебя, поэтому посуду мыть будешь ты!

— Я не собираюсь мыть посуду, я хочу говорить с мамой.

— Можно поговорить позже.

— Нет, сейчас.

— Вы оба будете мыть посуду, — строго сказал Гарт. — Я хочу поговорить с мамой.

— Стол готов?

— Да, — недовольно проворчал Клифф.

Сабрина расстегнула свою сумку:

— Как насчет подарков перед обедом?

Среди ужасного шума, — как удается двум детям шуметь как целая дюжина? — Сабрина вытаскивала подарки из пакетов, которые Стефания использовала как упаковку. Она отдала Пенни и Клиффу их подарки и протянула подарок Гарту. Он посмотрел на ее руки.

— Для меня? — прошептал он себе под нос и, встретившись взглядом с Сабриной, добавил: — Спасибо.

— Возьми, — сказала она, озадаченная странной нотой, прозвучавшей в его голосе. Он взял маленькую коробочку.

В то время пока Клифф и Пенни были поглощены своими подарками, Сабрина читала инструкции, которые Стефания написала в Гонконге, и внимательно изучала Гарта. Он изменился с тех пор, как она видела его в последний раз. Морщинки у его глаз сделались глубже, щеки немного ввалились, а в волосах проглядывала седина. Но в его глазах отражался ребяческий восторг, когда он развязывал ленточку на коробке. Когда же Гарт наконец увидел подарок, выражение на его лице изменилось на задумчивое и даже печальное. Он держал в руках блестящий медальон с изображением ведьмы.

— Прекрасная вещичка, — Гарт подошел к ней. — Я не думал, что ты...

Смущенная его взглядом, Сабрина почувствовала беспокойство.

— Пицца, — быстро произнесла Сабрина и отошла прежде, чем он успел поцеловать ее. Одной рукой открывая духовку, другой она выдвинула ящик, находящийся рядом. В нем была бумага и салфетки. Она открыла следующий — полотенца. Она открыла следующий...

— Что ты ищешь? — спросил Гарт.

— Где у тебя прихватки? — спросила она рассеянно.

На мгновение наступила тишина. У Сабрины перехватило дыхание. *Какую глупость она сказала!*

— Там же. Где мы обычно их храним — ответил он.

— Ты имеешь в виду, что вы ничего не перекладывали на кухне с тех пор, как я уехала? — весело спросила она и незаметно перекрестилась, прежде чем открыть последний ящик, в котором нашла аккуратно сложенные прихватки.

— Все узелки должны развязываться одновременно? Правильно? — раздался голос Клиффа где-то возле ее локтя. — А потом должны сами завязываться? Но у меня так не получается. Мистер Су показал тебе, как это делается?

— А у меня не получается, чтобы маленький человечек исчезал, хотя я нажимаю там, где указывается по инструкции. Почему-то ничего не происходит.

— Мам, если ты подержишь конец этой веревки... — начал Клифф.

— Нет, сначала покажи мне, куда нужно нажимать, — прервала его Пенни.

Чувствуя себя в ловушке и испытывая неудобство из-за своего неудачного поиска прихваток, Сабрина стала говорить тихим, спокойным голосом:

— Нити находятся в правильном положении... Но я все объясню после того, как мы поедим. Я не раскрою рта, пока не съем свою пиццу.

Клифф и Пенни открыли рот от удивления и уставились на нее, а потом друг на друга. Что опять она сделала неправильно? Сабрина пыталась придумать, что ей сказать, когда Гарт после мимолетного взгляда, брошенного на нее, весело произнес:

— Почему мы сами не подумали об этом? Ваша бедная мама стоит перед вами, умирая от голода и усталости после восемнадцатичасового перелета, а мы даже не удосужились накормить ее.

Мягко отстранив Сабрину от плиты, Гарт достал пиццу из духовки.

— Пенни, поставь салат на стол. Клифф, разлей молоко или сок для вас. А я собираюсь открыть бутылочку вина, чтобы отметить возвращение нашей путешественницы. Давайте, давайте... С вашими магическими игрушками я помогу разобраться позже...

Настоящим волшебством было умение Гарта управляться с детьми.

Когда Сабрина описывала, как китайцы выходят на улицу перед работой для утренней гимнастики, Гарт попросил Клиффа и Пенни сравнить это со школьными зарядками...

Когда Сабрина говорила о курсах, которые после работы посещают очень много людей, чтобы учиться хорошим манерам, Гарт сказал, что знает несколько профессоров, которых не помешало бы послать на подобные курсы, а Клифф добавил, что таким образом, оставаясь после уроков, им удается избавиться от ошибок, допускаемых в футбольных матчах.

Сабрина рассказала об одной семье из Кантона, живущей в двухкомнатной квартире: дедушка, мать, отец и трое детей. Гарт предложил Пенни и Клиффу представить, что они живут не в огромном доме, а в двух комнатах, к тому же, с ними еще живет их дедушка из Вашингтона. Потом они вместе попытались представить, как разделить такую квартиру, чтобы всем хватило места.

Сабрина была очень благодарна Гарту, иначе говорить ей было бы очень сложно, ожидая реакции Клиффа и Пенни. Ее волновали новые ощущения. Семья. Все сидят за столом, слушают, разговаривают, смеются, делятся своими впечатлениями от ее рассказов о Китае. И одновременно все это очень усложняло ее положение и ту игру, которую она вела. Сабрина привыкла возвращаться в пустой дом, а потом вспоминать обрывки разговоров со своими друзьями. Она вздохнула. Здесь было несомненно лучше.

Внезапно она почувствовала усталость.

— Извините меня, — сказала Сабрина после очередного зевка, — мне кажется, я вконец измоталась. Никто не против, если я пойду спать?

Гарт встал.

— Конечно, лучше пойти спать. Завтра ты опять будешь сама собой...

«Интересно, а кто я сейчас?» — думала Сабрина, пока он нес ее два чемодана из кухни.

Она поцеловала Пенни и Клиффа и пожелала им спокойной ночи.

— Завтра мы проведем много времени вместе, — пообещала она. А потом они с Гартом поднялись наверх.

Он поставил чемоданы в спальне около двери.

— Я думаю, — сказал он со странной неуверенностью в голосе, — ты устала, лучше я проведу ночь в своем кабинете... Если ты, конечно, не изменила своего мнения.

«О чем? — подумала она. — О том, что они должны спать вдвоем?». Она вспомнила слова Стефании: «Мы поссорились, но скоро помирились и все решили». Или они только согласились на перемирие? Любезность, но никакого секса? Если так, то это облегчает задачу. Она просто заверит его, что не передумала. Но Сабрине не пришлось ничего говорить. Гарт заметил, как удивленно поднялись ее брови, и отошел назад.

— Нам все равно придется поговорить, сама знаешь, — сказал он тихо. — Мы так и не вернулись к той ссоре до твоего отъезда. Завтра, когда ты отдохнешь...

«О нет, — подумала она. — Я не могу разрешить вашу ссору. Тебе придется подождать неделю. А мне придется найти выход из создавшейся ситуации».

— Спокойной ночи, Гарт, — сказала она. — Спасибо за пиццу.

Он выглядел очень удивленным.

— Всегда рады доставить тебе приятное, — он быстро поцеловал ее. — И еще больше рады видеть тебя дома. Мы скучали. Спи спокойно.

Как только он ушел, Сабрина разделась и нырнула в постель. Не успела она закрыть глаза, как тут же заснула.

На следующее утро она прислушивалась к звукам, которые свидетельствовали о приготовлениях семьи к началу нового дня: лилась вода, звякали тарелки и столовые приборы, доносились веселые разговоры Клиффа и Пенни, низкий голос Гарта, их смех. Потом послышался стук захлопнувшейся двери, поворот ключа в замке. И тишина. Все ушли.

Сабрина лежала, вслушиваясь в тишину.

За открытым окном раздался лай собаки, голос женщины, зовущей ребенка завтракать, гудок машины. Но в доме ничего не двигалось.

Паника постепенно исчезала, к Сабрине вернулась уверенность в том, что она делала. Не о чем было беспокоиться; Гарт ведет себя именно так, как предсказала Стефания. Прошлой ночью она влилась в семью так плавно, как это и планировалось. Теперь в течение недели ей придется играть свою роль, а потом также тихо и незаметно она исчезнет, не оставив никаких следов. Радость от предвкушения интересной игры стала вновь появляться.

Пора начинать.

Прежде всего — душ. Потом завтрак. Сабрина была очень голодна, поскольку прошлой ночью слишком устала, чтобы поесть нормально. Потом обследование дома — нельзя допускать ошибок, подобных истории с прихватками. Она должна позвонить в офис Стефании, полить цветы, собрать помидоры на грядке, подумать об обеде, что, возможно, означает поездку по магазинам. Сабрина поднялась с постели. Как она может так тратить время, когда ей столькому нужно научиться в ее новой жизни.

Она с наслаждением приняла душ, смывая с себя остатки усталости, и вытерлась мягким полотенцем, которое купила в Гарроде и послала Стефании на прошлое Рождество. Когда Сабрина расчесывала свои мокрые волосы, она быстро осмотрела ванную и в задумчивости остановилась, обнаружив предписанные Стефании таблетки от бессонницы.

Когда она их принимает? Ночью, когда Гарта нет дома или когда он есть? Потом Сабрина направилась к шкафу с одеждой. Спокойные тона, удобные вещи. Синие джинсы, приталенные костюмы. Блузки, юбки, шорты. Платье — его Стефания надевала на пикники, которые устраивали Сабрина с Дентоном семь лет назад. Костюм, который она надевала два года назад, когда ездила в Нью-Йорк встречать Сабрину. Ничего не было выброшено. Каждый год Стефания прибавляла что-нибудь к своему гардеробу, одну или две осторожно выбранные блузки, платье или свитер, иногда костюм. Всегда простого покроя, но высшего качества. Лаура научила их, как следует жить на ограниченное денежное содержание.

Надев синие джинсы и белую блузку, Сабрина представила Стефанию на Кэдоган-сквер, углубившуюся в ее гардероб и критически осматривающую ее яркую, фривольную одежду. Она улыбнулась. Какие разные дни им предстоит пережить.

Доедая то, что осталось от пиццы и запивая ее чаем, Сабрина начала изучать кухню, пытаясь запомнить содержимое всех шкафчиков и ящичков: миксер, яркие эмалированные чайники и кастрюли из Франции, деревянная и чугунная посуда из Португалии, глиняные жаровни из Германии, стеклянные кувшины, металлическая посуда из Англии, шведское столовое серебро и маленькие приспособления, которые Сабрина никогда раньше не видела и не знала их назначение. Она закрыла ящик, где они лежали. Если она не знает, для чего они нужны, ей они не понадобятся. Она снова наполнила чаем свою кружку, взяла ее с собой и продолжила изучение дома.

Дому было уже лет девяносто, он был скрипучим и запущенным. Стефания часто жаловалась и сокрушалась, что они не могли позволить себе сделать ремонт. Стены, покрытые тонкими трещинками, выглядели как старые фарфоровые изделия, в некоторых комнатах трещины прорезали стену от потолка до пола, словно от удара молнии. Дубовый пол — тусклый и поцарапанный. Стены и оконные рамы требовали покраски. Кафель в ванной комнате был во многих местах отбит; выгравированные узоры на потолках нуждались в восстановлении, а мебель — в новых чехлах.

Тем не менее, это был теплый, гостеприимный дом, который внушал Сабрине чувство уюта и удобства, по мере того как она поднималась с этажа на этаж.

Комнаты были меблированы в красных тонах осени, теперь кое-где поблекнувших, как будто до них дотронулся луч заходящего солнца. Стефания искала антикварные лампы на распродажах и блошиных рынках и, предварительно отполировав и восстановив, пристраивала их по своему вкусу: лампы были на столах, свисали с потолка, стояли перед стульями и диванами — так что свет оттенял выношенный турецкий ковер, выделяя на нем красивый рисунок.

Этот дом ничуть не походил на дом на Кэдоган-сквере, хотя Стефания оформила его таким элегантным, уединенным и скрытым от внешнего мира.

— Дом, — прошептала Сабрина, стоя у батарей в спальной комнате Гарта.

Она посмотрела в окно на сад, где тень огромного

дуба накрывала бронзовые и желтые хризантемы в аккуратных клумбах. Все же очень странно чувствовать себя так уютно в таком запущенном доме.

Внезапно раздался телефонный звонок.

Она не была готова к телефонным разговорам. К тому же было еще очень рано...

— Алло, — сказала она. Но на другом конце провода молчали. Она откашлялась, — Алло?

— Я говорю с хозяйкой дома? Это леди Лонгворт из Лондона. Мне бы хотелось...

— Стефания, — услышав голос своей сестры, Сабрина с облегчением и удовольствием засмеялась. — Как замечательно! Я была так занята, запоминая содержимое ящиков твоей кухни, что совсем забыла, что ты должна была мне позвонить сегодня утром. Все нормально?

— Я не могу передать это словами. Странно и восхитительно. Невероятно. Как сон. Но как ты? Гарт ничего не подозревает?

— Нет, ничего. Мы, конечно, еще мало разговаривали... и он спал в своем кабинете. Пенни и Клифф отлично себя чувствуют и полны энергии. Они в восторге от твоих подарков. Кстати, я сказала, что бронзовая лампа — подарок тебе. С завтрашним днем рождением, Стефания.

Стефания засмеялась:

— С днем рождения, Сабрина. Как странно мы его празднуем. У тебя действительно нет никаких проблем?

— Почти никаких. Они знали, что я очень устала, и когда я действительно сказала что-то глупое...

— Что?

— Спросила Гарта, где он держит прихватки.

— О, нет!

— Все было нормально. Я удачно вышла из этого положения. Стефания, нам не надо беспокоиться, все идет удивительно гладко. У них нет никаких оснований что-либо подозревать, и я могу позволить себе делать маленькие ошибки. Когда ты вернешься, все будет так, как будто меня здесь вообще не было.

— А что Гарт... Я имею в виду... Как он... что он сказал о подарке?

— Ему очень понравилось.

— Какие проблемы в офисе?

— В офисе? О черт! Я совсем забыла про работу. Ничего, разберемся. Я скажу, что у меня азиатская икота, и я не могла говорить до этих пор.

— Где ты?
— Что?
— Где ты сидишь?
— В спальне. Обошла дом, а сейчас собираюсь в магазин. Твоя семья съела все, что было возможно, но не заполнила вновь холодильник.
— Они никогда этого не делают. Покупай...
— Стефания!
— Да?
— Не беспокойся. Ни обо мне, ни о своей семье. Ты находишься слишком далеко, чтобы что-либо изменить. Просто наслаждайся жизнью. А теперь расскажи, что ты делала? Заходила в «Амбассадор» или звонила Брайану?

Сабрина слушала бесконечную болтовню Стефании. Та побывала почти во всех столичных магазинах Лондона, забежала к Габриэль и Бруксу, которые сообщили, что собираются жить вместе... Сабрина почувствовала, как в ней растет нетерпение. Все это было далеко от нее и неинтересно; а здесь столько дел, которые нужно обязательно сделать. Наконец Стефания произнесла:

— Ну хорошо, если ничего не произойдет, мы поговорим с тобой не раньше понедельника: в Чикаго в аэропорту.

— Желаю хорошо провести неделю, — Сабрина поднялась со стула. Она поспешила на третий этаж, чтобы закончить осмотр дома, но резко остановилась. Прежде всего ей нужно составить список продуктов, которые необходимо купить, и позвонить в офис. Сабрина спустилась вниз и вошла на кухню. В этот момент опять зазвонил телефон.

Сабрина могла бы и не отвечать, но зачем откладывать то, что неминуемо должно произойти. И в конце концов, если в семье ни о чем не догадались, то можно провести и друзей. Она взяла трубку.

— Алло?
— Привет! Добро пожаловать домой. Надеюсь, я не разбудила тебя? Если ты еще не выспалась, можешь перезвонить мне позже.

Молчание. *Близкие друзья никогда не представляются. Вот об этом они забыли. Что же теперь делать?*

— Стефания? Ты слушаешь меня?
— Да, извини. Я доедаю кусок пирога. Как поживаешь?

— Мы в порядке. Так поздно завтракаешь? Неужели жизнь в Китае превратила тебя в леди Лень?

— Семейство позволило мне сегодня подольше поспать. Полагаю, это первый и последний раз.

— Думаю, ты не ошибаешься. Как твое путешествие?

Было уже десять часов, пора было звонить в офис.

— Что? — переспросила она.

— Я спрашиваю, как прошло твое путешествие. Ты все еще спишь?

— Нет. *Я просто только что вспомнила, что должна позвонить в офис и сказать, что не приеду сегодня.*

— Ну тогда перезвони попозже.

— Нет!

Как Сабрина может перезвонить, если не имеет ни малейшего представления, кто говорит?

— Ничего страшного, я так долго откладывала звонок, что он может подождать еще немного. Расскажи мне, что произошло за время моего отсутствия?

— Ничего особенного. Начались занятия в школе, поэтому у меня тихо и мирно, Нат на конференции в Миннеаполисе и приедет только завтра. А я решила добиться от властей, чтобы, наконец, поставили светофор на углу улицы рядом со школой. Пустяки по сравнению с Китаем.

Сабрина засмеялась.

Нат — это Голднер, значит, она разговаривала с Долорес Голднер. Все отлично.

— Жду вас завтра вечером на ужин, — добавила Долорес, — тебе Гарт уже сказал?

— Нет. Но вы ведь не собираетесь устраивать вечеринку... в середине недели?

— Будут только свои. Отметим твой день рождения и обеспечим тебе аудиторию для рассказов из жизни экзотического Китая. В шесть тридцать, хорошо?

— Хорошо. Я очень благодарна вам.

Возникла секундная пауза.

— Надеюсь, тебе понравится, — ответила Долорес. — Увидимся. Пока.

Ошибка — она ответила слишком официальной фразой. Но это не так уж страшно.

Сабрина набрала номер телефона офиса Стефании и оставила сообщение на автоответчике. Потом она составила список продуктов, которые ей предстояло купить, придумывая различные блюда и становясь все самоувереннее, воспаряя в честолюбивых мечтах об обедах, которые приведут всех в восторг. Она была полна энергии и стремилась как можно быстрее начать действовать. Сабрина как будто ступила на страницы какого-то приключенческого романа и обнаружила в нем все, что хотела: дом, семью, друзей... И знала, что может их всех подчинить и заставить поверить себе. Хотя бы на некоторое время...

Ее самоуверенность помогла преодолеть ей первые сложности, возникшие с машиной. Почему правительство не может, наконец, решить, по какой стороне дороги ездить? В огромном супермаркете, где могли бы уместиться десять супермаркетов Лондона, которые привыкла посещать Сабрина, она тоже чувствовала себя уверенно. Она никогда раньше не покупала продукты для семьи, состоящей из четырех человек, и, опасаясь, что купит слишком мало, набрала их в четыре раза больше, чем обычно. Если судить по ее чеку, Сабрина собиралась обеспечить пищей целую армию.

Продвигаясь из отдела в отдел, Сабрина пользовалась списком покупок Стефании как путеводителем. Сабрина Лонгворт, везущая тележку, наполненную сумками с едой, туалетной бумагой, чистящими средствами... Она засмеялась. Что бы сказала Оливия, увидев ее сейчас?

На дорогах было полно машин, которые вели женщины. И казалось, что расстояние между магазинами не имело значения, все равно все ездили на машинах. И все покупали столько же много, как и Сабрина.

В Европе покупатели выходили из магазинов с сумкой, наполненной продуктами на один день. Здесь же каждый покупатель набирал столько, что, казалось, этого хватит на целый месяц. Сабрина делала то же самое. Тем более, никто не возвращался только что из Китая после двухнедельного пребывания там.

Машина постепенно наполнялась различными коробками и пакетами. Сабрина почувствовала торжество победы. Никто не сомневался в подлинности ее чековых книжек; мясник улыбнулся, когда она попросила его вырезать несколько кусочков для бифштексов. В прачечной ей без колебаний выдали пиджак Гарта; клерк в фотоателье поприветствовал ее по имени, когда она отдавала ему пленки, и заверил, что фотографии будут готовы на следующей неделе. Сабрине не терпелось показать фотографии друзьям, поскольку не каждый день люди ездят в Китай... Она сделала все, что планировала...

В три часа позвонил Гарт.

— Я хотел убедиться, что ты в порядке.

— А ты думал, со мной что-то не так?

— Мне показалось, что прошлой ночью ты была очень возбуждена, нервничала, как будто не знала, как себя вести.

Ее самоуверенности как не бывало. *Стефания не говорила, что он может читать мысли.*

— Неужели я действительно странно себя вела?

— Немножко. Ты хорошо спала?

— Да, чувствую себя лучше. Мне все еще кажется, что я туристка, но я скоро освоюсь. Когда ты придешь домой?

— В пять тридцать. Все в порядке?

— Да, конечно. Увидимся!

Вернулся из школы Клифф. Сабрина приготовилась поговорить с ним и узнать, как он провел день.

— Привет, мам, — Клифф открыл пакетик с жареным картофелем. — Пенни пошла на гимнастику и будет дома около пяти. Я вернусь позже.

Он уже выбегал из дома, когда Сабрина собралась с духом.

— Подожди, — крикнула она дружелюбно и весело, — ты должен вернуться не позднее половины шестого.

Клифф кивнул и захлопнул за собой дверь.

«Все идет нормально, — подумала она, — по крайней мере, побуду одна и все взвешу».

Гарт вернулся домой раньше и пришел на кухню как раз в тот момент, когда Сабрина жарила бифштексы. Он вошел очень тихо и встал у двери, безмолвно наблюдая за ней. Тоненькая как девочка, в джинсах и приталенном пуловере, она стояла у шкафа спиной к двери и бормотала себе под нос:

— Ступка и пестик... Где-то здесь...

Гарт удивился. Опять она вела себя странно: как будто очень долго отсутствовала или видела дом и свою семью впервые.

— Нет ступки и пестика... — повторяла она. — Ладно, подойдет и кофемолка...

Гарт шагнул вперед, и Сабрина, услышав шаги, резко обернулась:

— А я не слышала, что ты вернулся...

— Я только что вошел. Зачем тебе нужны ступка и пестик?

— Для перца. Но я могу смолоть их и в кофемолке.

— Но они есть у меня в лаборатории, ты же знаешь!

— Что? Перец в зернах?

— Ступка и пестик.

— Что ты делаешь с ними?

— Размалываю зерна.

— Чтобы... изучить гены?..

— Изменить... Чтобы перец рос на деревьях в маленьких консервных баночках с пластиковыми крышками.

— Дерево с консервированным перцем!

— Пока мы не в силах... Чересчур сложно...

Они рассмеялись.

«Как она прекрасна, — подумал Гарт. — Неужели она была такой всегда? Или что-то произошло и она изменилась?» — Улыбка была у нее еще на губах, когда он хотел подойти к ней, но Сабрина быстро повернулась к шкафу.

— Хороший у тебя выдался день?

Он остановился как вкопанный:

— Что?

— Я спросила, как у тебя прошел день?

Еще минута смеха... но теперь уже беспричинного... Он посмотрел на нее: она готовила бифштексы... Он пожал плечами, сел на кушетку и раскрыл газету...

— Ты купила вино?

— Да, сейчас принесу. Подожди минуту, — она положила бифштексы на сковородку, принесла бутылку вина и два бокала. Гарт взглянул на бокалы, и его брови удивленно поползли вверх, но Сабрина не заметила этого.

— Ты так и не рассказал мне, как прошел твой день.

— Но и ты ничего не сказала. Наверное, жизнь здесь после путешествия кажется невыносимо скучной и обыденной?

— Нет. Мирной, приятной... Я прошлась по дому и решила, что Китаю с ним все равно не сравниться. Может быть, сходим во внутренний дворик? Великолепный вечер, а я практически весь день не была на улице.

Гарт отложил газету.

— Замечательная идея. Я тоже не был на улице.

Они вышли во двор и Гарт откупорил бутылку.

— Давно уже мы не сидели вдвоем... — Он улыбнулся. Даже если она все еще сердилась на него, то, несомненно, стремилась изменить обыденное течение их жизни. Что ж, он тоже будет стараться, хотя она и не заметила, как рано он сегодня вернулся и не упомянул о возвращении в лабораторию после ужина.

Сабрина любовалась природой. Заходящее солнце освещало хризантемы, розы, огород, неухоженный без Стефании.

Воздух был свежим и прозрачным, солнечные лучи нежно ласкали лицо Сабрины, и она чувствовала какую-то умиротворенность и легкость.

— Я все рассказала о поездке. А ты ни слова не сказал о том, что было без меня.

— Мы скучали... — Гарт налил вино в бокалы и внимательно изучил этикетку на бутылке... — В доме без тебя пусто и неуютно. Ты раньше не покупала такого вина, решила проэкспериментировать?

«В доме не было никакого вина, а Стефания говорила, что ты любишь красные вина, вот я и купила одно из любимых...»

— Кто-то во время путешествия упоминал о нем. Надеюсь, тебе нравится?

— Конечно... — Он допил вино и опять посмотрел на этикетку. — Очень хорошее. Что ты еще купила?

— Продукты. И наполнила бак машины газолином. Он был почти пуст.

— Газолином?

Сабрина нервно сжала свой бокал.

— В Китае я повстречалась с одним англичанином, продавцом антиквариата. Его зовут, кажется, Николс Блакфорд. Мы много болтали с ним, и я стала очень часто употреблять различные британские выражения. Он уверял, что я стала походить на настоящую гражданку Великобритании. Не знаю, почему я нахваталась у него слов и выражений?

— Мама? — позвала из дома Пенни.

Сабрина обрадовалась, что пришли дети.

— Мы здесь, во дворе, — отозвалась она. Через минуту дверь с шумом отворилась, и к ним вылетела Пенни. Она плюхнулась на стул рядом с Сабриной.

— Барбара говорит, что будет делать кукол!

— Да, — проговорила осторожно Сабрина, — почему?

— Миссис Кейзи сказала, что она может их делать, — слезы наполнили глаза Пенни, — это нечестно!

— Почему миссис Кейзи так считает?

— Не знаю! Ведь ты разговаривала с ней в конце учебного года и она говорила, что я могу делать их. Разве не так?

— Так. И она сказала Барбаре, что переменила решение?

— Барбаре она просто велела начинать делать куклы. Но я-то уже кое-что сделала, а кукольное представление будет на Рождество. У нас осталось не так много времени. А у меня столько хороших идей! И вообще, это я придумала! — Пенни разрыдалась, и Сабрина прижала ее к себе, чтобы успокоить.

— Может быть, миссис Кейзи просила Барбару только помочь тебе, поскольку не была уверена, что один человек может сделать столько кукол?

— У меня есть три помощника, ты прекрасно это знаешь! Поговоришь с ней?

— Ну... А миссис Кейзи не говорила тебе о том, что изменила свои планы?

— Нет!

— Хорошо. Я подумаю. Конечно же, несправедливо, что она даже не поговорила с тобой, какие бы причины у нее на то ни были.

— Что вы здесь делаете? — поинтересовался Клифф, выходя через открытую дверь кухни.

— Наслаждаемся вином перед ужином, — сухо ответил Гарт.

— Можно мне выпить сока? — спросил Клифф.

— Налей и Пенни тоже, — попросила Сабрина — скоро будем ужинать.

— Уже почти полседьмого, — сказал Клифф, — я умираю от голода.

— Полседьмого? — удивленно переспросила Сабрина. — Разве не предполагалось, что вы вернетесь домой на час раньше?

— Я была с Барбарой, — прохныкала Пенни.

— А я задержался с Хэлом, очень важное дело. Хотел позвонить, но...

— Глупое времяпрепровождение. Как насчет того, чтобы приготовить стол? Будем есть в семь.

Клифф и Пенни переглянулись и побежали в дом. Сабрина слышала, как они возбужденно перешептывались.

— И никакой нотации?

— Да, удивительно.

«Я плохая мать, с детьми надо быть построже».

— Я рассказывала тебе о погоде в Китае? Казалось, что мы находимся в трех совершенно разных странах, с климатом от самого сурового до тропического, — она стала очень быстро говорить, жестикулируя и заставляя Гарта смеяться над ее забавными историями о китайском гиде, который был у них во время путешествия. Наконец, она встала.

— Пойдем ужинать? Допьем вино с бифштексами?

Он кивнул. Сабрина ушла на кухню и с чувством облегчения перевела дух. *Совсем неплохо.*

Сидевший за столом Клифф, набив полный рот, неожиданно поморщился.

— Что случилось с бифштексами?

Сердце Сабрины упало.

— Тебе не нравится?

— Новый рецепт? — спросил Гарт. — В придачу к новому сорту вина?

— Мне очень жаль, что вам не нравится, я нашла его в кулинарной книге...

— Почему жаль? Бифштексы превосходны. Клифф, не бойся и возьми еще кусочек. Жизнь полна приключений и неожиданностей. Пенни, не слушай его: прежде попробуй сама, — он повернулся к Сабрине, — это как-нибудь называется?

— Бифштекс с перцем.

— И все?

— Ну, масло. Очень простой рецепт.

— Немного щекочет язык, — мне нравится.

— Да, нормальный бифштекс, — вставил Клифф, — правда, не так хорош, как гамбургер. Я лучше возьму его, — добавил он и вскочил со стула, когда зазвонил телефон.

Через минуту из кухни послышался его голос:

— Папа, это тебя.

Гарт вышел, через некоторое время он вернулся, очень расстроенный.

— Мне придется провести семинар сегодня вечером. У одного из наших бактериологов ангина.

— Бедняга, — сказала Сабрина.

Гарт улыбнулся, хотя был несколько раздражен.

— Но я не собирался сегодня уходить из дома.

Как она узнает, что он тоже пытается что-то изменить в их отношениях, если он опять проведет вечер вне дома?

— Может быть, найти какой-то предлог и отказаться?

— Но ведь ты им нужен, — сказала Сабрина. Она спокойно проведет эту ночь, а завтра они идут к Голднерам. — Ты вернешься поздно?

— Наверное, около одиннадцати. Ты не будешь еще спать?

— Думаю, что не буду.

Но на самом деле она собиралась сделать как раз обратное. Она поиграла с Пенни и Клиффом, потом посмотрела телевизор, пока они делали уроки.

В десять часов она проверила парадную дверь, дверь, ведущую во внутренний дворик, и боковую дверь, чтобы убедиться, что все они закрыты. Наверху, после того как она приняла ванну, Сабрина надела одну из ночных рубашек, которые лежали аккуратно сложенными, и халат из индийской льняной полосатой ткани, висевший в ванной комнате. Потом она удобно устроилась в глубоком кресле, стоящем в спальне около окна, взяла одну из книг со столика рядом и начала читать.

На третьей странице она вдруг резко подняла голову, как будто только что очнулась. Что она наделала? Она проверила все двери, но никто не говорил ей этого делать. Она надела халат, хотя раньше не носила его — Сабрина машинально сняла халат с крючка. А потом, неизвестно зачем, она села в кресло и начала читать.

Стефания должна была сказать ей обо всех этих деталях. Они обсудили столько всяких мелочей, а об этой забыли... Волна сонливости охватила ее. Сабрина, решив подумать о себе в двух лицах завтра, удобно устроилась в кровати и улыбнулась. *Она в двух лицах... Какая интересная мысль!* А потом она заснула.

На следующий день Сабрина проснулась в семь. В доме было тихо. Солнечный свет наполнял комнату. Сабрина повернулась и посмотрела на дверь. Интересно, заходил ли к ней Гарт прошлой ночью и целовал ли он ее? Она ничего не слышала и не чувствовала. Она даже не помнила, что ей снилось.

Во всяком случае, наступил новый день — среда, день ее рождения. Возможно, будь она сегодня в Лондоне, она бы сидела в одиночестве и предавалась меланхолии, думая о своих прожитых тридцати двух годах и представляя, что ее ждет впереди. Но сейчас, ощущая себя вовлеченной в удивительное приключение и окруженная семьей, она была полна сил и энергии. Сабрина встала, приняла душ и спустилась на кухню, где начала готовить завтрак. Вскоре она услышала, как просыпаются остальные члены семьи.

Но прежде чем она успела осознать это, все уже были на кухне, и ее заранее спланированные действия полетели в никуда. Все надо было сделать сразу: завтрак Гарту и детям, приготовить ленч детям в школу, собрать учебники и разбросанные по углам ручки, проэкзаменовать Клиффа по его тесту, помочь Пенни пришить оторванную пуговицу.

Сабрина чувствовала, как в спешке она все больше и больше путается; она долго искала тарелки и чашки, забыла поставить на стол варенье, не достала салфетки из ящика.

— Газету еще не принесли? — спросил Гарт.

— Я не знаю, — ответила Сабрина, намазывая горчицу на сандвич Пенни.

— Мама! Ты знаешь, я терпеть не могу горчицу! — встревоженно закричала Пенни. — Не буду ее есть!

— Ты не заглядывала в почтовый ящик? — спросил Гарт.

— Нет.

Сабрина не знала о газете. Стефания говорила про горчицу, но она забыла.

Гарт сходил за газетой и сел ее читать. Сабрина думала, что он сердит на нее за то, что она не подождала его возвращения прошлой ночью. Но не было ни времени, ни подходящей обстановки поговорить об этом. Через полчаса, которые Сабрине показались проведенными в аду, все ушли. Гарт со своим дипломатом, Пенни и Клифф с книгами и ленчами — в доме наступила мирная, не нарушаемая никем тишина.

Сабрина чувствовала — это был триумф. Она сделала то, что надо: всех накормила, собрала детей в школу и проводила Гарта на работу. Ей очень хотелось рассказать об этом кому-нибудь: ведь она сумела позаботиться о семье, хотя никогда не делала этого раньше. Но никого не было рядом, даже Стефании.

Да и Стефания не оценила бы ее победы, ведь она делает это каждый день.

Но все равно Сабрина гордилась собой и тем, что ей

удалось сделать, хотя ни один из членов семьи не вспомнил о ее дне рождения. Как могли три человека одновременно забыть о ее празднике? Сабрина решила сама себе купить подарок и устроить прогулку по Чикаго.

Она убрала на кухне и после мимолетного взгляда на комнаты решила, что уборка в них может подождать еще денек. В спальнях она заправила кровати. В кабинете Гарт сам убрал постель. Сабрина приоткрыла ящик, где лежали аккуратно сложенные постельные принадлежности. Значит, следующую ночь Гарт собирается опять провести в своем кабинете. Неужели он не находит ее привлекательной? Сабрина засмеялась сама над собой. Очевидно, что нет. Какова бы ни была причина — ссора, о которой говорила Стефания или что-то другое, ясно одно — он не хотел ее. И это тоже было хорошо.

Не обратив внимания на беспорядок в комнате Клиффа, Сабрина начала одеваться, чтобы выехать в город. Она достала длинную юбку, потом долго рылась в гардеробе, пока, наконец, не обнаружила ярко-желтую шелковую блузку. Затем она взяла красивое необычное ожерелье, которое так отличалось от всех остальных драгоценностей ее сестры, что Сабрине было очень интересно узнать, откуда оно взялось. Такое ожерелье она купила бы и себе, и на фоне шелковой блузки оно смотрелось великолепно.

В машине она нашла карту штата и поехала на юг до Чикаго. Сабрина вела машину медленно, наслаждаясь видами за окном: парк Линкольна, многочисленные пляжи и бирюзовая, переливающаяся в лучах солнца, вода озера Мичиган. Впереди показались небоскребы, уходящие ввысь, а когда она парковала машину, они возвышались над ней как исполинские чудища — странное смешение прошлого и настоящего.

Лондон был основан на тысячу лет раньше Чикаго, который, казалось, постоянно выставлял себя напоказ. Сабрина почувствовала тоску по Лондону с его ореолом таинственности и уединенности, с тихими улочками и магазинами, с пешеходами, строго соблюдающими правила дорожного движения.

Но Чикаго ей нравился за агрессивность, этим он притягивал к себе туристов, как бы говоря: «Если я не нравлюсь вам сейчас, то заставлю вас полюбить меня потом». Лондон всегда встречал своих гостей вежливо и дружелюбно, но в то же время как бы заявлял: «Если я нравлюсь вам, — хорошо, если нет, — то мне и без вас неплохо».

И в том, и в другом городе Сабрина чувствовала себя уютно. А почему бы и нет? Она неторопливо шла по улицам, пока, наконец, не набрела на Гранд-парк и Художественный институт, где остановилась на высоких ступеньках перед стеклянным входом, который охраняли два гигантских льва по бокам. Она решила посмотреть две выставки, о которых говорила сестра.

— Стефания! Какая удача! Я не знала, что ты уже вернулась из Китая.

Перед ней стояла высокая, немного сутулая женщина в очках, с каштановыми волосами, большими темными глазами и бледными губами. В ее костюме преобладали коричневые тона, что сразу бросилось Сабрине в глаза.

— Я вернулась в понедельник вечером.

— Ты замечательно выглядишь. Поездка прошла хорошо?

— Прекрасно! А как твои дела?

— Лучше, чем были до того, как ты видела меня в последний раз. Дали небольшую передышку, так сказать, отложили исполнение приговора на более позднее время.

Сабрина побледнела.

— Извини. Черный юмор, иногда я так отгоняю от себя мрачные мысли и разочарование. Я все еще работаю на факультете. Разве Гарт не говорил тебе? После того как он ушел от Вебстера, вице-президент решил, что мой вопрос требует дальнейшего изучения, поэтому мне разрешили остаться еще на один год.

— Я рада за тебя, — сказала Сабрина, пытаясь собраться с мыслями.

— Рада — не то слово. Я испытываю огромный восторг. Ганс недавно бросил свою работу, так что теперь я единственный претендент на премию. Но, чтобы подстраховаться, я обращаюсь и в другие места. Следующей осенью, — последние слова она произнесла очень тихо, почти шепотом. — Я не хочу уезжать, ты знаешь, мы купили дом, дети уже привыкли к этому месту, и я была так счастлива преподавать здесь...

Неожиданно для самой себя Сабрина мягко взяла женщину за руку.

— Почему бы нам не пообедать вместе? Мы можем поговорить о...

— Нет, нет. Я стараюсь не разговаривать об этом. Я становлюсь такой занудой, что мои друзья перебегают на другую сторону улицы, если видят меня. К тому же, у меня назначена встреча на четыре часа. Я позвоню, хорошо? Может, мы пообедаем как-нибудь в другой раз, мне всегда хотелось узнать тебя получше.

— Мне нравится эта идея.

— Тогда я позвоню, — она повернулась. — Еще одно дело, мне не нужно тебе этого говорить, потому что ты и сама это знаешь, но в любом случае я хочу сказать: Гарт — прекрасный человек. Он всегда поддерживает и вселяет уверенность в трудные минуты. Он всегда слушает так, что чувствуешь себя как-то по-особенному. Я не знаю, как буду обходиться без него. Когда бы я ни пыталась поблагодарить его, он всегда обрывает меня. Я скоро позвоню насчет обеда... Ты очень похожа на Гарта: ты умеешь слушать. — Она, попрощавшись, ушла.

Бесцельно бродя среди выставленных экспонатов, Сабрина думала о Гарте. *Он, оказывается, умеет по-особому слушать.*

На первом этаже Сабрина обнаружила выставку стеганых одеял первых американцев; на некоторых из них можно было увидеть едва различимые инициалы, вышитые в уголке. Она улыбнулась, вспомнив о своем «S» на полу в доме Александры, и опять подумала о Гарте.

В магазине Художественного института она купила себе на день рождения подарок — восхитительно иллюстрированную книгу о Венеции. Потом, все еще думая о Гарте, она поехала домой, по дороге заехав к фотографу, чтобы забрать отпечатанные снимки о ее поездке в Китай.

Гарт. Три Гарта: равнодушный муж, каким его описала Стефания; профессионал, готовый даже поругаться с начальником, если считает, что с его коллегой обошлись несправедливо; теплый, дружелюбный, компанейский человек, с которым Сабрина живет под одной крышей. Каким Гарт был на самом деле? Она не могла ответить на этот вопрос. И у нее не будет времени это узнать.

Дома Пенни и Клифф шушукались с заговорщическим видом, пока она готовила гамбургеры и жареную картошку на ужин. Гарт пришел домой, держа в руках большую белую коробку, которую водрузил на середину стола как таинственное украшение. Когда он поцеловал Сабрину, то дотронулся до ее ожерелья и довольно улыбнулся.

— Ты еще не разговаривала с миссис Кейзи? — спросила Пенни.

— Я назначу ей встречу, — пообещала Сабрина.

Вдруг Гарт поднял руки, попросив тишины, а потом более-менее хором громко и неестественно они произнесли:

— С днем рождения!

Сабрина ощутила прилив счастья и радости: они не забыли. Она почувствовала, что находится в центре внимания всей семьи. Для нее это было новое ощущение. Когда она росла, карьера отца мешала их семейному счастью. Позже Дентон не хотел иметь детей. На Кэдоган-сквер Сабрина жила одна, была свободна и не обременена никакими обязанностями. Но вокруг нее и не было людей, которые бы любили ее.

Лицо Сабрины покраснело, она широко улыбалась, пока внутренний голос не напомнил: ведь они поют для Стефании, а не для тебя.

— Открой коробочку! — закричала Пенни, беспокойно ерзая на стуле. Развязав ленточку, Сабрина нашла внутри коробки три поменьше. В одной из них был большой торт, на котором глазурью была выведена буква «С». Во второй коробке лежали два гладких овальных камня, на одном был нарисован ее портрет, на другом — забавный клоун в мешковатой одежде.

Она держала холодные камни в руках. Портрет был очень хорош, клоун — несколько грубоват, но обе картинки были прекрасно нарисованы. Сабрина пожалела, что эти подарки не для нее.

— Это пресс-папье, — с беспокойством произнес Клифф, — тебе не нравится?

Сабрина притянула детей к себе и крепко обняла их.

— Замечательно. Спасибо вам. Я покажу их всем моим друзьям.

Пенни заметила:

— Я могу сделать еще, если им понравится.

— И я тоже могу, — сказал Клифф, — но у Пенни получается лучше

— Ее картинка более артистично исполнена, — согласилась Сабрина, — но твоя была бы хорошим подарком для расфуфыренных лордов и леди, которые не знают, какими глупыми клоунами подчас они кажутся другим.

Пенни и Клифф звонко рассмеялись.

— Лорды и леди? — переспросил Гарт.

— Разве ты не собираешься открыть подарок папы? — спросил Клифф.

Быстро обдумав свое объяснение, Сабрина ответила, пока разворачивала третью коробку:

— Некоторые богачи, с которыми я встретилась, когда продавала поместье, напомнили мне тех лордов и их жен, с которыми мы познакомились на ... свадьбе Сабрины. Но, конечно, не все, только те, которые думают, что деньги делают их лучше других людей.

Открыв коробку, она вытащила из нее миниатюрную фарфоровую птичку около пяти дюймов в высоту. Сабрина уставилась на нее. Мейсенская работа. Но как Гарт мог позволить себе такое? Она повертела ее в руках и обнаружила маленькую наклейку: одна из собственных копий завода с оригинала XVIII века.

— Это для твоей коллекции, — сказала Пенни, — поставь ее вместе с теми, которые подарила тетя Сабрина. Разве она не красивая? Мы помогали папе выбирать ее.

— Очень красивая, — сказала Сабрина Гарту, — и необычная. Спасибо.

Никто из них не знал, что фарфоровая птичка напоминала ей о вопросах, которые ждали своего разрешения; это были проблемы Сабрины Лонгворт, а не Стефании Андерсен.

Сидя на белом кожаном диване в гостиной Голднеров, Сабрина показывала свои фотографии, сделанные в Китае и рассказывала о поездке. Она очень старалась вести себя непринужденно с Голднерами и Мартином и Линдой Талвия — они были друзьями Стефании и Гарта уже на протяжении двенадцати лет. Они пригласили ее к себе, всячески выражали свою любовь и привязанность, от души поздравляли ее с днем рождения. Сабрина подарила Долорес и Линде шелковые шарфики, которые Стефания купила им в Шанхае, и теперь наблюдала за собой и за другими, как будто это было театральное представление.

Сейчас она была одновременно и Стефанией и Сабриной. Первая сидела со своим мужем и друзьями в обставленной по последнему крику моды гостиной Голднеров;

другая как бы находилась на расстоянии, критически наблюдала за тем, что делала первая женщина.

— Замечательные фотографии, — сказал Мартин Талвия, наклонившись вперед и тем самым напоминая Сабрине тот далекий пикник, когда он был высоким и худощавым молодым человеком. — Ты фотографировала сама?

— Нет, просила кого-нибудь, — пробормотала она себе под нос, просматривая фотографии.

— А кого? — спросила Линда.

— Кто не отказывался, — быстро ответила Сабрина, и вдруг вся похолодела. Она наткнулась на три фотографии, сделанные Николсом Блакфордом в Гонконге, на которых были она и Стефания в похожих шелковых платьях. Одинаковые лица, одинаковые фигуры. Если Гарт узнает, что они были вместе, как долго будет оставаться нераскрытым их обман? Сколько времени пройдет, прежде чем Гарт, вспомнив ее многочисленные ошибки, придет к очевидному выводу?

— Что еще? — весело спросила Линда и протянула руку за фотографиями, которые Сабрина держала в руках. Но та быстро спрятала их. — Эй! — Линда рассмеялась. — Что я такого сделала?

Сабрина покраснела от смущения.

— Извините. Эти... эти фотографии плохие. Мне стыдно их показывать.

— Ты принимаешь все близко к сердцу, Стефания, — сказала Долорес. — Мы сможем простить тебе одну или две неудачных фотографии...

— Но их три, — Сабрина старалась говорить веселее, — Линда, извини. Я покажу вам их как-нибудь в другой раз.

Но она могла видеть одну из них. Сабрина вся дрожала. Ей нужно соображать быстрее, быть готовой ко всяким неожиданностям, никогда не позволять себе расслабляться, слишком много вокруг ловушек.

— Пойдемте ужинать, — пригласила Долорес и повела всех в столовую, украшенную цветами из ее собственного сада. Сабрина остановилась в дверях, очарованная красотой. В комнате были букеты всех размеров: от миниатюрных веток рябины с ярко-оранжевыми ягодами до огромных букетов, стоящих в корзинах на полу и на шкафах, в которых удивительно сочетались хризантемы, листья деревьев, уже тронутые желтизной осени, и яркий львиный зев. Оливия Шассон всегда гордилась своим аранжировщиком цветов, но она сразу уволила бы его, увидев, что умеет делать Долорес.

Сабрина повернулась к Долорес.

— Самые великолепные ... — начала она.

— Она получила первый приз, — прервал ее Нат Голднер, — когда тебя не было. Она слишком скромная, чтобы сказать об этом.

Сабрина прошептала почти неслышно «спасибо» и закончила свое предложение:

— Они самые великолепные, какие ты когда-либо делала. Какой приз ты выиграла?

— Первый приз в Мидвест Раш соревновании, — сказала Долорес, ставя на стол курицу с рисом. — Мне кажется, я говорила тебе, что вступила туда.

— Замечательное занятие, — согласился Мартин Талвия. Он повернулся к своей жене, которая сидела рядом. — И ты могла бы делать что-нибудь подобное. Когда ты стараешься, то можешь быть творческой личностью.

— А когда я не стараюсь?

— Дом разваливается на кусочки, — заметил он дружелюбно.

— Нет ничего творческого в уборке дома. И очень надоедает.

— Так же, как и замужняя жизнь?

Она лишь пожала плечами в ответ.

— Еще вина? — спросил Нат.

— Спасибо, — ответила Сабрина. Она чувствовала себя очень неуютно.

Нат обошел гостей и долил им вина.

— Я когда-нибудь говорил вам, что...

— Так как же я надоедаю тебе? — продолжал настойчиво спрашивать Мартин.

Линда опять пожала плечами:

— Как веселы люди, которые пишут книги о корпорациях?!

— Откуда ты знаешь? Ты никогда не слушаешь, когда я говорю о них.

— А мне не интересны корпорации.

— Но если бы ты послушала... Например, сегодня я изучал результаты социологического опроса о супружеской верности среди жен администраторов. Думаю, тебя это должно заинтересовать. Или это не по твоей части?

— Какие отвратительные намеки... Почему бы тебе просто не обвинить меня, вместо того, чтобы прятаться за своими книгами?

— Тебе очень хочется? Хочется, чтобы я все сказал?

— Эй, — прервал их Нат, — вы ставите нас в неудобное положение. Особенно Стефанию, которая за две недели наверняка забыла, как вы «ладите» друг с другом. Я меняю предмет разговора. Не на ортопедию, поскольку среди вас этим интересуюсь только я. Она мое хобби. Что бы выбрать? Мой последний поход в леса южного Висконсина или новый венецианский кубок в моей коллекции?

— Кубок, — быстро произнесла Сабрина, благодаря его за то, что он прервал почти разгоревшуюся ссору. Правда, она заметила, что все восприняли эту словесную перепалку как нечто само собой разумеющееся и неизбежное.

— Хороший вкус, — сказал Нат. — Я говорю о прелестном ожерелье. Никогда не видел его раньше. Откуда оно у тебя?

Сабрина прищурилась.

— Я не знаю...

— Швеция, — тихо подсказал Гарт.

«О! Это подарок Гарта, который по каким-то причинам Стефания никогда не надевала. Поэтому сейчас Гарту очень приятно. Интересно, думает ли он, что я надела ожерелье для него?»

— Где ты купил его, Гарт? — спросил Нат.

— В Стокгольме, когда был там на конференции по генетике два года назад.

Сабрина задумалась. *Почему Стефания два года не носила подарок мужа?* Все смотрели на Сабрину, ожидая объяснений.

— Я не подозревала, что ожерелье так прекрасно, — сказала она, — но сегодня утром оно выглядело как застывшие кусочки осеннего солнца, которые так красиво переливались на свету. Я почувствовала себя такой счастливой... И решила надеть его...

В глазах Гарта была невыразимая теплота и благодарность, когда он смотрел на нее. Сабрина отвернулась. Долорес и Линда стали убирать со стола, Сабрина отодвинула стул и уже хотела встать, но Долорес сказала:

— Нет, не надо. Сегодня твой день рождения.

Все вместе они пропели «С днем рождения» и подарили Сабрине машинку для резки овощей и фруктов.

— Пользуйся им очень осторожно, — посоветовала Линда, — или все превратится в кашу. Видела бы ты, что у меня произошло с луком, когда я в первый раз включила такую машину.

— Намерение было очень простое — нарезать лук, — объяснил Мартин. — Через две секунды все было готово. Еще одна — и лук стал напоминать кучку мизерных кубиков. Не успели мы и глазом моргнуть, как эти кусочки превратились в ужасное луковое пюре. Острый запах распространился по всему дому. Мы потом целую неделю ходили с полными слез глазами.

Он и Линда рассмеялись вместе со всеми, было ясно, что их ссора улеглась. Сабрина разрезала торт, Долорес разлила всем кофе, и разговор переключился на борьбу, развернувшуюся среди жителей близлежащих районов за установку возле школы светофора.

Сабрина обвела взглядом всех присутствующих. Тихий вечер с простой едой; друзья не только делятся своими новостями, но и переживают и пытаются помочь в разрешении семейной ссоры. Ничего необычного. Ни у кого — ни у мужа, ни у четырех ближайших друзей — не возникает никаких подозрений в том, что перед ними не Стефания Андерсен. Как такое могло произойти? Она говорила нелепые вещи, сделала много оплошностей, не могла ответить на некоторые вопросы. Но почему никто не заметил неладного?

Потому что люди видят то, что они хотят видеть. Ни у кого нет причин думать, что я не Стефания. Что бы я ни сделала, они найдут этому объяснение или просто не обратят внимания на мои странные поступки. Иначе будет непонятно или бессмысленно. Когда люди уверены в том, что это правда, они будут делать все, чтобы это действительно казалось правдой.

— Ты мало говорила за столом, — заметил Гарт, когда они возвращались домой, — что-то беспокоило тебя?

— О, нет. Мне просто было хорошо. Замечательный вечер.

Он внимательно посмотрел на нее, но больше не произнес ни слова. У входной двери он взял ее за руку:

— Я хотел сказать тебе...

Она вздрогнула, и он немедленно отпустил ее руку, но

Сабрина успела почувствовать силу его желания, заключенную в еще не произнесенных словах.

— Извини, — сказала она, — я никак не освоюсь. Через несколько дней...

Он дотронулся до ее ожерелья.

— Для меня имело большое значение, что ты надела это ожерелье сегодня вечером. Стефания, я хочу понять тебя, понять, что ты пытаешься что-то изменить в нашей жизни. Если ты не хочешь говорить сейчас, я могу подождать до тех пор, пока ты сможешь. Не хочу торопить. Я не буду спать в нашей кровати столько, сколько тебе нужно. Но нам все равно когда-нибудь придется поговорить о наших отношениях и о дальнейшей жизни. Слишком много вопросов и нерешенных проблем накопилось за это время... Что случилось? Почему ты плачешь?

— Я не плачу, — но в ее глазах стояли слезы. — Извини, — сказала опять Сабрина, — пожалуйста, дай мне еще несколько дней...

Он поцеловал ее в лоб.

— Я постою здесь немного, подышу свежим воздухом. А ты иди, ложись спать. Я запру дверь.

Она кивнула.

— Спокойной ночи, Гарт, — она слегка коснулась его руки. — Спасибо за прекрасный день рождения.

Следующим утром, в четверг, Сабрина поднялась на третий этаж. Там было три комнаты с куполообразными потолками. В одной была кладовая, в другой, просто обставленной, с двумя кроватями и туалетным столиком, могли оставаться на ночь знакомые или жить служанка. Но третья комната привлекла ее внимание, и Сабрина задержалась там.

Это было мрачноватое помещение, почти пустое, за исключением стола, стула, стоявших рядом, и нескольких картонных коробок, покрытых слоем пыли. Сабрина села за стол и открыла верхний ящик. Там лежали аккуратные стопки бумаг, каждая из которых была помечена названием округа Северного Побережья; дальше следовали детальные записи всех торговых сделок Стефании по делам о продаже поместий, которые она вела на протяжении двух последних лет. В них содержалась перечисленная по пунктам опись внутренней обстановки домов ее клиентов. Все, начиная от ножей и кончая кроватями. Возле каждого указанного предмета интерьера стояла его первоначальная цена, затем цена, которую дали на аукционе, и комиссионные, получаемые Стефанией.

В следующем ящике Сабрина обнаружила сделанные Стефанией цветные фотографии домов ее клиентов, их внутреннего и внешнего вида, снимки редких и очень драгоценных серебряных предметов, хрусталя, антиквариата — все, что выставлялось на аукционы. Рассматривая фотографии, Сабрина думала, что она наверняка могла бы найти покупателей практически на все эти вещи среди своих клиентов в Англии и в Европе. Как замечательно они могли бы работать вдвоем со Стефанией! Но когда однажды Сабрина предложила ей сотрудничество, Стефания уклонилась от прямого ответа и перевела разговор на другую тему. Возможно, она знала, что ее бизнес приходит в упадок.

Сабрина провела пальцами по бумагам. Она почувствовала ту нежность и любовь, с которой сестра разложила все бумаги по стопкам и поставила их в ряд.

А ведь в это же время период ее неудач уже подходил к концу. Почему Стефания ничего не сказала ей? Они бы могли работать вместе и спасли бы ее бизнес.

Кто-то позвонил в дверь. Сабрина вскочила со стула и вдруг осознала, что плакала. Она вытерла слезы и побежала вниз. Когда она открыла дверь, Долорес Голднер вошла в дом и сразу направилась на кухню. Сабрина последовала за ней, удивленная таким бесцеремонным вторжением. Но Долорес, должно быть, поступала так всегда, так же, как, видимо, и Стефания.

В Англии даже самые близкие друзья ждут, пока их пригласят войти в дом. В Америке, где даже незнакомые люди зовут друг друга по имени, друзья входят в дом без приглашений.

— Нам нужно поговорить о Линде, — сказала Долорес, присаживаясь к столу и внимательно оглядываясь.

— Я собиралась приготовить чай, — произнесла Сабрина.

— Китайцы приучили тебя к чаепитиям? Поэтому я и не вижу кофейника у тебя на кухне.

Сабрина чуть не забыла об утреннем кофе. Она повернулась, чтобы налить в чайник воды, и ее губы искривились в легкой усмешке.

— Ты не можешь представить, каким непривычным кажется мне вкус кофе. Такое впечатление, будто в течение многих лет я не пила ничего, кроме чая.

— Ну, по крайней мере, хорошо, что ты не вернулась в синих штанах и куртке. Или в чем-нибудь подобном.

— Нет, но вся моя одежда кажется мне непривычной, как будто я надеваю ее в первый раз.

— Ты слишком впечатлительна. Если бы ты путешествовала больше, то преодолела бы это. Посмотри, что сделала с тобой одна поездка: пьешь по утрам чай, прячешь фотографии... И выглядишь как-то по-другому. Что ты делаешь со своими волосами?

— Ничего нового, а разве они выглядят по-иному? Мне кажется, ты подобрала очень точные слова: я чувствую, во мне что-то изменилось.

— Ну хорошо, давай лучше поговорим о Линде. У них с Мартином большие проблемы. Мы должны что-нибудь предпринять.

Сабрина налила кофе и села за стол.

— Что еще?

— Без сливок? Господи, Стефания, не кажется ли тебе, что это зашло слишком далеко?

— Извини, я задумалась о Линде, — она немного помялась у холодильника, не зная, что выбрать. Наконец, ее взгляд остановился на какой-то баночке со сливками, и она поставила ее на стол.

Пока Долорес говорила о Линде, Сабрина, словно холодный и равнодушный наблюдатель, смотрела, что происходит: две женщины, сидящие в заполненной солнечным светом комнате, пьют кофе, разговаривают о своей подруге, которая была несчастлива. Наблюдатель, присутствовавший в Сабрине, почувствовал стыд: Сабрина думала о своей игре, в то время как Долорес была очень обеспокоена судьбой Линды. Сабрина не любила людей, пытавшихся устроить жизнь других за их спинами. Она вспомнила об Антонио. Но Долорес действительно была небезразлична судьба ее друзей. Если она пыталась что-то устроить для них, то только потому, что хотела им счастья.

— Стефания! Ты слушаешь меня? У тебя такой отсутствующий вид...

— Слушаю, слушаю. Я просто думала, как хорошо, что люди заботятся друг о друге.

Долорес удивилась:

— Я тоже так думаю. Ну как мое предложение? Насчет ленча на следующей неделе с Линдой. А потом все вместе пойдем на выставку хрусталя в Палмер-хаус. Линде нужно излить кому-то душу. Ты можешь не ходить на работу в какой-нибудь день?

— Я думаю, да. Уточним в понедельник, хорошо?

— Хорошо. Мы никуда не пойдем без тебя.

Она поднялась со стула и пошла к входной двери так же бесцеремонно, как вошла в нее.

— Мы увидимся на футболе сегодня днем? — спросила она уже на пороге.

— Да, — ответила Сабрина.

Сабрина пообещала Клиффу, что придет на игру. Она нашла школьное футбольное поле всего за несколько минут до начала игры. Клифф с безразличным выражением на лице разминался вместе со своей командой, но когда он увидел Сабрину, весело улыбнулся и подбежал к ней.

— Мы играем с «Лейксайдом». Они занимают третье место. Но мы выиграем. Некоторую опасность представляет только вот тот высокий парень. Он лучший нападающий.

Около сорока женщин и несколько мужчин сидели на трибунах и наблюдали за игрой: женщины — спокойно и молчаливо, мужчины — выкрикивая советы своим сыновьям. Долорес села рядом с Сабриной, но Сабрина почти не замечала ее. Она и Стефания выросли на европейском футболе, а Сабрина до сих пор интересовалась им; некоторые мужчины ее круга были игроками высшего класса в любительском футболе. Она знала правила этой игры так же хорошо, как большинство американцев знает правила бейсбола; и уже с первой минуты она была поглощена игрой.

Клифф играл хорошо, она видела это. Он был подвижен и быстр, члены его команды доверяли ему.

— Давай, — прошептала она, когда другой нападающий передал Клиффу мяч, и он повел его к воротам «Лейксайда», умело обходя защитников. Сабрина вскочила со своего места, как будто бежала вместе с ним, ощущая радость и возбуждение. Через секунду Клифф мощным ударом забил первый гол за свою кричащую и прыгающую от счастья команду.

— Невозможно найти родительницу, которая бы гордилась своим сыном больше, чем ты, — услышала она голос Гарта рядом с собой.

Сабрина обернулась:

— Я не думала, что ты придешь.

— И я не думал, но потом вспомнил твой справедливый упрек, что не был на прошлой игре. Какой счет?

— Один ноль. Клифф забил гол.

— Это видно по твоему счастливому виду.

— Я рада, что ты пришел, — сказала она Гарту. — И Клиффу будет приятно.

Клифф действительно был очень обрадован, Сабрина видела, как радостно он улыбался, когда через все поле бежал к ним в перерыве. К тому времени он уже забил второй гол.

— В следующем тайме я буду играть еще лучше, — возбужденно произнес Клифф. — Вы видели Пата Раяна? Высокого парня? Ну не ненормальный? Он поспорил со своей командой, что забьет больше голов, чем я.

Пат Раян забил три мяча в следующем тайме. Один из игроков команды Клиффа сравнял счет, но Клиффу никак не удавалось завладеть мячом. К концу игры, когда счет все еще оставался ничейным, он был очень зол и разочарован. Видя отчаяние на его лице, Сабрина покачала головой:

— Он уже больше не ориентируется в игре.

Гарт начал что-то говорить, как вдруг пронзительный крик послышался с поля.

— Клифф! Мне! — заорал снова форвард их команды, но Клифф, не обращая на него внимания, сам повел мяч вдоль боковой кромки поля.

Форвард сумел оторваться от всех защитников «Лейксайда» и оказался перед пустыми воротами соперника.

— Пас! Пас! — орал он что было сил.

Между ним и Клиффом не было никого из «Лейксайда» и комбинация вырисовывалась блестящая. Клифф на секунду поднял голову и понял, что от него справедливо требуют передачи. Но одновременно он увидел проход, по которому сам мог пробраться к воротам соперника.

— Пас!

На этот раз крикнул уже тренер. Это был приказ. Клифф сердито мотнул головой. После недолгого колебания, продолжая удерживать у себя мяч, он повернул влево. К своему проходу. К своему голу...

— Вот это финт! — возбужденно воскликнула Сабрина. — Смотрите, как он здорово ведет мяч. Но... у него не получится! Его сейчас остановят!

Защитники «Лейксайда» полностью переключились на продвижение Клиффа. Они загородили его вожделенный проход, а один из них в четко выполненном подкате лишил Клиффа мяча.

— Я взял! — крикнул за спиной Клиффа игрок другой команды, которому удалось перехватить мяч. Он наконец перебросил его заждавшемуся Пату Раяну. Тот помчался с ним по пустому сектору поля, не так изящно, как Клифф, но с рещимостью одиннадцатилетнего мальчишки, который всерьез вознамерился выиграть спор.

На последних секундах матча ему удалось-таки протолкнуть мяч в ворота с радостным воплем. Тем самым их команда одержала победу.

После игры Клифф не желал говорить ни слова на эту тему.

— Тренер чуть не убил меня, — бросил он только сквозь зубы, когда они вернулись домой.

Пока Пенни накрывала на стол, он сидел и дулся в своей комнате. Сабрина приготовила салат и выставила тушеное мясо из духовки, с которым пришлось возиться весь день. Гарт хотел было спросить, с каких это пор ей стал нравиться футбол, но сдержался, вовремя угадав ее резкую реакцию. Несомненно, она снова завела бы свою давнишнюю песню, что если бы он проводил с семьей больше времени, то не задавал бы глупых вопросов.

Клифф и за столом продолжал дуться. Его мрачное настроение давило на всех членов семьи.

— Наказали или просто предупредили? — спросил Гарт, желая проявить сочувствие.

— Не твое дело, — глухо ответил Клифф, упершись взглядом в свою тарелку.

— Клиффорд! — гневно воскликнула Сабрина. — Как ты смеешь?! Посмотри на меня! Я сказала: посмотри на меня!

Клифф удивленно поднял на нее взгляд.

— Как ты смеешь разговаривать с отцом в таком тоне?! Я думала, что мы все вместе обсудим игру, попросим тебя больше не забывать о том, что ты играешь не сам по себе, а в команде... Но мы ни о чем не будем говорить, пока ты не извинишься! Ну!

— Я и так знаю, что играю в команде! — горячо возразил Клифф. — Просто...

— Мы ждем твоих извинений.

— Слушай, мам, передо мной был открытый проход...

— Клифф!

Сабрина устремила на него рассерженный взгляд. Боковым зрением она уловила, что на нее смотрит Гарт. Видимо, она зашла слишком далеко и уже ведет себя не так, как вела бы Стефания. Но Сабрина была возбуждена и ей было все равно. Гарт вздрогнул от грубости Клиффа и она просто не могла не вмешаться. Она не позволит ставить Гарта в такое положение. Особенно после вчерашнего... Когда они стояли на улице... Она ощутила понимание и теплоту.

— Извини, — буркнул Клифф.

— И впредь больше не позволяй себе грубости, — спокойно произнесла Сабрина.

— Прошу прощения! — выкрикнул дрожащим голосом Клифф. — Но следующую игру я буду сидеть на скамейке!

— Ну, это уж слишком, — покачал головой Гарт. — Достаточно одного тайма...

— Ты это ему и скажи!

— Возможно, скажу.

— Да нет, пап, спасибо. Мне тогда еще больше достанется дерьма на голову.

— Клифф! — воскликнула Сабрина.

Гарт улыбнулся.

— Не забывай, что ты сидишь за семейным столом, а не с приятелями в футбольной раздевалке, — заметила Сабрина.

— Ладно, извиняюсь, — отмахнулся Клифф и, взглянув на нее, спросил: — Что ты там говорила про коллективную игру?

— Тебе захотелось, чтобы Пат Раян проиграл спор, и поэтому ты устроил показуху. Настоящий игрок, осознающий себя частью команды, никогда не позволил бы себе такого.

— *Да при чем тут!..*

— Твой товарищ стоял перед пустыми воротами. Однако вместо того чтобы сделать пас, ты предпочел единолично завершить комбинацию.

— Но я же думал, что у меня самого получится! Там был чистый проход!..

— Который через несколько секунд был плотно закрыт чуть ли не всей командой противника. Ты знал, что у тебя отберут мяч.

— У меня был шанс.

— Речь могла идти только о чуде.

— Ну и что? Все-таки надежда была! Или ты предлагаешь мне всегда уклоняться от риска?

— Я этого не говорила, — с улыбкой, которая была предназначена больше самой себе, ответила Сабрина. — Риск — благородное дело. Но предварительно нужно взвешивать все «за» и «против». Надо знать, на что идешь. Иначе это назовут глупым безрассудством. — Она задумчиво взглянула на него. — Ты хороший игрок, Клифф. Легко передвигаешься по полю, хорошо чувствуешь игру, обладаешь неплохой обводкой. Но как только ты начинаешь играть в одиночку, тут же проваливаешься. Несмотря на все твои способности.

Клифф был явно озадачен.

— Откуда ты так много знаешь о европейском футболе? Мне казалось, что ты совсем не разбираешься в этом. Да и не любишь.

— Я книгу прочитала. Не люблю смотреть на что-нибудь и ничего не понимать.

Сказав это, Сабрина тут же отвернулась к Пенни и стала проверять у нее задание по истории.

Гарт внимательно наблюдал за своей женой. Она выглядела оживленной и заинтересованной. Такой же, какой она была вчера вечером у Голднеров. Оживленной и заинтересованной во всем! Кроме дел своего мужа, впрочем. Возможно, она всегда была такой, но раньше это не бросалось в глаза. Он почувствовал себя ничтожеством, недостойным ее оживленности.

Наливая кофе, Сабрина взглянула на Гарта: «Почему у него такой взгляд? Что-то заметил?»

— Чем ты сегодня занималась? — спросил он.

— А... — отмахнулась она. — Приезжала Долорес. Посидели, кофейку попили.

— Что-то серьезное? Или просто заглянула поболтать?

— Она затевает целый план, с помощью которого собирается осчастливить Линду. Любопытно. Долорес проявляет о друзьях такую же заботу, как о своих цветах. По-моему, однажды она затащит нас на какой-нибудь конкурс типа «Соревнования супружеских пар Среднего Запада». Как ты думаешь?

Он рассмеялся.

— Надеюсь, мы выиграем?

— Разве Долорес когда-нибудь проигрывала? — ответила она вопросом на вопрос. — Кроме того, сегодня я сделала еще одно дело. Поднялась в мой старый офис.

— И что ты там нашла?

— Пыль. Воспоминания. Впрочем, занимательно было покопаться в бумагах. И знаешь... Я думаю, что могу вернуться в бизнес. Я просмотрела «Эванстон ревью». Там написано, что недвижимость продается сейчас по всему северному побережью, видимо, тут все дело в инфляции. Люди возвращаются в город или куда-нибудь поближе к нему. Чтобы можно было послать своих детей в колледж...

Ее голос увял. Гарт смотрел мимо нее. На лице его не было никакого выражения, кроме разве что равнодушия. Лишь один раз он взглянул на нее, но этого хватило, чтобы заметить ее горячий взгляд, который был под стать ее возбужденному голосу и предположить, что к бизнесу она проявляет больше интереса, чем к мужу.

— Ты действительно хочешь возобновить дело? — вяло спросил Гарт. — Рискованное предприятие. Особенно, если ты до сих пор не поняла, почему у тебя случилась неудача в первый раз.

Волна гнева захлестнула Сабрину. Она рисковала выдать себя, когда вступилась за Гарта перед нагрубившим Клиффом. Но стоило ей упомянуть о недвижимости, как он тут же превратился в лед. Он не поинтересовался тем, как она думает добиться успеха и не нужна ли ей помощь. В этот момент он напомнил ей об Антонио и об ее «лавчонке». Теперь она хорошо понимала, почему Стефания сердилась на него: ему было на все наплевать, кроме самого себя.

Она удивилась тому, как сильно была задета и разочарована.

— Я пошел в лабораторию, — заявил Гарт, отодвигая стул. — Если не ляжешь спать рано, я загляну пожелать спокойной ночи. — Сабрина кивнула. Как раз то, что ей надо: тихий вечер, уютный дом. И все же ее жгло ощущение потери. Когда за ним захлопнулась дверь, стены как-то сразу надвинулись на нее и она почувствовала себя очень одинокой.

За завтраком атмосфера была натянутой. Даже Пенни и Клифф выглядели подавленными. Сабрина дала Клиффу урок правильной речи. На это ушло много времени, так как по программе в пятницу нужно было прогнать все слова за неделю. Пенни спросила насчет миссис Кейзи.

Сабрина пообещала встретиться с ней на следующей неделе.

— Поужинаем сегодня пораньше, ладно, мам? — предложил Клифф. — Мы сегодня с Пенни разбегаемся по друзьям.

Потом дети ушли, и Сабрина осталась наедине с Гартом.

Он открыл и закрыл свой портфель.

— Прошу прощения за вчерашнее. Я не имел права критиковать тебя за недостаток интереса к моей работе, так как не интересовался твоей.

«Интересно, о каком недостатке интереса идет речь? — подумала она. — Стефания, конечно, всегда интересовалась его работой».

Но Сабрине не хотелось сейчас ссориться. Гарт был гораздо приятнее, когда улыбался.

— Спасибо, — проговорила она.

— Если ты хочешь поговорить сейчас...

— Ничего, подождет. — Она взглянула на его портфель. — Тебе надо идти?

Он поцеловал её в щеку.

— Через полчаса на факультете совещание. Увидимся вечером.

За ужином Гарт был оживлен. Пенни и Клифф продолжали суетиться, бегая из комнаты в комнату — каждый готовился к своей вечеринке. Как только они ушли из дома, Гарт поднялся из-за стола и подошел к окну.

— Как насчет того, чтобы прогуляться? Я весь день просидел в кабинете и любовался из окна тем, как резвятся на озере мои студенты. Ты помнишь, почему я решил много лет назад все-таки получить диплом, вместо того чтобы остаться вечным студентом? Я уже начал забывать. Помню только, что была такая проблема...

— Тебе надоело *сдавать* экзамены и захотелось их принимать.

Гарт кивнул.

— Ох уж эта студенческая молодость! Кстати, я ведь тебе кое-что принес. — Гарт на минуту вышел из комнаты и вернулся с бумажным свертком. — С поклоном от моих коллег. От тебя просят только одного: чтобы ты почаще готовила свой обалденный бифштекс.

Сабрина развернула сверток и достала фарфоровую ступку и пестик.

— О, какое чудо! Будут вам бифштексы. Кстати, как это использовалось в лаборатории?

— А кто его знает? Я украл это у химиков. Не забудь хорошенько прокипятить.

Со смехом Сабрина понесла неожиданный подарок на кухню. Гарт последовал за ней с чашками и кофейником в руках.

— Так как насчет прогулки?

— Мне надо прибраться. Пенни и Клифф, видимо, очень спешили. Накидали тут всего...

— Подождет. Ну, прошу тебя.

— Ты разве не возвращаешься в лабораторию?

— Нет, а ты думала, я поеду туда сейчас? У тебя какие-то свои планы на вечер?

— Разумеется, нет. С удовольствием прогуляюсь.

Солнце низко висело над горизонтом. Воздух был тихий и теплый. Ветерок доносил запахи свежести с озера и прелый аромат опавшей листвы. Они пересекли парк и перед ними открылась водная гладь, спокойная и густо-синяя под закатным небом. Вдали виднелись четкие белые силуэты парусных лодок, покачивающихся на мелких темных волнах. Мимо то и дело пробегали спортсмены-любители. Мальчишки играли в «контактный» футбол. В кустах прыгала маленькая собачка, распугивая крохотных белочек. Под кронами деревьев скрывались влюбленные парочки.

Гарт взял Сабрину за руку и они пошли вдоль берега. Под косыми лучами заходящего солнца их тени далеко убегали по воде, то сливаясь в одну, то вновь распадаясь. Сабрина задержалась, чтобы завязать шнурок, а когда выпрямилась, то пошла отдельно от Гарта. Он больше не брал ее за руку.

— Вивьен сказала, что на днях видела тебя, — проговорил Гарт.

— Кто?

— Вивьен Гудман. Она говорила, что вы встретились в Художественном институте.

— Ах, Вивьен! Забыла тебе рассказать. Она так хвалила тебя, говорила, что ты был так обходителен, но... она все еще обеспокоена. Ты мог бы еще что-нибудь для нее сделать или теперь уже все зависит от вице-президента?

Он замедлил шаг и внимательно посмотрел на нее.

— Разве Вивьен рассказала тебе о своей проблеме?

— М-м... — «Стефания что, ничего не знала?.. А вдруг нет?» — Да. Просто надо уметь проявить к человеку интерес.

— Ты только сделала вид, что проявила к ней интерес?

— *Вот и нет!* — резковато возразила Сабрина, почувствовав холод в кончиках пальцев. — Она сильная, но на нее слишком много всего свалилось... Ей, видимо, пришлось переехать, в результате возникла проблема с детьми, которым нужно менять школу. Потом... *«Как же зовут ее мужа?...»* — И потом Ганс только-только ушел со своей работы. Она мне нравится. Конечно, я с интересом отнеслась к ней и ее проблеме. — Решив рискнуть, Сабрина пошла дальше: — Возможно, раньше я не проявляла должного интереса, потому что из твоих уст это звучало не так серьезно...

— Я тебе об этом ни слова не рассказывал. Ты даже слушать не захотела!

— Вот это я и имею в виду.

Она понимала, что городит уже какую-то чепуху, но Гарт пропустил эту ее ошибку мимо ушей.

— Я еще не говорил об этом с вице-президентом. Может быть, на следующей неделе.

И он начал описывать одного за другим членов комитета. Сабрина слушала, не переставая одновременно мысленно сравнивать себя с сестрой.

Вчера вечером она была рассержена, что Гарт не проявил должного интереса к ее задумке возобновить бизнес с недвижимостью. Но вот как насчет работы самого Гарта? Интересовала она Стефанию? Этого Сабрина не знала. Если Стефанию не волновали его дела, то у нее на это, должно быть, имелись серьезные причины. «Мне не нужно знать о них, — решила про себя Сабрина. — Это их дела. Я об этом даже думать не стану».

Она сосредоточилась на том, что говорил Гарт. Когда он в едких словах описывал Уильяма Вебстера, Сабрина не удержалась от смеха. Теперь она понимала восхищение Вивьен.

Опускались сумерки. Они молча шли по тропинке в бледном сиянии старомодных фонарей. Сабрина чувствовала спокойную силу мужчины, который шел рядом с ней. Его присутствие было ненавязчивым и от этого казалось комфортным. Он был хорошим спутником. Она была не одна и в тоже время предоставлена сама себе, ход ее мыслей никто не нарушал.

«Кто это со мной? — подумала она и улыбнулась в темноту вечера. — Сколько я еще пробуду с ним?»

— Папа сказал, что даст свое «добро», если ты согласишься, — сообщила ей субботним утром Пенни. — Велосипедная прогулка и пикник... Что может быть лучше? Поедем, а? Я соберу гербарий, а Клифф хочет поймать жабу.

— Почему бы и нет? Велосипедная прогулка и пикник! Звучит неплохо.

«Сколько лет я не садилась на велосипед? — подумала Сабрина. — Ничего, этот навык никогда не забывается.»

Вскоре они уже складывали в сумки хлеб, холодное мясо, сыр, яблоки и охлажденное имбирное пиво в банках.

— А как насчет десерта? — спросила Пенни.

— Шоколад с орехами купим по дороге.

— О, ты не забыла! Клифф говорил, что ты ничего не помнишь, а ты не забыла!

«Забыла?»

— А почему я должна была об этом забыть?

— Потому что в последнее время ты многое забываешь. Вот Клифф и сказал, что ты забудешь о том, что на пикники мы всегда берем шоколад с орехами. А я сказала, что ты не забудешь и оказалась права. Ну что, поехали?

— Да, — ответила Сабрина и передала ей сумки. — Помоги отцу прицепить их на велосипеды.

— А ты идешь?

— Приберусь только.

Убирая со стола, Сабрина думала о шоколаде с орехами. Говорила ли ей об этом Стефания? Или это еще одна загадка, которой она не сможет найти объяснения?

— Мам! — донесся снаружи голос Клиффа.

Через минуту она уже присоединилась к семье, чтобы впервые за последние пятнадцать лет сесть на велосипед.

А она и вправду не забыла, как крутить педали! Ноги у нее были сильными: спасибо регулярным занятиям теннисом. Проехав несколько кварталов, она окончательно уверилась в своих силах и решила, что может ехать с семьей хоть за тридевять земель. Она подставила лицо мягкому солнечному свету, любуясь голубым с золотинками небом и позволяя своему телу найти собственный спокойный ритм. Мышцы сокращались в строгой очередности, дыхание было ровным и глубоким, чего нельзя было сказать о мыслях, которые суетливо роились в ее голове.

Конечно же, никто не предупреждал ее о шоколаде с орехами. Никто не предупреждал ее и о ночной сорочке, и о купальном костюме. Равно как и о привычке хозяйки этого дома читать, сидя в кресле в спальне. Интересные совпадения. Наверно, все это от того, что они близнецы... Она и Стефания следили за новыми научными разработками проблемы близнецов, над некоторыми посмеивались ввиду их очевидной глупости, в некоторых отмечали признаки истины. Однако до сих пор никем не проводилось эксперимента, аналогичного их нынешнему. Да и мыслимо ли это вообще? Ведь это не просто поменяться местожительством... Сабрина вынуждена была теперь жить, постоянно сравнивая свое поведение с возможным поведением Стефании и думая за двоих.

Интересно, а каково Стефании сейчас в Лондоне? Испытывает ли она похожие чувства? «Поговорим об этом, — подумала она, — когда встретимся в понедельник в аэропорту».

Понедельник. Послезавтра. Неделя истекала. Срок, конечно, недостаточный. Она еще не успела до конца сойтись с Пенни и Клиффом, почувствовать себя настоящим членом семьи. Также, как она не успела взглянуть со стороны на свою лондонскую жизнь, оценить ее, разложить по полочкам. А ведь, — если уж честно, — разве не по этой причине она вообще согласилась на этот бредовый эксперимент? Но много ли можно успеть за какую-то одну неде...

— Стефания! Берегись!

— Мама!!!

— Мамочка!!!

Сабрина сквозь какую-то ватную муть еле расслышала крики. Потом раздался скрип покрышек. Повернув голову направо, Сабрина увидела несущийся на нее пикап. Резко повернув руль влево, она дико вильнула и стала терять равновесие. Заднее колесо занесло на сухой пыльной дороге. Сабрина все-таки сделала отчаянную попытку удержаться, но тут пикап ударил по колесам, и велосипед швырнуло на тротуар. Она с силой ударилась о придорожное дерево, в самый последний момент чисто инстинктивно успев выставить перед собой руку. Что-то гулко треснуло...

Последнее, что Сабрина слышала, прежде чем потерять сознание, был взволнованный крик Гарта, называвшего ее по имени...

Перед глазами зависла неподвижная влажная пелена. В голове все смешалось от шока и боли. Сабрина услышала произнесенное кем-то короткое слово... Вопрос... Крик... Она захотела остановить этот вихрь, попросить их говорить и двигаться помедленнее, но у нее из этого ничего не вышло. Рядом находился Гарт и все обращался к ней по имени... Но она не слышала своего имени, только имя сестры. Она вся мелко дрожала и не могла указать Гарту на его ошибку. Какие-то незнакомые люди просили Гарта подождать в соседней комнате, но она нуждалась в нем. Разве им это было непонятно? Она, очевидно, лежала на кушетке, которую везли куда-то по гладкому полу. Кто-то коснулся ее левой руки и тут же дикий болевой спазм пронзил все ее тело.

— Не надо! — вскрикнула она.

— Потерпи минутку, Стефания. Всего одну минуту!

Этот голос определенно принадлежал Нату Голднеру. Ага! А вот и его улыбающееся лицо. Слепящий свет. Она поняла, что ее рука зажата в узкой нише какой-то черной коробки. Рентген! Но Нат, как и Гарт, называл ее именем сестры!

— Подождите... — Она не расслышала своего голоса, чувствовала только, что он дрожит. — Я должна сказать вам...

— Тихо, тихо, тихо, — умоляюще запричитал Нат. — Тебе лучше ничего не говорить пока. Расслабься.

Сабрина почувствовала, как в руку впивается игла шприца.

Через минуту ей стало лучше. Мелкое подрагивание прекратилось. Мышцы расслабились. Сознание вновь затуманилось и ей уже стало все равно, как ее называют.

— Небольшое сотрясение, — говорил Нат Гарту, когда Сабрина вновь очнулась.

Она лежала на кушетке в маленькой комнатке со светло-зелеными занавесками. Дотронувшись до своей больной руки, она наткнулась на гипсовую повязку.

— Проснулась? — спросил Нат.

Они с Гартом смотрели на нее сверху вниз. Нат улыбался. Глаза Гарта потемнели от тревоги. А где же дети?

— Пенни... Клифф... — шевельнула она пересохшими губами. На этот раз до ее слуха донесся шелестящий шепот собственного голоса.

— Они в соседней комнате. Сидят. Ждут, — ответил Нат. — Я сказал им, что с тобой все в порядке. Сейчас с ними увидишься. Если будешь меня слушаться, очень скоро отправишься домой. Ну-ка, выпей для начала...

Он сунул ей за спину руку и чуть приподнял, чтобы она не захлебнулась. Только сейчас, когда ее сдвинули с места, Сабрина поняла, что у нее раскалывается голова.

— Слушай, Стефания, я уже проинструктировал Гарта насчет того, что тебе сейчас нужно...

— Стойте, — слабо перебила она.

«Почему они продолжают называть ее именем сестры?»

— Молчи и слушай! Ты заработала себе перелом руки и небольшое сотрясение мозга. Это ничего, до свадьбы заживет. Считай, что тебе повезло. Даже зашивать ничего не пришлось. Я уже говорил Гарту, но тебе повторю: минимум активности в ближайшие дни. О работе не может быть и речи. Ни в офисе, ни дома. Забудь об этом намертво. Готовка, уборка дома — все это возложи на свою семью. Принимать душ можно, но с условием, что гипсовая повязка останется сухой. Оборачивай руку в полиэтиленовый пакет. В ближайшие двадцать четыре часа старайся не раскрывать рта. Это насчет разговоров. Но ешь пять-шесть раз в сутки. Пить не меньше шести стаканов за день. Для выздоровления это необязательно, но помогает избавиться от головной боли. Завтра вечером головная боль у тебя пройдет, это я тебе обещаю. Через месяц мы снова тебе сделаем рентген. Если срастется — гипс долой. Какие будут вопросы?

— Почему вы называете меня Стефанией?

— Потому что я всегда зову тебя Стефанией. Или что, ты думаешь, я буду называть тебя миссис Андерсен только потому, что ты являешься моей пациенткой? Ладно. Я выдал Гарту для тебя успокаивающее. На недельку хватит. Не волнуйся, ничего с тобой не будет. Несколько дней, может, будешь дезориентирована, но это скоро пройдет. А теперь отдыхай. Лежи, молчи, смотри в потолок, ни о чем не думай. Мы еще увидимся.

Она так и сделала. Осталась лежать на спине, разглядывая трещины в потолке. Миссис Андерсен. Стефания. Гарт. Она подняла голову, отыскала взглядом стул и увидела на нем синие джинсы и блузку, в которые была одета во время несчастного случая.

Это была одежда Стефании.

А сама Стефания в Лондоне. И нет у нее никакого перелома.

«О Боже! Нужно позвонить ей!»

ГЛАВА 11

Стефания, выйдя из самолета, который приземлился в аэропорту Хитроу, и пройдя таможенный контроль, сразу же поймала такси и приказала отвезти ее на Кэдоган-сквер. На часах было почти десять часов вечера. В течение шестнадцати часов, пролетая над континентами и разменивая один за другим часовые пояса, она думала только об одном: о предстоящей неделе. К тому времени, когда она покончила со всеми таможенными формальностями и села в такси, на нее напала такая дикая усталость, такое изнеможение, что, казалось, она уже не может пошевелить ни ногой, ни рукой. Откинув голову на спинку высокого сиденья машины, Стефания лениво провожала взглядом мелькавшие за окном городские огни. Она видела их с высоты птичьего полета какой-то час назад. Это была сплошная, переливающаяся мозаика, медленно уползавшая под крыло заходящего на посадку самолета. Теперь же, из окна такси, она могла разглядеть эти огни: магазины, дорожные фонари, окна квартир. Огни Лондона.

Стефания была здесь год назад, когда приезжала навестить сестру. Сабрина встречала ее тогда в аэропорту, отвезла на Кэдоган-сквер, собственноручно открыла дверь своего чудесного дома и пригласила Стефанию внутрь. Вот и теперь Стефания раскрыла в темном салоне такси свою сумочку и достала оттуда связку ключей. На этот раз она уже не будет выступать в роли гостьи. Ей самой придется отворять двери в чудесный дом. Ее дом.

Но двери открылись сами, едва она к ним подошла.

— Добро пожаловать домой, миледи! — радостно воскликнула вся светящаяся улыбкой миссис Тиркелл. — *Без вас в доме скучно!*

Стефания достала несколько монет, которые она и вручила таксисту после того, как он забросил в дом ее багаж.

— В столовой вас ждет небольшое угощение! — продолжала радушная миссис Тиркелл. — Я приготовила ваши любимые бисквиты с вином. И несколько других блюд, которые бы соблазнили вас. Впрочем, не думаю, чтобы вас пришлось особо соблазнять после многих дней всей этой иностранной пищи. Вы, очевидно, соскучились по домашнему? Я была уверена, что вы вернетесь страшно похудевшей, — кожа да кости. Но рада, что ошиблась! Вы в прекрасной форме. О, миледи, я так счастлива, что вы вернулись! Вы сначала подниметесь к себе или сразу в столовую?

Миледи.

Стефания была очень утомлена дорогой, но это не помешало ей оценить такое обращение к себе и посмаковать его в уме. Миледи... Дом только и ждал ее появления. Здесь все было предусмотрено, чтобы она чувствовала себя наиболее комфортно. Тут обо всем заранее позаботились, все привели в порядок.

И все же усталость не отпускала. Ничего, впереди еще много времени и она сможет по достоинству оценить все, что ее будет окружать. Начать можно хоть с завтрашнего утра.

— Я лучше сразу поднимусь к себе, — усталым голосом объявила Стефания. — Сил нет садиться за стол.

Она уже хотела было пожелать миссис Тиркелл спокойной ночи, как вдруг наткнулась на ее изумленно-растерянный взгляд. В этом взгляде было все: и долгие часы тщательных приготовлений к приезду хозяйки, и ворожба над кастрюлями с «небольшим угощением», и привязанность к Сабрине, и горячее ожидание благодарности хозяйки за настоящую английскую еду после многих дней блуждания в заморских далях... У Стефании никогда не было ни экономки, ни горничной. Для Сабрины лучившееся радостью лицо миссис Тиркелл, возможно, было бы важнее ее усталости.

— Впрочем, — задумчиво проговорила Стефания, поворачиваясь лицом к столовой, — от бисквитов, пожалуй, отказаться не смогу. У китайцев ничего подобного нет. Я отведаю пару штучек сейчас, а завтрак, миссис Тиркелл, я бы хотела получить у себя в спальне, если не возражаете, а?

— О, миледи, именно на это я и рассчитывала! Идите же к столу, там уже давно все готово. А я только отнесу наверх ваш багаж.

В ту ночь Стефанию одолевали кондитерско-кулинарные грезы. Тут были и желе, и сладкий крем, приготовленный любезной миссис Тиркелл, и печенья с пирожными Николса Блакфорда, рассыпанные на тротуаре одной улочки, и ростбиф, который она приготовила своей семье накануне отъезда в Китай. Над видениями блюд колыхалась улыбка экономки, окруженная яркими лондонскими огнями и расплывчатым образом бронзовой дверной побрякушки, сделанной в форме руки, держащей свернутый в рулон манускрипт. Это было первое, что бросилось Стефании в глаза, когда она подходила к дому своей сестры Сабрины.

Смутные картины и образы оставили Стефанию в середине ночи, поэтому, проснувшись, она отчетливо представляла себе, кто она и где она. Она просыпалась медленно, потягивалась грациозно, словно кошка, на простынях из египетской хлопчатобумажной ткани. Такой же нежной, как шелк. Ложась накануне вечером в кровать, она не смогла отыскать ни одной ночной рубашки и поэтому легла обнаженной. Теплое постельное белье ласкало и гладило ее кожу. Она снова потянулась и наконец открыла глаза.

Спальня представляла собой просторную комнату в форме латинской «L». Стены были обтянуты шелком. Полосы голубого оттенка сменялись полосами оттенка слоновой кости. На полу был разложен переливчато-синий ковер. Высокая кровать в стиле Людовика XIV и ночные столики располагались в малом крыле комнаты. Другое крыло представляло собой как бы отдельную от спальни гостиную. Перед камином помещалось огромное кресло, рассчитанное как минимум на двоих, и шезлонг. Вдоль стены стояли два французских комода с зеркалами, а между ними — туалетный столик в том же стиле. У высокого окна, выходящего на обнесенный стеной задний двор и террасу, — все это находилось четырьмя этажами ниже, — стоял круглый стол, накрытый узорчатой шелковой скатертью, спадавшей почти до самого пола, и два обтянутых шелком мягких стула.

Словом, это была замечательная, с изысканной обстановкой комната. В ней было много простора и комфорта, она действовала успокаивающе.

Стефания спрыгнула с кровати и стала разгуливать по комнате, удивляясь ей и самой себе. Как все оказалось просто! Как свободно и уверенно она себя чувствовала! Ее пальцы скользили по шелкам, по полированному дереву, по мрамору камина, по бархату обивки шезлонга... Она подошла к зеркалу и, поднявшись на цыпочки, раскинула руки в стороны.

— Миледи... — томно проговорила она, обращаясь к своему отражению, и улыбнулась. В глазах ее блеснули озорные искорки.

Она чувствовала, как ее охватывает возбуждение и восторг. Она раскрывалась навстречу роскоши, словно цветочный бутон навстречу солнечным лучам.

Стефания обвела медленным взором богато обставленную комнату, вздохнула полной грудью и стала прислушиваться к тишине. Никто не просил приготовить завтрак, никто не требовал пришить оторвавшуюся пуговицу. Она знала, что за дверью спальни не найдет сваленного прямо на пол вороха грязной одежды и белья, ожидающего, пока она его постирает. На работе ее никто не ждал. Стефания была одна и предоставлена самой себе. Она дышала воздухом свободы и привыкала к своему новому образу. Образу леди Сабрины Лонгворт.

Ощутив первые порывы счастья, она позвонила миссис Тиркелл и распорядилась подать ей через полчаса завтрак в спальню. Кстати, сколько времени? А, впрочем, какая разница?

Вступив в ванную комнату, покрытую ковром, она включила душ и забралась в треугольную бледно-желтую кабину, огороженную с одной стороны каким-то густым и вьющимся до пола растением, а с другой — полочками, забитыми кремами, маслами, мылом, расческами и шампунями. Ее взгляд пробежал по незнакомым названиям. Тюбик пришлось выбирать наугад. Едва восхитительный аромат стал распространяться по телу, как она подумала о том, что у нее впереди еще целая неделя, за которую можно все перепробовать.

Потом Стефания сидела за небольшим столиком у окна. На ней был цветастый шелковый халат. Волосы сушились на солнце. Она лениво следила за тем, как миссис Тиркелл раскладывает перед ней завтрак и утренние газеты. Тут-то неожиданно и произошла перемена. Внутренняя перемена. Однако она произошла так резко, что

Стефании показалось, будто внезапно распахнулась дверь и по уютной комнате загулял ледяной ветер.

— Чем бы вы хотели заняться на этой неделе, миледи? — спросила миссис Тиркелл. — Если соберетесь развлечься, я могу пригласить Дориса. Фрэнк также без труда сможет уделить нам день. В последнее время он не особенно отягощен работой. Вчера вечером, уже после того как вы легли спать, звонила княгиня Александра. Она передала, что позвонит вам сегодня, если вы не опередите ее. Я сейчас ухожу за овощами, так что если вам будет угодно сообщить мне о ваших планах...

Стефания обратила на окно безнадежный и беспомощный взгляд. Нет, она не была Сабриной Лонгворт, и как ей могло казаться такое?.. Этот образ жизни... Миссис Тиркелл в нем смыслит гораздо больше, чем она. Нет, у нее не было и тени утонченности сестры и уверенности в обращении со слугами. Стефания чувствовала себя не в своей тарелке в таком дивном и роскошном мире. Теперь-то она поняла, что была права тогда в антикварном магазине господина Су, назвав себя «ограниченной домохозяйкой».

Ну вот что теперь делать? Одно слово, один жест и — пожалуйста: она и сестра будут выставлены на всеобщее посмешище!

Миссис Тиркелл явно ожидала распоряжений. Стефания уже физически ощущала ледяной ветер и вся дрожала. Что ей оставалось делать, как не прятаться здесь всю неделю? Зато никто не станет тыкать в нее пальцем, никто не будет презрительно усмехаться...

— Миледи, вы нездоровы? Может быть, закрыть окно?

«Ах, вот откуда этот ветер! Боже, что же ей сказать?»

— Нет, — взяв себя в руки, проговорила Стефания. — Все хорошо, миссис Тиркелл. Воздух теплый. Но, похоже, я что-то подцепила в Китае... Возможно, восточный грипп или... Словом, я решила побыть несколько дней дома. И никаких развлечений. Покупки я возлагаю на вас... Ну и остальное, как обычно.

Тревожные морщинки пересекли лоб миссис Тиркелл.

— Доктор Фарр мог бы заглянуть к вам сегодня, миледи...

— Нет, нет, ни в коем случае! Я сама позвоню, если станет хуже. Но я уверена: скоро все пройдет. Через несколько дней. Может быть, через неделю я вернусь к нормальной жизни...

— Вы не поедете в «Амбассадор», миледи?

— Нет. Возможно, через пару дней.

— В таком случае... Если вам ничего не нужно...

— Да, благодарю вас, миссис Тиркелл, за заботу.

— Ну, тогда я покидаю вас. Завтракайте. Приятного аппетита... Кажется, здесь немного холодновато. Я бы могла в одну минуту согреть комнату...

— Миссис Тиркелл! Спасибо, не надо.

— Хорошо, миледи, как скажете. Ухожу.

Стефания взяла в руку ложку. Раз уж ей суждено стать затворницей, необходимо увидеть в этом и хорошие стороны. Где еще можно отыскать столь роскошную келью? Где еще заключенных кормят так отменно? Она грустно улыбнулась, пробуя нарезанную тонкими ломтиками дыню и клубнику. Вареные яйца и пирожки уже остыли, но она была настолько голодна, что ела все подряд. Выпив чаю, Стефания почувствовала себя лучше.

«Ничего, погулять одна я смогу, — твердо решила она, окончательно отделываясь от подавленности. — Конечно смогу!»

Но сначала нужно было тщательно исследовать шкафы и два французских комода, находящихся в спальне. Накануне вечером она мельком взглянула на хранившиеся в них вещи, почувствовав тонкий аромат тканей. Поначалу она планировала каждый день примерять по паретройке нарядов, но, начав, уже не могла остановиться, как будто ее завели в модный салон и оставили там одну. Шелковое и кружевное нижнее белье, кашемировые свитера и шелковые блузки, костюмы, утренние и вечерние платья, туфли, платки и шали. А драгоценности, запрятанные в выложенные изнутри бархатом русские ларцы?

Она как раз примеряла очередное вечернее платье, когда снова, — ни с того, ни с сего, — у нее поменялось настроение. Платье было из сиреневого шелка, держалось на плечах при помощи тонких тесемок и расширялось внизу. Подхватив легкий жакет, под стать платью обшитый пурпурной тесьмой, Стефания подошла к зеркалу и взглянула на свое отражение.

На нее смотрела... Сабрина.

Как это могло случиться? Она стояла перед зеркалом, а видела в нем сестру. Та же царственная осанка, то же легкое покачивание на носках, тот же гордо вздернутый подбородок, те же яркие глаза, губы, чуть скривившиеся в ожидании... Она оглядела себя с головы до ног, с плеч до черных туфль на высоком каблуке. Жакет она держала одним пальцем, перекинув его за спину. Голову слегка наклонила. Восторженно улыбнулась и сделала глубокий реверанс отражению леди Сабрины Лонгворт.

«Нет ничего, — ликуя в душе, подумала она, — чего бы я не могла сделать!»

Наполненная энергией, она быстро отыскала справочник с пометками и позвонила в «Амбассадор».

— Я заеду за корреспонденцией, Брайан, но не более того. Немного простудилась. Так что, если не будет ничего чрезвычайного, я отдохну несколько дней дома. Когда бы вы хотели устроить себе выходной?

— В четверг, миледи, если не возражаете.

— Великолепно.

Она прислушивалась к своему голосу и была им довольна. Мягкий и одновременно уверенный. У нее никогда не было никого в подчинении, поэтому она не знала, как разговаривать с такими людьми, как Брайан. На том конце провода ее голос восприняли как голос хозяйки. В четверг она сходит за корреспонденцией Сабрины.

Миссис Тиркелл вернулась встревоженная: не стало ли миледи хуже. Она застала Стефанию за странным занятием: та вытряхивала содержимое своих сумочек на кровать и, кажется, что-то не могла найти.

— Собираюсь пойти прогуляться, миссис Тиркелл. Ваш чудесный завтрак исцелил меня. Эта неделя должна пройти спокойно, так что вы можете каждый день ждать меня к ужину. Вы не видели моих часов? Не могу найти.

— Разве вы не клали их на обычное место, миледи?

Стефания внутренне вся напряглась.

— Не помню. Я вчера так устала, что едва дорогу-то домой нашла. И только хорошо запомнились ваши восхитительные бисквиты...

— Вот же они! — с триумфом в голосе воскликнула миссис Тиркелл. — Несмотря на усталость, вы положили часы на обычное место.

Стефания действительно увидела часики, покоящиеся в небольшой коробочке на туалетном столике.

— Удивительно, — пробормотала она.

— Ах, миледи, — всплеснула руками экономка. — Привычка есть привычка...

Стефания взглянула на часы. Почти половина четвертого. Она изумилась. И куда только подевался целый день? Пенни и Клифф уже должны быть... Впрочем, что это она? Дети уже вернулись домой. Только их дом в Эванстоне. И Сабрина, наверно, ждет не дождется... Сабрина!!! Надо позвонить сестре! Сколько сейчас в Эванстоне? Половина десятого утра, кажется. Нормально. Она вовремя об этом вспомнила.

Но едва не забыла... Осознание своей вины жгло сердце Стефании. Как она могла не вспоминать целые сутки о своей семье? Как она могла?! Как посмела?..

— Когда вам подать ужин, миледи? — осведомилась миссис Тиркелл.

— А... Как обычно. Я ненадолго.

Она проводила взглядом экономку и проследила, чтобы та закрыла за собой дверь. Стефания села в шезлонг, поставила телефонный аппарат к себе на колени, на минуту закрыла глаза и мысленно перенеслась в Эванстон. Там был ее дом, по потолкам которого ходили тени от листвы дубов, росших во дворе. Там была ее кухня, выкрашенная так, что при солнечном свете казалась обмазаной медом. Там были ее дети... Она представила, как они в эти минуты как раз кидают в портфели свои учебники, тетради, свертки с едой и собираются уходить в школу. Может, ушли уже. Она представила себе спину мужа, уходящего на работу. А где Сабрина? Одна сидит. Возможно, продолжает знакомиться с домом.

Стефания задорно улыбнулась, попросив соединить ее со своим номером в Эванстоне.

— Я говорю с хозяйкой дома? Это леди Лонгворт из Лондона. Мне бы хотелось...

— Стефания!!! — раздался на том конце провода крик Сабрины. — О, слава Богу, Стефания!

Стефания поджала ноги под себя, как она всегда делала, когда намечался долгий разговор. Она начала с вопросов о детях и о Гарте, потом стала рассказывать о своих приключениях.

— Сабрина, — спросила вдруг она. — Ты когда-нибудь говорила мне, что привыкла класть свои часы в коробочку на туалетном столике?

— Должно быть, говорила. Не помню. А что?

— Скорее всего говорила, потому что вчера вечером перед тем как лечь спать, я положила их именно туда. А я так устала, что ничего не соображала. Да еще эти бисквиты миссис Тиркелл меня совсем с толку сбили.

Сабрина рассмеялась.

— Она так гордится своими бисквитами. И знает, что я безумно люблю их. Погоди, на твой день рождения она еще сделает!

— Кстати! Мне позвонить тебе в день рождения? Ты всегда звонишь мне, и Гарт может подумать...

— Зачем? Я просто скажу ему, что мы приятно поболтали, когда ты позвонила, чтобы узнать о моей поездке. Спокойно наслаждайся этой неделей и не бери в голову телефонные звонки.

Стефания почувствовала нетерпение в голосе Сабрины.

— Ну, хорошо, пожалуй, ты права. Спешишь куда-то?

— Ужасно много дел. По дому хватает работы, да еще в бакалею забежать надо...

Стефании все это было очень хорошо знакомо: домашние дела, уборка, готовка, прочая ежедневная рутина. И все сама — никаких тебе экономок, никаких слуг.

Они попрощались. Стефания вновь поставила телефон на колени и закрыла глаза. Ей представилось, как Сабрина бегает по комнатам ее дома, крутится на ее кухне, сидит за ее семейным столом, разговаривает с Гартом, подкладывает в его тарелку, касается его рукой...

Она захотела позвонить снова и еще поговорить, но поняла, что Сабрина действительно занята. «В конце концов, — подумала Стефания, — на данный момент это ее дом. Мне не стоит вмешиваться. Она же не лезет в мои нынешние дела».

Не долго думая, она выбежала из спальни и на одном дыхании преодолела все лестничные пролеты до парадной двери дома. Неделя пройдет быстро и незаметно. Было бы глупо провести ее, сидя в шезлонге и думая о прошлой жизни. Пришло время познакомиться с окрестностями.

Обогнув парк, она вышла на Слоан-сквер и с улыбкой обратила внимание на его контрастность: старинный театр «Ройял Корт», а напротив него — современный магазин Питера Джонса. В центре — фонтан с барельефами Карла Второго и его любовницы Нелл Гуинн. Известные персонажи английской истории, кажется, любезничали... «Респектабельный Лондон, — подумала Стефания. — Старый добрый Лондон. Предоставляет своим гостям полную свободу выбора: смотри, что хочешь. Не то что Чикаго, где тебе прямо в глаза лезут нарочитые «туристские достопримечательности». А здесь тихо и покойно, здесь тебя не стараются поразить и сбить с толку».

Стефания во все глаза смотрела по сторонам, размышляя над тем, как бы наполнить предстоящую неделю всевозможными приключениями, о которых потом можно было бы вспоминать всю жизнь. Глухое затворничество не прельщало ее, хотя она и понимала, что это самый надежный способ не провалиться.

Гуляя по Слоан-стрит, она восхищенно окидывала взглядом лощеные витрины художественных салонов, антикварных магазинов, обувных и книжных лавок. Особенно притягивали к себе выложенные под стеклом драгоценности и ювелирные изделия. «Никаких покупок сегодня! — твердо повторяла она про себя, решив беречь деньги. — Об этом даже и не думай». И, тем не менее, не найдя в себе достаточных сил сопротивляться, она не удержалась от того, чтобы не приобрести коробочку конфет в «Бендиксе» и крохотный пузырек духов в «Тейлор оф Лондон».

Стефания неспешно прогуливалась по улицам и, как ребенок, сосала леденцы. Она чувствовала в себе внутреннюю легкость, независимость: взмахни руками — и полетишь! Поначалу эти ощущения смущали ее, казались странными, непонятными. Но, минуя «Детский базар», она наконец осознала: «Никто не знает, где я. Никто меня не ждет. Никому я не должна. Я одна. Сама по себе. Инкогнито. Свободна. Как это здорово!..»

Она разглядывала встречавшихся по пути прохожих. Некоторые смотрели на нее мрачным взглядом, хмурились, беззвучно шевелили губами. Другие открыто восхищались ее красотой. Большинство же не обращало на женщину никакого внимания, будучи погруженными в свои заботы. Никто не пялился на нее. Многие, наверно, думали, что она нездешняя. Но самой Стефании так уже не казалось. Она купила иллюстрированный журнал, ловко и быстро отсчитав нужную сумму незнакомыми монетами, чем вполне удовлетворила продавца. Глядя по сторонам на местные достопримечательности, она без труда отыскала обратную дорогу домой. Ключ легко лег на руку и дверь была открыта с первой же попытки.

Миссис Тиркелл сообщила, что почта ожидает ее на столе в кабинете. Экономка отважно приблизилась к Стефании и осторожно спросила, как самочувствие у миледи, не беспокоит ли ее больше восточный грипп...

Леди Лонгворт понравилась смелость миссис Тир-келл, которая всячески старалась показать, что она не боится заразиться от хозяйки, а если и заразится, то воспримет это как должное.

Пока Стефания поднималась в кабинет, который был расположен на третьем этаже, ею вновь овладело восторженное настроение. «Нет ничего такого, — снова подумала она, — чего бы я не смогла сделать. Спасибо тебе, Сабрина!»

— О, миледи, совсем забыла сказать вам, — раздался снизу голос миссис Тиркелл. — Вы вернулись из поездки и вот, пожалуйста — цветы опять стали приносить!

— Цветы? — осторожно переспросила Стефания.

— Я поставила их в гостиной, как обычно.

— Хорошо, благодарю вас.

Стефания спустилась на этаж ниже в гостиную и замерла в дверях от изумления. Вот они! Абсурдно роскошный, доминирующий над комнатой и подавляющий все остальное букет! Три десятка красных роз грациозно поднимались из круглой хрустальной вазы. А между ними мерцали, словно яркие звезды на небосклоне, десять огромных белых орхидей!

Никогда в жизни ей еще не приходилось видеть что-либо подобное. Аромат наполнял всю комнату и притягивал к цветам неумолимо. Стефания сделала неуверенный шаг вперед, потом еще, еще, и вот уже подошла к букету. «Боже! Немыслимо! Невозможно! Какая дикая растрата денег! И... какая прекрасная!»

К цветам была приложена записка. Стефания, не долго думая, развернула и прочитала ее:

«Добро пожаловать домой, моя возлюбленная Сабрина! Ты просила меня не звонить, и я не звоню. Но на следующей неделе я возвращаюсь в Лондон и, помня о твоей доброте и тех часах, что мы провели вместе, надеюсь на то, что ты отдашь мне один свой восхитительный вечер... а потом, наконец-то, и свою руку, став моей женой. Антонио.»

— Миледи, — раздался сзади голос миссис Тиркелл. Стефания кинула записку в центр букета. — Княгиня Александра.

Александра тут же вошла в комнату. Высокая, светловолосая, очаровательная. Стефания никогда прежде не встречалась с ней: когда в прошлом году она приезжала навестить Сабрину, Александра была во Франции. Однако, едва она показалась в комнате, Стефания сразу узнала ее: ожил тот образ, который столь ярко и зримо описывала в своих письмах Сабрина. Александра была дочерью незаметного голливудского актеришки, но ей удалось то, о чем не могла мечтать в своих грезах ее мать — выйти замуж за князя, легко и просто войти в высший европейский свет. Она приветствовала Стефанию шутливым реверансом.

— Не могла отказать себе в удовольствии навестить вернувшуюся знаменитую путешественницу. Ну и как, удалось?

— Что? — не поняла Стефания.

— Найти новые способы решения старых проблем? Насколько мне помнится, именно с этой целью ты подалась в далекий Китай.

— Я все время ищу для себя новое. Правда, не уверена, что это принесло мне какую-то пользу.

— Об этом расскажешь завтра у меня. Устроим небольшое веселье.

— Небольшое...

— Господи! Отпразднуем твой день рождения! Прости, дорогая. Я написала тебе, Бог свидетель, но не сумела отправить письмо. Я вообще не знаю, можно ли что-нибудь отправить по почте в доме, набитом слугами! Я прекрасно помню твои слова, что в первую неделю после поездки у тебя нет никаких особых дел. Ты свободна и отлично знаешь, что я не могу пропустить такое событие, как твой день рождения! Придут только друзья. Человек шестнадцать, я думаю. Достаточно. Если ты уже отвыкла принимать юбилейные поздравления, устроим просто вечеринку в честь твоего возвращения из дальних странствий. И не спорь со мной, дорогая. Готовь лучшее платье и приезжай к восьми. Я рассчитываю на тебя.

— Видишь ли, у меня что-то вроде восточного гриппа... Сама не знаю, как подхватила... Поэтому, наверно, не стоит в ближайшие дни...

— Лучшее лечение всех болезней — дружеская вечеринка! Хочешь, тащи с собой докторов.

— Хорошо... Я дам тебе знать.

Александра чмокнула Стефанию в щеку.

— Ну, до завтра, — сказала она, удаляясь.

Однако не успела Стефания как следует подумать над предложением княгини, как один за другим посыпались телефонные звонки. Каждую минуту на пороге комнаты появлялась миссис Тиркелл и недовольным голосом, — как можно беспокоить миледи пустой болтовней, если она неважно себя чувствует! — объявляла о звонившем и просила Стефанию взять трубку. Из Парижа позвонил Майкл Бернард узнать, не отменена ли еще вечеринка у княгини Александры. Он обязательно будет там со своей Джоли. Андреа Вернон задыхающимся от восторга голосом сообщила, что ее бальный зал, украшенный Сабриной сотней новых ламп, был сфотографирован для итальянского иллюстрированного журнала, и что редактор приглашает Сабрину принять участие в съемках через две недели.

— Я дам тебе знать, — ответила Стефания.

Позвонила Амелия Блакфорд и спросила, не согласится ли Сабрина на следующей неделе сходить с Николсом на аукцион в Чилтоне.

— Я дам тебе знать, — ответила Стефания.

Между телефонными разговорами она просмотрела почту. В основном, это были приглашения. Они высыпались на стол перед изумленной Стефанией как из рога изобилия. Домашние вечера, теннисные матчи, ужины, обеды, лисья охота в Дербишире, завтрак в честь графини в Париже, десяток благотворительных балов между октябрем и маем. Для Стефании все это было так же непостижимо, как и цветы от Антонио: слишком много, слишком роскошно!..

Стефания аккуратно сложила всю почту в строгой последовательности и пожалела о том, что несмотря на дикую загруженность календаря ее сестры на многие месяцы вперед, именно эта неделя была почти пуста. Всего лишь визит к парикмахеру и портнихе. Да вот еще вечеринка у Александры.

Идти ли туда? Сама мысль пугала, но и волновала одновременно. Она не хотела идти, ибо боялась, что будет чувствовать там себя неловко. Но она видела фотографии комнат, сделанные Сабриной, и ей очень хотелось посмотреть на дом Александры собственными глазами. А тут еще есть возможность побыть почетной гостьей на одном из званых вечеров княгини! Могла ли Стефания раньше мечтать о чем-либо подобном?..

После ужина, свернувшись клубочком в шезлонге и разложив перед собой книги о Лондоне, взятые из библиотеки сестры, Стефания стала всерьез размышлять о предложении Александры относительно следующего вечера. Вскоре она заснула.

Проснулась она с этими же мыслями.

«Ничего, — решила Стефания наконец, — после определюсь. А пока — гулять!»

Но сначала необходимо было позвонить парикмахеру Сабрины и отменить назначенный визит. Стефания сделала это с величайшей неохотой. Но она хорошо понимала, что, увидев ее прическу, он сразу поймет, что никогда не имел дело с ее волосами.

«Мы можем обмануть мужа, — хитро подумала она, — но только не личного парикмахера. Ладно, зато схожу к портнихе. Не упускать же такой шанс.

А предложение Александры — тоже редкая удача! Попасть на приличный вечер! Почему бы и не сходить?»

Поднимаясь по ступенькам крыльца, которое вело в квартиру миссис Пимберли, Стефания высоко держала свою голову. «Ох, и отпраздную же я тридцать вторую годовщину леди Сабрины Лонгворт! И никто не узнает, что на самом деле праздновалось рождение провинциальной домохозяйки... У которой никогда в жизни не было и не будет личной портнихи».

Миссис Пимберли тут же установила трехстороннее зеркало.

— Мадам, похоже, прибавили пару фунтов во время китайской поездки, — проговорила портниха, не разжимая губ, между которыми было зажато множество булавок.

Стефания посмотрела на нее, покачала головой, но ничего не сказала.

— Впрочем, — торопливо прибавила портниха, — фигура мадам столь совершенна, что это не имеет никакого значения! — Стефания обратила внимание, что пальцы у портнихи дрожали.

«Боится, — догадалась новоиспеченная леди Лонгворт, — что я почувствую себя оскорбленной и пожелаю найти другого мастера».

Впервые в жизни она вкусила то ощущение превосходства и власть, которую влиятельные люди имеют над теми, кто прислуживает им.

— Если мадам не будет против, — сказала миссис Пимберли, — я бы внесла небольшое изменение в линию плеч. Это сделало бы ваши движения свободнее, грациознее. Впрочем, как мадам пожелает. Вот не угодно ли посмотреть... — С этими словами она раскрыла перед Стефанией французский журнал мод и показала на фотографию девушки в точно таком же замшевом платье.

Только теперь Стефания начала по-настоящему осознавать могущество своей сестры. Ведь это же надо — сделать себе туалет по самому последнему крику французской моды, что обошлось не в одну тысячу долларов! Это же надо — завести портниху, которая готова до мельчайших деталей воспроизвести лучшие из лучших модели французских кутюрье! И не просто воспроизвести, а модифицировать их в зависимости от пожеланий клиентки!

Она отвела взгляд от фотографии в журнале и посмотрела в зеркало на свое отражение.

— Великолепно, — прошептала Стефания.

Чуткое на такие реплики ухо портнихи сразу же уловило похвалу. Напряжение на ее лице исчезло и она облегченно улыбнулась. Миссис Пимберли вынесла другое платье, потом еще одно, затем ночную рубашку, два костюма, в которых можно было спокойно ужинать после тяжелого трудового дня, длинную, до пола, шерстяную юбку с бархатной накидкой-плащом и пару брюк. Пока Стефания делала примерки, миссис Пимберли, — не забывая следить за реакцией роскошной леди, — рассказывала о других своих клиентках. Сначала Стефания не могла понять, зачем ей это говорят, но потом решила, что этих клиенток поставила портнихе, видимо, Сабрина.

— ...и княгиня Александра сообщила мне, что сегодня — ваш день рождения, мадам. Мои наилучшие пожелания. Вечер обещает быть очень веселым...

— Прошу прощения? — резковато прервала ее излияния Стефания.

«Если я сегодня допущу в том доме какую-нибудь ошибку, сколько понадобится времени, чтобы всем об этом стало известно?..»

Страхи миссис Пимберли тут же вернулись. Она стиснула губы так, что между ними не могло уже проскочить ни одного слова. Стефания пожалела портниху, но не стала ее успокаивать и примерка закончилась в полном молчании.

— Вещи будут готовы через неделю, мадам, — едва слышно сказала миссис Пимберли на прощанье. Стефания кивнула. Она чувствовала себя виноватой и не могла уйти просто так.

— Мне все очень понравилось, — сказала она с улыбкой.

Ощущение власти, к которому уже давно привыкли Сабрина и ее окружающие, тяготило Стефанию.

Выйдя за порог квартиры миссис Пимберли, Стефания вновь стала лицом неизвестным. Используя в качестве транспорта двухэтажные автобусы и подземку с ее чистыми вагонами и жестковатыми сиденьями, она исследовала местность от Кенсингтон Черч-стрит до Грейс Мьюз на Бонд-стрит. Дома были отнюдь не такими высокими и внушительными, как американские небоскребы, магазины не такие просторные, но в гораздо большем количестве. У Стефании создалось впечатление, будто она ходит по залам большого музея, в каждом из которых выставлены экспонаты какого-нибудь одного рода: старинная мебель, фарфор, канделябры, дутое стекло, часы, игрушки, драгоценности, картины... Стефания во все глаза смотрела на это великолепие. Она вновь почувствовала себя маленькой девочкой. Ей припомнились их былые походы за покупками с Сабриной и матерью по волшебному миру рынков под открытым небом и маленьких лавочек. Каким все казалось простым и легким, когда они были детьми! Никаких тебе раздумий по поводу приличной свадьбы, замужества, никаких тревог относительно денег, никаких мучительных поисков перемен в образе жизни.

«Мы убежали от шофера, — вспомнила она с улыбкой. — Хотели свободы».

Стефания миновала статую короля Георга Первого, что на Гросвенор-сквер. Монарх безучастно смотрел на молодую женщину, а она вспоминала Афины. «Я повторила тот детский трюк, — подумала она. — Побежала навстречу свободе.»

На другом конце площади на целый квартал растянулось здание американского посольства. Сюда они когда-то заходили с отцом. Стефания направилась в ту сторону. «Сначала я убежала от отца, а теперь вот от Гарта». Не задерживаясь у посольства, она прошла мимо. «Но к Гарту я, разумеется, вернусь».

Стефания присоединилась к людскому потоку, пройдя по Парк Лейн вдоль зеленого массива Гайд-парка. Няни толкали впереди себя коляски с малышами, важно вышагивали старомодно одетые вдовушки, девчонки в свободных юбках болтали о дискотеках, куда-то спешили бизнесмены в котелках, деловые женщины выглядели торжественно, но уныло в своих строгих костюмах и белых блузках. «Зайду в «Гарродс» и потом домой», — твердо решила она и ускорила шаг, увидев впереди круглые тенты с фестонами и название магазина на медной дощечке. Крупнейший в Европе универсальный магазин. Один из самых роскошных во всем мире. В его дверях даже стоял швейцар.

Стефания неспешно прогуливалась по широким проходам между отделами в вялых поисках подарка для Сабрины. Она заглянула в комнату фарфора и фаянса фирмы Веджвуд, и в этот момент за ее спиной раздался восторженный вскрик:

— Сабрина!

«Этого еще не хватало!»

— Сабрина, какое совпадение!

Стефанию обняла и стала осыпать поцелуями юная красавица, миниатюрная и изящная, с копной пепельно-белых волос и огромными серыми глазами.

— Мы думали увидеться с тобой вечером, а ты тут как тут! С днем рождения тебя, сердечко!

Стефания изумленно смотрела на молодую женщину и не могла поверить своим глазам.

— Габриэль! Ты совсем не изменилась!

— За две-то недели? Надеюсь, что нет. Впрочем, если ты имеешь в виду... Ты уже от кого-то слышала? От кого? Мы хотели первыми тебе сообщить. Господи, сколько болтунов вокруг!

— Сообщить? Что сообщить? — не поняла Стефания.

Она была страшно взволнована. Ее совсем не интересовало, что ей должны были сообщить. Она видела перед собой Габриэль де Мартель! Ведь это же соседка Сабрины по комнате в «Джульеттах»! Вот так встреча — в центре «Гарродса»! Сабрина писала ей, что Габриэль уже развелась с мужем, живет Лондоне, работает моделью в какой-то косметической фирме. Боже, Стефания не видела ее вот уже пятнадцать лет, а она совсем не изменилась!.. И голос тот же: легкий, невесомый, воркующий...

— Ага, так значит ты ничего еще не знаешь, ну так слушай!

Стефания увидела, как Габриэль взяла за руку и вытащила вперед мужчину, который стоял за ее спиной. Он был высок ростом, красив, широкоплеч, с густыми светлыми волосами и нетерпеливым взглядом карих глаз. Именно такой, каким его описывала в письмах Сабрина. Брукс Вестермарк, президент «Вестермарк косметикс». Могущественный, зарабатывающий свой хлеб поистине титаническими усилиями; фаворит репортеров и фотографов социальных рубрик, появлявшийся всегда в окружении стайки прелестниц.

— Добро пожаловать домой, Сабрина, — с приятной улыбкой приветствовал он ее. — Надеюсь, ты не забыла привезти мне китайскую танцовщицу?

Танцовщицу? Какую танцовщицу? Стефании, однако, удалось скрыть свое смущение. Она стала лихорадочно соображать. Видимо, имелась в виду статуэтка. Она их привезла уйму, в Пекине Сабрина не жалела денег на резные жадеитовые игрушки. Но какая из фигурок — танцовщица Брукса? Стефания не знала.

— Конечно, — легко ответила она. «Ничего, подождет недельку свою танцовщицу, не развалится». — Но что вы хотели мне сообщить?

— Мы теперь вместе живем, — сказала с радостной улыбкой Габриэль. — Не было времени спрашивать совета, так что я приняла решение самостоятельно. Но теперь скажи мне: каков был бы твой совет?

— Жить вместе с Бруксом, — тут же ответила Стефания.

Брукс расхохотался.

— Умная женщина, сразу видно. Поужинаешь завтра вечером с нами?

— Мы будем праздновать это событие, — добавила Габриэль. — В «Аннабель». Брукс там слывет постоянным клиентом, а я еще ни разу не была. Пойдем?

— Ох, только не на этой неделе! Я планировала посидеть дома и вообще...

— Ага, и все из-за того, что Антонио нет в городе, так ведь? Он бы не возражал, уверяю тебя: мы очень надежное и приличное общество. Я специально откладывала наше празднование до твоего возвращения. Ну, прошу тебя!

— Разве можно в чем-нибудь отказать Габи, когда она просит? — в шутливом недоумении приподняв брови, спросил Брукс.

«Почему бы и нет, в конце концов? — подумала Стефания. — Если у Сабрины календарь забит до отказа, то я тоже имею право немного развлечься».

— Хорошо, спасибо вам. Но не ждите от меня никаких рассказов. Это ваш праздник, поэтому я буду сидеть молча и только слушать, договорились?

— Великолепно! Просто великолепно с вашей стороны, леди Лонгворт! — воскликнул Брукс. — Вы сделаете Габи самой счастливой посетительницей «Аннабели».

«Медовый месяц, — подумала Стефания и удивилась горечи своей мысли. — Самое начало». Она вспомнила, как это было у них с Гартом. Тогда их лица точно также сияли от счастья, будто они двое являлись избранными обладателями какого-то чудесного секрета. «Мы любили друг друга. Как давно это все было!.. Сейчас уж и не вспомнить, что я тогда чувствовала...»

Вернувшись домой, Стефания прошла в кабинет и стала просматривать там почту и поступившие телефонные сообщения. Миссис Тиркелл принесла ей чай.

Потом леди Лонгворт стала готовиться к вечеру у графини Александры.

Она нежилась в ванной и следила за пузырьками, которые поднимались со дна к поверхности вокруг ее тела, когда раздался телефонный звонок. Затем она услышала, как к ней поднялась миссис Тиркелл и остановилась у двери в ванную.

— Это княгиня Александра, миледи. Ее машина прибудет к восьми. Какое платье вам вывесить?

— Я сама об этом позабочусь, миссис Тиркелл, — ответила Стефания, не будучи уверенной в том, что поступает правильно. А может, все-таки следовало спросить ее совета? Она покачала головой. Нет, Сабрина наверняка никогда этого не делала. Во всяком случае в вопросах одежды. Сабрина любила принимать самостоятельные решения, и что бы она ни выбрала — все было правильно и именно то, что нужно. И в самом деле, если ты леди Сабрина Лонгворт, кто посмеет сказать, что на тебе не то платье? Или что ты недостаточно обходительна в общении с людьми?

Войдя в салон Александры, Стефания сразу поняла, что была права в своих предположениях. Она остановилась в середине комнаты — прямая, величественная, и в то же время элегантная, как брошь, приколотая на ее юбку из тафты изумрудно-зеленого цвета, как хрустальные пуговицы на ее белой атласной блузке. Гости тут же окружили ее. Отовсюду ей улыбались, посыпались поцелуи и поздравления с днем рождения. Она сразу же заметила Габриэль и Брукса и лихорадочно стала сравнивать лица прочих гостей с описаниями, которые помнила по письмам сестры.

— Вы знаете, что они купили себе одинаковые китайские платья и я не мог их различить! Вы не поверите, в каком дурацком положении я оказался! Ну, а теперь скажи мне, — злорадно улыбаясь, обратился к ней Николс Блакфорд, — кого из сестер ты представляешь? Только без обмана! Я знаю! Ты Стефания! Пришла разыграть нас. Что, я не прав?

Стефания внутренне напряглась. Внимание всех присутствующих было обращено на нее. Ее словно парализовали слова Блакфорда. Он и не подозревал, что они прозвучали для нее, будто удар грома. Ей стало дурно. Сабрина с легкостью дурит ее мужа и детей, а она не может обвести вокруг пальца ее друзей! А чем она хуже Сабрины? Стефания опустила взгляд вниз и увидела искорки, играющие на хрустальных пуговках ее блузки. Она тут же подняла голову и вздернула подбородок. Она знала, что внешне выглядит точно так же, как и сестра. Ни у кого на этот счет не могло возникнуть никаких подозрений. «Николс играет. Что ж, пошучу и я», — решила она про себя.

Замешательство длилось всего несколько секунд. Оглядев маленькую пухленькую фигуру Николса, который подпрыгивал от возбуждения на своих коротеньких ножках, Стефания озабоченно покачала головой.

— Николс, ты так смутил меня своим утверждением, что я не уверена в себе. Но я всегда доверяла твоим суждениям, поэтому без колебаний отдаю себя в твои руки. Если ты полагаешь, что я Стефания, значит так оно и есть.

Тут же последовал взрыв хохота и аплодисменты.

— Она подцепила тебя, Ники! — радостно воскликнула Александра. — Так кто же она?

Николс взял руку Стефании и прикоснулся к ней губами.

— Кто как не наша очаровательная Сабрина, неужели неясно? У меня нет и не было никаких сомнений, дорогая. В Китае я действительно смутился, но все дело было в диете, которую я вынужден был соблюдать. Знаешь, я страдал от голода во время пребывания там!

Стефания легко улыбнулась. Напряжение исчезло.

— Насколько я помню, о твоей диете были наслышаны все шанхайские кондитеры, особенно специалисты по печенью.

И снова гости рассмеялись. Александра отвела всех к буфету с закусками. Стефания окончательно успокоилась. Все складывалось как нельзя лучше. «Расслабься, экзамен состоялся», — говорила она себе.

— Жаль, что мне не удалось в прошлом году встретиться с твоей сестрой, — сказала Александра. — Неужели сходство настолько поразительное?

— Нет, конечно. Просто мы поймали нашего худеющего Николса с целой коробкой печенья в руках. Он был так этим смущен, что выдумал первое извинение, которое пришло ему на ум.

Стефания с внутренним удивлением прислушивалась к собственному голосу. Как, оказывается, легко лгать! Впрочем, она знала, почему так происходит. Дело в том, что эти люди слышали только то, что хотели слышать. Что бы она ни сказала, они извлекут из ее слов только то, что ожидают. И вообще, смотрел ли на нее кто-нибудь внимательно? Только в той степени, в какой им хотелось ее слушать и на нее смотреть. Поэтому никто и не заметил подмены. Она заливисто смеялась вместе с Александрой и чувствовала, как первоначальное смущение постепенно оставляет ее.

А что? Неделю, пожалуй, удастся провести, как надо!

— Николс всегда в своем репертуаре, — сквозь смех проговорила Александра.

Стефания завидовала ее миниатюрности и красоте. В самом деле, в своем огненно-красном цыганском платье Александра выглядела просто неотразимо. Поначалу Стефания боялась поднять на нее глаза, но теперь, ощущая прилив уверенности после эпизода с Николсом, она смело взглянула на нее.

— Ты очаровательна. Цыганская королева.

— Воплощаю твою идею, дорогая. И как всегда ты оказалась права. Почему ты ничего не ешь, ведь это же твой праздник! Ну-ка, наполняй свою тарелку. Пожалуйста, виноградный салат, шпинат с кедровыми орешками. Очень вкусно. А горящий саганаки? Кстати, куда это запропастился Арнольд со спичками. Ты его не видела сейчас?

— Арнольд?

— Поставщик провизии, леди Лонгворт. Или что, вы считаете ниже своего достоинства помнить такие имена?

— Просто мне не нравится, как он зачесывает свои волосы, — ответила Стефания первое, что пришло в голову. А сама подумала: «Это же надо! Иметь поставщика продуктов и повара в одном лице для вечера на шестнадцать персон! Да я устраивала обеды на двадцать пять человек и все делала сама, если не считать Гарта, помогающего потом прибирать».

Наконец из кухни появился, неся длинные спички, Арнольд. Он ловко запалил квадратики сыра саганаки, зажаренного в масле и окруженного коньячной подливой. Стефания вдруг заметила, что у него смешно зачесаны вперед волосы — он чем-то напоминал овчарку. А она минуту назад говорила... И как это так получилось? Совпадение или она уже знала об этом? Стефания напрягла память, но не смогла вспомнить, говориа ли ей когда-нибудь Сабрина о том, что у Арнольда зачесаны волосы, как у собаки шерсть.

— Сабрина, ты великолепна, — раздался вдруг за ее спиной низкий густой голос. — Надеюсь, в Китае тебя ничто не тревожило?

Она обернулась и увидела перед собой мужчину с выразительным взглядом и приятными чертами лица. Он был невысокого роста и ничем особенным не выделялся. Неудивительно, что она до сих пор не обратила на него внимания. Однако теперь Стефания сразу же узнала — его образ полностью соответствовал описанию, данному Сабриной. Это был Майкл Бернард.

— С чего это я должна была тревожиться в Китае? — удивленно спросила она.

— Да нет, ничего. Ты права. Но когда мы получили твое письмо, то подумали, что наша информация может испортить тебе поездку.

— А, понимаю... У меня просто не было времени на то, чтобы мучиться этим. Наш туристический гид расписал режим по минутам... — Стефания осторожно продвигалась вперед, не имея никакого понятия о том, что говорит Майкл. — Кстати... Что ты думаешь о моем письме?

— Оно было просто замечательным. Мы высоко оценили то, что у тебя хватило сил написать его. — Его голос понизился. — Не так уж много специалистов готовы признаться в том, что когда-либо покупались на фальшивки. Но я хочу, чтобы ты знала: оно нам очень помогло. Особенно имена, указанные в сертификате, который ты нам переслала. Представляешь, некоторые из них были вписаны по два раза!

Она покачала головой, давая понять, что изумлена.

— Похоже, это было их первой серьезной ошибкой. Ты, конечно, полагала, что у них хватит ума изобрести разные имена для каждого фальшивого сертификата, так ведь?

Он сделал паузу, рассчитывая на то, что заговорит Стефания. Но та молчала, поэтому он продолжил:

— Но дело затянулось из-за новой информации. Мы сможем подготовить публикацию всей истории только к ноябрю. В середине или в конце месяца. Но ничего, это тебе даже на руку, так ведь?

— Да, я полагаю...

— Особенно, если ты собираешься вернуть аиста назад. Ты уже решила? Или ты не уверена, что Оливия удержит в тайне твой секрет?

— Не знаю...

— Если мы можем чем-нибудь помочь...

У Стефании уже кружилась голова от его слов.

— Расскажи, что вам удалось обнаружить, — в отчаянии попросила она.

— Со времени нашего последнего разговора? Немного. В основном, подтверждение того, о чем я уже говорил тебе. Впрочем, на мой взгляд, имеет смысл обсудить все еще раз. Как насчет понедельника? До этого времени нас не будет в городе.

— Только не в понедельник, — тут же возразила Стефания.

В этот день она будет находиться в пути, чтобы встретиться с Сабриной в Чикаго. А днем Сабрина уже будет лететь обратно в Лондон.

— Что, если нам поговорить в эти выходные? — предложила она осторожно.

— А что, возможно... Тогда нам уже, вероятно, будет ясен весь план. Это будет в четверг или пятницу. Мы позвоним тебе из Парижа. Что это?

Стефания тоже услышала этот странный звук, который становился все громче. Вскоре уже стало ясно, что кто-то исполняет на бузуки греческую мелодию. Гости утихомирились и стали прислушиваться. Александра отдернула в углу зала занавес, и гостям открылся небольшой оркестр. В центре, прямо на полу, сидел, скрестив ноги, исполнитель на бузуки. По его знаку оркестр подхватил нежную мелодию, а его пальцы быстрее задвигались по инструменту.

Огни ламп потускнели. Вокруг низкого стола, окруженного мягкими подушками, словно призраки, засуетились молчаливые официанты. На столе появились золотые тарелки и кубки, корзинки с булочками, дымящиеся блюда с жареной бараниной с луком, креветки под белым соусом, треска, обложенная помидорами и смородиной, цыплята с лимонами, вазы со свежими фруктами, бутылки красного и белого вина с острова Родос. Все это освещалось мерцающими свечами, установленными в блюдцах с плавающими камелиями.

Александра взяла Стефанию за руку и подвела ее к подушке во главе стола.

— Почетное место для именинницы.

У Стефании округлились глаза. Она в эту минуту чувствовала себя жалкой деревенской девчонкой, попавшей в сказку. Как бы повела себя в подобной ситуации Сабрина? Высказала бы свое восхищение, но в обморок, определенно, не упала бы. Это был ее мир, ее образ жизни.

Стефания всплеснула руками и повернулась к Александре, которая стояла слева от нее.

— Чудесно! Сказочно! Ты стала настоящим знатоком Греции.

— Это все Арнольд и его жена. Она ведь гречанка. Я сделала все, как она рекомендовала. Ну и от себя, конечно, чуть-чуть придумала.

— Но, — проговорила Стефания, обводя взглядом стол, — где же легкие молодого барашка, зажаренные в масле?

— Подожди, скоро будут. А откуда тебе известны такие тонкости?

— Давным-давно мы жили в Афинах...

И Стефания принялась рассказывать свою историю, начиная с того самого дня, когда они с Сабриной убежали от шофера. Гости затихли, прислушиваясь. Постепенно Стефания увлеклась и перед ее мысленным взором вставали поочередно образы щедро заставленного яствами стола с сидевшей за ним публикой, двух маленьких сестер, загнанных в подвал, прижавшихся друг к дружке и прислушивающихся к стуку каблуков наверху. В эту минуту она словно раздвоилась. С одной стороны, это была Стефания в облике Сабрины, с другой — Сабрина, описывающая то время, когда она и ее сестра Стефания были испуганными детьми, которые прижимались друг к другу, чтобы не было так страшно.

— Бедняжки, — тихо проговорила Амелия Блакфорд. — Представляю, каково вам было.

— Сабрина не давала мне пасть духом, — печально закончила свое повествование Стефания. — Она всегда...

— Кто?! — в один голос спросили удивленные Джоли и Майкл.

Стефания улыбнулась.

— Мы обе, каждая по-своему, утешали друг друга.

— Да... — потрясенно проговорила Амелия. — Со мной ничего подобного никогда не случалось.

Это был словно какой-то условный сигнал. Гости тут же зашумели, стали рассаживаться вокруг стола, греметь столовыми приборами и кубками. Когда же все было закончено и выпит черный, густо заваренный кофе, Александра объявила, что пришла пора дарить подарки.

Каждый из гостей что-то принес с собой. Николс и Амелия подарили ручное зеркальце девятнадцатого века с резной рукояткой из слоновой кости. Майкл и Джоли — книгу о греческом искусстве. Габриэль и Брукс — кашемировую шаль из Индии. Александра — набор хрустальных подсвечников. Другие гости подарили книги, дорогие заколки для волос, печатки, а кто-то даже миниатюрную фарфоровую статуэтку.

— А это, — торжественно проговорила Александра, вынимая изящную, в серебристой обертке коробочку, — передает тебе Антонио. Ты где хочешь открыть ее: здесь или дома?

— О, конечно, здесь! — хлопнула в ладоши взволнованная Габриэль. — Открой сейчас!

Стефания колебалась.

— Может быть, все-таки лучше подождать...

Но она понимала, что подарок от гостей уже не спрячешь. Решительно сорвав обертку, она медленно достала из коробочки сверкающую нить с великолепными сапфирами и бриллиантами. На дне коробочки лежала записка. Она не обратила на нее внимания. Ее покоробило то, что Антонио направил свой подарок именно в дом Александры. Он ведь знал, что ей придется раскрывать его, — ей, это Сабрине, разумеется, — при всех гостях.

Тем самым он, очевидно, хотел показать всем, что имеет право дарить Сабрине такие дорогие подарки. Стефания отпустила ожерелье и оно упало обратно в коробочку. Остальные почувствовали ее смущение и поэтому ничего не сказали.

Александра хлопнула в ладоши. Появились танцовщицы. Официанты забегали между гостями с подносами — на них стояли бокалы с легким вином, которое принято было подавать после еды. Гости отвлеклись наконец от Стефании, и она высказала Александре желание побыть немного одной, сказав, что хотела бы повнимательнее осмотреть дом.

— Я ненадолго.

— Распоряжайся своим временем как угодно, дорогая. Ты тут все знаешь.

Стефания ничего не знала, но она хорошо помнила фотографии Сабрины. Пока гости с интересом наблюдали за завораживающими движениями исполнительницы танца живота, она вышла из зала и поднялась по лестнице к ближайшей двери.

Она ходила из комнаты в комнату, испытывая восторг и гордость за сестру. Сабрине удалось создать в этом доме атмосферу игры и одновременно роскоши, чего не смогли достичь даже именитые, помпезные дизайнеры. Теперь Стефания поняла, почему и по сей день этот дом все еще привлекает внимание редакторов иллюстрированных журналов по дизайну из Америки и Европы.

«Какое счастье, — с хорошей завистью думала она, — иметь такую возможность! Получить в свое распоряжение пустую кирпичную коробку и создать из нее сказочное чудо, совершенное место для вечеров, уединения и любви... Какое счастье!»

Она остановилась на минуту перед причудливой картиной Миро, всматриваясь в толстые, словно детские, мазки, уверенно и смело пересекающие полотно.

«Чего бы я только не отдала за это счастье!» — думала Стефания.

— Ты чем-то озабочена, милая? — раздался за ее спиной участливый голос.

Она обернулась.

— Нет. Я ушла от вас. С моей стороны это все-таки невежливо.

— Что ты! Это твой вечер и почти что твой дом! Если тебе захотелось побыть одной, не стоит за это извиняться. Я хотела тебя спросить... Какой он, твой Антонио?

— Порой бывает несносен!

— Ты сердишься за тот способ вручения подарка, который он избрал? А еще?

— Временами очарователен.

— Я так и знала! Иначе как бы ему удалось поддерживать твой интерес к его персоне на протяжении целого года? Можешь не говорить о нем, если не хочешь. Показать тебе, что я недавно обнаружила? Ты сразу узнаешь! — Она провела Стефанию вниз по лестнице, в самый укромный угол салона, и показала на пол. — Не правда ли, изумительно? Кто бы мог подумать!

Стефания присмотрелась и наконец сумела различить в рисунке паркета красиво вырезанную букву «S».

— Ловко, — она улыбнулась.

Сабрина прислала ей фотографию с этой буквой и уверяла, что никто и никогда ее не найдет.

— В самом деле ловко. Знаешь, сердечко, я так восхищена этим домом, что ты могла без всяких церемоний вырезать эту букву прямо над входной дверью. Зачем нужно было так прятать?

Все еще улыбаясь и чувствуя гордость за сестру, придумавшую такую хитрость при оформлении дома, Стефания коснулась вырезанной буквы носком своей туфельки.

— Слишком большая, — тихо проговорила она. — Надо было сделать чуть поменьше.

На следующее утро Стефания прямиком отправилась в «Амбассадор». У Брайана был выходной, и магазин был закрыт. Она достала свою связку ключей и стала пробовать все подряд, пока один из них не открыл дверь.

Она уже была здесь раньше. С Сабриной. Отдернув тяжелые занавеси на центральном окне, она пошла по длинному и узкому демонстрационному залу, обставленному в стиле салона восемнадцатого века. Комната была освещена рассеянным солнечным светом, поступавшим из окна, и казалась удивительно уютной и изящной. В дальнем ее конце находилась дверь, там был офис Сабрины с вишневым столом, который она использовала в качестве письменного.

Стефания села за стол и медленно обвела длинные и низкие, забитые книгами полки, окна, занавешенные старинным бархатом, восточные коврики и глубокие мягкие кресла для посетителей. Во всем чувствовались успех и завершенность, уверенность, деньги и даже могущество. Стефания показалась самой себе маленькой на фоне этой грандиозности, как ее отражение в чайном сервизе на столике. Ею вновь овладели все те чувства, которые она пережила накануне вечером: гордость, зависть, ощущение превосходства и страстное желание перемен.

— Надо что-то делать, — сказала она, обращаясь к своему отражению. — Пока что мне удалось в жизни только одно: стать домохозяйкой. В течение двенадцати лет у меня был только один дом, одно неудавшееся дело и один мужчина... — «Подожди-ка, — сказала она сама себе. — Подумай о том, как бы начать бизнес, который у тебя заглох. Этого пока достаточно. О других неудачах не думай. Не бери в голову. Пока речь может идти только об одном».

Из состояния задумчивости ее вывел звонок у входной двери. «Забыла запереть, — решила она. — Теперь придется еще объяснять, что магазин закрыт».

— Ага, значит кто-то все-таки здесь есть! — проговорил грузноватый мужчина.

Он сидел, ссутулившись, в кресле эпохи Регентства в демонстрационном зале. Стефания увидела, что он снял свои ботинки и массирует ноги.

— Позвольте...

— Я уже хотел уходить. Вы едва не потеряли покупателя, но вам повезло. Вы здесь работаете? Ну, конечно же, вы здесь работаете, что я спрашиваю. Вы красивая девушка и, уверен, захотите меня выслушать. Знаете что я вам скажу? У вас, как сказала бы Бетти, — это моя жена, — «английская наружность». У меня есть одна способность, которую признают все знакомые. Дело в том, что я могу опознать в человеке иностранца еще прежде, чем он откроет рот. Я говорю с полной определенностью: вы англичанка. Даже если бы я вас встретил у себя дома на улице, я бы сразу сказал: это идет англичанка! Вижу, вы обеспокоенно смотрите на этот красивый стульчик. Видите ли, мне необходимо было где-нибудь присесть и отдохнуть. Бетти весь день таскает меня за собой из одной антикварной лавочки в другую. Намаялся, знаете ли, я ведь уже не юноша.

Хотел посмотреть на смену караула перед Букингемским дворцом, да теперь уж ничего не получится: ноги отваливаются. Бетти где-то поблизости. Я зашел к вам, потому что увидел незапертую дверь. Я не сломаю ваш стульчик, если вас это беспокоит.

— Что бы вы хотели посмотреть у нас? — спросила Стефания, не поднимая на незнакомца глаз, чтобы он не увидел в них смешинки. — Вы должны удивить вашу жену чем-нибудь замечательным. Например, — она отошла на минуту к полкам и вернулась с французской вечерней сумочкой, расшитой бисером, и увеличительной лупой, — вот это. Не правда ли, потрясающая вещица? Датирована тысяча шестьсот девяностым годом. Возьмите лупу и приглядитесь повнимательнее. Можете различить отдельные бисеринки? А шовчики?

Мужчина перестал массировать ноги, взял увеличительное стекло и стал пристально рассматривать сумочку. Бисеринки были размером не больше песчинок, а швы вообще было невозможно разглядеть. Без лупы цветной рисунок выглядел как картина живописца, под увеличительным стеклом он смотрелся как необычайно тонко выполненная мозаика.

— Неплохо! — не скрывая восторга, пробормотал мужчина. — Неужели ручная работа? Как же это так получилось у мастера?

— Полагаю, такие сумочки шили дети. Не исключено, что за подобной работой они портили себе глаза, но ведь у первых леди королевского двора должны были быть вечерние сумочки.

— Неплохо, — повторил он. — Бетти не прочь была бы почувствовать себя в роли первой леди. Сколько просите?

— Шестьсот фунтов, — тут же ответила Стефания, вспомнив ценники к французским сумочкам в магазине на Бонд-стрит.

— Говорите цену в долларах, на кой черт мне сдались эти ваши фунты!

— Тысяча двести.

Он присвистнул.

— Возьмите себя в руки, красавица! Две сотни и то было бы слишком много.

Потаенная улыбка тут же исчезла с лица Стефании, взамен пришла ярость. Как он смеет торговаться с ней?! Как будто «Амбассадор» — какая-нибудь жалкая палатка на блошином рынке! Ей очень хотелось продать что-нибудь из «Амбассадора»... Неожиданно это стало для нее очень важным. Но она твердо решила продать вещь на своих условиях, а не на условиях этого бесцеремонного торгаша.

Успокоившись, она мило улыбнулась и спросила:

— Откуда вы приехали, мистер?..

— Пуллем. Из Омахи. Я здесь на отдыхе.

Стефания окинула его с головы до ног пристальным взглядом.

— Скажите, вам приходилось когда-нибудь бывать в Чикаго? В Нью-Йорке? А в Новом Орлеане? — Он кивал при упоминании каждого города. — И вы ездите всюду с Бетти?

— Разумеется. Ребята уже выросли, и ей нечего одной торчать дома.

— А вы знаете, мистер Пуллем, что во всех этих городах, — и вообще на всей территории Америки, — Бетти будет единственной женщиной с такой вечерней сумочкой, как эта? Люди будут умолять ее показать им эту вещь. Каждая женщина будет завидовать вашей жене. Это ведь не просто штучный товар. Такой сумочки вы больше не найдете в целом свете!

Наступила пауза. Мужчина озадаченно вертел сумочку в руках.

— Шестьсот, — сказал он наконец.

— Это в фунтах?

— В долларах! В долларах! На фунты говядину в лавке взвешивают, это не деньги!

Стефания мягко забрала у него из рук сумочку.

— Прошу прощения, мистер Пуллем. Бог свидетель, я очень старалась, чтобы ваша Бетти походила на первую леди королевского двора.

С этими словами она пошла положить сумочку на место.

— Семьсот! — раздалось у нее за спиной. — Ну, хорошо, семьсот пятьдесят, черт с вами!

Стефания обернулась.

— Мистер Пуллем! Очень сожалею, но в «Амбассадоре» не принято торговаться.

Она положила сумочку обратно на полку и услышала, как он, кряхтя, поднимается с кресла.

— Послушайте! Ну у вас и характер, должен вам заметить! Вам нужно было родиться американкой! — Он выложил на стол перед ней несколько банкнот, составлявших в сумме тысячу двести долларов. — Если Бетти не понравится, я могу вернуть товар и получить деньги назад?

Стефания завернула сумочку в тонкую оберточную бумагу и положила в небольшую коробочку, которую нашла в кабинете Брайана.

— Разумеется, мистер Пуллем. Но я уверена, что Бетти будет в восторге от сделанной вами покупки.

Он надел ботинки и взял коробку. Стефания протянула ему квитанцию, и он взял ее за руку.

— Я отдал вам целое состояние, красавица. У вас скверный характер, но мне это нравится. Если Господь поможет мне еще раз заработать такие деньги, я обязательно приду их тратить к вам. С Бетти.

Подмигнув на прощанье, он ушел.

Как только за ним закрылась дверь, Стефания облегченно вздохнула и в ликовании хлопнула в ладоши. «Победа, — подумала она. — Я могу сделать все, что угодно, не хуже любого другого!»

Она заперла дверь в магазин, положила вырученные деньги в стол Брайана с запиской, а затем задумчиво оглядела кабинет. Теперь она уже не чувствовала себя здесь гостьей. Как и ее сестра в доме княгини Александры, Стефания оставила в этом магазине свою триумфальную метку.

В «Аннабели» казалось шумно только тем, кто любил проводить вечера в тишине. Для большинства музыка и ровный гул публики был совершенно необходимым фоном для отдыха. Впрочем, здесь не только отдыхали. В стенах «Аннабели» скреплялись и разрушались супружеские узы, начинались и заканчивались дела, заключались соглашения и сделки, завязывались и прекращались знакомства. Публика, постоянно посещавшая клуб, отличалась утонченностью, как, впрочем, и предлагавшееся здесь меню. Круглый год в «Аннабели» можно было заказывать малину, спаржу, трюфели и улиток. Клуб имел свои собственные каналы снабжения. Сервировка столов была выше всяких похвал. В «Аннабель» приходили, чтобы пообедать и потанцевать, но, главным образом, чтобы вырваться на время из рутинного образа жизни и убедиться в том, что в мире все еще происходят какие-то изменения.

Макс Стуйвезант частенько использовал «Аннабель» как место для деловых встреч. Негромкая музыка, разговоры за соседними столиками и неяркое освещение обеспечивали бо́льшую интимность, чем можно было ее создать в его рабочем кабинете. А администрация ресторана готова была держать его постоянный угловой столик наготове часами, если получала извещение о его визите. Во всех городах мира, где когда-либо появлялся Макс в поисках выгодного дела или просто развлечений, обязательно были подобные места. «Аннабель» же на Беркли-стрит в Лондоне пользовалась его особой симпатией.

В четверг вечером он в очередной раз появился здесь. Не один. Его сопровождал невысокий бородач с пронзительным взглядом, усиленным круглыми очками, и скучающим видом. Как только они уселись за столик Макса, официант тут же принес из подвала бутылку «Шардонне» и открыл ее. Макс понюхал пробку.

— Сегодня рыба?

— Меч-рыба, — торжественным голосом уточнил официант. — В соусе из морского ежа. Незабываемый вкус. Непередаваемые ощущения.

Макс взглянул на своего гостя, который утвердительно кивнул.

— На двоих, — сказал Макс официанту. — Остальное по выбору Луи. Принесите нам сейчас паштет и оставьте на полчаса в покое.

— Луи? — спросил его гость.

— Здешний шеф-повар. Я доверяю вкусу этого человека.

— Полчаса на деловые разговоры у вас всегда входит в меню?

— Деловые разговоры у нас отнимут несколько минут, а полчаса мы проведем в приятной беседе, настраивая себя на великолепный обед. — Он наполнил оба бокала принесенным вином. — За прошлые победы!

Рональд Даулинг кивнул, пригубил, удивленно приподнял брови, почувствовав вкус вина, и пригубил второй раз.

— Ваза оказалась именно такой, какой вы ее и описывали. Я нахожусь под впечатлением. Даже на вашем затрапезном товарном складе...

— Это не мой склад, а «Вестбридж импорт».

— Будете говорить, что эта контора и провернула все

дело. По волнам Средиземного моря и... куда? Во Францию? Или прямо в Англию?

Макс снисходительно улыбнулся.

— В «Аннабели» сегодня слишком шумно и я вас не слышу. Ваза этрусков, которую вы видели, взята из коллекции знатной английской семьи, которая была вынуждена продать часть своего состояния вместе с недвижимостью, ибо нуждалась в деньгах. Посредником в продаже поместья выступала «Вестбридж импорт». Когда наткнулись на вазу, вызвали меня, так как знали, что мои клиенты проявляют живой интерес к подобным редкостям и способны заплатить хорошую цену.

Даулинг, качая головой, заулыбался.

— Все это было сказано в каталоге, который вы мне прислали. Но подобные басни рассказывайте кому-нибудь другому. Ради этой вазы я специально прилетел из Торонто. Я плачу вам за нее полтора миллиона долларов. Поэтому рассчитываю услышать от вас правду, а не рождественскую сказку.

— В искусстве и сексе правды еще никто никогда не добивался.

— Я не шучу.

— Ну, хорошо, Рональд. Что будет, если я скажу вам, что ваза была вывезена контрабандой из Турции и по фальшивым документам занесена таким-то пунктом в опись продаваемого имущества герцога? Что герцогу заплатили двадцать тысяч фунтов стерлингов только за то, чтобы он всегда мог поклясться на Библии, что ваза является его фамильной собственностью, если в этом возникнет необходимость? Что ваза будет переправлена в страну проживания покупателя также контрабандой? Вы скажете, что эта история менее смахивает на рождественскую сказку, чем та, которую я вам рассказал вначале?

В глазах Даулинга сверкнули искорки.

— Я бы сказал, что эта история звучит еще смешнее, чем идея бурить Западную Канаду в поисках нефти или газа... И намного опаснее!

Макс покачал головой.

— Жизнь полна опасностей. Попробуйте без проблем пересечь от начала до конца Пятую авеню в Нью-Йорке. Или виа Венето в Риме.

Они оба расхохотались.

— Хорошо, — проговорил Даулинг. — Завтра я переведу на ваш счет в Швейцарию десять процентов от продажной суммы. В золоте. Когда вы доставите вазу ко мне домой в Торонто, получите остальное.

— Не совсем так, Рональд. Вас известят, когда ваза прибудет в Канаду. А это произойдет примерно четыре недели спустя после вашего перевода в швейцарский банк десяти процентов золотом. Вам будет предоставлена возможность еще раз тщательно осмотреть товар. И с той самой минуты, когда будет выплачена полная сумма, вы станете полновластным владельцем вазы.

Даулинг кивнул.

— Мне говорили, что вы осторожный человек. Мне это нравится. Утром я свяжусь со своим агентом.

Макс дал знак официанту подойти к их столику.

— Еще бутылку, — попросил он и откинулся на спинку стула, изучая взглядом собравшуюся в клубе публику.

— ...о других делах, которыми вы занимаетесь, — говорил Даулинг, не замечая задумчивости своего соседа по столику. — Вы говорили о недвижимости? Художественных галереях? Насколько я понимаю, тут все законно. Тогда у меня возникает вопрос: зачем вам ввязываться...

Макс поднялся из-за стола.

— Прошу прощения, я ненадолго отлучусь. Мне нужно кое с кем поздороваться.

Он направился к одному из столиков, плавно огибая бронзовые колонны и танцующих. Приблизившись, он сразу же заговорил:

— Мой дорогой Брукс! Как я рад снова видеть тебя после стольких лет! И тебя, Сабрина. — Он поднес ее руку к своим губам для поцелуя. — Я слышал, ты была в Южной Америке. Как это понимать? Слух, пущенный твоими недоброжелателями?

Подняв глаза, Стефания увидела только темный силуэт мужчины, загородивший от нее весь зал. Приглядевшись, она отметила, что он был одет в великолепный костюм. Его поведение было уверенным, даже снисходительным. У него были темно-каштановые волосы, посеребренные нимбом седины. В его неподвижных глазах мелькало ее отражение. Эти глаза не открывали доступа в душу этого человека. Он крепко держал ее руку, и Стефания ощутила силу, исходящую от него. Ею овладело неожиданное возбуждение. Она опустила взгляд, чтобы скрыть это от него, но выражение ее лица чуть изменилось и она поняла, что он это заметил.

Стефания не имела никакого понятия о том, кто был этот человек, поэтому посмотрела на Брукса, когда тот представлял незнакомцу Габриэль.

— Макс, это Габриэль де Мартель. Это Макс Стуйвезант, Габи.

Макс плавно отпустил руку Стефании и перешел к руке Габриэль. Но на этот раз поцелуй был прохладнее.

— Видимо, вы появились в Лондоне уже после того, как я уехал в Нью-Йорк.

— Три года назад, — ответила Габриэль, глядя на Макса с нескрываемым любопытством. — Я так много о вас слышала.

Он дружески улыбнулся и вновь повернулся к Стефании.

— Так как насчет Бразилии? Злые языки?

— Злые или нет, — ответила она осторожно. — Все зависит от того, какой цели хотели добиться этим слухом...

Он рассмеялся.

— А ты все такая же умница! Ты не откажешься потанцевать со мной?

— Я не... — начала она и запнулась. Она не танцевала Бог знает сколько лет, но вот как на этот счет обстояли дела у Сабрины?.. — Боюсь, не...

— Ну, вот тебе пожалуйста! Ты не можешь отказаться, дорогая! И надеюсь, не будешь смеяться над моей неуклюжестью.

Она вновь взглянула на него. Увидела легкую улыбку и неподвижные серые глаза, направленные прямо на нее.

— Ну, хорошо. Если тебе так хочется...

— Вот это другое дело! Брукс, Габриэль! С тобой, Сабрина, я не прощаюсь. Приятного аппетита всем.

Он чуть наклонил голову и ушел.

— Как странно, — проговорила Габриэль, пока официант наполнял их бокалы вином. — Вот всегда так бывает. Слышишь о ком-нибудь столько всего, что уже кажется, будто знаешь его, как себя. Но он приходит и оказывается совсем другим. Ты ведь была долгие годы знакома с ним, Сабрина? Когда еще была замужем за Дентоном, да?

— Да, — осторожно согласилась Стефания.

Нравился ли этот Макс Сабрине? Любила ли она его? Сестра никогда не упоминала этого имени.

— А что ты о нем слышала? — поинтересовалась она.

— То, что для тебя не новость. Только мне показалось, что он все-таки цивилизованнее, чем его описывают. А вот Бруксу он не нравится!

Брукс удивленно взглянул на нее.

— Ты не перестаешь изумлять меня, Габриэль. Разве я был с ним невежлив?

— Нет. Бесстрастен, скорее. Ты смотрел на меня так, как всегда смотришь, когда не одобряешь того, что я говорю или делаю. Но ждешь, чтобы всыпать мне дома без свидетелей.

— Разве я тебя когда-нибудь наказывал?

— Пока словами. И на том спасибо.

Наступила пауза. Затем Брукс положил свою руку поверх руки Габриэль.

— В таком случае нижайше прошу прощения. У меня и в мыслях никогда не было подобного. А если ты боишься за Макса Стуйвезанта, то торжественно обещаю тебе, что и ему не буду никогда всыпать. Ни на публике, ни в темном переулке.

Габриэль рассмеялась.

— Очень надеюсь на это. Мне показалось, что этот человек таков, что в случае драки начнет переворачивать столы.

— А была ли реальная Аннабель? — спросила Стефания, оглядывая зал.

Этим вопросом она решила разрядить обстановку. Она почувствовала себя неловко, увидев, как по-детски ведет себя Габриэль. В «Джульеттах» она казалась взрослее своих ровесниц. А Брукс вел себя как учитель, выражающий свое удивление, когда его студентка говорит что-нибудь умное.

— Никогда с ней не встречался, — ответил Брукс, откидываясь назад. — Но если тебе хочется узнать историю этого клуба...

— Откуда он берет деньги? — вдруг вмешалась Габриэль.

Брукс вздохнул.

— Кто? Ослепительный Макс Стуйвезант? Никто этого не знает наверняка. У него есть несколько художественных галерей в Европе и Америке. Временами он выступает в качестве посредника. Но все это не имеет никакого отношения к его финансовому могуществу. Он постоянно мелькает на аукционах, а его личная коллекция признана одной из лучших в мире. Все остальное —

слухи. Сам он ничего не рассказывает. Три года его здесь не было, так что нынешние слухи еще менее достоверны, чем старые.

— Так ты поедешь, Сабрина? Брайан побудет один в «Амбассадоре» пару деньков. Ведь он справлялся все время, пока ты была в Китае. А мы вернемся вечером в воскресенье. Сабрина! Ты слушаешь меня?

— Нет, прости. Задумалась.

— Понятно. Ну, так слушай. Ты поедешь с нами в Швейцарию?

— Куда? В Швейцарию?

— Повторяю еще раз! Завтра Брукс улетает в Берн по делам. Я его сопровождаю. Отлично сознавая, что буду там умирать со скуки, пока он разберется со своей работой, я прошу тебя присоединиться к нам. Брукс позаботится о твоем номере в отеле. Вернемся в воскресенье. Ну, скажи: «Да»!

Стефания не колебалась.

— Да.

Габриэль радостно захлопала в ладоши. Один официант заменил их тарелки, другой разлил по чашкам кофе, третий разрезал на три части засахаренное суфле «Гранд марнье». А они болтали между собой непринужденно, как старые друзья. Стефания смеялась, с ее лица не сходила улыбка. Случайно наткнувшись взглядом на столик, за которым сидел Макс Стуйвезант, она увидела, что тот улыбается ей в ответ. Через минуту он уже подошел к ней.

Зал ресторана был заполнен танцующими парами, поэтому им пришлось танцевать почти на месте. Ритм музыки и протяжные басовые ноты глубоко проникали в душу Стефании, она чуть подрагивала в объятиях Макса.

— Как так получилось, что мы никогда не танцевали? — спросил Макс.

— Как так получилось, что мы никогда не говорили? — дерзко ответила вопросом на вопрос Стефания.

Она чувствовала себя юной и свободной. В его взгляде и улыбке она прочитала восхищение ее красотой, и поняла, что он желает ее.

— Не говорили... — задумчиво повторил он. — У меня всегда было впечатление, что милая болтовня со мной кажется тебе безвкусной.

— Вот и объяснение тому, почему мы никогда не танцевали.

— Что? Мое впечатление или твои завышенные требования вкуса?

— И то, и другое.

— О, как ты шустра, Сабрина! Почему бы нам не поужинать завтра вечером?

— Не выйдет.

— Как грубо! Даже не затруднила себя предлогом для отказа. Выдумала бы что-нибудь латиноамериканское, а?

— Прости, но до воскресенья меня здесь не будет.

— Значит, отложим на воскресенье.

— Я вернусь очень поздно.

— Я свободен в понедельник.

— В понедельник я... Меня снова не будет.

Танец закончился. Он не отпускал ее.

— Неужели мы не найдем с тобой один вечерок? Что, если я позвоню тебе на следующей неделе?

Стефания согласно кивнула, и они направились к ее столику. Она была удивлена собственными мыслями, вертевшимися в голове. Она хотела его! Этого незнакомого мужчину, загадочного, надменного, с холодными глазами и уверенным видом. Он разительно отличался от Гарта, который был рад занимать свое крохотное местечко в жизни, даже не делая попыток что-то изменить. Как она могла возжелать этого Макса? За всю жизнь она никогда никого не хотела, кроме Гарта. Но даже с мужем у нее не было такого сильного возбуждения... до дрожи в теле. Даже в первые годы их супружества. Стефания вспомнила, что завтра уедет, и облегченно вздохнула.

Но, выходит, что она больше никогда не увидит Макса Стуйвезанта...

Они подошли к столику. Габи и Брукс танцевали. Стефания терзалась от своих мыслей. Значит, она его больше никогда не увидит. Ну и хорошо. Так будет лучше для нее. А ее мысли и ее возбуждение... Пройдет пара дней и она окончательно успокоится.

— До свиданья, — проговорила она, не сумев скрыть в своем голосе нотки сожаления.

Он снова поцеловал ее руку.

— До следующей недели.

Стефания грустным взглядом проследила за тем, как он вернулся к своему столику, за которым его ждал какой-то бородач. Она стремительно осушила свой бокал и официант тут же бросился наполнять его снова.

«Так будет лучше, — повторяла она про себя. Она еще раз пригубила бокал. — Завтра поеду в Берн и все забудется».

В салоне самолета «Лиера» был встроенный кожаный диван, два кресла и длинный тиковый стол, который одновременно использовался как рабочий и обеденный (в полет Брукс заказал коробки с завтраком от «Фортнама и Мэйзона»). В течение всех полутора часов полета до Берна Габриэль и Стефания занимались тем, что вкушали французские сыры и фрукты, а Брукс читал докладные своих менеджеров из Берна.

— Они начинают выпускать новую партию косметики, — шептала Габриэль на ухо своей подруге. — А может, это старая партия, только с новыми названиями. Брукс не хочет мне ничего рассказывать. Но я-то знаю, в какие игры они играют с губной помадой и увлажняющими кремами! Ты не поверишь! Тут и пароли, и коды, и секретные формулы, и шпионы из других компаний. Настоящий бизнес!

Стефания, откинувшись на спинку удобного кожаного дивана и положив руку на мягкий подлокотник, лениво смотрела в иллюминатор на маленькие, аккуратные поля, которые проплывали внизу. Они были так непохожи на бескрайние, вытянутые просторы Америки!.. «Да, здесь тебе не Америка, — думала она. — Ты здесь не Стефания, а Сабрина, и не Андерсен, а Лонгворт. Взяла и полетела на пару деньков в Швейцарию на личном самолете друзей. А твоя экономка в это время присматривает за твоим пятиэтажным домом и думает, каким бы кулинарным чудом порадовать миледи к ее возвращению в воскресенье».

— Мило, — вслух сказала Стефания.

— Что? Вид? Мне больше нравятся Альпы. Знаешь, о чем я сейчас подумала? Мы же можем навестить «Джульетт»! Я не была там с тех пор, как мы закончили учиться. От Берна всего час езды на поезде. Что скажешь?

— С удовольствием поехала бы туда.

— Решено.

Ими, однако, овладело что-то вроде уныния, когда они прибыли на место и стояли в парке, глядя на балконы и черепичную крышу их школы. Ничего не изменилось, только вот...

— Какое все маленькое! — воскликнули обе в один голос.

«Замок» профессора Боссарда оказался всего лишь большим и красивым домом, стоящим среди аккуратного парка. В нем не было ни величественности, ни великолепия, которыми они его наделяли в юности.

— А посмотри на девчонок, — потрясенным голосом продолжала Габриэль. — Они такие простенькие... Не то что были мы.

Стефания улыбнулась.

— Мы были точно такими же.

— Ничего подобного!

— Ну, не знаю. Сидели на подоконнике четвертого этажа и все мечтали о том, как будем жить...

— На третьем.

— Что?

— Мы жили на третьем этаже. На четвертом жила твоя сестра с американкой. Как ее звали-то?.. Ну, она еще была из Нью-Йорка.

— Дена Кардозо. Ты права.

Они погуляли немного по зданию своей «альма матер», «старея с каждой минутой», по выражению Стефании. Профессор Боссард давно умер, и его учреждение перешло в руки толстенького, белобородого Санты, которого они нашли в гимнастическом зале обсуждающим детали предстоящего турнира с инструктором по фехтованию.

Стефания вышла на середину зала, представляя, что держит в руке рапиру. Она тут же вспомнила матч, который проиграла. Она тогда еще поссорилась с Сабриной.

— Габи, — вдруг сказала она, — я проголодалась. Давай заглянем в городок и где-нибудь поедим.

Они спустились по холму, мимо виноградников.

— Мне здесь было хорошо, — рассказывала Габриэль. — Но я всегда разочаровывала тех, кто требовал от меня слишком многого. Я помню: ты все время хотела добиться чего-нибудь в искусстве и антикварном деле, а я только и мечтала о том, чтобы найти кого-нибудь, кто бы постоянно заботился обо мне. Вставал между мной и жестоким миром. Лелеял меня. Ты понимаешь, что я имею в виду?

Стефания кивнула. Она неподвижно глядела на переменчивые оттенки синих вод Женевского озера и зубчатые Альпы, видневшиеся вдали, за противоположным берегом.

«Не этого ли она всегда хотела от Гарта?»

— Теперь у тебя есть Брукс, — проговорила она.

— Теперь у меня есть Брукс. И будет до тех пор, пока я буду вести себя так, как нужно ему, чтобы оставаться счастливым.

В городе они быстро отыскали кафе, которое было их любимым еще во времена студенчества. Они сели в затененной части небольшого зала и сделали заказ.

— А как нужно для этого вести себя? — поинтересовалась Стефания.

— Ты сама мне об этом говорила.

Наступила пауза.

— И я оказалась права?

— Ты всегда была права в отношении Брукса. Ему нужна женщина-ребенок, из которой он может лепить все, что ему захочется, которой он мог бы гордиться и которая обожала бы его. А еще ему нужно, чтобы она умела трахаться, как профессиональная проститутка, и в то же время была способна поддержать умный разговор за обедом.

Стефания была поражена.

— И я тебе это говорила?!

— Не такими словами, но близко к этому. Тогда я не поверила тебе, но сейчас верю. Поэтому и играю такую роль. В этот момент я маленькая доверчивая девочка, а через час уже секс-бомба, имевшая несколько сотен любовников, на которых отточила до совершенства свои способности. А еще через полчаса я вдруг превращаюсь в проницательную леди, которая подмечает, к примеру, что Бруксу не понравился Макс Стуйвезант, хотя он и пытался скрыть это.

— Нелегко так жить.

— Да нет, как раз легко. Я даже не знаю, кого обманываю: его или себя. Делать нечего. Я так сильно люблю его, что могу забыть о своем обмане. Мне только и хочется, чтобы погрузиться в него целиком и жить там вечно. И я пойду на все, лишь бы ничего не изменилось.

Стефания медленно водила пальцем по контурам шахматного рисунка на скатерти и думала о Гарте, вспоминала Нью-Йорк того времени, когда они еще не поженились, их первые годы, когда все для них было новым, все казалось прекрасным. Он любил ее такой, какой она была, и не просил притворяться.

Им следовало хоть однажды спокойно поговорить, подумать и вернуть ту любовь. Она не могла исчезнуть бесследно. Если она вернется домой и скажет ему, что хочет начать с самого начала... Но она не могла вернуться! Только не сейчас, не сегодня! Да и как это выглядело бы, если бы она зашла к себе домой и сказала: «Всем привет, я вернулась». И небрежно улыбнулась бы Сабрине, готовящей Гарту и детям ужин.

«Осталось всего три дня. Каких-то три дня, — подумала Стефания. — И тогда я вернусь к Гарту и к семье. Даже меньше трех дней. Одни выходные. И потом — дома».

«И что меня там ждет? Грязные анонимки о моем муже, постоянные заботы о деньгах, нытье Пенни об уроках рисования, мелкое воровство Клиффа. И попытки возродить угасший бизнес... Все это ждет меня. Но сейчас я не хочу об этом думать. Все равно пока рано, и я ничего не могу поделать. Я только испорчу себе остаток недели. Вернусь домой, тогда и подумаю. Времени будет много».

На протяжении всего обратного пути в Берн Габриэль не умолкала ни на секунду, сообщая Стефании новые сведения о Сабрине и ее жизни, множество интересных деталей. Их даже не приходилось выуживать у нее хитрыми вопросами. «Жаль, что скоро это кончится, — думала она с грустью и печально улыбнулась. — С такими фактами я могла бы прикидываться Сабриной целый месяц, а, может, и больше».

После ужина Брукс повел их в казино. Стефания нервничала: она никогда не играла, а учиться на деньги Сабрины не хотела. Но Брукс, ни минуты не колеблясь, купил фишек на троих. «Значит, теперь поздно отступать, — грустно подумала про себя Стефания. — Нужно делать вид, что я умею играть в «буль».

Игра, слава Богу, оказалась на удивление легкой. Облегченный вариант рулетки. Через полчаса Стефания уже стала осторожно выдвигать свои фишки на кон, благо Брукс положил их перед ней целую кучу. Габриэль склонилась к подруге:

— Брукс думает, что ты так осторожничаешь, потому что он купил все фишки на свои деньги. Если ты так будешь играть и дальше, он сойдет с ума. А знаешь, что с ним тогда будет?

— Ладно тебе, — отмахнулась Стефания. — Я просто вижу, что...

Брукс прервал ее:

— Конечно, ты права. Здесь не Монте-Карло, но лучшего ничего в Берне нет, так что будь снисходительной. Мы поиграем часок. Потом Габи все равно потянет танцевать. Поскорее расходись, я жду. Весь выигрыш пойдет на твой новый магазин.

«Выигрыш? — подумала Стефания. — Какой может быть выигрыш, если я ни разу не играла?!»

Но вдруг, неожиданно для самой себя, она стала выигрывать. Маленький, юркий шарик должен был остановиться в одной из девяти ямочек. Ее одновременно забавляло и бесило: как можно ставить деньги на такую глупость? Но ее окружали игроки с серьезными, торжественными лицами, значит, во всем этом имелся какой-то смысл. Вначале она поставила на первую цифру своего телефонного номера в Эванстоне. И выиграла. Затем на первую цифру дня рождения Пенни. Затем то же самое с Клиффом. И выиграла все ставки подряд.

Глаза Габриэль возбужденно блестели.

— По какой системе ты играешь?

— На дни рождения, адреса, телефонные номера.

— Чьи?

— Неважно.

— Сабрина, это не система. Колдовство какое-то.

— Возможно, ты права. Поэтому не удивляйся, если я сейчас превращусь в кролика.

Стефания поставила на первую цифру лондонского адреса и... проиграла! Это произошло так неожиданно, что она вздрогнула и долго не могла отвести пораженного взгляда от белого шарика, застывшего в одной из ямочек. Она поставила несколько фишек на первую цифру телефонного номера в Лондоне и опять проиграла.

— Системы не всегда срабатывают, — прокомментировал Брукс. — Колдовства это тоже касается.

Габриэль, которая один раз выиграла и дважды проиграла, играя по системе Стефании, поднялась из-за стола и пододвинула оставшиеся фишки подруге.

— Это на твой магазин, Сабрина. А я иду танцевать.

Когда они обналичили фишки, оказалось, что Стефания в общей сложности выиграла больше тысячи долларов.

— Моя система хорошо поработала на средства для

магазина, — небрежно сказала она и последовала за Бруксом и Габриэль к столику у самого оркестра.

Танцуя с Бруксом, она неожиданно вздрогнула... Ей припомнились ее же собственные слова о системе, заработавшей для магазина хорошие денежки... Еще неделю назад Стефания восприняла бы тысячу долларов, как невиданное богатство, роскошный подарок, благодаря которому можно было оплатить просроченные счета, дамокловым мечом висевшие над ее семьей, устроить для Пенни ее вожделенные уроки рисования... На остаток, возможно, удалось бы сделать себе новое платье.

«Я становлюсь Сабриной», — подумала она, улыбнувшись про себя.

Стефания чувствовала, что уже освоилась в сказочном, роскошном мире.

— Сабрина, — сказала Габриэль, когда они возвращались вечером в отель. — Как нам хорошо, мне хочется, чтобы эта поездка никогда не кончалась.

— У меня похожие чувства.

Но завтра было воскресенье. Ее последний день.

— Давайте поедем ко мне домой, — предложила она. — Я позвоню миссис Тиркелл и распоряжусь, чтобы она все для вас приготовила. Эту неделю она только и делала, что ждала меня по вечерам к ужину. Знаете, как она обрадуется возможности раскрыть все свои таланты перед понимающими гостями?

Когда они вернулись в Лондон в воскресенье вечером, и Стефания пригласила Габриэль и Брукса к себе в гостиную, настроение миссис Тиркелл так поднялось, а ее приготовления к приему гостей оказались такими пышными, что Стефания просто умилилась. Хорошо, что она придумала так закончить неделю: шумным развлечением в своем доме на Кэдоган-сквер...

Перед неминуемым возвращением в другой мир.

ГЛАВА 12

С того времени как Гарт привез ее из больницы домой, у Сабрины не было ни минуты, когда бы она могла остаться одна. Все ее мысли были об одном: как бы позвонить Стефании. Но вокруг нее всегда крутился Гарт, как могли, пытались помочь матери и Пенни с Клиффом. Последний постоянно дотрагивался с опаской до гипсовой повязки на руке Сабрины, которая тянулась от кисти до локтя, и восторгался ею. Они приносили ей чай, мороженое, запеченные английские сдобы, но ей было нужно другое: телефон и одиночество. Хотя бы на пять минут. Она лежала на диване и чувствовала себя загнанной в ловушку. Голова раскалывалась. Лица членов семьи мелькали перед ней, когда бы она ни открыла глаза.

К восьми часам Сабрина заснула, хотя не хотела этого. Но головная боль и успокаивающие средства застлали все перед ее глазами плотной ватной пеленой, и она провалилась в сон, сама того не заметив.

— Давай перебираться на кровать, — сквозь дрему услышала она голос Гарта.

Он, наверно, уже не первый раз говорил эти слова, прежде чем она их расслышала.

Сабрина попыталась отмахнуться.

— Ничего, я сама...

— «Сама» будешь ходить, когда поправишься, — возразил он с улыбкой, поднял ее на руки, бережно отнес вверх по лестнице в спальню и мягко опустил на кровать. — Положись во всем на меня, — заверил он ее, расстегивая на ней блузку. Сначала он спустил правый рукав, а потом стал освобождать левую руку.

Сабрина закрыла глаза. *«Я все равно не могла бы остановить его, даже если бы знала, как это сделать. Да, впрочем... какая разница?»*

Поддерживая ее одной рукой, Гарт стянул с нее синие джинсы и трусики, затем расстегнул бюстгальтер. Он затаил дыхание, увидев шрамы, покрывавшие левую сторону ее тела.

— Бедняжка, представляю, что ты чувствовала, когда паршивый пикап наезжал на тебя!

Сабрина открыла глаза, но не увидела его. Гарт отошел к шкафу, чтобы достать ночную рубашку.

— Придется приподнять больную руку. Скажешь, если будет больно.

Он стал надевать ночную рубашку ей через голову. Она продевала в нее руки, как ребенок.

— Так, теперь встань на минутку.

Он быстро расправил постель и помог ей лечь в нее, накрыв сверху одеялом. С полминуты он молча стоял и смотрел на нее.

— Если станет больно или что-нибудь понадобится, я буду рядом. Толкни, я тут же проснусь.

Неожиданно у нее на глаза навернулись слезы.

«Ты такой добрый. Я хочу, чтобы ты был рядом со мной. Мне бывает больно и я хочу, чтобы ты успокаивал меня, согревал своим присутствием. Но ты муж Стефании. Даже если я скажу, что рада твоей близости, ты воспримешь это не так, как мне хотелось бы».

— Спокойной ночи, — сказала она вслух и через минуту заснула.

Пришло воскресенье. Гарт встал рано утром. Сабрина еще спала и не слышала, как он одевался. Как только она открыла глаза, он тут же появился, готовый помочь ей одеться. Весь день он и дети находились возле нее. Сабрина вспомнила, как она говорила Стефании, что хочет побыть в роли хозяйки семьи. Воспоминание вызвало у нее грустную улыбку. Пожалуйста, ей представилась такая возможность. Теперь она тосковала по каким-нибудь пяти минутам того одиночества, которое было знакомо ей по ее лондонскому дому.

Днем Гарт вновь помог ей подняться в спальню, чтобы немного отдохнуть. Как только за ним закрылась дверь, она потянулась к телефону. Но он зазвонил, прежде чем она до него дотронулась. Трубку взяли внизу. Сабрина тяжело вздохнула, легла и даже заснула.

— Звонила Долорес, — сказал Гарт, когда она открыла глаза. — Она принесет ужин к шести часам. И Линда вызвалась помочь нам в понедельник. Если бы я прошел по городу с записной книжкой и ручкой в руках, то мы бы получили столько добровольцев-поваров, что хватило бы на целый год. — Сабрина улыбнулась. Гарт спросил: — Хочешь повидаться с Долорес, когда она придет?

— Не сегодня. Может, завтра, — слабо ответила она.

Все планы рушились у нее на глазах. Завтра понедельник. День, когда она предполагала встретиться со Стефанией в аэропорту и вернуться в Лондон. К своей прежней жизни. «Наши приключения подходят к концу, — подумала она. — Но как теперь поставить точку?»

За ужином она была молчалива. Гарт суетился с мясной запеканкой и тыквенным пирогом, которые принесла Долорес, и разговаривал с детьми. Он был озадачен поведением жены. Она никогда прежде не уступала так быстро болезням, никогда так быстро не сдавалась. Теперь же ее лицо выражало не только боль, но и страх... Даже что-то вроде паники! Чего она боялась? Когда Гарт спросил ее об этом, она сначала отшатнулась, потом только покачала головой. Он отступил с расспросами. В нем поднялось раздражение на свою беспомощность. Почему она не посвятит его в свои заботы, почему не примет его помощь, вместо того, чтобы бессмысленно таить свои необъяснимые страхи и тревоги?

После ужина он предложил помочь ей принять «сухой» душ — обтирание губкой, — она отказалась. Тогда он вызвался помочь ей подняться наверх. Она отказалась и от этого.

— Я сама, спасибо...

Она перестала беспокоиться относительно того, как воспринимает Гарт ее поведение: все равно он скоро узнает правду. Ее терзали мысли о Стефании. Через несколько часов она поедет в аэропорт. «Я должна предупредить ее. Должна дать ей время подумать, как справиться со всем тем, что я тут заварила».

Она лежала на кровати и безуспешно пыталась успокоить свои мятущиеся мысли. Временами она впадала в дрему, даже засыпала, но когда пришел Гарт проснулась, и с той минуты изо всех сил старалась удержаться в бодрствующем состоянии, постоянно поглядывая на часы. Вот пробил час ночи. Час тридцать. Два часа. «Значит, в Лондоне сейчас восемь утра». Дыхание Гарта, лежавшего рядом, было глубоким и ровным. Она неслышно соскользнула с кровати и спустилась по лестнице в столовую, где на ощупь отыскала телефонный аппарат. Через минуту она уже приглушенным голосом диктовала оператору свой собственный номер.

В Лондоне, в ее доме, раздался телефонный звонок. Ответила миссис Тиркелл. Сабрина хорошо представляла себе лицо своей экономки в эту минуту. Когда трубку взяла Стефания, Сабрина представила и ее, и свою спальню.

— Сабрина! А я уже собралась в дорогу. Что-нибудь случилось?

Сабрина вкратце рассказала ей о несчастном случае.

— Ты сильно пострадала?

— Ничего серьезного. Несколько синяков и шрамов. Голова дико болит — легкое сотрясение, по словам Ната. Но основная проблема заключается в моей левой руке. Я... сломала ее ниже локтя. У меня гипс.

Стефания ничего на это не ответила. Сабрина в изнеможении прикрыла глаза: ломота в затылке резко усилилась.

— Я должна была тебя предупредить, чтобы ты подумала в самолете, как выйти из сложившейся ситуации.

Голос Стефании заметно ослабел:

— Подумать?..

— Как рассказать обо всем Гарту. Прости меня, Стефания, если можешь. Это все моя вина. Поначалу я полагала, что сама открою ему истину и тем самым избавлю тебя от многих проблем, но... Я поняла, что не смогу этого сделать, Стефания! Если я попытаюсь, будет только хуже...

Ответа не последовало.

— Стефания, пойми, необходимо, чтобы он услышал правду от тебя! Вы поговорите, вы будете вместе... А если это сделаю я, у него до твоего приезда будет достаточно времени, чтобы остаться наедине со своими размышлениями. Это очень опасно, Стефания, пойми! Ты должна это взять на себя. У тебя получится! Обязательно получится!

В телефонной трубке раздался какой-то треск. Стефания, находившаяся в спальне с голубыми и цвета слоновой кости шелковыми обоями, также услышала этот разряд. «Очевидно, что-то на линии». Она сидела в кресле, прижав одну руку к животу. Ей было нехорошо.

— Сабрина, неужели ты всерьез думаешь, что наша с ним жизнь будет продолжаться так, как будто ничего не было?

— Нет, все, конечно, будет уже по-другому, но это не значит, что хуже прежнего. Если вы любите друг друга...

— Любовь не имеет к этой истории никакого отношения! Он скажет, что мы сделали из него дурака...

— Так и произошло, ты разве не согласна? Да, мы обманули его, но он не дурак. Из нашего обмана вовсе не следует, что он дурак...

— Скажи, как мне вернуть все в норму? Это даже не обычная ссора...

— Да.

«В ссоре, — думала Сабрина, — оба человека находятся в равном положении. При обмане же один знает все, а другой — ничего. Когда Гарт поймет, что целую неделю он пытался залатать прорехи в своей семейной жизни с женщиной, которая является не его женой, а всего лишь сестрой жены, и они разыграли над ним чудовищную шутку...» Сабрина непроизвольно содрогнулась.

— Я думала, что делаю тебе большой подарок... целую неделю свободы... А все вот как обернулось...

— Это моя ошибка. Ведь он мой муж. Я ни разу даже не спросила себя: а что будет, если он обо всем догадается? — Стефания тоже закрыла глаза. «Он никогда не сможет понять, зачем я пошла на этот шаг, — подумала она с горечью. — Никогда не простит меня. Наш разговор станет последним. После него — конец». Вслух же она только слабым голосом проговорила: «Я не могу сказать ему этого».

— Но если я попытаюсь...

— Нет, так будет только хуже. О Боже, Сабрина, я не знаю, что делать! Если бы только мы могли... Сабрина! Почему бы нам не устроить и мне сломанную руку?!

— Устроить?..

— Надо открыться во всем Нату. Я надену гипсовую повязку, а он будет делать вид, что ухаживает за мной, как ухаживал за тобой. Никто ничего не поймет. Подмена пройдет абсолютно незаметно для всех!

— Я думала об этом. Ах, если бы ты могла видеть меня, Стефания... У меня шрам посередине лба, да что там шрам! Вся половина тела сине-зеленая от синяков и ссадин! Такое невозможно симулировать...

— О... — только послышалось в ответ с того конца провода.

Стефания зажмурилась. Ей хотелось свернуться в кресле клубочком и забыть обо всем.

— Подожди, — всхлипывая, сказала она Сабрине, положила телефонный аппарат к себе на колени и стала сильно тереть кулачками глаза, как делают дети, когда хотят сдержать плач.

«Гарт, прости меня! — умоляюще говорила она про себя. — Я не сознавала, что делаю. Я боюсь. Мне страшно от того, что может произойти».

Она опустила обреченный взгляд на телефон. Попыталась представить себе Сабрину, Гарта.

Выхода не было...

Она подняла трубку.

— Ты будешь в аэропорту?

Сабрина ответила не сразу, раздумывая над своими возможностями, которые сейчас были сильно ограничены.

— Хорошо. Конечно, буду.

— Что означает твое колебание? Ты не можешь вести машину?

— Нат говорил, что этого пока не следует делать, но в данном случае мне плевать на рекомендации Ната...

— Ладно, брось. Я приеду домой. Как быть с Пенни й Клиффом?

— У Клиффа тренировка по европейскому футболу, а Пенни может пойти к Гудманам. Я позабочусь об этом...

— Увидимся через несколько часов, — сказала Стефания и тут же повесила трубку.

Сабрина хотела еще что-то сказать, но не успела. Она закрыла лицо руками. В темноте текли ночные минуты. «Я беспокоюсь о тебе, Гарт. Прости меня. Стефания, я люблю тебя. Я хотела сделать, как лучше...»

Раздался телефонный звонок. Сабрина тут же схватила трубку.

— Стефания?

— Сабрина, я поняла, что не могу... Я не смогу этого сделать! Пожалуйста, помоги мне. Я не смогу смотреть ему в глаза, я... Я не смогу ему ничего сказать! Не смогу!

— Хорошо, — ответила Сабрина, переводя дыхание. — Я сама поговорю с ним. Утром. Как только Пенни и Клифф...

— Нет!!!

— Но как же тогда нам быть?

— Останься! Прошу тебя, останься там, Сабрина! Подожди, пока пройдет рука, разве это так трудно? Сколько времени на это уйдет? Пару недель? Ну, отвечай же!

— Нат говорил о четырех неделях, — машинально ответила Сабрина, опускаясь на подвернувшийся стул.

В голове у нее шумело, сердце неистово колотилось.

«Остаться?!. Как же я могу здесь остаться?.. У меня «Амбассадор», дом... Меня ждут мои друзья, будущее, которое я еще должна устроить. А это... это не моя жизнь...»

— Что будет через четыре недели? — прерывистым голосом спросила Стефания. Она была до крайности возбуждена.

— Еще раз сделают рентген. Если он покажет, что рука зажила, гипсовую повязку снимут. Нат обещал.

— Отлично! Тогда я и смогу вернуться. Никто ничего не заметит, Сабрина. Никто никогда не узнает... — Стефания говорила громче и увереннее, но в ее голосе слышалась отчаянная мольба. — Здесь все идет нормально.

Я даже, пожалуй, смогу заменить тебя на время в «Амбассадоре». Я уже продала французскую бисерную сумочку... Потом об этом расскажу. И у тебя должно все получиться. Обязательно, вот увидишь, я-то знаю! Просто мы будем продолжать жить так же, как жили эту неделю. Еще один месяц и все. По-моему, в этом есть смысл, Сабрина? Какой-то там месяц, а?! И останется все как было. Никого не заставим страдать.

— Подожди, — ответила Сабрина.

Головная боль донимала ее все сильней. Глаза готовы были вылезти из орбит. Она попыталась все это обдумать, насколько позволяли обстановка и время. Пожалуй, она справится. Первая неделя пролетела незаметно. Еще месяц... Срок не такой уж и большой. Кроме того, за неделю пребывания тут она не успела сделать и половины того, на что рассчитывала. Ей нравилось здесь. К тому же это предложила Стефания. Но...

— Стефания, не знаю, как я смогу прожить эти четыре недели и не... Я имею в виду Гарта.

У Стефании перехватило дыхание. Она взглянула за окно, потому что в спальне внезапно потемнело. Оказалось, это надвинулись плотные облака. Тут и там в них виднелись разрывы, сквозь которые пробивалась бледная луна.

— Он и больше, бывало, терпел, Сабрина. Месяц — это не срок. У нас уже сто раз так было, что мы не занимались любовью черт знает сколько времени.

— Стефания! Две недели в Китае. Закончилась еще одна неделя здесь. И впереди целый месяц. Всего семь недель. Семь! Ты всерьез полагаешь?..

— У тебя получится. Я знаю, ты сможешь все устроить. Для меня это так много значит. Для моей семьи.

— А потом?

— Что — потом?

— Если Гарт все-таки узнает обо всем, что ты ему скажешь? Чем больше пройдет времени, тем меньше останется у нас оправданий. Стефания, за одну неделю еще можно как-то отговориться, но что будет, если он обнаружит, что мы обманывали его больше месяца?!

Облака проплывали за окном, а тусклый лунный свет продолжал отчаянно пробиваться в комнату.

— Я потеряю семью. Но не думаю, что у меня больше шансов сохранить ее, если я расскажу все сегодня. Так что... Я умоляю тебя, Сабрина!...

Вдруг в душе Сабрины что-то кольнуло. В ее сознании медленно проплыла мысль: «У меня будет своя семья еще целый месяц!»

— Хорошо. Но мы должны обо всем договориться. Нам нужно многое обсудить. «Амбассадор», Антонио... Позвони мне позже, когда я буду одна.

— Разумеется. Не знаю, как и благодарить-то тебя... Я знаю, что это не твой стиль жизни. Тебе он кажется глупым и...

— Стефания! — раздался наверху голос Гарта.

Сабрина прикрыла ладонью трубку и быстро сказала:

— Я должна идти. Гарт проснулся. Позвони позже. Около десяти по здешнему времени.

— Хорошо, обязательно позвоню. Сабрина, спаси...

Сабрина повесила трубку и подбежала к холодильнику. В комнату вошел Гарт.

— Что-нибудь случилось? — спросил он.

— У меня разгорелся дикий аппетит. Видимо, я поправляюсь.

— Могла бы и меня разбудить.

Она улыбнулась, чтобы приглушить сквозящую в его взгляде тревогу.

— Не хотела тебя беспокоить, ты так сладко спал. Но раз уж ты проснулся... Почему бы нам не покончить с тыквенным пирогом Долорес?

— Клиффорд убьет нас поутру обоих, — со смешком сказал Гарт.

Они сели за стол в столовой, не обращая внимания на окружавшую их ночь и с аппетитом принялись есть из одной тарелки.

ГЛАВА 13

Гарт смотрел на своих студентов, которые собрались на обычные по понедельникам утренние занятия по генетике, а вместо них видел лицо спящей Стефании. Алебастровая кожа, загоревшаяся розовым румянцем во сне. Темно-каштановые волосы, разметавшиеся по белой подушке. Трепетавшие веки закрытых глаз.

Поднявшийся со своего места студент задал сложный вопрос. Против своего обыкновения Гарт ответил сухо и сжато. «Умник, — подумал он с внутренней усмешкой. — Захотел поразить профессора вопросом, вычитанным в книге. Это тебе не удалось, парень, так и знай».

Впрочем, сегодня Гарт был ко всему снисходителен. Причиной тому был тыквенный пирог, который их профессор ел с женой в три часа ночи.

Он отпустил студентов немного раньше звонка.

Гарт позвонил жене, справился о ее самочувствии, затем доделал свои сиюминутные бумажные дела. Он спешил, ибо до следующей лекции хотел успеть сходить в лабораторию. Преодолевая на лестнице по две ступеньки за один шаг, он зашел в свой кабинет. На двери красовалась новая золотистая табличка:

ГАРТ АНДЕРСЕН
доктор философии, руководитель отдела

Открывая дверь, он хотел приказать секретарше снять эту глупость, но в последний момент передумал. Она сделала это для него. В течение целого года между ними не утихали споры. Гарт упорно отказывался от этой рекламы, а секретарь доказывала, что студентам и посетителям просто необходимо знать, что он является руководителем отдела молекулярной биологии. Видимо, исчерпав в споре все аргументы, она, решив выйти из него победительницей, просто повесила табличку. Гарт пожал плечами. Возможно, тем самым она не только его возвысила в глазах окружающих, но и себя тоже. Ну как же! Секретарь руководителя отдела! Звучит! Для Гарта же это могло означать только одно: увеличение административной работы за счет уменьшения исследований в лаборатории. Так что ему радоваться было нечему.

Пройдя к себе, он первым делом позвонил домой, но линия была занята. Под телефонный аппарат была подложена записка: «Позвонить Тэду Морроу». Черт, как он мог забыть! Гарт позвонил ему и рассказал о происшедшем несчастном случае, добавив, что Стефания не могла работать эту неделю.

— И в ближайший месяц она не сможет печатать, так что, если ты пожелаешь нанять кого-нибудь другого, она поймет. Стефания просила меня так и передать тебе.

— Не стоит беспокоиться, Гарт, мы подождем, пока она поправится.

Гарт снова набрал домашний номер. Линия все еще была занята и он принялся просматривать почту. Просроченный счет за книги, не возвращенные в библиотеку. Письма от биологов из Амстердама и Стокгольма. Реклама лабораторного оборудования. Уведомление о встрече с вице-президентом по вопросу о Вивьен Гудман. Если они и дальше будут продвигаться таким же черепашьим темпом, Вивьен сможет получить к своей девятнадцатой годовщине пожизненный контракт. На дне коробки лежал авиационный билет в Сан-Франциско, куда он намеревался поехать на недельку на научную конференцию генетиков. Билет был помечен шестым октября. Осталось две недели. Вот и еще одно дело, о котором он начисто забыл. Он снова позвонил Стефании. Занято. Видимо, ей весь город сейчас звонит, чтобы узнать, как она себя чувствует.

Гарт взглянул на программу конференции. Почему бы ему в самом деле не съездить в Калифорнию? Ничто не должно помешать. Ведь через две недели Стефания уже поправится и вполне обойдется без его постоянного присутствия. Пока же ему не следует никуда отлучаться. Она вроде говорила, что рука уже почти не болит в гипсе... И все же. Мало ли что?

Гарт взял трубку и вновь набрал домашний номер. Все еще занято. И в этот момент ему пришло в голову, что тут что-то не так. Он посмотрел на часы. Времени вполне хватало на то, чтобы заскочить домой и успеть вернуться к часу тридцати на занятия.

Он нашел Стефанию в столовой. Она разговаривала с кем-то по телефону.

— Я позвоню тебе, если будет нужно, — говорила она. — И ты звони в любое время. Слышишь? В любое время. Ну, ладно... Главное мы обговорили.

Вдруг ее спина напряглась. Гарту это движение напомнило поведение белок у них на заднем дворе, которые всегда замирают, прежде чем унестись прочь, когда чувствуют, что к ним кто-то подкрадывается. Он прошел в комнату и положил руку жене на плечо. Кончиками пальцев он почувствовал, как сжались ее мышцы.

— Я не мог дозвониться, — небрежно проговорил он. — Забеспокоился.

— ...если появится что-нибудь новое, мы поговорим, — произнесла она, заканчивая свой разговор таким спокойным тоном, как будто Гарта не было в доме. — Береги себя, а обо мне не волнуйся. Все будет в порядке.

Она повесила трубку и медленно повернулась на стуле лицом к мужу. Длинные ресницы были опущены на глаза.

— Прости, я не думала, что ты в это время можешь звонить сюда.

— Тебе не приходило в голову, что я могу беспокоиться? — с едкостью в голосе поинтересовался он, затем помолчал и уже другим тоном проговорил: — Ладно. С кем ты сейчас говорила?

— С сестрой.

— Все утро? Она что, приглашает тебя в Лондон долечиваться?

— Нет, Сабрина...

— В таком случае она, конечно, посылает сюда свою служанку, чтобы та ухаживала за тобой.

— Нет, это уже сделала Долорес.

— Как? — не понял Гарт.

— Долорес посылает к нам Хуаниту, свою горничную. На пару дней. Все уже оплачено. Почему ты так зол на Сабрину?

— При чем тут злость? Не принимай мои слова близко к сердцу. Разумеется, тебе хотелось поболтать с ней после всего, что с тобой произошло. Я понимаю. Тебе стало лучше после этого звонка? Лучше?

— Да. Ты что, прогуливаешь свои занятия?

— Уважающий себя профессор никогда не позволит себе прогуливать занятия. Он может быть отозван по срочному делу. Например, игра в гольф. Визит к дантисту. Любовное свидание. Или вызов к жене, которой требуется его помощь. А Долорес... Она что, правда, присылает к нам свою служанку? И как я сам не догадался попросить ее об этом!

— С твоей стороны было бы как-то неудобно...

— Я мог бы похитить Хуаниту и принести ее к тебе в коробке, перевязанной розовой ленточкой. Когда она придет?

— Завтра.

— Ну, а чем я могу помочь тебе сегодня? В бакалею сходить?

Сабрина рассмеялась и открыла дверцу холодильника.

— Загляни.

Все полки были завалены едой.

— Это от Долорес, Линды и от десятка других добрых самаритян. Даже жена Тэда Морроу не осталась в стороне. И как это известия распространяются у нас так быстро?

— Маленький городок-то. — Он стал перебирать продукты в холодильнике, нюхать их, открывая крышки банок и коробок, щупать пакеты. — Салат из семги, сыр «чеддер», маслины. Неужели никто не догадался принести хлеба? Ага, вот он. И масло, оказывается, есть! А ну-ка, садись за стол и смотри, как я буду тебя обслуживать. А потом тебе нужно будет отдохнуть, ты совсем бледненькая.

— Хорошо.

Гарт наполнил большие деревянные блюда едой, расставил тарелки и разложил столовые приборы.

— Кстати, что «главное» вы обсуждали с сестрой?

С отсутствующим видом, поглаживая здоровой рукой твердый гипсовый каркас, Сабрина смотрела, как Гарт наполняет ее тарелку.

— Да так... кое-какие проблемы. Это касается «Амбассадора». Похоже, мы продали в небольшие коллекции фарфоровые подделки...

— Почему «мы»? — удивился Гарт.

— Ну, ладно, не придирайся к словам. Сабрина хочет провести экспертизу, вот мы и думали вместе...

— Выходит, она купила вещицу, продала ее покупателю, и только потом вдруг как-то обнаружила, что вещица фальшивая?

Она коротко взглянула на него.

— Да. Кстати, чтобы ты посоветовал ей предпринять в подобной ситуации?

— Сказать покупателю правду и принять у него подделку обратно, вернув деньги. Причем как можно скорее. Чем дольше она будет тянуть, тем труднее будет потом. Когда история всплывет, попробуй докажи, что ты никого не хотела обманывать...

Сабрина поджала нижнюю губу.

— Ты прав. А неплохая семга, да? Положи мне еще, если там осталось.

«Вот уже второй раз она пытается отвлечь мое внимание от своей сестры», — подумал Гарт.

Обычно его жена смаковала любую подробность лондонской жизни Сабрины, которая представлялась ей волшебной сказкой. Во время таких разговоров перед Гартом раскрывалось все богатое воображение его женушки. Теперь же она упорно старалась не говорить о Лондоне и вместо этого увлеченно рассказывала о женщинах, посещавших в то утро их дом с визитами сочувствия.

— ...Не пробыла здесь Вивьен и десяти минут, как Долорес сразу надулась, стала похожей на пеликана, и мне даже показалось, что у нее с каждой секундой стала удлиняться шея. Вивьен, понятно, была в диком смущении, не знала куда руки девать. Она ничего не могла делать, только рассказывала о людях, которых Долорес не знает. Как только она ушла, Долорес совершенно переменилась. Стала строгой, но любящей матроной. Удивительна все-таки ее способность воздвигать перед собой непреодолимые барьеры, когда ее смущает чье-либо общество.

— А кто еще здесь был?

— Линда. Принесла какую-то итальянскую запеканку. Вся круглая, розовая. Они были обе так похожи, что я не могла их различить. Только Линда пузырилась слухами, а не помидорами, как ее запеканка. Это-то и помогло мне определить, кто из них кто.

Гарт убирал со стола и слушал рассказы жены, то и дело срываясь на веселый смех. Это надо же, представить Долорес пеликаном, а Линду пузырящейся итальянской запеканкой! И метко-то как! Он не мог вспомнить, когда Стефания в последний раз так острила. Она нашла для описания своих подруг совершенно новые характеристики. Едкие, но не злые. И вообще, в это утро она казалась преображенной. Более живой что ли. Бодрой. И сегодня она была красивее, чем обычно. Впрочем, не она ли столько раз упрекала его за то, что он не смотрит на нее внимательно? Господи, как же они за последнее время отдалились друг от друга! Стали ведь совсем-совсем чужими...

Ему вдруг пришло в голову, что она специально затеяла все это представление, пытаясь развлечь, развеселить его, отвлечь его внимание от чего-то. От чего? От ее телефонного разговора с сестрой? А может, есть еще что-нибудь, что она хочет скрыть от него? Может, у нее появились какие-то новые мысли о себе, о нем, об их семейной жизни? Мысли, заставляющие ее напрягаться при его приближении, мысли, которые будоражили и беспокоили ее, пугали, делали ее поведение непредсказуемым...

«Еще несколько дней,» — сказала она на обеде у Голднеров. А потом произошел несчастный случай. Ну что ж, он готов был ждать момента, который покажется ей благоприятным для того, чтобы начать серьезный разговор... А пока она всячески пыталась сломать свой же прежний образ жизни. Ввела новую моду: перед обедом обязательно выпивать стакан вина. С недавних пор она вдруг стала проявлять интерес к судьбе Вивьен, к университету... Даже бифштекс она стала готовить по-другому.

Он наклонился, чтобы поцеловать ее в лоб.

— Иди поспи. Сегодня вечером тебе потребуется много сил: Пенни и Клифф настаивают на том, чтобы им дали разрешение самим приготовить ужин.

Она встревоженно посмотрела на него.

— Разве они не могут просто подогреть запеканку?

— Я им это обязательно порекомендую. Позвони мне, если тебе что-нибудь понадобится.

— Когда ты вернешься домой?

— Как только смогу выбраться. Надеюсь, что все закончу к четырем или к половине пятого...

Весь остаток дня и пару следующих, встречаясь со студентами-выпускниками, составляя график своей работы в качестве лектора и помогая по дому, Гарт думал о жене. Никогда за все последние годы он не вспоминал о ней так часто. Впрочем, правдой было и то, что никогда за все последние годы она так не удивляла его. Однажды Гарт обнаружил, что по вечерам стал спешить домой. А когда его взгляд находил Стефанию, он долго не мог отвести его в сторону. Обычно она чувствовала его взгляды и поворачивалась к нему. Тогда он просто спрашивал, как она себя чувствует.

— Лучше. Гораздо лучше, — несколько нетерпеливо ответила Стефания, когда они в среду сидели за ужином. — Я чувствую себя неловко, привлекая к своей персоне так много внимания. Ты лучше взгляни на ростбиф. Не правда ли, он восхитителен? Кстати, кто из наших многочисленных благодетелей приготовил его?

— Сегодня днем его принесла ко мне в кабинет Вивьен. Она сказала, что разговаривала с тобой утром.

— Да, мы немного поболтали и назначили совместный завтрак на следующей неделе. Кстати, она принесла новый номер «Ньюсуика». Почему ты не говорил нам, что тебя напечатают?

— Господи, всего-то несколько абзацев в огромной статье.

— Папа в «Ньюсуике»?! — заорал Клифф. — Где?

Он вскочил со стула.

— В гостиной, — крикнула ему вслед Сабрина. — Даже пусть несколько абзацев, — укоряюще сказала она, вновь обращаясь к Гарту. — Зато они самые главные. Я прочитала... Просто невероятно!

Он с изумлением посмотрел на нее.

— Ты прочитала всю статью?!

— Разумеется. Ведь тебя напечатали. Даже фотографию поместили.

Клифф вернулся в столовую, держа в руках номер журнала, открытый на той странице, где была помещена фотография трех ученых-исследователей в области генетики: блондинка из Гарвардского университета, седовласый профессор из Англии и Гарт. Гарт был снят в рубашке с короткими рукавами в своей лаборатории.

— Такой серьезный, — шутливо нахмурилась Сабрина, изображая выражение лица Гарта на фотографии. — Как будто собрался отчислить за неуспеваемость весь университет вместе с преподавательским составом.

Пенни и Клифф прыснули.

— О чем там написано, пап? — спросил Гарта сын.

— Прочти и узнаешь. Это не очень сложно.

— О'кей, но... о чем все-таки *написано-то?*

Гарт забрал журнал из рук Клиффа и быстро пробежал глазами статью. Пока он это делал, Сабрина внимательно разглядывала его лицо. Еще давно у нее почему-то сложилось о нем нелестное впечатление: Гарт казался ей сварливым и скучным. Теперь же она любовалась им. Прочитав статью, в которой говорилось, что он является одним из ведущих специалистов в мире в области исследований по генетике и, смутно осознав, что он окружен чудесным миром научных открытий и сам принимает в них активное участие, Гарт вдруг предстал перед ней неким инопланетянином. Загадочным и всемогущим, которому подвластны такие вещи, о которых она и мечтать не смеет. «Мы совсем чужие друг другу», — подумала она с грустью. Ей вдруг показалось, — она сама не могла понять почему, — что она просто должна сблизиться с ним, что это имеет для нее огромное значение.

— В самом деле, расскажи нам, — предложила она. — Читать трудновато. Создается впечатление, что это страшная тайна, имеющая много разных уровней, на каждом из которых необходимо искать новый ключ к разгадке.

— Красиво сказано, — сказал Гарт с улыбкой. Сабрина улыбнулась в ответ. — Даже не знаю... Последний раз, когда тебе было интересно слушать про мою работу, был так давно, что... — Ее улыбка погасла, но Гарт не заметил этого: он наливал всем кофе.

Затем он оглядел всех, нахмурился, как бы что-то обдумывая, и стал рассказывать.

Когда Гарт начинал преподавательскую деятельность, ученым в области генетики было мало что известно о предмете их науки. Хотя к тому времени уже была раскрыта структура ДНК, то, для чего она предназначена и как работает. Шестидесятые годы принесли ряд блестящих открытий в области генетики, и случилось так, что Гарт оказался в самом центре событий. Он отличался спокойствием и методичностью в исследованиях, осторожностью и тщательностью в проведении опытов. В его опубликованных статьях содержались идеи, которые могли обеспечить серьезные прорывы вперед в избранной им науке. Результатом этого стало приглашение Гарта участвовать в месячном международном семинаре, который проводился в Беркли. Это было перед поездкой Стефании в Китай. Участие в семинаре помогло Гарту попасть в тот мир науки, куда допускались только мировые имена и ведущие специалисты.

Они уже научились способу дробления молекулы ДНК, которая имела длину десять тысячных дюйма. Они знали, как заменить недостающую или поврежденную часть молекулы, вращивая здоровую часть от другой ДНК. «Генетическое вращивание», «генная инженерия», «рекомбинантные ДНК» — это были скучные и сухие словосочетания. Однако, когда их произносил Гарт, голос его повышался, в нем звучало волнение и желание показать членам семьи всю магию своего дела.

И семья слушала отца и мужа, полностью поглощенная его рассказом, стараясь понять каждое его слово. Гарт обвел их внимательным взглядом, и кровь закипела у него в жилах. Он почувствовал в себе бьющую потоком энергию и силу. Казалось, он готов бы взлететь от счастья. Ему было наплевать на весь мир, который вдруг потерял для него всякое значение, стал несущественным, второстепенным. Только сейчас он понял, как был жестоко обделен вниманием к своим научным поискам со стороны самых близких ему людей.

Гарт осторожно положил свою руку на больную руку жены и улыбнулся. В его взгляде была благодарность за все, что она для него сейчас сделала. Стефания, наверно, и не догадывалась о том, что пять минут назад она возродила к жизни своего мужа.

Он вернулся к своему рассказу, сделав краткий обзор того, что творилось в эти месяцы в ведущих генных лабораториях всего мира, припомнил темы конференций, на которых присутствовал, вопросы, разбиравшиеся на семинарах с его участием.

Основной задачей, которую ставили перед собой все без исключения исследователи, было получение наиболее полной информации о заболеваниях, связанных с искажением генетического кода человека. При гемофилии, например, в структуре ДНК отсутствует или ослаблен механизм формирования веществ, свертывающих кровь. Ученые планировали изолировать клетку с поврежденной ДНК и нормальную клетку от здорового человека. Затем нужно было перенести часть здоровой клетки, в которой заложен этот механизм, в клетку с поврежденной ДНК, срастить их вместе и вывести целую культуру подобных клеток, добиваясь такого количества, которого было бы достаточно для того, чтобы после их введения в больной организм заболевание в нем прекратилось. В результате человек полностью излечивался бы и ему уже не грозила смерть от потери крови при малейшем порезе.

Одновременно Гарт и его коллеги создавали вакцины против болезней. Они хотели вычленить из клетки те гены, которые ведают формированием антител против той или иной болезни, затем срастить эти гены с бактерией, создать культуру подобных бактерий, имеющих способность размножаться с потрясающей скоростью и тем самым создать целую «фабрику» по производству необходимых антител. А потом можно было бы легко использовать бактерии с этими антителами для борьбы с разными заболеваниями. Например, как интерферон, которому прочили будущее избавителя людей от вирусных инфекций и рака.

Или, предположим, можно было срастить бактерию с генами, формирующими гормоны. Затем — тот же процесс: вывести культуру бактерий, отделить гормоны и применять их для успешного и радикального лечения множества заболеваний. Таким образом, например, был получен инсулин для борьбы с сахарным диабетом.

Сабрина была поражена услышанным.

— Я не знала, что гемофилию и диабет уже можно излечивать.

— Пока нельзя. Я рассказал вам о наших планах,

о том, что будет достигнуто в скором времени. Пока же остаются вопросы, на которые нам еще только предстоит дать ответ.

Сабрина подняла глаза на Гарта. Его взгляд был пронзительным и горящим. «Он смотрит далеко в будущее, — подумала она. — И впереди у него — неограниченные горизонты. Удивительный человек!»

— Не так уж это и легко, — сказала она вслух, — каждый день возвращаться домой, где нужно подстричь газон и порой заменить прокладки в протекающем кране, когда мысли заняты проблемой расчленения ДНК и изменением форм жизни.

Он устремил на нее взволнованный взгляд.

— Спасибо... — сухо проговорил он, стараясь скрыть волновавшие его чувства. — Ты даже не представляешь, как много это для меня значит. Твои слова... — Наступила пауза. Гарт обвел взглядом всю семью. — Ладно, наука наукой, а тарелки-то еще не вымыты!

— Мы же тебя слушали! — обидчиво воскликнул Клифф.— Нельзя же делать сразу два дела!

— Значит, ты не хочешь вымыть посуду?

— Ты знаешь, как я устал.

— Ну, хорошо, оставим на утро. Пенни тебе поможет. А теперь уже поздно, вам обоим давно полагается лежать в кроватях.

«Действительно, уже поздно», — подумал он и откинулся на спинку стула, блаженно прикрыв глаза.

Когда они последний раз вот так все собирались поболтать за семейным столом? Он уже и не помнил. Но сколько сил Гарт положил на то, чтобы это наконец случилось. И вот, все прошло как бы само собой, случайно... Он взглянул на жену и улыбнулся. Это ее надо благодарить.

— Теперь тебе все ясно?

— Я бы хотела еще что-нибудь почитать на эту тему. Страшно интересно.

— Волнующе, — согласился он.

Его и правда всегда волновало то, что он способен делать в своей науке ощутимые прорывы вперед, вселять надежду в людей, которые уже давно ее потеряли... Однако сейчас его волновало больше всего то, что Стефания прочитала статью, разговорила его за столом, попыталась понять его... Только сейчас Гарт понял, что в последнее время совсем забыл о своей семье, жене, детях. Но после этого ужина он уже не мог представить себе, как такое могло случиться.

Гарт подошел к ее стулу. Встав за спиной Сабрины, он положил руки на ее плечи, потом опустил их ниже и накрыл ими ее груди. Наклонившись, он поцеловал ее волосы, закинул назад выбившуюся прядь.

— Знаешь...

— Нет! — вдруг резко выкрикнула она, скинула с себя его руки и, вскочив со стула, быстро отошла к другому концу стола.

Она сильно побледнела, глаза ее горели жарким огнем, но лицо застыло, губы поджались.

— Не сейчас... Не надо... Мне еще...

Гарт был ошарашен. В нем тут же поднялась ярость. Его дразнили весь вечер, а под конец оттолкнули! Оказывается, все что было, являлось всего лишь очередным капризом жены!

Он резко развернулся и направился к входной двери, чтобы уйти. Его задержал ее голос:

— Прости меня. Прости...— Ее голос дрожал. Он обернулся: она не смотрела на него, потупив взор.— Мне... Мне стало больно... Мои шрамы... Я думала, ты понимаешь, сколько неприятностей они мне причиняют.

— Чепуха! — выкрикнул он, стоя в дверях. — Оказывается, не только Долорес умеет воздвигать перед собой барьеры, когда ситуация принимает нежелательный оборот! Она могла бы брать уроки у тебя! — Голос его звенел, как натянутая струна. — Не волнуйся: я тебя больше не побеспокою! Насилие не доставляет мне радости. И не возбуждает. Да и ты не возбуждайся понапрасну!

С этими словами Гарт выскочил из дома, сильно хлопнув за собой дверью. Взглянув в окно, Сабрина увидела, что он быстрыми шагами удаляется в сторону озера.

Гарт, тяжело дыша, вслух ругал свою жену и себя самого за то, что позволил ей так легко обвести себя вокруг пальца. Какого черта ей от него надо? Если она не хочет его, почему не скажет об этом прямо?

Он долго ходил в сумерках по берегу и вернулся в дом, когда все уже спали. Свет горел в гостиной и на кухне. Кто-то оставил ему на столе поздний ужин. Он не притронулся к еде, а сразу прошел в кабинет. Гнев все еще мучил его. Он лег на диван, не разложив его и не постелив белья.

Гнев его был так силен, что не прошел и к утру, когда Гарт проснулся. Он встал раньше всех в доме и тут же, не позавтракав, ушел в студгородок. Там он рассчитывал забежать в студенческий кафетерий.

— Тебе нужен теннис, — сказал Нат Голднер, пытаясь вывести приятеля из мрачного расположения духа.— То, что заставляет тебя корчить такие страшные рожи, может быть изгнано из сознания только двумя способами: необходимо либо треснуть по мячу, либо по лицу оппонента. Предлагаю себя. Не в качестве оппонента, в качестве партнера по партии в теннис. Что скажешь? Может, просто хочешь выговориться?

— Уволь. Лучше сыграем. Хорошая мысль.

Они играли не на очки, поэтому долго не разыгрывали мячи и не осторожничали. После часа бешеных физических упражнения с ракеткой в руке Гарт почувствовал, что напряжение начинает отпускать его. Нат не мог на него наглядеться.

— Здорово! Отличная игра! Представь, что было бы, если бы я был хоть вполовину зол как ты! У тебя еще осталось время на второй завтрак?

— Столько времени, что девать его, проклятое, некуда. Но к десяти мне надо быть в лаборатории.

Они отправились в «Факультетский клуб», старенький каркасный домик, находившийся неподалеку от студгородка. Сели в нише с окном, выходившим на озеро. На горизонте было видно грузовое судно, глубоко осевшее в воду.

— Полные трюмы, — прокомментировал Нат увиденное и тут же атаковал свою яичницу. — Уголь везет на зиму. Трудно в такой день представить себе, что на свете бывают зимы. Как Стефания?

Гарт намазывал масло на свой ржаной тост.

— О, она в полном порядке!

— Ни болей, ни мигрени?

Гарт поднял на него глаза.

— Странно слышать такое старомодное словечко от современного врача.

— Мне оно нравится. Как еще я могу описать одним словом подавленность и раздражение пациента плюс неустойчивость его поведения?

— И все это из-за сломанной руки?

— Из-за травмы и шока. Стефания рассказывала тебе о служанке, которую послала к вам в дом Долорес?

— Только то, что она хорошо потрудилась... Когда же это было? Позавчера. Во вторник. Это было очень любезно со стороны Долорес. Она что, хотела что-то передать мне?

— Согласно словам Долорес, которая цитировала Хуаниту, она хотела только сказать: «Эта леди определенно знает, что ей нужно. Она отдает распоряжения с королевской легкостью и непринужденностью».

— Это Стефания-то?! Чепуха! Она всегда чувствует себя не в своей тарелке, когда приходится кем-нибудь командовать.

— Я всего лишь цитирую Долорес.

— Которая в свою очередь цитирует Хуаниту. Которая, возможно, здорово преувеличивает.

— Расслабься, Гарт, никто не нападает на твою Стефанию.

— Что еще достойная доверия Хуанита просила передать через Долорес?

— То, что Стефания обедала во внутреннем дворике, а Хуаниту оставила на кухне.

— Ну и что?

— У нас здесь женщины всегда едят за одним столом со своими служанками. Так принято. Я сам этого не видел, но ведь меня никогда не бывает дома.

— Почему они должны непременно есть вместе?

— Откуда я знаю? Наверное, это делается для того, чтобы не обидеть служанок. Или чтобы показать, как они их любят, как им доверяют. Не знаю... Во всяком случае, Стефания повела себя иначе.

— Она не привыкла к Хуаните. У Стефании никогда не было слуг.

— О'кей. Я же говорю тебе, никто на твою женушку не нападает. Но, являясь ее лечащим врачом, я должен знать о ней как можно больше. Особенно, если она немного не в себе. У нее произошло сотрясение мозга, Гарт. Она очень напугана. Порой страх укрепляется в сознании людей. Пациенты начинают думать, что их травма неизлечима, а доктора только и делают, что врут им в лицо, проводя одновременно тайные беседы с их родственниками. Эти страхи и настороженность заставляют людей вести себя неестественно, непредсказуемо, у них часто появляется раздражение на окружающих и прочее в том же роде. Если наступает такой сложный период, мы, врачи, обязательно должны знать об этом, чтобы вовремя оказать необходимую помощь. Ну, как у нее дела?

Гарт оставил тост недоеденным и стал наливать вторую чашку кофе.

— Кажется, нормально... Говорит, что шрамы болят. Вот и все, пожалуй.

Нат вздохнул.

— Если так будет продолжаться и дальше, то боли скоро оставят ее и она окончательно поправится.

Гарт кивнул.

— Если я понадоблюсь тебе, ты знаешь, как меня найти, — добавил Нат.

— Ты именно тот человек, Нат, к которому я всегда приду, когда мне потребуется помощь или поддержка. Я очень ценю твою проницательность, острый глаз и честность. И еще я очень ценю нашу дружбу. И, разумеется, теннис. Кстати, когда у наших ребят очередная игра в футбол? Я хотел спросить сегодня утром Клиффа, да забыл.

— Завтра. А в следующий вторник заканчивается сезон. Мне не нравится, как с ними обращается тренер, но мы, увы, не можем его заменить...

Болтая о своих сыновьях и футболе, они закончили пить кофе и вышли на воздух. Гарт был уверен, что они выглядят как два уважаемых профессора, у которых идеальные семьи, безукоризненные репутации, у которых нет таких проблем, каких нельзя было бы решить партией в теннис или дружеским разговором за чашечкой дымящегося кофе.

Он взглянул на свое отражение в стеклянной двери лаборатории. «Такой ли я человек? — спросил он себя.— Такая ли у меня семья? Как я могу быть спокойным, если не понимаю свою жену? Похоже, она сейчас терзается мыслью: разводиться со мной или еще подождать? Что с нами происходит? Мы меняемся, но в какую сторону? Неужели мы становимся друг другу совершенно чужими?..»

Клифф всячески оттягивал возвращение домой. Если Пенни заявится первой, она, возможно, помоет тарелки, которые остались от завтрака. Он очень хотел, чтобы мама поскорее сняла свой гипс и возвратилась ко всем домашним делам, которые выполняла раньше...

Впрочем, у Клиффа было странное чувство. Ему казалось, что мама уже не будет все делать в доме так, как делала еще недавно. Или будет, но совсем не так. Клифф и Пенни теперь не могли сказать точно, что она будет делать, а что нет. И забудет ли она то, что обычно забывала?

Теперь она уже не бесилась, как это бывало раньше. И вообще она уделяла Клиффу и Пенни не так много внимания, как еще месяц назад. Дети не могли понять, в чем тут дело. Видимо, в сломанной руке. Это являлось единственным объяснением. А, может, и что-то другое... Кто знает?

По крайней мере, мама уже вновь начала готовить еду, правда, пока лишь с помощью папы. Но это была уже серьезная заявка на то, что вскоре она сможет вернуться и к другим домашним делам. А пока Клиффу приходилось много работать по дому после занятий в школе и футбольных тренировок. Он считал это несправедливым. Надо поговорить об этом с мамой. На днях у них уже был небольшой разговор и Клиффа приятно удивило то, что к нему обращаются как ко взрослому.

— Мам! — крикнул он, захлопнув за собой входную дверь и вываливая учебники на диван в гостиной.

Он нашел мать на кухне, сидящей рядом с Пенни.

— У нас разговор! — сказала Пенни.

— Ты не вымыла посуду, — глядя в сторону раковины и морщась, проговорил Клифф.

— Сегодня твоя очередь.

— Я хочу поговорить с мамой.

— Но сейчас я разговариваю с ней!

— Мам... — начал было Клифф.

— Я могу составить график приема посетителей, — предложила Сабрина.

Клифф был смущен: он ожидал выговора за пререкания с сестрой. Но мама на этот раз почему-то не возмутилась. Наоборот, кажется ей, было приятно, что она нарасхват.

— Клифф, как насчет того, чтобы взять еду, молоко и поесть во дворике? Через несколько минут я освобожусь.

Пенни молчала, пока Клифф забирал продукты и молоко. Прихватив напоследок коробку с солеными хлебцами, он скрылся за дверью. Тогда девочка вновь повернулась к Сабрине.

— Так вот... Когда они ведут свои разговоры, я чувствую себя какой-то дурой и... меня пугает...

— Что тебя пугает? — спросила Сабрина.

— То, о чем они болтают. На переменах. Ну, ты понимаешь меня.

— Не совсем. О чем они болтают?

— Ну, это... Ну, ты знаешь... О том, как трахаться там, лапаться, мастурбировать и прочее...

— Пенни!

Она покачала головой и опустила глаза.

— Ну, вот! Я так и знала, что ты взбесишься. Нет, правы те, кто говорит, что с матерью ни о чем не договоришься, но мне больше не с кем посоветоваться, пойми! Барбара? Да она знает об этом не больше моего! А если спросить *учителя*... Нет, я не могу. Если кто-нибудь узнает, я помру!

Сабрина согласно кивала головой, будто что-то вспоминая. К учителю действительно никто за этим не ходит. Через полчаса все станет известно всему классу. А с девчонками тоже об этом не поговоришь: поднимут на смех из-за твоего невежества. Но неужели Пенни нельзя подождать с этой проблемой какой-то месяц? Уже даже меньше. Вот вернется из Лондона Стефания... В конце концов, это материнская обязанность. Сабрина, взглянув на лицо Пенни, увидела на нем выражение страшного смущения, неловкости и тревоги и поняла, что не может вот так просто отказать в совете.

— Погоди... — Сабрина прошла к раковине, чтобы налить стакан воды тем самым выиграть немного времени.

«Что я знаю о современных девчонках? Когда мы были в возрасте Пенни, нас волновали совершенно иные проблемы. Мы и не знали ничего такого. Как так вышло, что одиннадцатилетняя девочка уже вовсю рассуждает о том, как трахаться или как мастурбировать? Почему бы ей вместо этого не подумать о мороженом или об уроках плавания?»

Сабрина вернулась к дивану.

— Пенни, неужели у вас нет уроков здоровья или еще чего-нибудь в этом роде, где вам рассказывают о строении тела и о том, как человек взрослеет?

— Да есть у нас сексуальное образование, но это все чепуха. Пустая болтовня о сперме, яичниках, менструациях и венерических болезнях... Все это давно известно. Чепуха, я не это имела в виду.

Сабрина изумленно посмотрела на Пенни.

— А что ты имела в виду?

— Я не хочу этим заниматься.

«В шестом-то классе?!»

— Разумеется, тебе не нужно этим заниматься! А кто тебя заставляет? Никто не вступает в половые отношения в твоем возрасте.

— Да, но когда они ведут эти разговоры... О том, что мальчишкам больше всего нравится... И как здорово обниматься с ними... Я чувствую себя последней дурой. Я не хочу! Может, со мной что-то не так? *Не хочу и все!* Никогда! Как представлю, так в дрожь бросает... Как подумаю о том, что ребята будут трогать меня там и тыкать в меня свои пенисы!.. Но когда я говорю это, девчонки смеются...

— Какие девчонки? — спросила Сабрина.

— Да из моего класса. У них уже начались менструации и они все поголовно носят лифчики, а ты мне еще не купила ни одного...

— Да, но Пенни... — растерянно проговорила Сабрина, автоматически бросив взгляд на плоскую грудь девочки.

— Я знаю, но в раздевалке я чувствую себя сопливкой! И все вокруг меня только и делают, что шепчутся, хихикают и болтают разные гадости...

Сабрина потрясенно слушала нехитрый рассказ Пенни и перед ней постепенно раскрывался образ поколения, о котором она не имела ни малейшего представления. В одиннадцать она и Стефания мнили себя бесстрашными девчонками, ибо к тому времени уже убегали от шофера. Но что нового может предложить взрослая жизнь этим девочкам, если они обо всем знают уже в школьном возрасте?! Или, может быть, к сорока годам они вернутся к детским «играм»?

Она вздохнула. Ей было не до шуток. Пенни была дико смущена, чувствуя себя угнетенной, и ожидала помощи от матери.

— Понимаешь, — продолжала Пенни, — мне плевать, что они делают и о чем они болтают. Если им это нравится — о'кей. Но мне-то больше нравится другое. Рисовать эскизы или шить костюмы для кукол, ну, ты знаешь... Так вот я и спрашиваю: может, со мной что-то не так? Может, я ненормальная?

— Нет, — спокойно и твердо ответила Сабрина.— Ты самая нормальная из всех своих одноклассниц.

— Правда? Нормальная? А то, что я тебе говорила?

— Это... естественно. Когда повзрослеешь, ты изменишь свое мнение о половых отношениях между мужчиной и женщиной.

— Ты имеешь в виду траханье?

— Да, можно употребить и это слово. Но я не хочу им пользоваться. И скажу почему. Ты никогда не слышала, что половые сношения еще называются любовью?

— Конечно. Это всякий знает.

— В самом деле? Но некоторые предпочитают называть это траханьем. Как ты думаешь, почему так происходит?

— Не знаю... Наверное, это слово им просто больше по душе.

— Пенни, как ты думаешь, почему половые сношения называются любовью?

— Потому что... Ты любишь кого-нибудь и занимаешься с ним...

— А если не любишь, но занимаешься?

Пенни нахмурила лобик, потом пожала плечами.

— Понимаешь, можно устраивать многочисленные сексуальные эксперименты. И если тебе повезло и ты делаешь все правильно, тебе очень приятно. Ты можешь заниматься этим со множеством ребят и множество раз и каждый раз тебе будет все приятнее и приятнее. Все равно, как чесать ранку или есть жареный бифштекс после суточного голодания. Остановиться очень трудно. Тогда это называется траханьем. Но бывает так, что ты с помощью секса хочешь передать всю глубину своих чувств, испытываемых по отношению к какому-то парню. Тогда это называется любовью.

Она взглянула за окно, где цвели поздние розы.

— Половая близость, половая любовь — это одно из самых сильных средств, с помощью которых ты можешь показать кому-нибудь, что ты так его любишь, что хочешь стать частью его. Есть много способов дать понять, как тебе *нравится* тот или иной парень: вы ведете друг с другом бесконечные разговоры, обмениваетесь интимными шутками, кидаете друг на друга украдкой взгляды из разных концов комнаты на дружеской вечеринке, проводите вместе свободное время. Но половая близость — нечто большее, качественно иное. Это единственный способ сблизиться с любимым физически так же, как ты можешь сблизиться с ним духовно.

Сабрина переплела свои пальцы с пальцами Пенни.

— Примерно так. Все сплетено. И мысли, и тела. И тогда ты понимаешь, что это любовь. По-моему, твои одноклассницы не имеют об этом никакого понятия. А может, им уже на это наплевать.

Пенни взглянула на их скрещенные вместе руки и покачала головой.

— Знаешь, Пенни... Тебе нужно подождать. Пусть остальные делают, что им нравится. Не позволяй себе подражать им только из страха, что они будут смеяться над тобой. Не превращай любовь в траханье. Не превращай это таинство в обычное действие, как рукопожатие, например. Жди появления в твоей жизни того, кто покажется тебе настолько особенным и милым, дорогим, что ты захочешь выразить ему свои чувства таким способом. Половая близость — не рукопожатие и не спорт после школы. Половая близость — сложный язык, Пенни. На этом языке говорит твое тело. Оно сообщает возлюбленному: «Я люблю тебя». Жди своего часа. Жди того, кому ты захочешь признаться в любви глазами, губами и всем телом.

Встретившись глазами с взглядом Пенни, в котором застыли восторг и изумление, Сабрина услышала эхо своих слов. И тут что-то надломилось в ней. Она почувствовала себя опустошенной и подавленной.

«Я не следовала в жизни своим же собственным советам. Я жалею...»

— Но если секс прекрасен, почему вы с папой почти никогда им не занимаетесь?

Наступила пауза. Со двора доносились ритмичные удары мяча о стенку: Клифф тренировался.

— Почему ты так решила? — спросила наконец Сабрина.

— Да он почти никогда не спит вместе с тобой. С некоторых пор. Это означает, что вы больше не любите друг друга?

— Нет, — быстро ответила Сабрина, не в силах видеть тревогу на личике Пенни. — Взрослые испытывают друг к другу сложные чувства, которые трудно объяснить одним словом. Они могут любить друг друга и тем не менее, не иметь какое-то время половых отношений... Ну, это что-то вроде отпуска, который они берут, чтобы отдохнуть друг от друга и разобраться в себе. Человеку необходимо иногда уединиться.

— Поэтому ты уехала в Китай?

— Это была одна из причин.

— А знаешь, у нас много ребят в школе, у которых родители разведены.

— Мы же не разведены! — тут же ответила Сабрина и укорила себя за излишнюю горячность, которая могла вызвать подозрения у дочери. Затем добавила спокойнее: — Мы не собираемся этого делать, Пенни.

— А когда ты уехала в Китай, мы с Клиффом думали, что этого как раз и следует ожидать. Ты уехала, а папа остался. Он очень горевал.

Сабрина от полноты чувств обняла Пенни за голову и прижала ее к своей груди.

— Я люблю тебя, мамочка. Не уезжай больше.

Сабрина поцеловала ее в голову... Волосы у Пенни были темные и вьющиеся, как у Гарта... Сабрину захлестнула волна такой любви, о которой она даже и не подозревала.

«Не бойся, Пенни, я не дам тебя в обиду».

— Я тоже люблю тебя, девочка, — вслух сказала она.

Клифф, видимо, совсем потерял контроль над собой и колотил мячом о стену, что было мочи. При каждом его ударе Пенни и Сабрина непроизвольно вздрагивали.

Наконец пытка окончилась.

— Эй! — крикнул он, просовывая голову в дверь.— Ну, вы закончили?

«Мне нужно взять пятиминутный тайм-аут», — подумала Сабрина. Но она понимала, что Клиффа это не устроит.

— Да. Заходи.

— Я могу остаться? — спросила Пенни.

Сабрина вопросительно взглянула на Клиффа.

— Нам обязательно говорить наедине?

— Да нет, чего там, — махнул рукой Клифф, оттесняя сестру с ее места. Пенни опустилась прямо на пол, раскрыла свой альбом и стала рисовать в нем очередной эскиз. — Я... насчет работы по дому.

— Да?— удивилась Сабрина, улыбнувшись.

— Мне она не нравится, — буркнул Клифф. — И мне кажется, что я могу не заниматься ею. У меня и так дел по горло! Во-первых, школа, во-вторых, тренировки по футболу. А тут — еще работа по дому!

— Так, и что?

— Ну... три дела сразу. Слишком много.

— Два дела, если это вообще можно так назвать. Школа и футбол.

— Ну, хорошо, два. Но я еще работаю по дому. Где ты видела человека, у которого одновременно три работы?

— А как же я?

— Ты? Ну, ты ведь... мама.

— Отлично, я мама. И что это означает? Подумай сам. Я прибираюсь в доме, то есть выполняю работу служанки. Поверь мне, это не так приятно, как играть в футбол. Я повар. Вторая моя работа. Считай дальше. Я вожу вас на машине. Значит, еще и шофер. Три. Я стираю. Четыре. Садовник. Пять. Переставляю в доме мебель. Значит, дизайнер. Шесть. Я принимаю наших общих друзей и знакомых. Семь. Я ухаживаю за вами, когда вы заболеете. Восемь, если не возражаешь. Я работаю в университете. Девять, согласен? — «Интересно, Стефания делает все это?» — И, наконец, я, как ты сказал, обоим вам мама. А Гарту жена. Вот уже одиннадцать. Я могла бы кое от чего отказаться, сославшись на то, что совмещать одиннадцать работ трудновато. Так сколько, ты говоришь, у тебя дел сразу?

Клифф смотрел на Сабрину, выпучив глаза.

— Но... Ты ведь должна делать все это...

— Кто тебе сказал?

Клифф задумался, взвешивая возможные ответы.

— Библия, — наконец нашелся он.

Она звонко рассмеялась.

— В Библии также рассказывается о женщинах-воинах, которые проламывали мужчинам головы своими мечами. Ты хочешь, чтобы я еще и этим занималась?

— Нет, но... Ну, допустим, об этом не сказано в книжках и законах, но ведь всем же известно, что должны делать матери! Что они всегда делали и делают... Семейные традиции, которые не меняются со временем.

Она серьезно кивнула.

— А что должны делать сыновья?

— Ходить в школу.

— Это только в двадцатом веке. А раньше все было иначе. Все, — за исключением разве что детей богачей, — работали по двенадцать-четырнадцать часов в сутки на фабриках и угольных шахтах. Зарабатывали деньги, чтобы помочь родителям.

— Но это когда было!..

Она притворно изумилась и всплеснула руками.

— Подожди! Но ведь ты же говорил, что семейные традиции не меняются со временем.

С минуту Клифф тупо смотрел на мать, ничего не соображая, потом вдруг широко улыбнулся.

— Поймала!

И они все расхохотались. Сабрина достала Клиффа здоровой рукой и, смеясь, схватила его за нос. Тут уж не сдержалась и Пенни. Они будто обезумели. Хохот, наверное, разносился далеко по округе.

Такими их и застал Гарт, когда вернулся с работы и зашел на кухню.

Сабрина тут же осеклась.

— Клифф, мы проболтали с тобой целый день, а что приготовлено на ужин?

— Да мы еще даже посуду не вымыли, — спохватился он, вскакивая с дивана. — Привет, пап. Что нового сегодня открыл?

— Работаю над одной темой, но спешить не хочу, чтобы не разочаровать своего придирчивого сына, — ответил Гарт, однако глядел он в это время на Сабрину. — Я принес мясо. Если ты скажешь мне, как ты его сделала на прошлой неделе, я постараюсь управиться сам.

— Я сделаю, — проговорила робко Сабрина, вставая.

— Ничего, ничего, сиди. Мне хочется самому попробовать.

Гарту нравилось делать что-нибудь вместо жены, тем более, что ему редко выпадала такая возможность. Обычно она бралась за любое дело сама, вне зависимости от своего самочувствия, и он не мог отговорить ее. Ему нравилось, когда она нуждалась в его помощи.

Сабрина села. Гарт тут же налил два стакана вина и поставил их перед ней на стол. Затем, следуя ее подробным инструкциям, он размолол перец в новой ступке, и вдавил перчинки в мясо с обеих сторон. Рядом с ним у раковины стоял Клифф. Он мыл тарелки и рассказывал о том, что происходило в тот день у них в классе. Сабрина завороженно смотрела на отца и сына, работавших вместе. На полу у ног матери вновь примостилась Пенни. Она рисовала и что-то напевала себе под нос, полностью погрузившись в свой мир и начисто забыв обо всех. Сабрина же не забывала о семье ни на минуту.

И хотя у нее не совсем гладко складывались отношения с Гартом, ей казалось, что семейная жизнь уже крепко затянула ее в свои сети. И ей нравилось быть в такой атмосфере, чувствовать себя частью небольшого замкнутого мирка.

И все это несмотря на то, что вчерашний гнев Гарта так и не разошелся, повиснув в воздухе над ними.

Немного позже Гарт опустился на диван рядом с ней. Она инстинктивно отодвинулась в сторону. Он не заметил этого, глядя на свой стакан с вином.

— Я должен перед тобой извиниться за вчерашнее. Не знаю сам, с чего я сорвался... Это было глупо с моей стороны, я приношу свои извинения. Тем более, что весь вечер прошел так чудесно... до того момента. По крайней мере, я давно себя не чувствовал таким счастливым.

— И я тоже. Я тоже должна извиниться...

— Ты-то тут при чем? Ничего. Ты, главное, не волнуйся, пройдет несколько дней и к тебе вернется твое привычное равновесие. Мне раньше следовало бы догадаться. Вместо этого я повел себя глупо и нетерпеливо, как подросток...

Сабрина нахмурилась.

— Кто тебе сказал о моем «привычном равновесии»?

— Нат. Мы немного поговорили с ним о последствиях шока и сотрясения. Нам ничего не грозит, слава Богу. Он просто предупредил меня, чтобы я вел себя осторожнее. — Гарт протянул к ней руку ладонью вверх.

Немного поколебавшись, она протянула ему свою руку.

— Мне всегда бывает стыдно и неловко, когда я зря обижаю человека. Прости.

— Спасибо, — ответила она мягко и убрала свою руку назад. — Может, мне самой приготовить гарнир?

— Нет. Сегодня ты будешь только отдавать распоряжения, тем самым разделяя с нами ответственность за возможную неудачу. Что мне теперь делать?

Гарт подключил к готовке ужина Пенни и Клиффа. Сабрина поудобнее устроилась на диване, поджав под себя ноги. Она подсказывала им, что делать, и размышляла. Дни текли своим чередом. Новая жизнь приобрела свой размеренный ритм. Но Сабрина не переставала терзаться противоречивыми мыслями. Ее жизнь здесь уже не походила на недельное приключение. Она уже не чувствовала себя временной гостьей. Здесь был ее дом, здесь была ее семья. Она привязалась к этой жизни сотнями невидимых нитей, ее планы строились не только на день вперед, а на неделю, даже на две...

Но как она может строить какие-то планы? Она не имела права изменять размеренную жизнь этого дома, ибо он был не ее. Она не имела права начинать дела, которые не могла закончить до своего отъезда в Лондон. Она не могла позволить себе совершить ни единой ошибки, ибо это сразу выдаст ее с головой Она не имела права любить Пенни и Клиффа, ибо потом ей будет невыносимо тяжело расставаться с ними... И вот Гарт еще...

Гарт.

От него она более всего обязана держаться в стороне.

— Ужин готов, — улыбаясь, объявил Гарт и протянул руку, чтобы помочь Сабрине подняться с дивана.

В пятницу Хуанита снова пришла. Но вначале позвонила Долорес.

— Не будь с ней такой строгой. Она не любит, когда ей приказывают.

— Долорес, но я ведь должна буду сказать, что хочу, чтобы она сделала.

— Не надо. Пусть делает то, что нравится. В этом случае у нее все прекрасно получится, вот увидишь. Ты, конечно, можешь вносить предложения, но.. Что же касается обеда...

— Звонок в дверь. Поговорим позже, Долорес.

Ни слова не говоря, Хуанита сразу же принялась за уборку комнат. Сабрина же стала делать то, что, по ее мнению, должна была делать Стефания в это время года: она убирала летнюю одежду и доставала из шкафов зимнюю.

В полдень к ней подошла служанка.

— Как насчет обеда?

«О, где вы, миссис Тиркелл?!.»

— Посмотрите в холодильнике. Что вам понравится, — сказала Сабрина.

Она как раз складывала свитера. Гипсовая повязка здорово мешала, и в результате одежда посыпалась на пол. Хуанита живо подобрала ее.

— Миссис Голднер и некоторые другие леди обычно сами готовят мне еду...

Сабрина приняла из ее рук свитера.

— Спасибо. Скажите, Хуанита, а вы для себя готовите дома?

После некоторой паузы служанка утвердительно кивнула.

— Да, мэм,— сказала она и сошла по лестнице вниз.

Через час, когда Сабрина сама захотела поесть и спустилась на кухню, она увидела оставленное на столе блюдо с холодным нарезанным мясом, помидорами и французской булкой. Рядом, завернутые в салфетку, лежали столовые приборы и стоял стакан сока. Пока Сабрина с удивлением разглядывала сервировку, из гостиной показалась Хуанита.

— Очень любезно с вашей стороны. Большое спасибо. Вы сами уже поели?

— Да, мэм.

И Хуанита вернулась в гостиную.

Позднее они встретились на дворе, где Сабрина подстригала розы.

— Каждая вторая среда у меня свободная. Если хотите, я могу приходить к вам.

— На сколько вы рассчитываете, Хуанита?

— Тридцать долларов плюс расходы на транспорт.

Могут ли они себе это позволить? Сабрина не знала. Стефания обычно сама выполняла все работы по дому. Но это Стефания! «Почему я должна на себя все это взваливать?— подумала Сабрина.— Ведь дома меня обслуживает миссис Тиркелл. К тому же, я буду здесь всего несколько недель. Когда Стефания вернется, она все равно все изменит по своему вкусу и привычкам, а пока...»

— Хорошо. Значит, на следующей неделе? Или через среду?

— На следующей неделе.

— Отлично.

И Сабрина вновь занялась розами. Она понимала, что только что между ней и Хуанитой состоялось нечто вроде игры «чья возьмет?» И обе остались в выигрыше: Хуанита по-своему убралась в доме, Сабрина не стала готовить обед.

Оставался вопрос: за кем последнее слово в этом споре? За Хуанитой. Она, во всяком случае, так решила.

Сабрина едва удержалась от смеха.

«Ну ничего,— подумала она.— Подожди! Вот придет Гарт!»

На ужин они доедали то, что им принесли друзья и знакомые за эти дни. Сабрина молча ела и слушала, как Гарт и Клифф обсуждали футбольную игру, которая состоялась днем. Клифф забил два гола.

— Жаль, ты не видела, мам! Это было так здорово! На следующей неделе состоится последний матч сезона. Ты придешь поболеть? Мне всегда нравится, когда вы с папой сидите на трибунах. Я лучше играю.

— Конечно, приду,— сказала она.— Я думаю, что Пенни нужно подумать об этом.

После этого она вновь замолчала и стала слушать их разговоры. Гарт постоянно смотрел на нее вопросительным, выжидающим взглядом. Он думал, что она вот-вот поведет беседу за столом или хотя бы включится в нее, но этого не происходило. В последнее время она была так разговорчива и вот на тебе...

Сабрина молчала, ибо наблюдала за семьей со стороны.

— Голова все еще болит? — поинтересовался Гарт после ужина.

— Да, немного. Но боль забилась куда-то далеко внутрь, превратилась в такой... тупой шум, к которому я уже привыкла.

— Ты сегодня такая тихая. Плохой день выдался?

— Наоборот, хороший. Даже смешной...

Пенни принесла коробку с мороженым, и пока Гарт раскладывал его по тарелкам и наливал кофе, Сабрина рассказала ему о том, как она общалась с Хуанитой. Он то и дело срывался на смех, но был очень удивлен.

— Ты всегда говорила, что чувствуешь себя неуютно, когда приходится отдавать кому-нибудь распоряжения. И поэтому, дескать, нам не нужно иметь прислугу.

— О! Не знаю, чем объяснить произошедшие перемены. Разве что сломанной рукой и ноющей головой. Но теперь мне вдруг стало нравиться распоряжаться. Кроме того, Хуанита не только заставила меня съесть приготовленный ею обед, но и уговорила нанять ее.

Гарт изумленно вскинул брови.

— Ты наняла ее?

— На один день в неделю.

Сабрине надоело защищаться и оправдываться. Она не привыкла к этому. В Лондоне она никогда ни перед кем не отчитывалась за принимаемые ею решения. За них она отвечала только перед собой. Интересно, всегда ли советовалась Стефания с мужем, когда предстояло немного потратиться?

— Отлично,— сказал он наконец.— Сама знаешь, сколько раз я сам предлагал так поступить. Просто стоило прежде поговорить со мной, обсудить...

«Я ни с кем не обсуждаю своих планов?»

Но вдруг она вспомнила Антонио, который сидел напротив нее в «Ле Гавроше» и небрежно разрешал ее проблемы, говоря, что он избавит ее от ее же «лавчонки». Роскошь ли то, что она ни с кем не обсуждает своих планов? Или бремя?

— Прости,— сказала она Гарту.— Мысль явилась как-то сразу и...

Зазвонил телефон. К нему подскочил Клифф, затем крикнул:

— Мам! Это тебя! Тетя Сабрина!

Сабрине трудно было расслышать далекий, прерываемый помехами голос Стефании из Лондона. Она говорила что-то насчет Антонио. Легок на помине!.. Чувствовалось, что она чем-то встревожена.

— Я перезвоню тебе,— сказала Сабрина.— В выходные.

— Нет!— слабея, донесся голос Стефании. — ... меня не будет в стране.

— Тогда в понедельник, — предложила Сабрина и добавила: — Не бери в голову Антонио.

Что бы там с ним ни было, все это сейчас казалось Сабрине бесконечно далеким и несущественным.

В выходные она вообще забыла об этом звонке. Незаметно для себя она полностью погрузилась в новую жизнь и семейные заботы. Она с Гартом работала по дому, во дворе, иногда прибегала к помощи детей. Они разговаривали о разных семейных делах. Сабрина вновь стала готовить еду, выбирая наиболее интересные рецепты из кулинарной книги своей сестры. Она не могла не внести кое-каких дополнений лично от себя. И дошло до того, что в воскресенье вечером, за чашкой кофе после ужина, Гарт сказал ей, что она с одной сломанной рукой готовит гораздо лучше, чем большинство шеф-поваров с двумя здоровыми.

Он даже и подозревать не мог, как приятно ей было слышать эти слова в свой адрес. От него...

Сабрина подумала об этом, когда они с Гартом остались одни в гостиной. Сначала они смотрели какое-то шоу по телевизору, затем сели рядышком и стали читать. Дом медленно погружался в тишину. Слабо доносилась магнитофонная музыка. Сабрина подняла глаза от книги и увидела, что Гарт смотрит на нее. Они улыбнулись друг другу. Казалось, что кроме них никто в этом мире уже не бодрствует. Чтобы не показать своего смущения, она вновь вернулась к книжным страницам.

В полночь Гарт объявил, что идет спать.

— Завтра рано утром у меня встреча с вице-президентом.

А чуть позже, когда Сабрина погасила в гостиной свет и поднялась в спальню, она обнаружила его лежащим на краю супружеской кровати. Затаив дыхание, стараясь стать невесомой и невидимой, она на цыпочках пробралась к другому концу постели, тихо разделась и легла. Он не шевельнулся. Дыхание его было ровным и глубоким. Она не могла понять, спит он или нет.

В понедельник Гарт предложил ей еще несколько дней не ходить на работу.

— Я позвоню Тэду и обо всем договорюсь, — сказал он и она согласно кивнула.

«Трусиха, — подумала Сабрина через пять минут. — Все равно рано или поздно придется туда идти».

Впрочем, некоторые вещи уже нельзя было больше откладывать. В частности, учительница Пенни уже не в первый раз вызывала ее для разговора. В понедельник, после обеда, Сабрина наконец решилась и пошла в школу. Стефания описывала эту женщину одним словом: «Пугающая». Бросив первый взгляд на учительницу с безупречно прилизанными седоватыми волосами, твердым ртом и негнущейся шеей, Сабрина поняла свою сестру.

— Присаживайтесь, миссис Андерсен. Пенни рассказывала мне о вашей беде. Очень сочувствую. Как рука?

— Думаю, скоро все будет в порядке.

— Рада за вас. Хотя вряд ли человек может знать наверняка, что творится у него под гипсовой повязкой. Остается только надеяться на лучшее. Миссис Андерсен... Я уже говорила вам в прошлом году, что очень рада успехам вашей дочери, говорю вам это и сейчас. Она прелестный ребенок и хорошая ученица. Однако ей недостает скромности. У девочки слишком сильно развито самомнение. Она излишне своенравна. Вы, несомненно, замечали это за ней.

Сабрина спокойным взглядом смерила миссис Кейзи.

— Своенравна, — задумчиво повторила она.

— Она чересчур уверена в себе. Разумеется, я понимаю, что в ее возрасте это неудивительно, но она... Слишком выделяется. Она признает только свое мнение. На мой взгляд, вам как матери необходимо немного поработать в этом направлении.

— В каком конкретно? — заинтересованно спросила Сабрина.

— Она должна научиться покорности. Без этого, миссис Андерсен, дети становятся неконтролируемыми. Пенни должна научиться уважать старших, знать свое место, если угодно. Она еще ребенок, и ее время придет, но пока что... Взрослые знают жизнь лучше, чем дети — это неопровержимая истина. Если дети вдруг будут считать, что их мнение равноценно нашему, как, спрошу я вас, мы можем держать их в руках? Как мы можем учить их? Вы, конечно же, все это хорошо понимаете: И я бы не вызвала вас, если бы в последнее время Пенни не стала особенно непреклонной... Я ценю в детях независимость, но до известных пределов, миссис Андерсен. И я не поощряю, когда дети совсем распускаются.

Сабрина нетерпеливо кивнула.

— Это как-то связано с кукольным представлением?

— Хороший пример. В пьесе драматически описывается покорение Дикого Запада, мексиканская война, золотая лихорадка. Это представление не игра, а элемент учебной программы. Весной я удовлетворила просьбу Пенни о подготовке ею кукольных костюмов. Когда этой осенью у нас в школе начались занятия, у нее уже имелся в распоряжении полный набор эскизов. Она продемонстрировала завидную творческую энергию в работе над ними. Но... когда я указала на некоторые недостатки и предложила их исправить, Пенни заспорила со мной. Когда же я повторила свою просьбу, она наотрез отказалась вносить какие-либо исправления, заявив, что это ее проект и ее идея. Естественно, вы меня понимаете, что я так дела не оставила. Или в классе чувствуется авторитет старшего, или начинается хаос. Я перепоручила сделать костюмы Барбаре Гудман, которая...

— Не поговорив предварительно с Пенни?

— Ах да! Признаю, в этом моя ошибка. Я хотела предупредить ее, но что-то произошло в школе и на следующий день это как-то вылетело из головы. Я понимаю, она обиделась. Я обязательно принесу ей свои извинения. Для детей является хорошим примером, когда взрослые извиняются перед ними за допущенные ошибки. Но не будем забывать, что если бы Пенни согласилась с моими замечаниями и доработала костюмы, никто не перепоручил бы это другой девочке.

— Миссис Кейзи...

В первый раз за все время разговора учительница взглянула прямо в глаза Сабрине. И увидела в них ледяной блеск.

— Миссис Андерсен, это рядовой случай. Не стоит придавать ему большое значение...

— Прошу вас выслушать меня. Теперь наступила моя очередь, — сказала Сабрина и сделала долгую паузу, чтобы учительница до конца уяснила ее слова и как следует приготовилась... — Вы тиран, — очаровательно улыбнувшись, проговорила Сабрина. — И как всякий тиран, вы хорошо умеете рассуждать об авторитете старших и о железном порядке в классе. И о том, что дети должны знать свое место. — Она была так разгневана, что голос ее слегка подрагивал. Впрочем, ей тут же удалось справиться с эмоциями и она продолжал ровным и спокойным тоном: — Если бы вы работали с такими принципами во взрослом коллективе, все было бы нормально. Взрослые есть взрослые. Они и сами в случае чего могут напомнить вам ваше место. Но вы командуете шестиклассниками. Детьми, которые еще не умеют защищаться и не могут противостоять вам в ваших попытках лишить их независимости и уверенности в себе.

— Вы не можете говорить со мной в таком...

— Вы получаете зарплату из моих налогов, миссис Кейзи. По сути, вы работаете на меня. И прошу вас, дайте мне закончить. Я являюсь матерью Пенни и поэтому делаю и впредь буду делать все, чтобы моей дочери было уютно жить в этом мире. Вы слышите? Я хочу, чтобы она была уверена в себе и своих силах, что позволяло бы ей совершать самостоятельные поступки и иметь свою точку зрения. И без стыда, конечно, просить у окружающих помощь, если она ей будет необходима. Я не позволю вам командовать ею. Вот вы говорили, что необходимо поработать немного «в этом направлении».

Работайте в том направлении, в каком вам угодно, но если это будет подавлять мою дочь, берегитесь!

— Да как вы смеете...

— Я еще не закончила. Предлагаю вам два выхода из ситуации. Я могу устроить, чтобы Пенни перевели в параллельный класс, дав понятные объяснения мотивов своего поступка вашему начальству. Или я позволю Пенни остаться в вашем классе, если вы убедите меня в том, что отныне сосредоточитесь исключительно на воспитании и обучении детей.

Миссис Кейзи молчала, вдавив руки в колени. На ее каменной шее пульсировала тонкая жилка. Голова с седыми локонами чуть подрагивала, как большой цветок на слабом стебле.

Вдруг гнев Сабрины стал утихать и его место начала занимать жалость. Она догадалась, что методами миссис Кейзи кое-кто уже был недоволен, и ее жалоба может переполнить чашу терпения начальства. Пауза затягивалась, значит, Сабрина не ошибалась в своих догадках.

Повинуясь внезапному импульсу, она сказала:

— Почему бы нам не продолжить разговор за чашкой кофе? У вас в школе есть какое-нибудь местечко...

Миссис Кейзи подняла на нее глаза.

— Вы же хорошо знаете, что есть. Комната отдыха, где вы работали, помогая нам в прошлом году провести рождественский вечер.

— Разумеется. Но я имела в виду более уединенный уголок.

— Там нам никто не помешает. — Она прерывисто вздохнула. — Миссис Андерсен, я преподаю вот уже тридцать лет. Школа — это все, что у меня есть. Это заменило мне семью. Больше меня ничто не связывает с миром. Вам это, конечно, не понятно... Полное одиночество! Что вы можете об этом знать?.. Всем нам нужно во что-то верить. Я верю в порядок и авторитет взрослых над детьми. Я всегда хотела быть хорошей учительницей. Если оказалось, что это не так, значит... значит, я никто.

Гнев Сабрины исчез, как будто его и не было. Осталась жалость. «Я верю в себя, — подумала она. — Миссис Кейзи, вероятно, это не под силу».

Она поднялась.

— Итак, кофе? Я думаю, мы о многом сможем поговорить.

Во вторник Пенни прибежала домой из школы счастливая. Она с радостным криком бросилась Сабрине на шею и на одном дыхании выпалила новости. Оказывается, миссис Кейзи снова поручила ей подготовку костюмов для кукольного представления, а Барбару Гудман назначила ей в помощницы.

— Она попросила у меня прощения и даже улыбнулась!

— А что думает Барбара?

— Она страшно рада! Барбара ведь ничего не понимает в это деле и дико испугалась, когда ей поручили делать костюмы! А почему ты сидишь у телефона? Ждешь звонка?

— Да нет, я сама пыталась дозвониться одному человеку, но ее не было дома.

— Тогда пошли смотреть мои эскизы! Миссис Кейзи сказала, что я могу их смело использовать. Все! Только нужно немного подправить генерала. Она показала мне его фотокарточку в книге, так что я знаю, как его переделать. Ты в спальню?

Сабрина погладила Пенни по голове и стала медленно подниматься наверх. Она все утро пыталась дозвониться до Стефании, чтобы узнать, что та хотела сказать ей в пятницу. Но к телефону никто не подходил. Даже миссис Тиркелл не было дома.

«Ничего, позвоню позже, — думала Сабрина. — Из спальни. Там мне никто не помешает».

За ужином Гарт как-то странно посмотрел на нее и сказал:

— Сегодня я услышал о своей жене фантастическую историю.

Сабрина внутренне напряглась.

— Да?

— Да. От Вивьен Гудман.

«Вивьен ничего не известно. Не о чем беспокоиться», — тут же мелькнуло у нее в голове.

— Она рассказала мне, как вчера ходила в школу, к учительнице своей дочери, которая страшно перепугалась от одного учебного задания. Не могла его выполнить, а сама об этом сказать боялась. Однако, когда Вивьен подошла к кабинету, она поняла, что у учительницы уже сидит другая мамаша и говорит о том же учебном задании. Беседа была настолько интересной, что Вивьен не удержалась от того, чтобы не подслушать. —

Гарт выдержал красивую паузу, окинул торжествующим взглядом на жену и потом изрек: — Почему ты не сказала мне о том, что назвала миссис Кейзи тираном?

Сабрина покачала головой. Она не хотела говорить Гарту о своем визите в школу, потому что не знала, как в этой ситуации поступила бы Стефания.

— Если верить Вивьен, ты была неприступно холодна, собрана и просто уничтожала взглядом. Жаль, меня там не было!.. Обычно, когда речь заходит о детях, эмоции берут над тобой верх.

«Разве?»

В лучшем случае, Стефания на ее месте устроила бы громкий скандал. Она потеряла бы рассудок от ярости. «Но не так уж трудно быть холодной и собранной, — подумала Сабрина, — когда речь идет не о твоем родном ребенке. Я повела себя не как мать, но так получилось даже к лучшему».

— Почему ты качаешь головой? — спросил Гарт. — Ты не называла ее тираном?

— Что? Ах да! Называла... Просто вырвалось... Она и в самом деле говорила и вела себя как...

— Не извиняйся. Вивьен говорит, что миссис Кейзи терроризирует своих учеников в течение многих лет. Ты удивительная женщина. Я горжусь тобой.

Она покраснела от удовольствия, но внутренне встревожилась, почувствовав, что стала некоторым образом зависеть от его оценок и похвал в свой адрес.

— А я и не знала, что Барбара — дочь Вивьен, — сказала она, чтобы поменять тему. — Я как-то не связала в сознании эти два имени.

— Я думал, ты встречала их обеих на классном пикнике в прошлом году.

— Да? Я не помню.

«Ох, как я устала играть свою роль. И нет ни одного человека, в общении с которым я могла бы расслабиться, с которым я могла бы быть сама собой. Нет никого, кроме Стефании. Но куда она подевалась? Почему ее нет дома? И где миссис Тиркелл?..»

Позднее, когда она сидела с Гартом в гостиной и читала, вдруг зазвонил телефон.

— Да куда ты побежала! Возьми здесь! — крикнул ей в спину Гарт, когда она устремилась к телефонному аппарату, который был на кухне.

«Стефания! Наконец-то!»

— Стефания? — раздался в трубке голос ее матери. — Мы только-только вернулись в Вашингтон. Как у тебя дела? Как съездила в Китай? Я никак не могу поймать Сабрину в Лондоне, так что жду новостей от тебя.

Сабрина лихорадочно перестраивала свое сознание с сестры на мать.

— Я думала, ты была в Париже. Или в Женеве...

— В Москве, дорогая. У твоего отца там была конференция. Но она быстро закончилась, и мы сразу же вернулись домой. Ну, рассказывай же о Китае.

Сабрина вкратце описала поездку в Китай, в который уже раз вызывая в своей памяти образ господина Су, вспоминая бронзовую лампу, шахматы, тонко вырезанную фигурку из слоновой кости, которую подарил господин Су.

«Господи, что я делаю?! Я уже обманываю свою мать! Неужели и у нее не возникает никаких подозрений?»

— У тебя усталый голос, Стефания. Все в порядке?

«Главное не говорить о сломанной руке. А то она захочет приехать, помочь по хозяйству и тогда — жди непредвиденных последствий. Неизвестно, смогу ли я обвести ее вокруг пальца так же, как это получилось с другими людьми».

— Все нормально, мама. Просто очень занята. Ты не представляешь, как много на меня всего навалилось после приезда. Ведь меня не было три недели!

— Проблема только в этом? Ты уверена? А... как у вас отношения с Гартом?

— Все хорошо. Почему ты спрашиваешь?

— Я все прекрасно понимаю, дочка. Я же прекрасно почувствовала тревогу в твоем последнем письме. Оно очень обеспокоило нас с отцом.

— Все нормально, мама. Я ненавижу работу по хозяйству и люблю свой дом.

Лаура удивленно рассмеялась.

— И это главная новость, которую ты мне хотела сообщить?

— По возвращении из Китая мне все показалось действительно... новым. — Сабрина начала говорить правду и уже не могла остановиться: так долго ей хотелось поговорить с кем-нибудь по-настоящему! Вернее, выговориться. — Ненавижу стирать и очень люблю возиться в саду. Я наняла служанку, которая будет приходить раз в две недели на один день. А между ее визитами я вообще не буду заниматься домом — гори он синим пламенем!

— Стефания, это непохоже на тебя.

— Возможно. Путешествие во многом изменило меня. Мне нравится спокойный ритм здешней жизни. Я рада, что мне не нужно постоянно заботиться о своем имидже в обществе.

— Это камень в наш огород, дорогая?

Сабрина сделала паузу.

— Нет. О вас я даже не подумала. А что, для вас это является серьезной проблемой?

— Естественно. Мы с отцом просто обязаны держать марку. И тебе это прекрасно известно с тех самых пор, как ты появилась на свет. Сабрина понимает такие вещи лучше тебя, поэтому она и живет так хорошо, ты так жить не смогла бы.

— Ты права. Я и не хочу. Мне нравятся люди в Эванстоне. Меня все здесь устраивает. Я без труда нахожу уют в убогих комнатенках нашего... великолепного, большого дома! Мне нравится семья, которая меня окружает с утра до вечера! Слишком много шума, но зато и много жизни. Они не дают мне забыться...

— Стефания! Вы что там с Гартом наркотики принимаете, что ли?

— Нет, мам, ну, ты что в самом деле?!

— Ты прислушайся как-нибудь к своему собственному голосу и к своим речам, тогда поймешь меня. С чего это ты вдруг завела со мной разговор о том, что тебе нравится и что не нравится?

— Потому что мне хочется поговорить с тобой, мама. Я думала, тебе будет интересно узнать, что твоя дочь счастлива. И разводиться мы с Гартом не собираемся.

— Дорогая, я и...

— Но ты же встревожилась, прочитав мое письмо! Наверное, и об этом подумала, а, мам?

— Ты права. Подумала. Да и как было не подумать? Сегодня каждый второй брак распадается, могу ли я оставаться спокойной? Посмотри на Сабрину. Не знаю, в чем состояла ее ошибка: в том, что она вышла замуж за Дентона или в том, что она развелась с ним... Но я чувствую, что она несчастлива. А ты как?

Сабрина молчала, погруженная в свои мысли.

— Стефания? А ты как?

— Я счастлива. Но... не всегда.

— Вот видишь! Как же мне не тревожиться? Ну, ладно, дочка, отец зовет меня. Мы приедем к тебе на День благодарения, как обычно. Как ты думаешь, удастся нам вытащить в этом году Сабрину?

— Сомневаюсь.

— Ну, я все равно ей позвоню.

После разговора с матерью Сабрина задержалась на кухне.

«Я забыла сказать тебе об одном, мама. О том, что приобрела только здесь. Я рада быть среди людей, которые принимают меня такой, какая я есть. Не за мою внешность или остроумие, не за мою элитную «лавчонку», не за мои связи и не за мое прошлое замужество». Да хватит тебе заливать-то! — вдруг раздался в ее душе противненький голосочек. — С чего ты взяла, что эти люди принимают тебя такой, какая ты есть? Им что Сабрина Лонгворт, что Стефания Андерсен.

Тем самым был поставлен жестокий вопрос и дан на него безжалостный ответ.

В среду Сабрина вновь попыталась поймать по телефону Стефанию.

— Леди Лонгворт нет дома, — ответила с того конца провода миссис Тиркелл. — Если хотите, миссис Андерсен, я передам ей, чтобы она вам перезвонила.

— Да. Я уже долго не могу ее поймать. И вообще, к вашему телефону никто не подходил.

— О, прошу прощения, миссис Андерсен! Я навещала сестру в Шотландии. Она нездорова. А леди Лонгворт сейчас, кажется, работает над обстановкой дома на Итонсквер. Но я позабочусь о том, чтобы она вам перезвонила.

Когда Сабрина повесила трубку, ею овладело отчаяние, словно перед ее носом кто-то захлопнул дверь. Леди Лонгворт работает над обстановкой дома на Итон-сквер. Миссис Тиркелл зовет ее миссис Андерсен. Горькое чувство утраты овладело сердцем Сабрины, как будто ее навсегда вышвырнули из прежней жизни.

«Но это невозможно! Немыслимо! Мне тут нравится, но это еще не означает, что здесь есть именно то, что я хочу. Завтра же поговорю со Стефанией. Необходимо узнать, что там происходит. Нельзя терять связь с тем, что я на время оставила. На время».

Но на следующее утро Пенни проснулась с сухим ломким кашлем. Сабрина испугалась. «Я виновата, —

корила она себя. — Надо было внимательнее смотреть за тем, как одеваются дети перед выходом на улицу. Сейчас уже не лето».

Она перелистала справочник Стефании и позвонила врачу.

— Приводите дочь к нам, — сказала ей по телефону медсестра. — Врач обследует ее.

Сабрина снова заглянула в справочник. Ридж авеню...

— А как к вам добраться?

Наступила неловкая пауза. Медсестра была явно застигнута врасплох вопросом миссис Андерсен.

— Что-нибудь случилось с вашей машиной? — наконец произнесла она. — Попросите у кого-нибудь из ваших друзей...

— Да. Хорошо. Я поняла. Мы приедем.

Повесив трубку, Сабрина стала лихорадочно водить пальцем по карте города, которую она просматривала уже в течение трех недель. Наконец, она вспомнила дорогу к медицинскому центру, где лежала после аварии.

— Не стоит вам так сильно беспокоиться, — спокойным тоном заверила ее врач.

Это была миловидная женщина средних лет. Она озабоченно смотрела не на Пенни, а на ее мать.

— Вы так напряжены. Вас беспокоит ваша рука или...

— Может, мы все-таки поговорим о Пенни? — резковато спросила Сабрина.

— Да, конечно. Пенни, милая, у тебя бронхит. Ничего серьезного, но могут быть неприятности, если ты его запустишь. Что я могу сказать? Постельный режим на несколько дней, хорошо проветренное помещение и немного невкусного сиропа, который должен смягчить кашель. Ты или твоя мама должны позвонить мне в субботу, чтобы я знала, как у тебя идут дела. Вопросы есть?

Пенни отрицательно покачала головой.

— Прошу прощения, — извинилась Сабрина за свою грубость. — У меня сейчас столько забот... Мы обязательно позвоним вам в субботу.

— Или раньше, если потребуется помощь. И, пожалуйста, успокойтесь. У Пенни крепкий организм. Через несколько дней она поправится.

В машине Сабрина недовольно покачала головой. Она была зла на себя и понимала, что вела себя совсем не как Стефания. Но с другой стороны, она впервые в жизни была мамой больного ребенка.

В тот вечер они с Гартом отправились ужинать к Талвия, оставив удобно устроившуюся на кровати Пенни в обществе брата. Они вместе ели и болтали о жизни.

— Мы купили тебе небольшой подарок, — сказала Линда, когда они появились у нее.

— Еще один день рождения?

— Нет, — засмеялась Линда. — Просто нам с Долорес захотелось как-нибудь взбодрить тебя, поэтому мы купили тебе вот это. Веселенькое, не правда ли?

Это было платье из мягкой хлопчатобумажной ткани, все в цветах. Ярче этой расцветки не было ничего в гардеробе Стефании. Такие платья очень нравились Сабрине. Все ее лицо осветилось счастливой улыбкой, что явилось своеобразным знаком для Гарта, который тут же сердечно поблагодарил Линду за этот подарок его жене.

— Я буду ходить в нем на работу. Оно слишком красивое, чтобы пылиться в шкафу.

— Тебе, правда, понравилось? Долорес думала, ты скажешь, что оно слишком кричащее.

— Ничего подобного. Оно великолепно. У тебя чудесный вкус.

Линда покраснела от удовольствия.

— А как ты узнала, что это я его выбрала?

— Ты же сама сказала, что Долорес оно не понравилось.

Она надела платье на следующий же день. Оно, действительно, подняло ей настроение. Линда и Долорес купили это платье для нее, а не для Стефании. В последние три недели они общались между собой как верные подруги, практически каждый день сидели у кого-нибудь из них на кухне и пили кофе. Или вели бесконечные женские разговоры по телефону. И как бы они ее не называли, именно ее, Сабрину, они считали своей подругой.

Она все еще не поговорила со Стефанией, но это не казалось уже таким важным. Если бы что-нибудь случилось, Стефания сама разыскала бы ее. А раз не звонит, значит все нормально.

— Чудесное платье, — сказал Гарт. — Под стать тебе.

Она смутилась.

— Спасибо.

— Ты выглядишь в нем просто великолепно. И не скажешь, что у тебя сломана рука.

— В самом деле, мне лучше. И Пенни почти выздоровела.

— Голова больше не болит?

— Нет, совсем отпустило. И шрамы прошли, их почти не вид... — Она осеклась.

— Вот и хорошо, — улыбнулся он. — Поначалу я думал, что не поеду на конференцию, но раз ты совсем поправилась... Я, пожалуй, поеду.

— На конференцию?

— Я рассказывал тебе... Или нет?

— Не думаю.

— Она начинается завтра, шестого октября. В Беркли. Я думаю, продлится неделю. Боже, неужели я и правда забыл тебя предупредить? Хорош! Непростительная ошибка...

— Не укоряй себя из-за таких пустяков. Наверное, ты говорил, но я почему-то забыла.

«Великолепно! — ликовала она в душе. — Целая свободная неделя! И не надо будет каждый раз выдумывать предлоги для того, чтобы избежать близости. Какая я дура, что сказала про зажившие шрамы!.. Ну, ничего, раз он уезжает... Господи, неужели можно будет чуть-чуть расслабиться?»

— Я рада, что ты поедешь, — сказала она.

— Рада, что освобождаешься от меня на целую неделю?

Она еле сумела скрыть свое смущение и страх. Когда это он научился читать ее мысли?

— Нет, причем тут это? Просто я обрадовалась, что тебе не нужно будет из-за меня отказываться от того, что тебе нравится. За нас не беспокойся. С нами все будет в порядке, работай спокойно.

— Ты собираешься в понедельник идти в офис?

— Да. Да, конечно! А почему ты спрашиваешь?

— Дай тебе волю, ты бы никуда не пошла.

— Я же этого не говорила.

— Но думала.

— Я пойду на работу, потому что это моя обязанность, — повысив голос, произнесла она. — В конце концов, надо же возвращаться к людям. А то странное дело получается: с подругами я встречаюсь, а на работу нельзя, потому что рука сломана. Кстати, у меня назначено свидание с Вивьен. За обедом. Хотела спросить у тебя: что там с ее проблемами?

— Я никогда не рассказывал тебе мою «Теорию университета»? — с улыбкой проговорил Гарт. — Как и большинство прочих учреждений, он похож на черную патоку. Медленную, тягучую... Ну, ты понимаешь меня. Если где-то что не так, то рана тут же затягивается без всякого следа.

Сабрина рассмеялась.

— Но, насколько мне известно, стоит только чуть-чуть подогреть черную патоку, как она становится легкой и подвижной.

— Именно! Поэтому мы и разведем небольшой костерчик под креслом вице-президента. Лойд Страус. Ты его знаешь.

— И он сделается более легким и подвижным?

— Как приливная волна. Пройдет неделя и он обнаружит, что человечество, оказывается, наполовину состоит из женщин. Тогда он спросит пузатенького Уильяма Вебстера, почему наше заведение так сильно смахивает на консервативный мужской клуб? Потребует объяснений.

— Тебе бы хотелось отделаться от Вебстера.

— Это что, написано у меня на лбу? Насколько я знаю, кроме тебя никто этого еще не видит. Ты думаешь, мне нужно его кресло?

— Нет.

— Правильно, черт возьми! Мне хочется больше времени проводить в лаборатории, а не разгребать бумаги на письменном столе.

— Дает ли тебе лаборатория Фостера то, что ты хочешь?

— Я все ждал, когда ты меня об этом спросишь.

— Я не хочу затевать с тобой спор. Просто интересно, удовлетворяет ли тебя работа там...

Он посмотрел на нее долгим, задумчивым взглядом.

— Не уверен.

— А что нужно сделать для того, чтобы ты был уверен?

— Думаю, мне надо прийти туда и еще раз все осмотреть.

Она кивнула.

— Комментариев не будет?

— А что ты от меня ожидаешь?

— Если бы я знал! Обычно слова лились из тебя мощным потоком. Если я пойду, ты пойдешь со мной?

— Не думаю. Тебе нужно все решить самому.

— Что-то новое в твоем подходе... До сих пор...

Сабрина резко встала и расправила складки своего нового платья.

— Я пойду наверх. Хочу позвонить сестре.

— И ты думаешь, она испытывает аналогичное желание в пять тридцать утра?

— При чем тут утро? У них сейчас... — «Боже, какая я дура. Надо же вперед отсчитывать! А я назад начала... Конечно, сейчас она не станет со мной говорить. Ничего, позвоню завтра. А сейчас спать?»

— О лаборатории Фостера больше не будем говорить?

— Давай не будем. По крайней мере, не сейчас.

Он выждал паузу.

— Ну хорошо, ты права. К тому же мне завтра рано вставать.

— Спокойной ночи.

Она медленно поднялась по лестнице, продолжая укорять себя за то, что спутала время в Лондоне. И это после трех недель пребывания здесь!.. Причина случившегося виделась в странных отношениях между ней и Гартом. Легкая интимность их разговора беспокоила ее. Неужели она уже настолько понимает его, что знает, о чем он думает.

«Нет, мне это совсем не нужно», — подумала Сабрина.

А что же ей нужно?

С одной стороны, она хотела быть на некоторой дистанции от него... С другой, — постоянно ждала его высоких оценок и похвал.

Сабрина пыталась думать о нем, как о скучном муже своей сестры... А получалось, что, восторгаясь им, она смеялась вместе с ним, считала его большим ученым и трепетно относилась к его работе.

Она напоминала себе порой, что Стефания называла его замкнутым и невнимательным к окружающим... Но сейчас она могла возразить сестре: нет, милая Стефания, Гарт заботится о своей жене, лелеет и защищает ее.

Лежа в кровати и думая о нем, она услышала, как он поднимается по лестнице. Он уже входил в спальню, как вдруг послышался кашель Пенни.

Сабрина тут же сдернула одеяло и стала искать тапочки.

— Я схожу, — сказал Гарт. — Лежи.

Гарт нашел Пенни сидящей на кровати. Он увидел ее маленькое бледненькое личико в луче света из коридора, и у него защемило сердце. Он налил в большую ложку противной микстуры. Проглатывая ее, она скорчила смешную рожицу.

— Господи, почему все лекарства такие гадкие?

— Чем хуже вкус, тем быстрее человек поправляется. Это, милая, не я сказал, а наукой доказано. А теперь ложись. Я тебя укрою, и только попробуй скинуть с себя ночью одеяло.

— Пап, останься на несколько минут.

Он положил руку на ее лоб. Температуры, по-видимому, не было.

— Что, милая? — спросил он, садясь на краешек ее кровати.

— Пап, я спросила маму об уроках рисования. Она сказала, что не возражает, но нужно договориться с тобой.

— Да, она так сказала? Ну что ж, я думаю, это можно будет устроить. Когда начинаются занятия?

— Сразу после Рождества. Только тут одна проблема...

— Какая?

— Ну, мне нужно иметь краски, кисточки, угольный карандаш и холст... А все это стоит больших денег...

— Да? Не знал. Я думал, что ты вполне можешь продолжать рисовать обычными карандашами на обычной бумаге из альбома... Но если ты настаиваешь на том, чтобы иметь точно такое же оснащение, какое было в распоряжении Микеланджело... Я думаю, мы можем купить тебе все необходимое в качестве подарка к Рождеству.

— О! Папочка! — Она тут же скинула одеяло и бросилась Гарту на шею.

Он прижал дочку к себе.

— Ну, а теперь спать. Спать! Вряд ли ты сможешь создать настоящее произведение искусства, если будешь через каждые тридцать секунд чихать и кашлять.

— Пап?

— Что-нибудь еще?

— А правда, наша мама какая-то другая в последнее время?

Гарт внимательно взглянул на дочь.

— Как это «другая»?

— Ну, другая! Ну, ты меня понимаешь. Она обнимает нас теперь гораздо чаще, чем раньше. И почти совсем не бесится. А порой, кажется, будто она совсем не обращает внимания на то, чем мы занимаемся. Иногда она так странно улыбается, когда смотрит на нас, а иногда совсем нас не замечает. А часто у нее такой вид, как будто она находится далеко-далеко... И думает все, думает. Как будто... Как будто она дома и одновременно еще где-то.

Гарт стал задумчиво гладить дочь по волосам.

Он размышлял над ее словами.

С какой стати Стефания станет кем-то прикидываться? Зачем? Он знал, что очень часто детям непонятны слова и поступки их родителей, но бывают такие времена, когда нет ничего более чуткого, чем видение ребенка. В чем-то они, безусловно, прозорливее взрослых.

— Я думаю, что у нее просто очень много забот и мыслей в голове, и она старается спокойно разобраться в них. Когда ты станешь старше, поймешь. В тридцать-сорок лет человек часто задает себе вопрос: а то ли я делаю, что хочу, и так ли я это делаю, как хочу? Поэтому нет ничего удивительного, что поведение человека со стороны кажется немного странным.

— Как будто он берет отпуск от реального мира и хочет отдохнуть в одиночестве, да, пап?

Он был удивлен ее сравнением.

— Да, примерно так. Но почему ты об этом подумала?

— Так мне ответила мама, когда я говорила с ней.

— Да? А что она еще сказала?

— Что вы с ней не собираетесь разводиться.

— Что мы с ней...

— Но мне кажется, что она еще думает об этом.

Гарт повернулся лицом к лучу света из коридора и застыл. Господи, какой осел! Идиот! Это же надо! Ждать до тех пор, пока одиннадцатилетняя дочь не объяснит очевидное! Его рука инстинктивно сжала воображаемую теннисную ракетку, мышцы напряглись и он сильным воображаемым ударом послал воображаемый мячик в противоположную стену комнаты. О Боже, какой осел! Какой идиот! Жить, смеяться, читать газеты, есть завтраки и не знать, что она собирается с тобой разводиться... Когда у нее появились эти мысли? Со времени поездки в Китай? Или еще раньше? Когда появились?

Пенни все известно. Пенни давно уже все известно. Она даже разговаривала с матерью. Это же надо! Но мне кажется, что она еще думает об этом. Разумеется, она думает. Кому это еще известно, кроме Пенни? Неужели он один такой слепец на всю округу? Какой позор! А, может, все дело отнюдь не в слепоте? Может, он в глубине души тоже все знал, но боялся посмотреть истине в лицо?

Да, конечно, он знал. Прятал эту мысль в самом потайном уголке своей души. Подозревал, что она хочет от него уйти. Об этом свидетельствовало многое. Начиная с поездки в Китай и заканчивая ее отказом в близости, тогда, после веселого семейного ужина. Были и десятки других доказательств. Словом, все, решительно все, указывало, что она хочет от него уйти.

Все, кроме одного. До сих пор она жила дома и не делала каких-либо вызывающих попыток его покинуть. Кто знает, может, в глубине души она еще видела возможность остаться? И эта догадка также пришла ему в голову. Он изо всех сил уцепился за нее. Тем более, что она подтверждалась косвенными доказательствами. Она хотела остаться, иначе чем объяснить ее поистине героические усилия в последнее время слепить семью заново? Чем объяснить ее оживление за ужином, ее желание изменить свои старые привычки, даже в мелочах, ее интерес, который она усиленно демонстрировала по отношению к его работе? Чем еще это можно было объяснить, как не желанием сохранить распадающуюся семью? Она позволяла ему заботиться о ней, оказывать ей помощь в различных ситуациях, она умело организовывала увлекательные семейные вечера, пыталась расшевелить его. Что это, как не прозрачный намек, который он должен был понять и пойти ей навстречу?

Чтобы у них началось все сначала, все заново.

Впрочем, ее оживление не было постоянным. Видно было, что она старается его поддерживать как можно чаще, но порой она сдавалась перед чем-то... Удалялась... Как будто ее мысли уносились далеко-далеко. Тут дочь права. Она думала... О разводе. Еще и еще раз взвешивала все «за»и «против». Но еще не решила!

Гарт почувствовал удивительную нежность к ней, восхищение ее мужеством. Он и не подозревал, что она такая сильная. Ведь надо было обладать поистине железным упорством и неиссякаемым запасом энергии, чтобы раскачать его, заставить вновь ухаживать за ней, заставить себя ухаживать за ним... Не будучи уверенной в том, что их ждет впереди, за очередным жизненным поворотом. Второе дыхание совместной жизни? Или расставание...

Да, она совсем не была похожа на саму себя.

Ему необходимо показать ей, что он ее понял, что он больше никогда не забудет, что у него есть семья, что он не позволит работе затянуть его, что он готов, — черт возьми, готов,— все начать заново, как бы трудно ни пришлось ему на этом пути. Только бы она дала еще один шанс!

Это было все, что он мог сделать.

— Папа?

— Все хорошо, милая. Мы с твоей мамой действительно не собираемся разводиться. Многие взрослые люди, у которых есть семьи, временами думают о разводе. А когда на самом деле возникают серьезные проблемы, разводы становятся реальностью. Но далеко не всегда так получается. И знаешь еще что?

— Что? — у нее был теплый, сонный голосок.

— Я люблю твою маму. И тебя. И Клиффа. Ближе вас у меня нет никого на целом свете. Каким же нужно быть дураком, чтобы сознательно лишить себя всего этого?! Чтобы разрушить нашу любовь?

— Я люблю тебя, папа, — пробормотала Пенни и тут же заснула.

Гарт наклонился к ней и поцеловал в лоб.

«Порой у любви, даже самой сильной, не хватает сил, — грустно сказал он сам себе. — Но я приложу все усилия...»

Лежа рядом с женой на кровати и глядя в темноту, он сказал:

— Я не хочу ехать на конференцию. Прошедшая неделя была так хороша. Я почувствовал, что мы начали по-новому узнавать друг друга. Я знаю, что в нашем разладе основная вина моя. И мне хотелось бы серьезно поговорить... В последнее время, кажется, мы начинаем как бы жить заново. Ты почувствовала это, Стефания? Я знаю, что ты не спишь. Хорошая была неделя, да?

Скрытая ночным мраком, она поежилась.

— Да, — неохотно отозвалась Сабрина.

Тихие вечера, его похвала, интимность их разговоров и смеха, то, как встречались их взгляды, когда Пенни или

Клифф говорили что-нибудь интересное, совместная работа по дому, ее чувство незримой связи с семьей и с ним... Все это наполняло ее спокойной радостью, но одновременно и внушало тревогу.

— Да, — повторила она тихо. Гарт просунул руку между ее шеей и подушкой и притянул ее к себе.

— Я хочу снова узнать тебя, снова жить с тобой как с женой. — Его губы коснулись ее щек и закрытых глаз с трепетавшими веками. — Давай вспомним наши лучшие времена и заживем как прежде. Любимая, — сказал он и поцеловал ее в полураскрытый рот.

Она лежала, вся напряженная и застывшая. Голова горела. Ее мысли вертелись в немыслимом вихре. Ее захлестывали волны счастья и отчаяния. Она чувствовала, что наступает кульминация всех переживаний, которые мучили ее последние дни.

Его руки коснулись ее ночной рубашки и она съехала с плеч. В голове бешено забарабанили противоречивые мысли.

«Остановить его... скажите ему... что? Вскочить с постели. Оттолкнуть его. Сказать ему... что? Что он не имеет права трогать меня?.. Но он мой муж и лежит в своей супружеской постели».

Его руки и губы ласкали все ее тело, двигаясь по нему из стороны в сторону. Каждое прикосновение пронизывало ее будто накаленным на огне кинжалом. Он шептал что-то. Она чувствовала его горячее дыхание на своих обнаженных грудях. Он медленно целовал их и его поцелуи отзывались в ней судорожной дрожью. Она ощущала налитую силу его широких плеч, мягкую кожу спины и поняла, что... обнимает его. Как только она осознала это, она тут же убрала свои руки. Он замер, как будто завис в полете, но тут же склонился к ней опять. Он ласкал ее груди и целовал шею.

Сабрина услыхала тихий стон, который вырвался у нее, как она ни пыталась подавить его.

«Нельзя, нельзя...»

Но его тело давило сверху на нее, настойчиво, требовательно и как-то... знакомо. Находясь в его крепких объятиях, она почувствовала, что сдается, что ее захлестывает какая-то туманная пелена, в которой невозможно ориентироваться и лучше замереть без движения.

Ее тело соскучилось по мужчине. Она мучилась желанием.

«Нельзя, нельзя этого делать!» — пробивался сквозь пелену чужой, холодный внутренний голос.

Она вздрогнула. Подумав, что сделал ей больно, Гарт отклонился в сторону, но она инстинктивно обняла его и притянула обратно. Она уже не могла позволить, чтобы их тела разделялись. И когда он вошел в нее, она была открыта ему навстречу, мягкая и влажная. Ее охватило радостное неистовство, которое выплеснулось наружу прежде, чем она успела его подавить, и он, до этого действовавший осторожно и медленно, воодушевился и возгорелся сам. Он не смог сдержать глухого вскрика, когда наступила кульминация.

Потом они затихли. Сабрина вновь застыла, лежа на кровати с Гартом.

Вскоре она нашла в себе силы, чтобы очнуться, и уперла в него руки.

Он поднял голову.

— Прости, любимая, — и лег рядом. Он протянул руку: — Дай я...

— Нет, — прошептала она, сжигаемая болью утраты и чувством вины.

Она продолжала желать его и одновременно готова была умереть от стыда. Она молча отвернулась в другую сторону.

Гарт чувствовал, что Сабрина вся дрожит.

— Я останусь дома, — проговорил он.

— Нет. Я хочу, чтобы ты уехал.

— Тогда я попытаюсь сократить свое пребывание там, насколько это будет возможно. Нам о стольком нужно поговорить.

Она услышала новые нотки в его голосе, но в них не было ни триумфа, ни удовлетворения.

Ожидание.

— Спокойной ночи, любимая, — сказал он.

— Спокойной ночи,— еле слышно отозвалась она.— Спи.

Он взял ее за руку и крепко сжал ее.

Так, взявшись за руки, они и уснули.

ГЛАВА 14

Стефания и Макс Стуйвезант вместе вошли в огромный белый павильон, устроенный на территории Чилтон-хауса. Держа ее за руку, он провел ее через собравшуюся толпу прямо к их местам около Николса Блакфорда и Александры. В это время продавец на аукционе как раз поднимался на свою кафедру. Сиденья были расположены тесно одно к другому. Стефания чувствовала давление на ее руку со стороны не отпускающего ее Макса, видела его снисходительный взгляд, устремленный на нее, и немного робела от его близости. Продавец начал свою напыщенную приветственную речь и тем самым отвлек внимание Макса от Стефании и внимание Стефании от Макса.

Чилтонский аукцион. Первое яркое событие нового сезона в высшем свете. На аукционе собралось около трех сотен участников торгов из Англии и с континента. Это были влиятельные, могущеетвенные люди, одетые в твидовые прогулочные костюмы, безупречно вежливые по отношению друг к другу. Они сидели на своих местах в павильоне или стояли в проходах. Снаружи собралась большая толпа любопытствующих, имевших возможность наблюдать за ходом торгов через огромное отверстие в ткани павильона. Люди расположились на лужайке: стояли опершись на свои трости или сидели на складных стульях. По небу проплывали тонкие, высокие облака, сквозь которые беспрепятственно проникали на землю солнечные лучи. В спокойном воздухе стоял терпкий запах подстриженных газонов. Вдали виднелись подернутые туманом холмы.

Чилтонский аукцион. Это было событие большого масштаба. О таких действиях Стефания раньше только читала в газетах.

Да вот еще Макс Стуйвезант, сидевший рядом. Их встреча, которая была для нее совершенно неожиданной, произошла в парке. Он взял ее за руку и уже не отпускал, что говорило о многом.

И хоть Стефания решила сосредоточиться на торгах, она ни на секунду не забывала, кто сидит рядом с ней и держит ее за руку.

Продавец аукциона вкратце рассказал историю Чилтон-хауса, построенного во времена царствования королевы Анны. Он коснулся биографии его последнего владельца, известного художника, который умер, не оставив наследников. Теперь судебные исполнители занимались продажей дома и всего его имущества. Та же судьба ожидала мастерскую покойного, оранжерею, четыре гаража и десять акров парка.

— Открываю продажу дома, — весело возвестил продавец. — Начальная цена равняется двумстам тысячам фунтов!

Первая волна реакции собравшихся прокатилась по павильону негромким шелестом.

— Эти люди, — заметил Стуйвезант, — больше всего боятся быть обманутыми своими соседями. Обычная проблема для городишек с населением в несколько сотен человек.

— Начали! — воскликнул продавец и какой-то удивленный ропот пронесся над головой Стефании.

Через две минуты дом был куплен за двести пятнадцать тысяч фунтов. Стефания услышала, как слева фыркнула Александра:

— Если бы я знала, что дом отдадут за бесценок, я бы давно взяла его.

— Графиня Вексонская, — прошептал кто-то, — купила дом для своей матери.

Из уст многих горожан вырвался вздох облегчения. Многие покинули аукцион, удовлетворившись продажей, а тем временем на кафедру вышел продавец лондонского аукциона «Кристи».

— Теперь с молотка пойдет имущество, — негромко пояснил Макс. — Обычно это проходит интереснее, чем продажа дома. Ты собираешься что-нибудь приобретать?

— Мейсенские вазы, — сказала Стефания, удивляясь, как спокойно прозвучал ее голос.

На ней была замшевая юбка Сабрины, твидовый пиджак, кашемировый свитер нежно ласкал кожу. Рядом уверенно возвышался Макс Стуйвезант. В таком наряде и с таким попутчиком она чувствовала себя равной с собравшимися и это придавало ей уверенности в себе. Она пролистала страницы каталога.

— Бюро тюльпанового дерева эпохи Людовика Шестнадцатого и столик эпохи Георга Третьего. Лорд и леди Рэддисон пожелали приобрести что-нибудь времен Регентства. Но, боюсь, с этим у нас ничего не выйдет. В их распоряжении только три с половиной тысячи, а за такую цену...

— Ты покупаешь для Питера и Розы?! Они что, повинились? Или у тебя сегодня день всепрощения?

Стефания нахмурилась. О чем это он? Очевидно, Сабрина ссорилась с Питером и Розой Рэддисон...

— Невежливый вопрос, — признал тут же Макс. —

Позволь мне сменить тему. Я собираюсь участвовать в торгах, когда речь зайдет о трех статуэтках из дерева. Значит, мы с тобой не являемся конкурентами. И знаешь? Я чрезвычайно счастлив, что встретил тебя сегодня утром.

Она рассеянно кивнула, делая вид, что внимательно изучает каталог. Она могла и не появиться здесь. Когда вчера ей позвонил в «Амбассадор» Николс и предложил заехать за ней, она повела себя глупо.

— Какой аукцион?

— Боже, моя дорогая Сабрина, Чилтонский аукцион! Амелия же звонила тебе из-за этого, а «Кристи», я уверен, прислали тебе каталог. Ты просто обязана прийти. Неужели ты позволишь мне одному ринуться в сумрачные дебри Уилтшира?

Она рассмеялась.

Слепой ведет слепого. Она никогда не была в Уилтшире. Ей пришлось отыскать карту и внимательно изучить ее.

— Хорошо, Николс. Конечно, я не брошу тебя. Когда нам надо выезжать?

— Увы, дорогая, в восемь утра! Время идиотов, но что поделаешь? В противном случае мы опоздаем.

Стефания тут же разыскала каталог и вскоре полностью погрузилась в изучение его глянцевых страниц. Она с равным интересом рассматривала цветные фотографии всех предметов, выставленных на аукцион, вне зависимости от того, по карману ей был тот или иной лот или нет. Это потом уже ее осенило: «А ведь мне, в принципе, все здесь по карману!..» «Амбассадор» имел специальный банковский счет для аукционов, а хозяйкой «Амбассадора» пока что являлась она. Во время их длинного разговора в понедельник Сабрина разрешила ей тратить деньги на покупки для магазина по мере надобности. Впервые в жизни ей предстояло прибыть на аукцион в качестве его равноправной участницы, а не робкой зрительницы, какой она была в детстве, когда они с сестрой стояли в сторонке и в молчаливом восторге наблюдали за тем, как участвует в торгах их мама.

Сабрина рекомендовала Стефании со всеми вопросами, возникшими по работе, смело обращаться к Брайану.

— Мы с ним обсуждаем все проблемы и обмениваемся мнениями, так что у него не должно возникнуть никаких подозрений, когда ты обратишься к нему с делами, — сказала она и сделала долгую паузу. Потом добавила: — Об одной вещи он пока не знает. Не покупайте ничего у ловкого джентльмена по имени Рори Карр и у его фирмы «Вестбридж импорт». Обязательно предупреди об этом Брайана. Эти ребята, похоже, орудуют подделками. Держись от них подальше, пока все до конца не выяснится. Ну вот, а по поводу всего остального спрашивай у Брайана и не стесняйся.

— Как вы думаете, — спросила Стефания Брайана после звонка Николса, — что нам было бы полезно приобрести в Чилтоне?

Они вместе тщательно просмотрели каталог еще раз и Брайян предложил остановиться на мейсенских вазах, бюро эпохи Людовика Шестнадцатого и туалетном столике времен Георга Третьего.

— Да, пожалуй, — согласилась Стефания. — Благодарю вас. Принесите-ка мне справочник по аукционам.

Она стала листать толстую книгу, сидя за рабочим столом, стараясь найти упоминание о суммах, которые были уплачены за выбранные ею или за похожие вещи на предыдущих аукционах. Попутно она делала необходимые заметки и производила несложные расчеты. Наконец перед ней образовался столбик из довольно крупных цифр: на сколько она могла торговаться по каждому из предметов, выкупить их и вместе с тем принести Сабрине прибыль при их продаже. Она чувствовала, что неплохо ориентируется в ситуации. Телефонный разговор с Сабриной, когда та сказала о своей сломанной руке, был два дня назад. В течение этого срока ничто не мешало Стефании считать жизнь сестры своей. Наоборот, ее успехи только подтверждали это.

Весь понедельник до позднего вечера она просидела в кабинете в «Амбассадоре», проглядывая записи и каталоги, составленные Сабриной и имеющие непосредственное отношение к ее бизнесу, а также выбирая с полок те книги, изучение которых могло бы заполнить зияющие пустоты в знаниях Стефании проблем антиквариата.

«Господи, куда мне тягаться с Сабриной», — подумала она в отчаянии.

Однако время шло и по мере того, как она читала, она видела, что тут есть нечто общее с ее собственным бизнесом недвижимости.

«Значит, неверно считать, что он полностью у меня

провалился, — с усмешкой решила она. — Это была репетиция нашего с Сабриной эксперимента».

Она сидела в полуночной тиши кабинета Сабрины и вдыхала смешанные ароматы, исходившие от мебельной полировки, темного бархата, парчи и гвоздик, которые утром были поставлены в хрустальной вазе на ее стол Брайаном. Она коснулась кончиками пальцев хрусталя и он тихо зазвенел. Четыре недели. «Амбассадор». Кэдоган-сквер. Миссис Тиркелл. Лавки и старые улочки Лондона. Театры, рестораны, вечера, волнующая, дразнящая дружба с Александрой и Габриэль. Свобода.

Звон хрусталя внезапно исчез.

Стефанию пронзило горькое чувство вины. Острие ее ощущений было таким же твердым и холодным, как хрусталь вазы. Она была матерью и женой. Какое она имела право стремиться к свободе? Она была крепко связана ответственностью за семью и, что греха таить, искренне привязана к ней. Как они там?

Но почему Стефанию так редко терзают мысли о доме? Почему она не чувствует себя одинокой и несчастной без семьи? Почему не тревожится о них, не рвется домой?

— Потому что мне нельзя сейчас этого делать, — сказала она вслух, обращаясь к ночным сумеркам, проникшим с улицы в кабинет. — Я не могу вернуться. Если это произойдет, семья будет разрушена.

«Да, ты не можешь сейчас вернуться. Но, похоже, и не жалеешь особенно об этом, — раздался у нее в голове коварный внутренний голос. — Да, не жалею! — дерзко ответила ему Стефания. — Я скучаю по детям, но знаю, что они в надежных руках. О них по-матерински заботится Сабрина. До возвращения домой у меня есть немного времени и я собираюсь использовать его как можно лучше. У меня больше не будет в жизни такого шанса. Разве это преступление — использовать такую редкую возможность? Скоро я вернусь домой, к хозяйству, к семье, к мужу и буду всем, чем я должна быть. Но пока... Пока у меня другие планы».

Во вторник она передала Брайану список вещей, купленных Сабриной в Китае.

— Эти предметы нужно будет выставить в демонстрационном зале. А эти необходимо как можно скорее переслать покупателям. Имена указаны на обратной стороне. Там все знакомые. У вас ведь есть их адреса?

— Да, миледи. Я позабочусь.

— И еще, Брайан. Никак не могу отыскать вклады за сентябрь...

— О, миледи, прошу прощения, гроссбух на моем столе. Леди Вернон на прошлой неделе прислала нам свой чек... — Он сделал паузу, не договорив.

Почему? Очевидно, он ждал какого-то комментария от нее или удивления. Видимо, леди Вернон слыла неаккуратной плательщицей...

— В самом деле?

— Да-с, прислала. И на этот раз прошло всего полгода.

— О! Она становится более оперативной.

— Значительное улучшение, миледи! В прошлый раз нам ведь пришлось ждать целых восемь месяцев...

— Если мы проживем с вами долго, Брайан, возможно, дождемся того знаменательного момента, когда леди Вернон уплатит за покупку вовремя.

Он улыбнулся.

— Послезавтра я представлю вам чеки на подпись, миледи.

А затем пришла леди Рэддисон, чтобы заказать что-нибудь эпохи Регентства на Чилтонском аукционе.

Когда она, Стефания, сидела рука об руку с Максом Стуйвезантом в павильоне, где проходили торги, ей пришла в голову мысль разузнать у него, что он слышал о ее ссоре с Рэддисонами. Судя по его репликам, он уже познакомился с этой светской историей после своего возвращения из Нью-Йорка. Но она сдержалась. Его пронзительные глаза и снисходительная улыбка краем губ смущали Стефанию, делали ее в собственных глазах юной и простодушной. Она понимала, что он обхитрит ее и выудит из нее больше информации, чем предоставит сам.

Торги продвигались быстро и вскоре уже было продано несколько лотов. Стефания внимательно изучала участников аукциона, особенно Александру, которая в последнюю минуту согласилась поехать с ними. Она торговалась изящно и смело, избегая лихорадочной жестикуляции и мимики, характерных для большинства участников. Стефания вскоре поняла, что главное в этом деле — быть ненавязчивым и тихим, что помогало держать конкурентов в неведении относительно того, кто против них выступает. Не зная возможностей соперников, они не могли понять, насколько следует поднимать цены, и в результате часто проигрывали. Она вспомнила беседы Гарта и Ната Голднера о покере и улыбнулась. Чилтонский аукцион был похож на игру в покер. Только ставки здесь были неизмеримо выше.

Когда на всеобщее обозрение было выставлено бюро времен Людовика Шестнадцатого, продавец вкратце рассказал историю его происхождения и открыл торги с цены в тысячу восемьсот фунтов.

Над павильоном зависла тишина. Продавец напряженным взглядом стал обводить ряды участников торгов. Когда его глаза на секунду остановились на Стефании, она чуть вздернула подбородок.

— Две тысячи! — крикнул продавец.

Радостное волнение мурашками пробежало по ее спине. Продавец понял ее жест, он понял ее! Значит, она тоже может!

— Кто больше? Предложено две тысячи фунтов! Жду предложений! — воскликнул продавец аукциона, и участников торгов словно прорвало...

Продавец едва успевал регистрировать сигналы с мест и выкрикивать все более крупные суммы. Наконец его взгляд снова деликатно задержался на лице Стефании. Она коснулась булавки на отвороте своего платья.

— Шесть тысяч! — торжественно провозгласил продавец и тут же добавил еще более торжественно, заметив, как Стефания вновь коснулась своей булавки: — Прошу прощения, семь тысяч!

Среди участников торгов прокатилась легкая волна смущения. После небольшой паузы вызов Стефании приняли два смельчака, назвав свои цены. Стефания слышала, как продавец монотонным голосом регистрировал увеличение:

— Восемь тысяч, господа!.. Восемь тысяч пятьсот!..

Ею овладело раздражение. Она не могла себе позволить проиграть при первой же попытке.

И снова взгляд продавца стал блуждать по лицам собравшихся. Когда он дошел до Стефании, та чуть повернула голову вправо и тут же вернула в прежнее положение.

— Девять тысяч! — воскликнул продавец.

После секундного промедления Стефания повернула голову уже налево и снова вернула в прежнее положение.

— Десять тысяч!

В ушах Стефании поднялся колокольный звон. Она со страхом следила за губами продавца.

— Продано! — возвестил тот наконец. — Продано леди Лонгворт за десять тысяч фунтов!

Толпа зааплодировала.

Стефания продолжала смотреть на вежливое лицо продавца и не могла пошевелиться. Десять тысяч фунтов... Это свыше двадцати тысяч долларов. Вдвое больше, чем она зарабатывает в год в университете. Сабрина не простит ей.

— Фантастично, леди Лонгворт! — воскликнул Макс. В его серых глазах сквозило восхищение. — Как мастерски! Как тонко! Как расчетливо! Надеюсь, мне никогда не придется быть твоим конкурентом на аукционах.

Она внимательно взглянула на него. Если он таким образом насмехается над ней, скоро об этом будет известно всем.

— Я должен был сразу догадаться, что игру вела леди Лонгворт! — сказал кто-то сзади. — Я видел, как она проворачивала такой трюк и раньше: назовет цену, а потом, не дав никому опомниться, тут же сама и повысит. Великолепно! Верный способ отщелкать соперников...

«Откуда мне это было известно? — удивилась про себя Стефания. У нее задрожали руки. — Откуда?!»

Макс поднялся со своего места.

— Ты пообедаешь со мной?

Она машинально обернулась в сторону Николса и Александры, которые тоже встали и уже начали продвигаться к выходу из павильона. Наступил перерыв.

— Мы можем поесть вместе, — обернувшись, предложил Николс. — Амелия положила столько, что можно накормить весь Уилтшир!

Он принес из своей машины корзинку с крышкой и разложил еду на одном из десятков столиков, расставленных на лужайке. Стол был покрыт белой бумажной скатертью и на нем лежали зеленые бумажные салфетки. Макс сходил в бар, за стойкой которого стоял владелец местного трактира, и принес пива. Они опустились на складные стулья и приступили к копченой индейке во фруктовом соусе, — рецепт был оригинален и принадлежал Амелии Блакфорд.

— Амелия и сама хотела приехать, — с аппетитом поглощая большие куски, заметил Николс. — Но слишком занята в магазине. Вы не поверите, как она там славно командует! Как будто ее с самого детства только для этого и готовили. Настоящий профессионал! Никогда не думал, что в ней живут такие таланты. — Он поднялся и стал слегка пританцовывать на своих коротеньких ножках. — Милая моя Сабрина, я вот все думаю в последнее время... Как ты посмотришь на партнерство между нами? У меня остается свободное время. Особенно с тех пор, как моя Амелия сорвалась с цепи... Прошу прощения за грубое слово, но я действительно никак не ожидал от нее такой прыти. Дело в том, что у меня сейчас недостаточная нагрузка. Начать новый бизнес? Ну уж нет! Я для этого слишком стар. А вернее, слишком хорошо устроился. Но я подумал, что мы могли бы скооперироваться в некотором смысле. Ты бы продолжала заниматься интерьерами, а я вел бы всю административную работу в «Блакфорде» и «Амбассадоре», а?

«Никому не отнять у меня «Амбассадора», — подумала Стефания и тут же выпалила вслух:

— Нет!

Лицо Николса сразу сморщилось и съежилось, как у ребенка, которому дали пощечину, когда он ожидал похвалы. На лице Александры появилось выражение искреннего удивления. Увидев это, Стефания пала духом. Сабрина, конечно, не позволила бы себе такой грубости: она отклонила бы предложение Николса изящно, тонко и дружелюбно. Так, что он еще остался бы доволен этим.

Она почувствовала руку Макса под своим локтем.

— Позволь уточнить, Николс, что бы ты не понял Сабрину превратно, — мягко начал он. — Она хотела всего лишь...

— Я была невежлива, — прервала его Сабрина и освободила свою руку. В данном случае она не нуждалась в защите Макса Стуйвезанта. — Николс, прошу у тебя прощения. Я думала о другом, слушала тебя рассеянно, поэтому и ответила так резко. Позволь мне подумать над этим предложением пару дней? Мы могли бы об этом поговорить с тобой позже, если, конечно, ты еще сохранил ко мне доброе расположение...

— Доброе распо... Да ты что, Сабрина! Я просто обожаю тебя! Подождем столько, сколько захочешь. У меня нет никого, кроме тебя, кому я мог бы сделать такое предложение, так что ни в коем случае не торопись. Ну что, может, вернемся? Похоже, торги вот-вот возобновятся.

— Боюсь, наши места уже заняты, — сказала Александра. — Давайте сделаем так. Мы с Сабриной пойдем прогуляемся, а джентльмены поищут нам стулья в павильоне.

«Спасибо тебе», — подумала Сабрина.

Взявшись за руки, они пошли по зеленой лужайке, плавно огибая группы отдыхающих, которые закрывали свои обеденные корзины и запирали своих собак обратно в машины, где тем предстояло томиться до конца аукциона под присмотром обслуживающего персонала, одетого исключительно в смокинги. Сами участники аукциона почти все были наряжены в твид, который хорошо гармонировал с бледно-зелеными газонами и старым красным кирпичом дома, окруженного роскошными дубами. Стефании казалось, что она попала на полотно какого-нибудь знаменитого живописца прошлого. Это было красивое и совершенное место. Дамы были сама вежливость, а сопровождавшие их кавалеры — все истинные джентльмены. Гуляя здесь, невозможно было испытывать какую-либо тревогу или чувствовать себя несчастным.

Непонятно, зачем Сабрине понадобилось бежать от всего этого?

— С тобой все в порядке, сердечко? — участливо спросила Александра.

— Немного нервозна. Сама не знаю почему.

— Запоздавшее проявление последствий твоей поездки. Возможно, тебе потребуется еще одна, чтобы окончательно прийти в норму.

Стефания рассмеялась.

— Нет, пока хватит с меня путешествий.

— А где сейчас бразильский любовник?

— В Бразилии, насколько мне известно.

— А Макс?

— А что Макс?

— Мне интересно, что ты скажешь о его новом имидже?

Макс. Сила его обаяния ощущалась даже на таком приличном удалении.

— Ты давно его знаешь? — рассеянно спросила она, пытаясь уйти от ответа на прямой вопрос.

— Здравствуйте! — удивленно улыбнулась Александра. — Спустись на землю, сердечко. Неужели ты забыла о нашем знаменитом круизе? Ведь и мы с тобой там познакомились!

— Значит, забыла на минуту. Как ты думаешь, почему?

— Надеюсь, что не из-за меня. Лично я не прочь иной раз вспомнить о нем. У Макса много врагов и, возможно, — это моя догадка, — он их заслуживает. Но я этого не знаю и знать не хочу. Мы с ним развлекались. Нам было хорошо вместе и, как видишь, мы до сих пор остались друзьями. Так или иначе, но это было очень давно и с тех пор все мы изменились, так что я даже люблю иной раз вспомнить тот круиз. Хотя и тебя понимаю.

Они миновали невысокую кирпичную мастерскую, где творил последний владелец поместья, затем целый ряд гаражей.

— Леди Лонгворт! — вдруг раздался в стороне радостный голос.

Стефания повернулась и увидела безупречно одетого мужчину с сединой в волосах и заметными мешками под глазами. Он поклонился и припал на секунду к ее руке.

— Я надеялся поймать вас здесь. Насколько я понял, вы были в Китае...

Стефания ждала, пока он проговорится о своей персоне и тем самым даст ей возможность представить его княгине.

— Вы делали там покупки для своего очаровательного магазина?

Он дважды скосил глаза на Александру.

Стефанией овладело смущение. Она была раздражена, этот человек не давал ей никакого ключа к разгадке.

Она холодно посмотрела на него и сказала:

— Отчасти.

— И, надеюсь, удачно, — тут же подхватил он. — Но позволю себе предположить, что вы не нашли там всего фарфора, который вам был нужен, а?.. Через несколько дней у меня появится несколько вещей, которые, я уверен, произведут на вас благоприятное впечатление. Можно ли будет занести их к вам показать?

Продавец.

— Разумеется, — ответила она, почувствовав облегчение.

Она не обязана была знакомить Александру с каким-то продавцом.

— С удовольствием взгляну на них.

Они попрощались. Продавец отвесил миледи еще

один полупоклон. Стефания вновь взяла Александру за руку и они продолжили прогулку.

— Скажи: все ли знакомые тебе продавцы одеваются, как французские бароны? — с улыбкой спросила Александра.

— Да, но только в Англии. Во Франции они одеваются, как английские лорды.

— А в Германии?

— Как итальянские герцоги.

Александра весело рассмеялась.

— Ты хочешь сказать, что все они плуты?

— Возможно, — легко ответила Стефания. Она чувствовала воодушевление и дерзость. Все, что она успела сказать и сделать сегодня, никак ее не выдало. Даже наоборот, придало уверенности и укрепило в силах. — Ты серьезно полагаешь, что Макс изменился? — спросила она небрежно.

— Смягчился. Как груша. Стал нежнее, сочнее, может быть, слаще. Только сердцевина у груш всегда твердая, так что... сама понимаешь. Если бы я не знала его так долго и хорошо, то могла бы подумать, что он — именно то, что я ищу всю свою жизнь.

— А что ты ищешь всю свою жизнь?

— Ну, ты же знаешь. Того человека, который бы построил для меня замок, но позволил бы оставаться внутри него самой собой. Это не значит, что я бы тут же стала спать со всей округой. Я умею быть верной одному мужчине. Для меня это не является проблемой, как для других женщин. Я подхожу к этому вопросу философски. Разница между мужчинами не такая уж и большая. Так что, когда спишь с одним из них — все равно, что со всеми сразу. Есть, конечно, индивидуальные отличия, но они незначительны. Так, мелочь. Судя по твоим приподнятым бровям, ты не согласна со мной.

«Я спала с одним-единственным мужчиной за всю жизнь», — как-то стыдливо подумалось Стефании.

— Просто твоя точка зрения небезупречна и с ней можно поспорить.

— Догадываюсь. Если некуда девать время, остается спорить. Кстати, я хочу иметь в жизни еще что-нибудь, кроме секса и поддержания своей красоты. Даже не знаю, что это может быть. Поэтому я жду человека, который покажет мне жизненное направление, но не будет силой заставлять делать то, что он желает. Как ты думаешь, это возможно? Может, и нет. Совершенство не валяется на каждом углу. — Они незаметно вернулись к павильону. — О, если не ошибаюсь, наши кавалеры усиленно машут руками. Кстати, какой интерес здесь у Макса?

— Статуэтки из дерева.

— Наверное, для его нового дома. Понаблюдай внимательно за выражением его лица, когда он вступит в игру, это забавно. Создается впечатление, что, будь его воля, он задушил бы всех конкурентов собственными руками.

Как только участники торгов расселись по своим местам, как только умолк гул разговоров и даже шепот, как только люди перестали шелестеть страницами каталогов, их вниманию были представлены статуэтки из дерева. Стефания, помня совет Александры, тут же скосила глаза на Макса. Статуи продавались по одной. С каждой удачей глаза Макса становились темнее, а высокие скулы на его лице выступали четче, будто горные кряжи. Между ним и тремя другими участниками разгорелось настоящее сражение. Но ему удавалось всякий раз взять верх: он назначал цену выше той, которую сам ожидал. По павильону прокатывались волны удивления.

«Если бы он разрешил мне поторговаться за него, — подумала Стефания, — я бы сохранила ему не одну тысячу фунтов».

— Так ты думаешь, что у тебя получилось бы лучше? — спросил он у нее, когда со статуями на аукционе было покончено.

От удивления и неожиданности она рассмеялась.

— Неужели мои мысли написаны у меня на лбу?

— Ничего подобного, дорогая Сабрина. Просто мы оба хорошо знаем, что у тебя получилось бы лучше. В следующий раз я обязательно попрошу тебя принять участие в торгах за меня.

Он одарил ее взглядом одобрения и восхищения, когда ей удалось купить столик времен Георга Третьего за сумму значительно меньшую, чем та, на которую она первоначально рассчитывала.

Затем публике была представлена мебель эпохи Регентства. Стефания поняла, что сейчас наступает самая важная минута. Рэддисоны чем-то навредили Сабрине, — иначе зачем ей было ссориться с ними? — и от этого Стефания вдвойне хотела вернуться с победой.

Продавец аукциона открыл торги с цены в две тысячи фунтов. Когда поступило предложение продать мебель за две с половиной тысячи, внимание продавца привлекла Стефания. Она стала повторять те же сигналы, что и утром, лишь слегка видоизменяя их. Но торговалась теперь тоньше, так как была больше уверена в себе. Одновременно с этим она проявляла напористость, хотя и сдерживала себя, когда это было возможно.

— Продано! — воскликнул наконец продавец. — Продано леди Лонгворт за три тысячи сто фунтов!

Аплодисменты сопровождали эту покупку так же, как и утреннюю. Макс сам похлопал в ладоши и, склонившись к ней, проговорил:

— Мастерски. — Теперь Стефания уже знала наверняка, что он не смеется над ней.

«Я победила! — думала она радостно. — Если они думали еще раз досадить Сабрине, ограничив ее тремя с половиной тысячами и рассчитывая на то, что она проиграет, то серьезно просчитались. Эх, рассказать бы кому...»

Стефания даже стала оглядывать присутствующую публику, но, разумеется, не отыскала ни одного человека, с которым можно было бы разделить всю радость победы.

«Ничего, вечерком я позвоню Сабрине. Подожду пока. Вот она обрадуется, когда услышит, что мне удалось провернуть...»

Но вдруг она поняла, что и Сабрине не сможет рассказать об этом. Да и как она могла звонить ей и хвалиться своей победой, когда та сидит, по сути, взаперти в Эванстоне и прикрывает ее! Упуская все те радости, которые по праву должны были быть ее радостями!

Улыбка Стефании сразу померкла. Настроение испортилось. Придется упиваться триумфом в одиночку.

— И еще раз мои поздравления, Сабрина, — сказал Макс. — Наверное, я попрошу тебя когда-нибудь дать мне уроки.

Она улыбнулась. Максу пришлась бы по душе история с подменой сестер. Она очень жалела о том, что не могла поведать ему ее.

Почему она об этом подумала? Вероятно, потому, что дух риска окружал и его. Он любил рисковать сам и умел оценить риск других. «Наверное, стремление испытать опасность, как человеческая черта, не понравилось бы мне в мужчине в другое время, — подумала она. — Но сейчас... Когда я сама подвергаю себя огромному риску. И понимаю, как это может быть волнующе и... успешно...»

— У меня новый дом, — сказал Макс. — На Итон-сквер. Восемнадцатый век. Когда-то он был просто восхитительным. Но здорово искалечен прежними владельцами, которым казался недостаточно современным. — Он смелыми штрихами набросал на обратной стороне каталога расположение комнат в доме и описал каждую. — В последние три месяца меня посетили пять или шесть важничающих декораторов. Один отколол кусок от резного украшения над камином, другой покорежил канделябр, третий предложил заменить дубовые перила на железные. Словом, я всех их выгнал, как неисправимых дураков. Прошу, вернее, умоляю тебя: спаси мой дом и меня от этих идиотов!

Стефания взглянула на чертеж. Значит, ее просили заняться интерьером дома. Начиная с вечера у княжны Александры Стефания дико завидовала счастью сестры и просила судьбу предоставить ей шанс. И вот он появился.

— У меня есть мебель, — продолжал Макс. — Правда, ее чересчур много. Слишком много картин, статуй. Ковров, занавесей, абажуров — до черта! Все это из моего бывшего особняка в Лондоне и из пригородного дома в Нью-Йорке. Я нанял бригаду рабочих. Им нужно только сказать, что делать. Мне необходим человек, который бы решил, какую мебель оставить и как ее расположить, а что продать. Ты мне нужна, как воздух.

— Нет. — Она покачала головой. — Извини, но не могу.

— Можешь! Я очень хорошо заплачу.

— При чем здесь деньги? — Она уперла руки в колени.

Поначалу ей казалось, что она своим отказом просто стремится сохранить дистанцию в отношениях с Максом, но это был только предлог. Основная причина заключалась в том, что она боялась потерпеть неудачу.

В течение всей своей жизни она верила, что добилась бы тех же успехов, что и Сабрина, если бы у нее был такой же образ жизни, столько же возможностей. Теперь Макс давал ей шанс. Но это было так страшно, так страшно... Страх подступал к горлу. Она отвергает такую возможность?.. Что она делает?! Зачем она отрицательно качает головой?!

«Дайте мне остаться при своих иллюзиях», — подумала Стефания с горечью.

— Но это же абсурд! — начал горячиться Макс. — Я же видел дом Александры. И лондонский дом Оливии Шассон! Только ты можешь мне помочь!

— Надо было раньше обращаться.

— А, понимаю, ты обижена. Ты права. Но тех декораторов мне посоветовали близкие друзья, разве я мог им отказать? Забудь о них. Они не существуют.

Она рассмеялась.

— Дело не в этом.

— Тогда в чем же, черт возьми, дело?!

— У меня нет времени, — сказала она, сама себе удивляясь. И потом выпалила всю правду: — У меня есть только четыре недели.

— А потом? Растаешь, как снег? Распадешься на атомы? Исчезнешь с лица земли?

Она снова могла только засмеяться.

— Если у тебя сейчас есть другая работа, то я тебе не помешаю. Ты сможешь работать у меня по свободному графику и столько времени, сколько хочешь. Хоть год! Пойми, ты мне нужна. У тебя будут развязаны руки. Я дам тебе возможность тратить, сколько захочешь!

Стефания уже не могла сопротивляться. Она еще раз внимательно взглянула на его набросок, попыталась себе представить комнаты и... Вдруг у нее в голове начали появляться уже конкретные идеи!..

— Хорошо, — сказала она наконец.

Аукцион закончился и они стали выходить из павильона.

«У меня получится! — поклялась она себе. — Сегодня уже получилось... Да и почему я должна провалиться? С какой стати? Я ничем не хуже Сабрины. Все, что мне было нужно: чтобы представился такой шанс».

Что же касается Макса, то она решила видеться с ним ровно столько, сколько потребуется для работы в его доме. А если что... она оставляла за собой право тут же расторгнуть с ним договор и больше его никогда не видеть.

— Когда ты собираешься начать? — осторожно спросил он, когда они прощались вечером.

— Я уже начала, — ответила она.

На следующее утро Стефания нашла на своем вишневом столе пачку чеков, которые дожидались ее подписи. Это были расходы, которые одобрила Сабрина перед своей поездкой в Китай. Стефания тщательно изучила их и суммировала для того, чтобы примерно рассчитать затраты на этот месяц. От сознания того, какие дикие суммы она тратит, у нее подрагивали руки. Это были не ее деньги и все же... Она даже не верила, что ставит свою подпись под бумагами, пришедшими в одно утро. Здесь говорилось о тысячах и тысячах фунтах!

Она разбиралась с последним чеком, когда зазвонил телефон. Через несколько секунд в дверях показался Брайан.

— Сеньор Молена, миледи.

Ручка Стефании замерла. Сабрина говорила, что Антонио не будет до первой недели октября, поэтому Стефания надеялась, что с этой стороны ее не ждали проблемы. Оказалось все иначе. Она поморщилась: теперь нужно было срочно придумывать, как удержать его на расстоянии до возвращения Сабрины.

— Если миледи не хочет подходить к телефону, то я... — начал Брайан.

— Нет, отчего же? — сказала она, протягивая руку к своему аппарату. — Но все равно спасибо вам, Брайан.

— О, моя Сабрина! — раздался в трубке густой и интимный голос Антонио. — Я закончил свои дела в Сан-Паулу и спешу повидать тебя. Прости мое нетерпение. Сегодня вечером мы с тобой поужинаем и...

— Нет.

— У тебя другие планы?

Она не знала, что ответить. Абсурд какой-то. Почему она должна отвечать «нет» на все предложения, если ей и так остается пребывать в этом раю всего несколько дней? Хотя теперь, в связи со сломанной рукой сестры, обстоятельства немного изменились, ну так тем более! Это ее дом, ее жизнь и надо как-то учиться быть здесь не гостьей, а хозяйкой. Почти целый месяц!

У нее не было никаких планов на вечер.

— Впрочем, с удовольствием поужинаю с тобой, — ответила она, бросая самой себе вызов.

— В восемь часов, моя Сабрина. Я так по тебе соскучился.

Он заехал за ней на своей машине, и они отправились по изгибающимся улочкам к фулхэмской дороге. Пока Антонио с увлечением рассказывал об одной своей встрече, которая произошла во время полета из Бразилии, Стефания смотрела в окно на меняющийся городской пейзаж. Когда они проезжали вблизи кладбища Бромтон, Антонио обратил внимание, что у нее озабоченное выражение лица.

— Небольшой сюрприз, — сказал он с улыбкой.

В ту же минуту машина остановилась. Следуя за ним вниз по какой-то лестнице, Стефания приглядывалась к его смуглому лицу, на котором отчетливо выделялся орлиный нос. Помня описания Сабрины, она рассчитывала на общество тяжеловатого на подъем и требовательного кавалера, который угостит ее восхитительным ужином. Вместо этого, как ей показалось, она получила приятного собеседника и ресторан-подвальчик на сумрачной кладбищенской дороге.

Впрочем, внутри «Ля Круассе» оказался выше всяких похвал. Чувствовалось, что Антонио здесь не в первый раз. Более того, он вел себя просто раскованно и даже как-то по-хозяйски. Его глаза сверкнули, когда он увидел на ней сапфировое ожерелье. А его голос торжественно звучал, когда он представлял свою подругу месье Мартэну, который пошел на большой риск, открывая ресторан на далекой от всякой цивилизации дороге. Впрочем, через несколько месяцев ему удалось каким-то чудом сделать свое заведение самым дорогим и знаменитым во всем Лондоне. Затем, не обращая на Стефанию внимания, мужчины стали обсуждать, какую именно рыбу лучше всего подать к ужину.

Стефания рассеянно слушала их разговор. Казалось, им совсем не было дела до ее желаний. Но ей это было все равно. Она была счастлива оказаться в таком чудесном зале. Приглушенное освещение и тонкие ткани, вездесущие официанты, которые помогали выполнять любые желания. Все здесь нравилось Стефании.

«Господи, и это теперь мой мир», — подумала она и улыбнулась, когда метрдотель наливал ей вино. Улыбнулась не потому, что он наливал, а потому, что он делал это изящно.

Антонио рассказывал о Сан-Паулу и Рио-де-Жанейро, о костюмированных балах и вечеринках, о больницах и школах, предусмотренных в тех городах, строительством которых он занимался. «Он пытается произвести впечатление на Сабрину, — думала Стефания. Но почему та до сих пор не вышла за него замуж?»

— Я не могу пойти на это, — сказала Сабрина во время их долгого телефонного разговора в понедельник. — Все было бы гораздо легче, если бы я согласилась. Но я не соглашусь. Я не могу быть такой женой, какую он хочет иметь. Но об этом я скажу ему сама, когда вернусь. Ты же тяни время. Говори, что тебе еще нужно подумать. Он столько ждал ответа от меня, что пусть чуть-чуть подождет ответа от тебя...

— Может, ты напишешь ему? — спросила Стефания. — Не думаю, что я смогу держать его на длинном поводке в течение целого месяца... Я не настолько изобретательна.

— Написать?.. А что? Ты права, пожалуй. Я пришлю письмо тебе, а ты уж переправь его со своего лондонского адреса. Сегодня же напишу. Получишь в начале следующей недели. Если он позвонит раньше, скажи, что тебе еще нужно несколько дней. Я думаю, он не станет давить. Будем надеяться...

Письмо Сабрины Стефания еще не получила, а на ужин с Антонио уже согласилась. Ему нравилось небрежно болтать и смотреть на нее. И сама Стефания неожиданно для самой себя в карман за словом в этот вечер не лезла. Когда он попросил ее поделиться своими впечатлениями о поездке в Китай, она легко и остроумно рассказала о господине Су, о терракотовых воинах, похороненных в императорском склепе в Сиане, о домах на сваях на реке Ли и орхидеях в саду Кантона. Антонио поинтересовался крестьянами и она поведала ему о том немногом, что знала. Ее скудная информация не могла удовлетворить его любопытство.

— Поезжай туда сам, — предложила Стефания. — Чудесно проведешь время.

— Поедем вместе, — твердо произнес он. — Мы поедем вместе и вместе чудесно проведем время.

Он подал знак официанту, чтобы тот принес коньяк. Подняв рюмку, Антонио углубился в длинную гуаранийскую легенду о поисках редких драгоценностей, которые, кажется, имели какое-то отношение к поискам любви. Стефанию не интересовала легенда, она прислушивалась к густому звуку его голоса. Ей было приятно находиться в компании Антонио.

В уютных сумерках салона его машины Стефания вздохнула и откинула голову на спинку сиденья.

— Как твой магазин? — спросил Антонио. — Все идет нормально?

— Да, — пробормотала она устало. — Нормально.

— А твои друзья-газетчики?

— Что?

— Они ведь не опубликовали свою историю. Я попросил знакомых прислать мне ее в Бразилию, но статью не напечатали. Они что, передумали?

— Нет, — вынужденно выходя из состояния расслабленности ответила Стефания. К ней вернулась осторожность, которая в последние дни стала уже привычной. Она не имела ни малейшего понятия ни о своих «друзьях-газетчиках», ни об их ненапечатанной истории. Но надо было что-то говорить. — Публикацию отложили на два месяца, — уверенно ответила она.

— А, прекрасно! Значит, пусть пока Оливия продолжает думать, что ее мейсенский аист — произведение искусства. А у меня есть время помочь тебе.

— Не надо, — тут же произнесла она, запоминая полученную информацию, которую необходимо было обдумать позже. Затем, из-за того, что он был к ней добр в течение всего вечера и потому что она не хотела его расстраивать, Стефания прибавила: — Подождем несколько недель.

— Сколько тебе будет угодно, моя Сабрина. Но не советую ждать слишком долго. Я ведь забочусь только и исключительно о тебе и твоем благополучии.

— Спасибо, — тепло ответила Стефания и еще раз удивленно подумала о той небрежности, с которой ее сестра относится к такому идеальному кавалеру.

Она стала смотреть в окно машины, на магазины и дома, мимо которых они проезжали. Дорога была незнакома. Она решила, что он везет ее домой другим путем. Но не стала ничего спрашивать, потому что вовремя вспомнила, что она — леди Лонгворт, для которой Лондон родной дом и которая знала эту дорогу.

Она обдумывала, как сказать ему при прощании на Кэдоган-сквер, чтобы он не беспокоил ее звонками до получения письма, когда машина вдруг свернула на спиралевидную подъездную дорожку, огибавшую гладкий современный дом. Как только они остановились, к машине подбежал швейцар в ливрее.

— Уберите машину, — распорядился Антонио.

— Да, сэр, — ответил швейцар и открыл дверцу с той стороны, где сидела Стефания.

Она не двинулась с места. Его дом. А значит, и его постель. Господи, и как она сразу не догадалась, что он везет ее к себе? Видимо, потому что ей и в голову не приходила мысль, что он хочет уложить ее в свою постель. Сабрина и Антонио, несомненно, были любовниками. Но если говорить о Стефании Андерсен, то за всю свою жизнь она спала только с одним мужчиной — своим мужем.

— Сабрина, — донесся голос Антонио.

Она ясно уловила в его тоне нотки нетерпения.

— Я думала, ты везешь меня домой, — сказала она, глядя на швейцара, который стоял у дверцы и тянул к ней руку.

Она чувствовала себя последней дурой.

Антонио решительно обошел вокруг машины, оттеснил слугу в сторону и, взяв ее за руку, властно вытащил из машины.

— Ты прекрасно видела, куда мы едем и не остановила меня! Ну что за игры? Не разыгрывай меня!

— Никаких игр я не разыгрываю! — резко ответила она, взбешенная столь бесцеремонным обращением своего кавалера. Впрочем, она злилась и на свою глупость. Я не думала, что обязана внимательно следить за дорогой! — ледяным голосом сказала Стефания. — Я не думала, что у тебя хватит наглости привезти меня к себе, не узнав предварительно моего мнения...

Она запнулась, увидев на лице швейцара живейшее любопытство. За его спиной, через улицу, виднелись деревья небольшого парка.

— Пойдем погуляем несколько минут? — предложила она Антонио и, не дожидаясь ответа, повернулась к швейцару: — Ни в коем случае не убирайте машину.

— *Карамба!!!* — пробормотал сквозь зубы Антонио и, опять взяв ее за руку, потащил к парку. — Не трогай машину, — бросил он через плечо.

В тени деревьев Стефания вырвала свою руку.

— Ты никогда себе такого не позволяла! — горячился Антонио. — Я не ожидал от тебя подобной выходки! Женщина, которая готовится стать моей женой, не должна вести себя так! Мы же договорились...

— Мы договаривались только об одном: что не будем встречаться ровно месяц! Ты вернулся до этого срока. Да, я согласилась с тобой поужинать, но я не давала согласия на что-либо другое!

— Ты надела мое ожерелье, ты улыбалась весь вечер, была милая, нежная, очаровательная. Тебе понравился ужин, о чем ты давала мне понять всеми возможными способами. Весь вечер ты стремилась развеселить меня. Ты уже забыла, что говорила сегодня о своей радости, если я в скором времени избавлю тебя от расхлебывания той каши, которую ты заварила в своей лавчонке...

— Лавчонка?! — задохнулась от ярости Стефания. Она даже остановилась. — Каша, которую я заварила?! Твои слова непростительно оскорбительны!

Стефания изумленно прислушивалась к своим же собственным чувствам. Ей следовало быть поосторожнее. Кто знает, может, Сабрина передумала и отказалась от мысли написать резкое и решающее письмо Антонио? Может, она решила еще какое-то время серьезно подумать? Может быть, она даже решила выйти за него замуж? А Стефания сейчас такое говорит... Но гнев ее был столь силен, что затмил рассудок и способность трезво рассуждать. Стефания и Сабрина были разгневаны и оскорблены в одном лице. Сабрина не выйдет за него замуж, а Стефания объяснит почему.

— Ты обращаешься со мной, как с ребенком. Я не собираюсь этого терпеть. Я поступаю так, как мне хочется. Никому не дано права заставлять меня делать что-либо против моей воли.

— О, моя Сабрина, я и не принуждаю тебя ни к чему. Я хочу только заботиться о тебе...

— Ты решил, что я нуждаюсь в твоей заботе?

— А как же иначе? Дурочка! Неужели тебя устраивает, как ты ведешь свои дела? Пойми, у тебя больше не возникнет ни одной проблемы в твоей лав... в твоем магазине, если ты наконец позволишь мне помочь тебе. Ты рискуешь потерять все! Я хочу предложить тебе процветание, поддержку и гарантии. А ты бравируешь передо мной какими-то глупенькими мыслями о независимости...

— Антонио, прошу тебя, отвези меня домой.

— Что это значит?

— То, что мои глупенькие мысли о независимости настолько важны для меня, что я не собираюсь расставаться с ними из-за процветания, поддержки и гарантий!

— Но ты выйдешь за меня замуж?

— Нет!

— Выйдешь! Я бы не ждал так много месяцев, если бы не был в этом уверен.

— Ты отвезешь меня домой или мне пойти искать такси?

— Я позвоню тебе завтра.

— Меня не будет дома.

— Ты будешь дома. К тому времени уже успокоишься. К тебе вернется способность трезво рассуждать.

На счастье Стефании, у нее была преданная экономка миссис Тиркелл, умевшая отвечать по телефону тем господам, с которыми миледи не желала разговаривать.

Когда они возвращались на Кэдоган-сквер, Стефания думала как раз об этом. «На эти выходные я уезжаю, — размышляла она, стараясь успокоиться. — А потом подоспеет письмо Сабрины, которое должно поставить точку».

Однако, чувствуя личную вину за то, что произошло вечером, Стефания ночью позвонила Сабрине. Связь была отвратительная и им не дали говорить долго. Голос сестры звучал как-то отстраненно и равнодушно.

— Не беспокойся об Антонио, — сказала она.

Стефания всячески старалась не беспокоиться, однако, это не получалось. Отправляясь на следующий день к Оливии Шассон, которая пригласила ее провести выходные у нее дома, Стефания чувствовала, что плывет по течению и некому ее поддержать.

К счастью, Оливия, с которой Стефания виделась впервые, оказалась истинным противоядием для подавленного настроения «миледи». Она была остроумная и скорая на шутки леди, общение с ней поднимало дух и освобождало сознание от бремени тяжких переживаний.

— Без Антонио? — осведомилась она без всякого удивления, когда увидела, что Стефания явилась в одиночестве.

— Отныне да.

Оливия посмотрела ей в глаза и кивнула.

— Я знала, что это рано или поздно должно закончиться. Он никогда не давал себе труда задуматься о своих излишне властных замашках. О, я много наблюдала таких людей, которые «сделали сами себя». Они всегда недовольны результатами и стремятся компенсировать это тем, что начинают и других людей «делать», исходя из выведенных в уме личных категорий качества. Люди, которые родились в роскоши, обычно не имеют подобных проблем.

— Почему так получается? — со смехом спросила Стефания.

— Потому что взросление в тепличных условиях развивает в них дикую скуку, которую они стремятся развеять участием только в поистине глобальных проектах. Например, спасение всего мира. Или человечества. Возьми кого угодно, хоть Рокфеллеров. Ох, прости, надо поприветствовать Рэддисонов. Господи, и как меня угораздило пригласить их, если я не выношу Розу?

— Возможно, присутствие розы с шипами подчеркивает нежность других твоих цветов.

Оливия откинула голову и рассмеялась. Гости, находившиеся в просторном зале, также обернулись на Стефанию и заулыбались.

— Ты сокровище, Сабрина! Какой скучной была бы жизнь без тебя. Я хочу, чтобы за ужином ты села по правую руку от меня.

— Хорошо, — беззаботно ответила Стефания, но по выражению лица Оливии поняла, какое это важное имеет значение. Поэтому сразу же прибавила: — Это для меня большая честь.

Она видела, как Оливия пересекла весь зал в направлении появившейся в дверях Розы Рэддисон, которая радостно махала рукой приближающейся хозяйке дома.

Официант предложил Стефании бокал шампанского. Свет люстр отражался в искристом вине, напоминая драгоценности в открытой шкатулке. Стефания свободно гуляла по залу, чувствуя на себе восхищенные взгляды и принимая ото всех комплименты. Никто из присутствующих на вечере и не думал оспаривать ее права находиться в высшем обществе. И вместе с тем, никому из них не было известно слово «закладная», никто из них никогда не оплачивал счет, присланный из бакалейной лавки, никто из них никогда не вскакивал утром с кровати и не бросался на улицу с мешком мусора, чтобы успеть закинуть его в зев уезжающей машины.

«Я принадлежу удивительному миру», — думала она.

В загородном особняке Шассонов в Кенте были просторные, квадратные комнаты, высокие окна, выходящие в сад; около дома — лужайка для крокета и небольшое озеро. Зал, в котором забавляли своих гостей перед ужином лорд и леди Шассон, славился своим покрашенным потолком и огромными канделябрами. Год назад Сабрина меняла здесь интерьеры. Это она придумала обить стулья замшей кремового цвета, а диваны — бледно-зеленым бархатом. Она решила покрасить паркетный пол в сочный и темный дубовый цвет, который изумительно отражал свет канделябров, так что казалось, будто гости гуляют по воздуху между искрящимися лучами света. На длинном сверкающем комоде «Чиппендейл» была размещена коллекция фарфоровых статуэток девятнадцатого века, а на небольшом трюмо красовался высокий белоснежный мейссенский аист. Трюмо стояло в центре дальней стены зала. Аист красиво отражался в зеркале. Словом, это зрелище притягивало к себе взгляды прибывающих на вечер гостей.

Задумчиво глядя на фарфорового аиста, Стефания медленно пересекала зал, рассеянно улыбаясь незнакомым людям, которые приветствовали ее справа и слева, как добрую знакомую. Она не чувствовала никакой потерянности или смущения. От Сабрины пришло письмо, она сообщала, что дома все нормально. Долорес прислала свою служанку, чтобы та помогала по хозяйству. Так что проблем не было. В конце Сабрина написала: «Тело у меня еще такое разбитое, что в супружеской постели ни о чем другом, кроме сна, и думать нельзя».

Окруженная ослепительным светом канделябров, отражавшемся на паркете, улыбками и комплиментами, Стефания пыталась представить себе сестру, сидящую в Эванстоне, чтобы спасти семью Стефании и ее брак. Она опустила глаза на белоснежное шерстяное платье «шалис», которое выбрала из гардероба Сабрины для этого вечера, и подумала, что в Эванстоне бедняжка сестра вынуждена довольствоваться синими потертыми джинсами. Стоит, наверное, сейчас в них на кухне и готовит ужин.

«Я ей обязана решительно всем, — подумала Стефания. — Ровным счетом всем».

Она взяла с трюмо аиста и провела пальцами по его гладкой, глянцевой поверхности. Какие тонкие линии крыльев, перьев, когтей... Даже маленькая рыбка в клюве. Оливия думала, что этот аист — настоящее произведение искусства, как сказал Антонио. На вечере у Александры Майкл говорил ей что-то о фальшивках. И о леди

Оливии. Сабрина предупредила ее о том, чтобы она пока ничего не покупала у человека по имени Рори Карр, так как он-де может заниматься подделками.

Стефания почувствовала, как внутри нее поднимается сильное волнение. Итак, Сабрина купила фарфор у Рори Карра. По крайней мере, одним из купленных предметов являлся мейсенский аист. Он был продан Оливии Шассон. Аист, которого Стефания сейчас держала в руке, очень походил на мейсенские вещи. Возможно, это работа Кандлера... Она перевернула фигурку, чтобы увидеть роспись мастера на донышке. Так и есть. Аист был совершенен. Настолько совершенен, что казалось, будто у него трепетали перышки на крыльях. Неудивительно, что Сабрину удалось обмануть.

Антонио сказал, что пришло время вернуть мейсенского аиста назад. Она могла это сделать вместо Сабрины. Она уже держит его в руках... Но как ей вернуть аиста? Каким образом? Она не могла сказать Оливии, что это подделка: тайны такого уровня имела право разглашать только сестра. Она не могла унести его, сославшись на необходимость исправить какой-нибудь дефект, ибо никаких дефектов не было, что увидел бы каждый. Она не могла украсть его, так как статуэтка была слишком большой для этого, а дом был наполнен людьми. И тем не менее ей казалось, что она должна обязательно придумать какой-нибудь способ до окончания выходных...

— Сабрина! Я так рада, что и ты здесь!

Стефания даже вздрогнула. Подлетевшая неизвестно с какой стороны леди Рэддисон прокричала свое приветствие прямо ей в ухо. Роза была худющая и тонкая, как и ее гнусавый голос. На лице выделялись угловатый и хрящеватый нос и острый, подрагивающий подбородок. Единственным ее достоинством были глаза и, чтобы подчеркнуть их красоту, она навела на них густой макияж. Оглядев ее с ног до головы, Стефания решила, что леди Рэддисон похожа на исхудавшую панду.

— Когда ты на днях сообщила мне об удавшейся покупке, я, признаюсь, изумилась, но не успела надлежащим образом отблагодарить тебя. Кстати, теперь я уверена, что ты не поверила тому глупому слуху...

— Глупому слуху? — перебила ее Стефания, а сама подумала: «Ну, давай же, давай! Выкладывай!»

— Увы, есть еще люди, призвание которых — устраивать своим ближним разного рода неприятности.

— Но только не моя Розочка, — приятным голосом подхватил реплику леди Рэддисон бесцветный мужчина, появившийся за ее спиной. — Моя очаровательная женушка источает исключительно доброту и ласку. Я прав, дорогая?

— Питер всегда мнит себя интересным, — прошептала Роза.

— Поэтому она и удивляется, дорогая Сабрина, — не обратив внимания на слова жены, продолжал ее муж, — как так получается, что ты избегаешь ее? Неужели и по прошествии четырех лет ты все еще помнишь, что подслушала, как Розочка прохаживалась насчет твоего доброго имени на балу у Андреа Вернон?

— Подслушала... — без эмоций повторила Стефания.

— Питер несносен, просто несносен! — вскричала Роза. — Дорогая Сабрина, мы никогда и не думали обвинять тебя в грехе подслушивания! Твоя подруга Александра как-то недавно упомянула, что в тот вечер, — *о, как это было давно,* — ты проходила недалеко и услышала, как мы выражали нашу печаль по поводу того, что ты и Дентон...

— Когда ты говорила, — вмешался опять Питер, — что Сабрина вышла за Дентона только из-за того, что у него все есть. Но ты, Сабрина, разумеется, незлопамятна на такие глупости, правда? Розочка, она ведь незлопамятна, да?

Роза вытянула шею.

— У Сабрины небеспредельное терпение, Питер. Твоя грубость задевает ее. Если бы она поверила в ту ложь, она бы не стала так за меня сражаться на аукционе! Ты ведь сражалась, Сабриночка?

У Стефании поднялись брови. Так вот оно что!.. Сабрина никогда не рассказывала ей эту историю. О, как это должно было быть ужасно!.. Но почему сейчас, когда Роза Рэддисон говорит об аукционе, у нее дрожит от злости голос?..

— А ты полагаешь, что я именно «сражалась»? — холодно спросила Стефания.

— Господи, конечно, раз тебе удалось сделать покупку за такую смехотворную цену! Ты просто чудо!

Теперь Стефания поняла. Как она и думала, Роза сделала все, чтобы она провалилась на торгах. Чувствуя невыразимую обиду за свою сестру, Стефания спокойно произнесла:

— Я не имела права проиграть. Ведь это сильно бы огорчило тебя, душенька?

Питер Рэддисон взорвался хохотом.

— Вот так удар, а, Розочка? Ниже пояса!

Не обращая на него внимания, Роза устремила горящий взгляд на Стефанию и... встретилась с ее спокойной улыбкой.

— Ты всегда была надменна! — прошипела она, обращаясь к Стефании. — Это по меньшей мере странно для человека, не принадлежащего к нашему кругу!

И в этот самый момент Стефания поняла, как ей избавиться от аиста, которого она все еще держала в руках.

— Прошу прощения, душенька? — мягко сказала она. — Мне что-то послышалось?..

Роза приблизила к ней свое пышущее злобой лицо.

— Я сказала, что ты не принадлежишь к нашему кругу... — Стефания вынуждена была сделать шаг назад, а Роза продолжала наступать. — И если ты думаешь, что тебе удалось кого-нибудь обмануть...

— О! — вскричала Стефания.

Отступив еще на шаг назад, она зацепилась каблуком о край толстого персидского ковра. Потеряв равновесие, она, падая, отчаянно всплеснула руками. Очаровательная мейсенская статуэтка взлетела высоко в воздух и через пару секунд со звоном грохнулась на паркетный пол...

— О Боже мой! — потрясенно выдохнула Роза.

Стефания, потирая лодыжку, спокойно любовалась мелкими осколками белого фарфора, рассыпавшимися по скользкому полу.

Место происшествия тут же окружили гости. Питер Рэддисон отшатнулся от своей жены. Откуда ни возьмись появились двое слуг с вениками и совками. Подошла Оливия. Стефания тут же обернулась к ней.

— Боже, прости меня... Мне так жаль, что это случилось. Сама не знаю, почему я повернулась так неуклюже...

— Ты просто защищалась, дорогая, — ответила Оливия. — Если бы ты не отступила, Роза бы просто съела тебя!

— У нас был небольшой разговор, — почти не размыкая губ, прошипела Роза. — Но если уж решено на меня возложить ответственность за то, что леди Лонгворт перенервничала, можешь прислать мне чек на эту... птицу...

— Оливия, — спокойно заговорила Стефания. — Я возмещу тебе аиста, кажется, у меня есть похожее мейсенское изделие...

— Ни в коем случае, дорогая Сабрина! Ни в коем случае! Ты не обязана мне ничего возмещать. У нас такая страховка, что она покроет все Британские острова, если кому-нибудь вздумается украсть их. Найди мне другую птицу и мы договоримся о цене без всяких скидок. Что у тебя с ногой? Может, вызвать врача?

— Нет, спасибо. Ничего серьезного, уже проходит.

— Тебе надо сесть.

— Оливия, — смущенно проговорил Питер Рэддисон. — Розе немного не по себе. Ты не будешь возражать, если я отвезу ее обратно в Лондон? Ты же знаешь, у нее случаются такие жестокие головные боли... Если дома ей станет полегче, я могу вернуться к тебе, если... Если это не нарушит покоя твоего вечера.

— Как тебе будет угодно, — равнодушно отозвалась Оливия, даже не взглянув на супругов Рэддисон. — Я провожу вас. А ты, Сабрина, сейчас же садись на диван и отдохни. Не думай о ноге.

Стефания спокойно устроилась на диване, обитом бархатом. Вокруг нее тут же поднялся нестройный хор голосов. Кто-то перемывал косточки Рэддисонам, кто-то рассказывал о художественной коллекции Шассонов, которая размещалась в галерее на втором этаже дома, кто-то напоминал о грядущем аукционе в Лондоне, некоторые почему-то вспомнили о том, что на декабрь в Барчестр Тауэре назначен очередной благотворительный бал. Оливия исчезла за двойными дверями зала, сопровождаемая приунывшими супругами Рэддисон. Слуги закончили убирать осколки мейсенского фарфора.

«Я становлюсь специалистом по обману», — подумала Стефания.

Скоро она осознала, что жизнь Сабрины совсем не так скучна, как казалось ее сестре. «Амбассадор», несомненно, являлся центром ее деловой и общественной жизни, но повседневное руководство делами в нем великолепно осуществлял Брайан, тем самым обеспечив леди Лонгворт свободный график. Ей нужно было только посещать аукционы, заезжать в те дома, где она работала над интерьерами, совершать недельные круизы или заниматься в своем кабинете в магазине, когда ей того хотелось. После расписанной по минутам жизни в Эванстоне Стефания почувствовала здесь совершенную и абсолютную свободу. Ей не нужно было каждые пять минут, вздрагивая, поднимать глаза на часы, чтобы не опоздать домой. Ей не нужно было спешить с приготовлением ужина до прихода Гарта. Ей не нужно было мчаться сломя голову в бакалею, чтобы сделать покупки до ее закрытия. Теперь она смотрела на часы только для того, чтобы спокойно начать обдумывать, как она проведет остаток дня или подготовиться к очередному званому вечеру. В ее календаре была только одна неприятная запись: через три недели Нат Голднер должен был сделать повторный рентген руки Сабрины, признать ее здоровой и тем самым, ничего не подозревая, вернуть все на круги своя.

Утро понедельника, первый день октября, она начала с планирования: ей нужно было встретиться с подрядчиком, который работал в доме Макса, чтобы справиться о том, как там подвигаются дела. Днем она собиралась пойти с Максом на склад, чтобы взглянуть на его мебель. Если намеченный график не сорвется, через две недели она начнет обставлять верхние этажи.

Прежние владельцы дома своими нововведениями уничтожили оригинальный интерьер здания, заменили арматуру, переставили стены, врезали новые окна, замуровали старые, убрали печную трубу. За последние несколько лет, когда дом принадлежал какой-то частной школе, ученики покрыли стены и даже потолки четвертого этажа всевозможными шутливыми стишками, неприличными надписями и рисунками.

— Мистер Стуйвезант говорит, что это добавляет человечности неземной красоте дома, — сказал с усмешкой подрядчик. — Он просил оставить некоторые перлы.

Стефания улыбнулась.

— Хорошо, я возьму его пожелание на заметку.

Они прошли по всему дому, проверяя работу, которая выполнялась строго по рекомендациям Стефании. Каждый день она чувствовала, что ее мысли и идеи становятся все более конкретными. Она уже отчетливо представляла себе, как восстановить симметрию стен и окон, как сделать так, чтобы солнечные лучи заливали весь дом вплоть до самых укромных уголков, пробуждая их к жизни. Никогда еще она не чувствовала себя такой счастливой.

И это было написано у нее на лице.

— Абсолютное счастье, — заметив ее настроение, сказал Макс, когда они шли по широким проходам склада. — У тебя всегда это бывает, когда начинаешь новый проект? Или видишь в моем деле что-то особенное?

— Успокойся, всегда.

— Я дико разочарован.

— Но не удивлен, — засмеялась Стефания.

Она была рада его видеть. Макс резко выделялся на общем фоне сплетников своей уверенностью, силой, непосредственностью и небрежной интимностью в обращении; наконец, своей таинственностью. Он не докучал излишними вопросами, а его серые глаза не выдавали его эмоций. Между ними не было теплоты, с оттенком грусти думала Стефания. Но она высоко ценила те недолгие часы, которые проводила в его обществе.

Они прошли в широкий проход, по обе стороны которого тянулись шахты с огромными деревянными лифтами-подъемниками. Каждый был шесть футов высоты, шесть футов длины и шесть футов ширины. Лифты были забиты упакованными вещами. Воспользовавшись подъемным механизмом, подрядчик спустил на бетонный пол сразу двадцать два таких лифта, и рабочие тут же принялись ломами вскрывать дощатые упаковочные контейнеры. Каждый раз, когда на свет появлялся очередной предмет обстановки, Макс делал пометку в своем перечне. Стефания же смотрела на фантастическое зрелище во все глаза, изо всех сил стараясь не начать икать.

Ей никогда прежде не приходилось видеть ничего подобного. В груде мебели были представлены все времена и стили, все предметы, начиная от русских самоваров и заканчивая стульями Уильяма Морриса. Взгляд потрясенной Стефании скользил по лампам стиля «Арт деко» и разобранной, — высотой в пятнадцать футов, — кровати с балдахином времен якобинцев.

Словом, коллекция Макса превратила сумрачный цех склада в галерею произведений искусства, в ослепительный дворец.

— Ты что, ограбил музей? — спросила она шутливо, чтобы как-то выйти из оцепенения.

В его глазах сверкнули веселые искорки, когда он оторвался от списка, чтобы взглянуть на нее.

— Десять музеев. Так как ты думаешь, пригодится ли нам что-нибудь из всей этой груды?

Ну, это уже было слишком.

— Не говори чепухи, Макс! Не надо мне упорно показывать свое равнодушие. Это чудо, и тебе об этом прекрасно известно. «Пригодится ли нам?» Как ты можешь так говорить? Издеваешься?

— Ну, ладно, ладно, понял. Да, чуть не забыл, Сабрина. Мне надо идти, ты уж меня прости. У меня сегодня важная встреча и я не могу ее отложить. Я оставляю тебя здесь. Делай свой выбор. Мой шофер подождет тебя снаружи, хорошо? Сейчас он отвезет меня, а потом приедет обратно и будет ждать столько, сколько потребуется.

Стефания отвернулась в сторону, чтобы скрыть разочарование от того, что он уезжает. Она достала из упаковочной коробки маленькую фарфоровую канарейку, сидевшую на большом распустившимся цветке.

— Копенгаген, — задумчиво проговорила она, вспоминая тот день, когда мать с сияющим лицом принесла домой точно такую же птичку и сообщила, что приобрела ее в Париже на одном из блошиных рынков.

— Да, ну так я пошел...

— Хорошо, конечно, — сказала она, выходя из своей задумчивости. — Но я здесь буду находиться не один час. Шофер устанет томиться на улице...

— Ему хорошо заплачено за это. Ты поужинаешь со мной в четверг?

— Да.

Он поцеловал кончики ее пальцев.

— Тогда пока.

Огромная коллекция не на шутку взволновала Стефанию. Она чувствовала, как разгорается ее воображение. Дом Макса занял все ее мысли и она потеряла счет времени, рассматривая мебель и время от времени отдавая распоряжения подрядчику, находившемуся тут же, которому Макс заплатил огромные деньги только для того, чтобы тот неукоснительно слушался Стефанию.

«Я просто обязана доделать свою работу, — думала Стефания. — Я не могу уехать, не закончив ее.»

Макс, как оказалось, позаботился и о строительных материалах, арматуре, досках и обоях.

В пятницу Стефания заскочила на часок в «Амбассадор», чтобы просмотреть корреспонденцию и подумать несколько минут в тиши кабинета об ужине, который накануне состоялся у нее с Максом. Все было так спокойно, мило, непосредственно. Макс источал дружелюбие, был ненавязчив и много шутил. Уже не первый раз она отдыхала от «высшего света», беседуя с Максом. «Я вновь начинаю волноваться», — с опаской подумала она.

Колокольчики у входной двери тонко зазвонили и вывели ее из состояния задумчивости. Она посмотрела на дверь и увидела перед собой элегантно одетого пожилого мужчину. Того самого, с которым повстречалась на аукционе в Чилтоне. Впрочем, тогда ей не бросились в глаза его цепкость и какая-то мелкая суетность. Теперь он стоял перед ней и внимательно изучал ее взглядом, словно хотел что-то выяснить для себя прежде, чем начнется разговор.

Она протянула ему руку.

— Миледи, — проговорил он с поклоном. — Я принес вам кое-что необычное.

Драматическим движением он развернул сверток, находившийся у него в руках, и достал из него фарфоровую игрушку, состоявшую из двух фигур: величественная Венера ласково смотрела сверху вниз на шаловливого маленького Купидона, крылья которого были полусвернуты, а голова откинута назад к колчану с любовными стрелами. Игрушка была выполнена из бисквитного фарфора бледно-розового оттенка, известного среди знатоков под названием «роз помпадур». Испытывая радость первооткрывателя, Стефания узнала в игрушке школу севрского фарфора, изделия которой, начиная с восемнадцатого века, были в большой цене.

Мужчина внимательно наблюдал за ее реакцией. Стефания ничем не выдала себя, сидя за своим столом и сложив на нем руки. «Опять игра, как на аукционе», — подумалось ей.

— Очень мило, — спокойно сказала она.

— Миледи, — укоряющим тоном произнес он. — Это ведь замечательная, фантастическая вещица! Продана частными лицами в Германии на прошлой неделе. Мне заранее сообщили о ней, и я сразу же вспомнил о вас!

«Не покупай».

Стефания на секунду прикрыла глаза, чтобы осмыслить этот внезапный порыв. Откуда у нее появилась эта мысль? Она взглянула мимо статуэтки за окно, где проплывали низкие облака и шумела оживленная улица. Здесь же, в кабинете, повисла напряженная тишина.

Продавец поправил у себя на шее платок. Это было почти незаметное движение, но оно выдало, что он нервничал.

— Мы не обсуждали цену, миледи, но вы, разумеется, верно оцените вещицу.

Она быстро перевела взгляд с окна на его лицо. Он откашлялся.

— Возможно, вы захотите подумать некоторое время. Я могу оставить вещицу у вас. Мы ведь доверяем друг другу...

Она продолжала неподвижно смотреть на него и заметила, как он сглотнул. Затем еще раз...

— Наслышан, — сказал он, воровато оглядывая магазин, — о том печальном инциденте, который случился на вечере у леди Шассон. Странное совпадение все-таки: разбить вещицу, которую сами же подарили...

И тут Стефанию пронзила мысль. Она поняла, кто перед ней стоит. Рори Карр. Он пришел, чтобы выяснить что-нибудь об истории с аистом: действительно ли то была случайность?

— Мистер Карр... — проговорила она, проверяя свою догадку.

— Да, миледи?

«Прямо в десятку! — с облегчением подумала Стефания. — Значит, это и есть тот человек, который продал Сабрине того аиста».

— Сейчас мне не нужен фарфор, — сказала Стефания, подпустив в голос легкую нотку сожаления. — Какой бы красивой ни была вещь, я вынуждена от нее отказаться.

— Но миледи!.. Как неожиданно. Мы ведь с вами так долго и приятно сотрудничаем, что...

— Да, — прервала она его твердым голосом. И тем больше твердости было в ее голосе, чем больше беспокойства появлялось в голосе Рори Карра. — Но сегодня сделка не состоится. Я купила много фарфора в Китае и в данный момент не испытываю в нем нужды.

— Миледи?..

— Не испытываю, мистер Карр. А теперь, если позволите мне, я вернусь...

Она заметила искорки страха, блеснувшие в его глазах.

— Миледи, кто знает... возможно, вы измените свое мнение...

— Под влиянием каких-нибудь ваших слов? Увы, вы не можете рассказать мне ничего такого, что я уже не знаю, — сказала Стефания.

Возможно, тут она допустила некоторую поспешность, но дух риска и приключений уже овладел Стефанией. Дразнящую опасностью проблему с фарфоровым аистом она уже решила самостоятельно. А теперь она мстила Рори Карру за обман Сабрины: его мучило беспокойство и это ему было только на пользу. Во всяком случае он должен испытать то, на что обрек сестру, — страх. Узнав о фальшивке, Сабрина также сильно испугалась. Если бы только она знала об этой истории раньше, Стефания еще на аукционе не стала бы цацкаться с этим человеком.

Но, впрочем, это было уже не важно. Все закончилось. Он сейчас уйдет и больше никогда не переступит порога этого магазина.

— Я оставлю все-таки Венеру, миледи, и позвоню вам через пару дней.

— Не стоит оставлять, мистер Карр. Но если я переменю свое мнение, я сама позвоню вам.

Когда он ушел, она прошла к себе в кабинет, закрыла за собой дверь и позвонила Сабрине. Никто не ответил. Сегодня пятница, в Эванстоне десять часов утра. Где же она может быть? Неужели она на этой неделе вышла на работу? Стефания попыталась вспомнить прошлый телефонный разговор. Было ли в нем какое-нибудь упоминание о работе? Вроде нет. Она закрыла глаза и напрягла память. Вообще, о чем они тогда говорили? Стефания не помнила. Она начала терять внутреннюю связь со своей реальной жизнью, со своим домом.

«Я не имею права! — думала она. — Я не имею права терять эту связь! Семья — единственное настоящее, что у меня есть».

Не открывая глаз, она постаралась представить свой дом в Эванстоне... Крыльцо... Гостиная... Там стоит новая лампа. Лежит угольный карандаш Пенни... Дырка на диване, которую Стефания планировала зашить до своей поездки в Китай. А на кухне новая вешалка для кружек и... Что там, на разделочном столе?.. Ага, кухонный набор, подаренный на день рождения! Об этом в одном из телефонных разговоров сообщила Сабрина. Так, теперь лестница наверх и... спальня. Одеяло на постели и полосатые обои... Хотя нет, полосатые обои здесь, в спальне лондонского дома на Кэдоган-сквер. Здесь полосатые обои и синий ковер и... что?

В сознании Стефании обе спальни слились в нечто единое, потом вновь разделились, только уже нельзя было понять, где из них какая... Какая настоящая...

Беда была в том, что она слишком сильно устала, чтобы думать. Она бралась за все дела сразу, а спала очень мало. Каждый вечер Стефания уходила то на вечеринки, то на концерты, словом, выезжала в свет, как это и полагалось леди Лонгворт. Она коллекционировала мероприятия, словно марки в альбоме. Они все отличались элегантностью, обилием красок и света, разнообразным угощением и множеством развлечений. И все это занимало вечерние часы. Вскоре она поняла, что это так же восхитительно, как и утомительно: вертеться в атмосфере, питаемой слухами, участвовать в их распространении, улыбаться и делиться воспоминаниями с людьми, которых первый раз видишь, подходить к каждой группе и заинтересованно принимать участис в беседе, затем переходить к другой, где уже нужно говорить на иную тему, и, главное, не перепутать эти группы и уметь отличать одну от другой. Ко времени возвращения домой Стефания, как правило, была настолько усталой, что валилась тут же на кровать и спала без сновидений. А утром нужно было осознавать, какую жизнь она сегодня ведет: свою реальную, американскую, или великосветскую, лондонскую.

Порой трудно было сразу все сообразить и отличить явь от грез.

— Где я? — спрашивала она иногда вслух. — Где мой дом?

Этот же вопрос вырвался у нее из уст и сейчас, когда она, погруженная в задумчивость, сидела в своем кабинете в «Амбассадоре».

— Миледи? — послышался голос Брайана.

Она подняла глаза и увидела, что он стоит в дверях.

Стефания отбросила все свои путаные мысли.

— Брайан, — произнесла она, — я только что встречалась с Рори Карром и сказала ему, что мы не станем у него ничего покупать. Запомните. Договорились? Возникли некоторые вопросы относительно его личности.

— В каком смысле, миледи?

— Возможно, он занимается подделками. Пока мы не уверимся в том, что это не так, нам следует избегать его.

Брайан не стал проявлять любопытства, а Стефания собрала свои чертежи и уехала в новый дом Макса. Тем же вечером ей позвонила Габриэль. Она пожаловалась, что у нее с Бруксом возникли проблемы и рассказала о некоторых ссорах и своих подозрениях.

С тех пор каждый вечер, как только Стефания появлялась дома, звонил телефон, она поднимала трубку, и Габриэль делилась с ней своими новыми страхами.

— Он изменился, — сказала Габриэль спустя неделю после первого звонка. — Он стал какой-то холодный и... Похоже, он в чем-то меня подозревает. Он следит за мной! Если я пишу или читаю письмо, он обязательно должен заглянуть мне через плечо. Если я говорю по телефону, он спрашивает: с кем? А теперь он стал вечерами уходить в свой офис. Он и сейчас там. Знаю, я звонила ему...

— Ты спрашивала его о том, что произошло? — поинтересовалась Стефания.

— Он не скажет... Он вообще со мной в последнее время почти не говорит. И возвращается поздно. Я не могу каждый день ждать его до ночи... Да и боюсь, потому что он приходит и ведет себя так, как будто меня нет. Он смотрит на меня, а я почему-то чувствую себя виноватой... Нет, лучше заснуть, чем видеть его лицо, когда он возвращается с работы. А когда я утром просыпаюсь, его уже нет.

«Да, — подумала Стефания. — Мне это знакомо. Я могу себе представить, каково жить под одной крышей с человеком, который тебя едва замечает».

— Я не могу понять, что стряслось, — дрожащим голосом проговорила Габриэль.

В ту минуту она напомнила Стефании напуганного ребенка. Пенни! Когда дочь чего-то боится, она точно так же себя ведет: вот-вот заревет, каждую секунду хлюпает носом.

— Хочешь, я приеду к тебе и останусь до утра? — предложила Стефания.

Она посмотрела за окно. Темнота. На часах пробило полночь. Ей очень хотелось остаться дома. Только что она вернулась после обеда, на который уже третий раз за неделю ее приглашал Макс. Чувствуя усталость и радость одновременно, ей необходимо было спокойно подумать в одиночестве. Но отчаяние, которое чувствовалось в дрожащем голосе Габриэль, было настолько очевидно, что Стефанию захлестнули волны жалости и заботы, которые она не ощущала уже очень давно.

— Нет, не надо, Сабрина. Спасибо. Спасибо. Ты милая и я люблю тебя. Не знаю, что бы делала без тебя. Но Брукс сразу поймет, что я тебе все рассказала. Я не хочу, чтобы он это знал. Лучше позвоню тебе завтра.

Но на следующий день вместо звонка она сама появилась в дверях дома Стефании.

— Он сказал, чтобы я уходила, — упавшим голосом сообщила Габриэль. — Он сказал, что я... что я... — Она сделала над собой усилие и договорила: — Что я шпионка. Что я продала секрет новой партии косметики «Вестермарк» другой компании. Даже не помню, какой...

Она беспомощно подняла глаза на Стефанию. Та обняла ее и прижала к своей груди. Габриэль расплакалась.

Они сели на диван. Стефания стала покачиваться всем телом, как бы убаюкивая Габриэль. Почувствовав, что ее блузка намокла от слез, она прислонилась щекой к вьющимся волосам подруги.

— Не плачь, малышка Пенни, — ласково проговорила она и тут же, ужаснувшись своей промашке, затаила дыхание. Но Габриэль, кажется, не расслышала, и Стефания добавила: — Ничего, Габи, не волнуйся. Мы обязательно выясним, в чем тут дело. Все будет хорошо.

Неожиданно для самой себя Стефания поняла, что тоже всхлипывает. Ей было дико жаль свою малышку... Пенни.

Она заморгала.

— Габи, *ты с кем-нибудь* говорила о косметике «Вестермарк»?

— Нет, клянусь тебе! Я ничего в этом не понимаю. Я даже никогда не думаю о работе моего Брукса. Разве что когда сажусь к туалетному столику... Да и зачем мне это? Я не вижу никакой разницы между продукцией этих фирм. Хоть убей, не отличу помаду «Вестермарка» от помады «Ревлона» или «Эсти Лаудер»! Они все для меня одинаковы! Ой, прости! Только не говори об этом Бруксу!

Стефания подавила улыбку.

— Ты захватила с собой какие-нибудь вещи? — спросила она.

Обреченно глядя на Стефанию, Габриэль отрицательно покачала головой.

— В таком случае, надо будет это сделать позже.

— Нет... Я не могу вернуться туда до тех пор, пока он сам не позвонит. Он ведь позвонит, правда?

— Если он этого не сделает, тогда я сама позвоню.

С этими словами Стефания помогла обессиленной Габриэль подняться наверх, в розово-зеленую спальню, в которой ей самой пришлось спать год назад, когда она приезжала в гости к Сабрине.

— Открой шкаф и выбери, что тебе понравится. И отдохни немного. Обо всем поговорим позже.

Вскоре раздался телефонный звонок, и Стефания поспешила снять трубку. Но это был не Брукс, а Александра.

— Меня пригласили роскошно отужинать в новом итальянском ресторанчике в Сохо. Так сказать, освятить своим присутствием зал, который после этого станет еще одним «модным» ресторанчиком.

— Как это вульгарно с их стороны, — отозвалась Стефания. — И часто случаются такие приглашения?

— Сердечко мое! С тобой все в порядке?

— Конечно, а почему ты спрашиваешь?

— Потому что... либо ты уже спишь, либо... Ой, прости! Ты что, не одна в постели?

— Одна. О чем ты?

— Тогда ничего не понимаю! Мы же с тобой только и делаем, что каждый месяц «освящаем» новое местечко! А ты спрашиваешь... У тебя какие-то неприятности?

— Ну... Потом расскажу.

— Ага, значит, все-таки есть что-то. О'кей, как насчет того, чтобы поужинать со мной сегодня? На этот ужин я согласилась, потому что владелец ресторана сделал мне как-то одно одолжение.

— Как называется заведение?

— «Иль коччио орт». Кажется, в переводе на английский означает «Золотой петушок», да?

Стефания рассмеялась.

— «Золотой экипаж». Тебе необходимо еще раз пролистать учебники по итальянскому. Когда?

— В восемь, устроит? Я заеду за тобой.

Прежде чем Стефания успела вернуться к Габриэль, телефон зазвонил снова.

На этот раз звонила Сабрина.

— Я недолго, Стефания, просто появилась новость, которую ты должна знать.

— Что такое?

— Ничего, все нормально. Но Нат сказал, что он переносит рентген на двадцать второе число.

— На двадцать второе?! Но ведь это всего через неделю!

— Через десять дней. Что значит «всего»?

— Я просто удивилась, что так рано. Как у тебя рука?

— Откуда я знаю, ведь у меня повязка. Подожди! — Голос Сабрины отдалился от телефонной трубки. — Да, Клифф, разумеется, ты тоже поедешь со мной в аэропорт. И ты, Пенни. Мы *все* поедем. — Ее голос вернулся к Стефании. Она спросила с оттенком раздражения: — Ты когда-нибудь бываешь *одна в* своей семье?

— Не часто, — подумав, с улыбкой ответила Стефания. — Кого ты встречаешь в аэропорту?

— Гарта. Он всю неделю был в Беркли. Стефания, я должна заканчивать. Там внизу дети опять что-то не поделили. Я просто хотела предупредить тебя заранее об изменившейся дате. Значит, двадцать второе октября. Позвони мне попозже и мы уже спокойно поговорим.

Стефания, положив трубку, вдруг поняла, что машинально повторяет про себя слова сестры:

«Значит, двадцать второе октября... Двадцать второе октября... Еще десять дней. Сабрина говорила как-то... как-то без эмоций. Ни с радостью, ни с грустью. Как она там? А как я? Интересный вопрос...»

Впрочем, у нее не было сейчас времени думать об этом. В утешении нуждалась Габриэль. Бедняжка.

Они проговорили до пяти часов.

Стефания настолько встревожилась за состояние подруги, настолько сильно была возмущена той низостью, которую совершил по отношению к ней Брукс, что позвонила ему и сказала, чтобы он встретился с ней и Александрой за чашечкой кофе и десертом в «Иль коччио орт».

Не дожидаясь ответа Брукса, который мог и отказать, Стефания положила трубку.

— Не возражаешь? — спросила она у Александры, когда они сидели в ресторане и ели телятину с миндалем и изюмом, запеченное «мозарелли», «скампа», едва успевая отмахиваться от назойливых официантов, которые должны были обеспечить «двум леди незабываемый вечер».

— Что ты, сердечко! После всего, что ты мне рассказала, мне просто не терпится посмотреть ему в глаза! Что мы с ним сделаем? Обойдемся плеткой или подвесим вниз головой?

— Дадим ему последний шанс. Ради Габи.

Они улыбнулись друг другу. Зеркальные стены отразили их прекрасные лица по всему бело-золотому залу ресторана. Две очаровательные женщины, роскошно одетые и окруженные многочисленным персоналом, словно особы королевской крови.

В десять часов появился Брукс. Ему не нужно было выискивать их глазами: они сверкали на весь зал, как две ослепительные жемчужины.

— Три бисквита и три кофе, — сказала Стефания суетившемуся официанту. Затем она перевела строгий взгляд на Брукса. — Габи остается пока у меня. Завтра я заеду за ее вещами. Позаботься, пожалуйста, о том, что бы все было упаковано и готово к транспортировке.

Он кивнул.

— Я и сам не рад этому, ты же знаешь...

— Да ну? — воскликнула Александра. — Мне так жаль тебя!

Брукс не обратил внимания на колкость.

— Не думай, — продолжал он, обращаясь к Стефании, — что это было поспешное решение. Я получил доказательства, что она продавала информацию «Раймер косметикс» по тарифу в четверть миллиона фунтов.

— Просто смешно, — тут же заявила Стефания. — Габи никогда не предавала тебя. А деньги ей не нужны.

— Ага, не нужны. Она вся обросла долгами. Портному должна, обувщику должна, в салонах красоты должна, в гимнастическом зале должна! Кроме того, на прошлой неделе я узнал, что она подписывала какие-то векселя в Монте-Карло.

— Каждый что-то кому-то должен, — сказала Александра. — Возьми хоть себя самого.

— У меня нет долгов.

— Значит ты — исключение из правил, — тут же парировала она.

— Какие у тебя доказательства? — спросила Стефания, прерывая перебранку, не имеющую отношения к делу.

— Мне об этом сообщил тот самый человек, который купил информацию. В результате две недели назад «Раймер» выпустил новую партию косметики, опередив нас на целый месяц. Состав косметики идентичен нашему. Цвета и упаковки одинаковые. Не похожие, а точно такие же! И все сворован! Ты хоть понимаешь, чего нам будет стоить создать новую партию? Ты представляешь себе, во что обойдется месячное отставание от «Раймера», «Ревлона» и других?!

— Так этот человек рассказал тебе, что Габи заработала на продаже...

— Свыше миллиона фунтов! Четыре раза к ней обращались и четыре раза Габриэль делала для них «небольшую работенку»! Если бы я раньше знал, что она так легко продается, я сам перекупил бы ее. К тому же подешевле...

— Ты негодяй, Брукс! — выпалила Александра.

Стефания молчала, пока официант подавал кофе. Подхватив кружочек лимона с блюдца, она опустила его в свою чашку.

— Если бы я была на твоем месте, — сказала она Бруксу, когда официант ушел, — я бы присмотрелась к своим подчиненным. Я уверена, что, свалив все на Габи, твой словоохотливый доброжелатель тем самым спас от провала настоящего информатора-предателя.

— Господи, что ты говоришь?! Не надо запутанных шпионских историй! Тут все банально, как арбуз! Весь последний месяц на лице Габи было выражение большой вины. Она сразу опускала глаза, как только я к ней подходил. Она секретничала со своими письмами и телефонными звонками. Все было до ужаса примитивно и выдавало ее с головой. Если бы ты была на моем месте, потерпела убытки и узнала, кто всему виной... Я ведь люблю Габи и сейчас...

— Трахаться ты с ней любишь, вот и все, — презрительно скривив губы, произнесла Александра. — А вот моя старомодная мамочка всегда говорила, что любовь вначале предполагает взаимное доверие, а потом постель.

— Я люблю Габи, — уже не так твердо повторил Брукс. — Но ведь нам всем известно, какой она ребенок. А детей легко соблазнить...

— Но, насколько я знаю, тебе именно этого и хотелось? — спросила Стефания. — Чтобы она была маленькой девочкой, ребенком?

Брукс изумленно посмотрел ей в глаза.

— Я никогда не требовал от нее этого, — возразил он.

Но Стефания поняла, что он тоже сейчас вспомнил тот вечер, когда Габи просила не «всыпать» ей дома.

— Она хочет доставить тебе радость, — сказала Стефания. — В этом смысл ее жизни. По крайней мере сейчас.

— Хорошее веселье, когда тебе сообщают о диких долгах!

Стефания пожала плечами.

— А ты хотел, чтобы она каждый раз спрашивала у тебя разрешения потратить фунт?

— При чем здесь разрешение? Но я же должен быть в курсе того, что она делает, чем занимается. В конце концов...

— В конце концов я поняла тебя, — перебила его Стефания. — Ты сидишь перед нами злой и раздраженный, потому что до сих пор еще не уверен в вине Габи, а между тем уже выгнал ее.

— Мне сказали... — Он запнулся. — Может быть, мне стоит поговорить с ней?

— Но это же ниже твоего достоинства, — опять едко проговорила Александра, — разговаривать с подлым предателем, который причинил тебе такие убытки!

— Она не предатель, — холодно возразил он. — Возможно, она просто попала в беду. А если я поторопился, то...

— Поторопился? Какая малость! Ты так поторопился, что она едва не икает от страха! И заметь: все это время ты не обмолвился с ней ни словом. Что же будет с бедняжкой, если ты вдруг заговоришь? Как насчет того, чтобы вначале отыскать действительного виновника, чтобы потом можно было уже без колебаний встать перед ней на колени и извиниться? Пока ей лучше пожить у Сабрины. Безопаснее.

— Сабрина, — вдруг раздался за спиной Стефании знакомый голос.

Она повернулась и увидела, что рядом стоит Антонио.

— Как у тебя дела? — спросил он. — Я не звонил тебе...

Она улыбнулась.

— Я знаю. — И после некоторого раздумья добавила: — Ты не присоединишься к нам?

Он тут же взял стул от соседнего столика и сел рядом со Стефанией, наскоро поприветствовав Александру и Брукса и заказав коньяк.

— Если я помешал личному разговору...

И снова наступила недолгая пауза.

— Вмешался в раскрытие тайны, — сказала Александра.

— Прошу прощения, — смущенно проговорил Антонио, глядя на Стефанию.

Та сумела-таки подавить смех.

— Мы обсуждаем проблему утечки секретной информации и внедрения вражеских резидентов для ее организации. Тебе что-нибудь известно о таких вещах?

— Ровным счетом ничего. У меня работают люди, которые несут за такие дела персональную ответственность. Они присутствуют на всех совещаниях, которые я провожу по вопросам продвижения строительства моего города.

— Как это понимать: строительство города?

— Так и понимать. Разве тебе что-то не ясно?

— Ты хочешь сказать, что начинаешь на пустом месте и возводишь там целый город? С домами, улицами, магазинами, со всем?!

— Со всем. Со школами и больницами.

— А где ты возьмешь жителей?

— Их не надо ниоткуда брать. Они уже есть и живут там в бараках. Я строю им новую жизнь.

В глазах Александры сверкнули живые огоньки.

— А я почему-то думала, что города... существовали всегда, что они Богом сотворены...

— Эту работу Бог доверил мне.

Стефания неожиданно для самой себя стала наблюдать за взглядами, которыми обменивались Антонио и Александра, за тем, как они говорили между собой, слушали друг друга, присматривались друг к другу, ожидая чего-то долгожданного... Впрочем, возможно, Стефании это только показалось.

Но она подумала и еще об одной вещи, касающейся Антонио и Александры. Дело в том, что они были очень похожими. Оба поднялись «из грязи в князи» благодаря природному уму и решимости, используя на пути своего возвышения все, что могло помочь им в этом. И оба мечтали найти спутника жизни, который оценил бы их по-настоящему и в то же время не сковывал личную свободу.

— Александра, — сказала Стефания. — Я должна сегодня пораньше прийти домой. Нужно позвонить в Америку. Ты, надеюсь, извинишь меня?

Александра подмигнула ей так быстро, что никто, кроме Стефании, ничего не заметил.

— Позвони мне в любое время, когда захочешь. Поболтаем.

— Я пойду с тобой, — вызвался Брукс. — Я хотел спросить...

Их взгляды встретились, и губы Стефании изогнулись в неохотной улыбке. Он нравился ей. Видимо, им одновременно пришла в голову мысль оставить Антонио наедине с Александрой. А он проницателен... Если бы только он не обидел Габи накануне столь сильно, он мог бы стать Стефании очень хорошим другом.

Дома она подробно рассказала Габриэль о прошедшем вечере. Бедняжка свернулась клубочком в огромном мягком кресле у камина. Одета она была в один из халатов Стефании, а вернее, Сабрины. Глаза у нее были покрасневшие. Видимо, снова плакала. Однако она оживлялась по мере того, как Стефания продолжала свой рассказ.

— Я должна позвонить ему! — наконец вскричала Габриэль. — Он больше всего ненавидит признавать свои ошибки. В конце концов, тут есть и моя вина: я давно должна была спросить его, что происходит, поговорить с ним спокойно...

— Габи, ты не права, — твердо сказала Стефания и присела на подлокотник кресла. — Не упрекай себя ни в чем. Конечно, тебе следовало вывести его на откровенный разговор, но основная вина лежит на нем: он поверил какой-то грязной истории и обвинил тебя, даже не поговорив.

Габриэль печально вздохнула.

— Да... Сабрина, ты так хорошо разбираешься в людях.

«Как же, знаю», — с горькой усмешкой подумала Стефания, отправив Габриэль спать.

Надо же! Давать практические жизненные советы женщине, которая поменяла столько любовников, сколько у Стефании не было платьев! Она подумала о Гарте, сидящем на их кухне, читающем газету... А она обычно стояла у разделочного стола к нему спиной и молча готовила ужин. «Я давно должна была начать серьезный разговор о том, что между нами происходит! Я не должна была верить грязной анонимке. А я поверила. Точно так же, как и Брукс поверил сфабрикованной истории о виновности Габи. Я виновата еще и в том, что мы отдалились друг от друга. Я виновата не меньше, поэтому мы черт знает когда последний раз занимались любовью. Я хотела наказать его... За что? За то, что он Гарт Андерсен? За то, что у него карьера и призвание ученого, а у меня только прогоревший бизнес? И семья? Впрочем, это и его семья тоже. У него все было... И семья, и признание, и карьера.

И вот теперь я отыгралась за все, не так ли? Обвела его вокруг пальца по высшему разряду! Ушла так, что он этого даже не заметил. И обнаружила, что могу жить и сама по себе, между прочим.

Неправда, — тут же оборвала себя в мыслях Стефания. — Мне нужна семья. Просто сейчас у меня не хватает времени как следует подумать о ней и о нас с Гартом».

Дела в «Амбассадоре» шли своим чередом. Стефания получила уже три новых заказа на ноябрь и декабрь. «Я уже не смогу этим заняться, — с сожалением подумала она. — Это будет делать Сабрина». Она еще раз сходила на аукцион с Николсом, где он снова поднял вопрос о партнерстве.

— Я еще думаю над этим, — ответила ему Стефания. — Скоро дам тебе знать о своем решении.

В пятницу она проверяла, так ли, как она просила, была расставлена мебель на двух верхних этажах нового дома Макса. Перед ее уходом из дома миссис Тиркелл собрала ей в корзинку обед, но Стефания в последний момент забыла о ней и пришла в дом Макса с пустыми руками. Когда все рабочие, получив от нее похвалы, ушли и она осталась одна, Стефания вдруг поняла, что страшно проголодалась. На счастье, в машине лежала корзина с остатками еды, которую она брала с собой на последний аукцион.

«Первая трапеза в моем новом доме?» — подумала она, сев прямо на пол в кабинете и приступив к еде.

Она как раз доставала из полупустой корзины десерт, когда в дверях появился Макс.

— Обед в честь новоселья? — весело проговорил он. — А меня не пригласили, вот досада!

Она удивленно подняла на него глаза.

— Как ты вошел?

— При помощи ключа. Сегодня у тебя неприемный день?

Она засмеялась.

— Ну что ты все издеваешься? Поймал на слове и рад?

Он хитро взглянул на нее.

— Похоже, ты забыла, что я в этом доме вообще-то собираюсь жить.

— Похоже, забыла, — улыбнулась Стефания. — Позволила себе задуматься и унестись мыслями в заоблачные выси. Я тут и вправду распоряжаюсь, как хозяйка, но не беспокойся: до того, чтобы въехать сюда, дело не дойдет.

— Если бы ты въехала сюда, дом от этого стал бы только краше. Я присяду?

— Разумеется.

Она показала ему на местечко рядом с собой и тут же стала наполнять ему тарелку печеньем, паштетом и десертом.

— Это твое новоселье и твой торжественный обед. Прости, что нет вина.

— Минуточку.

Он куда-то ушел и через пару минут вернулся с бутылкой и штопором.

— Ты всегда носишь при себе «Божоле»? — спросила Стефания, наблюдая за тем, как он ловко откупоривает вино.

— Только сегодня. Дом нельзя назвать домом, пока в нем нет кровати, стола и бутылки вина. Ты сообщила мне, что первое и второе уже привезено и поставлено на место. Так что мне оставалось только захватить третье. Эй, а ведь у нас нет бокалов!

Она протянула ему свой стакан.

— Я снова прошу прощения. Не рассчитывала на твое общество.

— Будем пить из одного.

Пока они ели и пили, он рассказал ей о своих планах организовать художественную галерею, которая будет заниматься продажей гобеленов из Восточной Европы.

— Ты обязательно должна посмотреть на них. Огромные полотна. Смелые. Энергичные. Я бы хотел повесить одно из них в этом доме. На длинную стену в гостиной. Как тебе эта мысль?

— Ты не нуждаешься в моем одобрении. Если ты хочешь иметь что-нибудь в своем доме, это исключительно твое личное дело.

— Я очень ценю твои суждения, поэтому и советуюсь. Может, ты мне покажешь, что удалось сделать?

— С удовольствием.

Стефания закрыла корзинку с обедом и не спеша направилась к двери, пытаясь настроить себя так, чтобы еще раз вкусить полную радость удавшегося дела. Действительно, она сама не могла понять, почему до его прихода рассматривала это жилое пространство в качестве своего собственного. Наверное, потому что вложила в оформление дома всю душу.

Но пришел Макс и сразу стало ясно, что хозяин здесь именно он. Они медленно ходили по дому, и их окружала тишина, казавшаяся Стефании таинственной. Она глубоко дышала, чтобы унять разволновавшееся сердце.

Но дом был также и частью ее самой и, прогуливаясь по его комнатам, она почти забыла о присутствии Макса. Она знала, что ей, конечно же, не удалось достичь той легкости, почти невесомости, какая была присуща стилю сестры. Она не смогла, подобно ей, выстроить остроумных комбинаций и добиться неожиданных контрастов в тканях и линиях... Но, в то же время, она могла успокоить себя тем, что Макс Стуйвезант не имел никакого понятия о стиле ее сестры. «Дайте мне Александру и тогда увидите, на что я способна», — говорила про себя Стефания.

И все же комнаты приобрели ни с чем не сравнимую элегантность. Из каждого помещения Стефании удалось создать уютное жилье. Как правило, в комнатах было два или три больших предмета мебели и несколько малых для создания симметрии и равновесия. Стены были покрыты салатовым шелком и замшей. В некоторых комнатах она использовала ткани и дерево более темных оттенков. Освещение было в основном рассеянное, но кое-где свет как бы взрывался яркостью, что не нарушало общей гармонии, а наоборот, придавало ей какую-то особую чувственность и отстраненность. В общем облике этажей ощущалась мягкая интимность и даже что-то вроде тайны, что было очень близко характеру Макса.

Выходя на середину каждой комнаты и предварительно включив свет, чтобы рассеять октябрьскую сумрачность, Стефания испытывала чувство воодушевления и гордости за себя, хотя передавала Максу свои описания в сухих, коротких фразах. Она сообщила ему, что здесь она почти все закончила, осталось сделать последние штрихи, после чего можно будет переходить к оформлению нижних этажей.

— Я не смогу все сделать сама, — спокойно сказала она. — У меня есть время только до понедельника. Но основная работа уже выполнена.

Макс вел себя сдержанно и только кивал. Когда осмотр верхних этажей закончился, они оказались в холле четвертого этажа, где из открытых дверей спальни вырывалась полоса света. Он взял руки Стефании в свои.

— Все сделано великолепно. Я ничего не собираюсь менять.

С этими словами Макс стал целовать ее руки, кончик каждого пальца, чувствуя своими губами дрожь, которая пробегала по ним. Стефания склонила голову ему на грудь, и он обнял ее одной рукой. Через несколько секунд Макс уже вводил ее в спальню.

На раздумья времени почти не оставалось, но ее это не волновало. Макс плотной тенью заслонил от нее весь мир, все ее мысли... Начиная с того вечера, когда он танцевал с ней в «Аннабели». И сегодня, с той самой минуты, когда он появился в дверях кабинета, она поняла, что осталось сделать последний шаг. Последний шаг от той Стефании Андерсен, которая приехала в Лондон четыре недели назад.

«Почему бы мне и не сделать этот шаг? — защищаясь от увещевания своего внутреннего голоса, подумала она. — У Гарта есть Сабрина. Я не могу поверить, что за все это время они ни разу...»

Объятие Макса стало плотнее. Одну руку он положил к ней на затылок. Она увидела его полураскрытый рот. И желание потопило в ней осторожность.

«Мой! — ликующе подумала она. — Мой! Мой дом, который я создала собственными руками. И мой любовник. И моя жизнь, которая была жизнью Сабрины...»

Макс раздел ее и уложил на кровать, а потом снял свою одежду. Он стоял над ней и рассматривал ее стройное тело.

— Я так долго ждал, — услышала Стефания глухо прозвучавший голос.

Затем он лег рядом с ней. Его мощное тело

и вьющиеся каштановые волосы смутным силуэтом выступали из сумерек, в которые была погружена комната. Тень. Большая тень с крепкими, холодными руками. Она попыталась обнять его, но он покачал головой. Закинув обе ее руки за голову, он придавил их к кровати одной своей рукой, а другой принялся изучать нежные изгибы ее трепетавшего от его прикосновений тела. Она чувствовала, как судорожно сокращаются ее мышцы, как ее душит желание и мучит его неторопливость. Он склонился головой к ее соскам. Чуть прижал их зубами и затем сразу же стал полосовать их своим умелым и быстрым, словно плеть, языком.

Вдруг она почувствовала, как его лижущие поцелуи стали быстро опускаться по ее телу, с грудей к животу и еще ниже, неуклонно приближаясь к темнеющему бугорку плоти, которая испуганно пульсировала от этого приближения.

— Нет... — слабо простонала Стефания.

Она попыталась увернуться в сторону и заставить его лечь на себя сверху, но Макс продолжал крепко держать ее руки за головой.

Стефания в изнеможении от стыда и желания прикрыла глаза. В ее ушах поднялся оглушительный звон, когда она поняла, что он взял ее ртом, нежно покусывая складки ее плоти и продвигаясь языком все глубже и глубже. Она решила замереть, лежать неподвижно, отчаянно моля судьбу, чтобы она парализовала ее тело так же, как парализовала ее мысли. Но безумное желание захлестывало ее всепоглощающей волной. Она хотела вырваться из обручей боли и наслаждения, которые он доставлял ей своим неутомимым ртом, но вместо этого ее бедра непроизвольно и ритмично задвигались ему навстречу, шея выгнулась. В какой-то момент шумно дышавшая Стефания поняла, что подступает неистовая кульминация и издала слабый крик освобождения от сладкого напряжения. Крик, в котором прозвучало счастье и блаженство.

Потом она потеряла всякое ощущение реальности происходящего. Сквозь какую-то дымку в сознании Стефания поняла, что он наконец отпустил ее там. В следующую секунду она увидела перед собой его лицо, встретилась взглядом с взглядом его внимательных и непроницаемых серых глаз.

Он вошел в нее мягко, незаметно для нее и задвигался медленно и ритмично, словно прислушивался не к своим, а к ее ощущениям. Ей было уже все равно. Но это в мыслях. Тело же требовало еще и еще радости, оно не желало ждать. Стефания задвигала бедрами, положила руки на его ягодицы и изо всех сил прижала его к себе, пытаясь сделать так, чтобы он вошел в нее как можно глубже.

В ушах звенело. Казалось, всю спальню наполнила невозможная какофония звуков. Ее губы беззвучно шевелились, снова и снова произнося его имя.

Макс смотрел на нее и улыбался.

— Душенька, что с тобой? — спросила Александра в понедельник утром, когда Стефания наливала им обеим чай в своем кабинете. — Ты выглядишь очень усталой.

Стефания слабо улыбнулась.

— В выходные мне не удалось как следует выспаться. Зато ты выглядишь просто очаровательно. Я ведь так и не видела тебя после нашего итальянского ужина.

— Я как раз хотела поговорить с тобой об этом. И... об Антонио. Ты как, не против?

— Разве я могу тебе в чем-нибудь отказать?

— Серьезно?

— Серьезно. Видишь ли, Александра, он ждет... Ладно, не буду переваливать на твои плечи свои нелегкие переживания.

— Душенька, вспомни, сколько раз за последний год ты говорила мне о том, чего он ждет? И сколько раз я сама рассказывала тебе, чего я жду?

Не понимая еще, куда она клонит, Стефания удивленно посмотрела на нее.

— Ты, наверное, думаешь сейчас о том представлении, которое я закатила тогда Бруксу? — Она отпила глоток чая и откусила крохотный кусочек пирожного. — Я дразнила его не потому, что люблю Габриэль. Помоему, она просто дурочка. А потому, что меня очень огорчает, что самодовольные мужчины считают своим долгом ломать любящих их женщин. Впрочем, с тех самых пор, как мы познакомились, я всегда считала, что это именно тот мужчина, который мне нужен.

— *Брукс?!*

— Отчасти. Не тот мерзавец, который хочет, чтобы маленькая девочка обожала его, а другой... удачливый, уверенный в себе, строящий свою империю и защищающий ее всеми средствами. Именно это я и ищу так долго в мужчинах. Такому мужчине я могу доверить построить для меня замок и помочь мне решить жизненные проблемы. До сих пор со всем этим мне приходилось справляться самостоятельно, ты знаешь... И я устала. Антонио достаточно богат для того, чтобы купить мне все, чего бы я ни захотела. И он позволит мне управлять частью его империи. Я буду для него чем-то большим, чем просто игрушка. Я буду помогать ему *строить города*. Это желание сильно во мне. Да и зачем ему сопротивляться? Если он взамен потребует, чтобы я сосредоточилась на нем, находилась всегда поблизости — это будет честно. В конце концов, как долго мне еще будет тридцать пять? А, вернее, как долго еще я буду выглядеть на тридцать пять? Пойми, сердечко, я хочу принадлежать величественному человеку, я хочу, чтобы обо мне заботились, но при этом не отнимали личной свободы. И, наконец, я хочу работать. Вот у тебя есть возможность работы, а у меня нет.

Стефания покачала свою чашку. Несколько крупных чаинок сначала взвились в хороводе, а потом осели на дно в виде причудливого цветка. Этот цветок почему-то напомнил ей о семье. «Сегодня понедельник, — подумала она. — Сабрине будут делать повторный рентген».

— Сабрина? Ты меня слушаешь? Тебе надо с собой что-то делать. Ты выглядишь так устало... Сонно...

— Нет, я слушаю. Ты описала все очень красиво. Только ни разу не упомянула про любовь. Как так, Александра?

— А, любовь... Антонио говорит, что любовь придет позже. Об этом говорится в одной древней гуаранийской легенде. Но я так думаю: если мы станем друзьями, то я буду вполне удовлетворена. Возможно, это лучшее, на что мы можем надеяться.

— Прошу прощения, миледи, — прервал их разговор Брайан. — Но мистер Майкл Бернард должен поговорить с вами об одном очень важном деле.

Александра тут же энергично поднялась со своего места.

— До свидания, душенька. Через неделю мы улетаем в Рио.

— Так скоро?

— Не говори Антонио. Я думаю, нечего тянуть.

Слишком плотный график: посмотреть землю, постоять на коленях на кофейных зернах, поглядеть на индейцев гуарани...

— А что говорит Антонио обо мне?

— Он говорит, что потерял тебя потому, что был слишком терпелив. Теперь он, надеюсь, понял, что требованиями сегодняшнего дня являются напор и стремительность. Во всяком случае, меня он получил только при помощи этих средств. Он даже рассказал мне целую гуаранийскую легенду, чтобы проиллюстрировать метод своего нового ухаживания за женщинами. Но легенда была слишком длинная. Я ничего, боюсь, не запомнила.

Они обе рассмеялись. Вдруг, повинуясь какому-то импульсу, Стефания притянула Александру к себе за плечи и звонко чмокнула в щеку. Княгиня была очень изумлена этим жестом со стороны своей подруги и даже подалась назад.

«Снова промашка, — с досадой подумала Стефания. — Здесь так не принято. Впрочем, какая разница? Когда она вернется из поездки в Рио, меня уже тут не будет. Я вообще ее могу больше никогда не увидеть».

— Я позвоню, когда мы вернемся, — пообещала Александра на прощание.

Стефания сдержанно кивнула и взяла телефонную трубку.

— Майкл? Разве ты не собирался позвонить мне четыре недели назад?

— Да, вспоминаю свое обещание и прошу великодушно простить меня. Я был в Бонне, а Джоли в Турции. Я прослышал тут недавно об инциденте, случившемся с вами на вечере у леди Шассон.

— Да, я поскользнулась с аистом в руках.

— Удивительно. Вы такая изящная леди. К тому же хорошо представляете себе хрупкость фарфора и вдруг такое... Впрочем, как мне передавали, это было связано с небольшой ссорой с Розой Рэддисон?

— Ты обо всем узнал, находясь в Бонне?

— Нет, в Париже. Леди Шассон навещала своих знакомых, ну и.. Мир тесен, не правда ли? Особенно для нас.

— Да, — ответила Стефания с печальной улыбкой. Когда-то мир Сабрины казался ей просто необъятным космосом по сравнению со скованной узостью Эванстона. — А чем Джоли занимается в Турции?

— Фотографирует вскрытый тайник с вазами, которые пытались контрабандой вывезти из страны. Я как раз и звоню за тем, чтобы попросить помощи. Теперь мы уверены, что подделки — всего лишь побочное поприще, никак не связанное с главными операциями. Большие деньги делаются на контрабанде из тех стран, правительства которых запретили вывоз предметов антиквариата. Некто — нам пока неизвестный — финансирует деятельность бандитских групп в этих странах, где они грабят музеи, могилы, старинные замки. Затем этот некто вывозит награбленное незаконным путем из страны и продает в Америке. Вы слышали что-нибудь подобное?

— Я?.. Видишь ли...

— Впрочем, вас это не затрагивает непосредственно, потому что вы не продаете такие товары. Речь идет о произведениях искусства и драгоценностях из богатых турецких и египетских захоронений, скульптурах из храмов Камбоджи, Таиланда, Колумбии... Даже целые секции храмов древности, представляете? Дверные проемы, ворота, решетки, стены, алтари...

— Но как я могу помочь тебе, если я этим не занимаюсь?

— У нас есть основания полагать, что контрабанда находится в руках Ивана Ласло, который обозначен как владелец «Вестбридж импорт», и Рори Карра. Они хранят все на своих складах. Некоторые вещи предназначаются для конкретных покупателей, другие продаются через легальные магазины. Но, похоже, в один прекрасный день Ивану и Рори пришло в голову дополнительно подзаработать, поэтому они занялись фальшивками и подделками.

— Кто на самом деле владеет «Вестбриджем»?

— О, таинственный мистер Икс, которого нам пока не удалось вычислить. Когда это произойдет, картина окончательно прояснится. Теперь до нас дошли сведения, что между мистером Иксом и его шестерками назревает конфликт из-за дележа денег. Кроме того, мистер Икс боится, что его контрабандистские увлечения могут выплыть на свет через бизнес фальшивок, которым занимаются его подчиненные. Собственно говоря, так все и произошло. Воры всегда в конце концов прогорают, не так ли? Поэтому мы и подумали, что вы могли что-нибудь слышать про это. Слухи о торговцах, которые внезапно исчезли или уволились, слухи о дельцах, которые неожиданно отыскали новых партнеров... Возможно, сразу целая партия незаконного товара одновременно всплывет на разных рынках. Если у вас что-нибудь появится интересное, позвоните нам в Париж. Через две недели мы будем в Лондоне. Уделите нам вечерок для ужина и приятной беседы?

— Хорошо.

«Через две недели меня здесь уже не будет».

Брайан внес в кабинет корреспонденцию.

— Звонила Габриэль де Мартель, миледи. Просила перезвонить ей. Вы хотите поесть?

— Нет, спасибо, Брайан. Я скоро пойду.

Набирая номер Габриэль, Стефания стала проглядывать почту.

— Сабрина, — сказала Габриэль. — Брукс звонил.

От Сабрины пришло письмо. Стефания распечатала его.

— Я не стала с ним говорить. Попросила миссис Тиркелл передать, что меня нет.

«Новости из жизни Эванстона. Из жизни семьи. Чепуха. Ничего личного...»

— Но теперь я подумала, что будет лучше, если я позвоню ему. Он всегда начинает злиться, когда...

«Как такое возможно?! Ничего личного в письме, где речь идет о собственной семье?!.»

— Но я ничего не хотела предпринимать самостоятельно, не переговорив предварительно с тобой. Если я сделаю что-то не так, потом не поправишь...

«Ни одного упоминания о Гарте».

— Кроме того, я не до конца уверена относительно того, что... сказать ему.

Они не говорили уже целую неделю. Стефания не хотела звонить в Эванстон. Образ Макса заполнял все ее мысли.

— Сабрина? Ты слушаешь меня?

— Да, Габи. — Несмотря на свои размышления, Стефания прислушивалась и к тому, что говорит подруга. — Я не думаю, что тебе нужно ему звонить.

— Ты считаешь, я должна выждать?

— А ты сама разве так не считаешь? Необходимо немного подождать, потянуть время. Это наполнит вас обоих уверенностью относительно того, что нужно делать. Нельзя допустить, чтобы вы... обманывали друг друга. Или, — что еще хуже, — самих себя.

Габриэль вздохнула в трубку.

— Ты права. Мне нужно быть благоразумной. Но это... так скучно! Я ненавижу благоразумие и трезвый, холодный расчет...

Стефания прикинула в уме время и поняла, что в Эванстоне только рассветает. Через несколько часов Сабрина пойдет на встречу с Натом Голднером, сделает повторный рентген... Через несколько часов она позвонит в Лондон и сообщит Стефаниии о результатах. Значит, у нее в запасе совсем мало времени. Но все-таки достаточно для того, чтобы еще раз хорошенько подумать о Максе.

Они вместе провели выходной в его новом доме. Ели обед, принесенный из лучшего в Лондоне ресторана и сервированный на столе в кабинете. Его служанка принесла хозяину пурпурный домашний халат и он надел его. На Стефании было платье из синего бархата, которое дважды оборачивалось вокруг талии. Она закатала широкие рукава и закрепила их на локтях шнурками, оставленными рабочими. Волосы ее были распущены, глаза горели, каждый нерв чутко реагировал на малейшее изменение температуры, на дуновение воздуха, на прикосновение солнечного луча к нежной коже ее лица, на ласки Макса ее груди...

Крепкий кофе утром и бокал сухого бургундского вечером. Вино изумительно серебрилось в умирающих отблесках огня, горевшего в камине.

Умело стимулируя свои чувства и переживания, она дошла до крайней черты желания и возбуждения. В ее взгляде сверкал триумф страсти.

— Ах ты моя утонченная и изящная красавица, — сказал Макс.

— Похвала, данная знатоком, всегда приятна, — отозвалась она беззаботно, но сильный пожар ее страсти не угасал.

В понедельник же, сидя в кабинете, она спрашивала себя: а какой, собственно, мог быть триумф? Отнюдь не триумф привязанности, тем более дружбы. Триумф страсти. «И этот триумф является последним чудом доброй феи в моей сказке, — подумала она. — Последним. Я хотела жить абсолютно так же, как жила Сабрина. Испытать все, что она испытывала. Вкусить все прелести ее жизни. И вот последнее чудо: рассчетливая чувственность Макса Стуйвезанта».

Она вздрогнула. Значит, живая гордость, которую она испытывала к самой себе, прогуливаясь по «Амбассадору», перепланировка нового дома Макса, заботы о Габриэль, дружба с Александрой... Все это оказалось красивым сном?

«Даже если бы мне удалось продлить его, этого было бы уже недостаточно, — подумала она. — Я жажду любви, я хочу, чтобы меня лелеяли и обо мне заботились, давали мне обязательства. Иначе мне не будет места на земле. Где оно, это место, сейчас? Я уж было подумала, что оно здесь. Я познакомилась и общалась со многими людьми. Я жила в роскошном доме. Вела сказочный образ жизни. А теперь все это теряю...»

В печали Стефанию вдруг посетило четкое осознание того, что жизнь Сабрины не устроила ее так же, как и прошлая жизнь в Эванстоне.

«Но как же мне узнать, чего я хочу? Наверно... Наверно, нужно вернуться к Гарту и поискать ответ вместе с ним. Гарт. Пенни. Клифф. Мой дом».

— Мне вас очень не хватает, — проговорила она вслух. Слова всколыхнули застоявшуюся тишину кабинета. — Вы нужны мне.

«Интересно, а они скучали по мне? Что я говорю? Они даже не знают, что меня все это время не было с ними.»

Зазвонил телефон. Брайана не было в магазине, поэтому Стефания сама сняла трубку и тут же услышала на том конце провода мягкий голос Макса.

— В нарушение всех планов и графиков я как-то машинально вселился в свой новый дом. И вот результат: мешаюсь под ногами у рабочих. Думаю, нужно исчезнуть куда-нибудь на несколько дней.

— А... — выдохнула встревоженная Стефания.

— Сам собой напрашивается круиз, как ты считаешь? В этом году поездки по Средиземному морю, говорят, просто изумительны. Тем временем рабочие смогут без помех закончить свою работу.

— Да, пожалуй.

— Они в состоянии закончить без тебя.

Она вздохнула. Она совсем забыла еще об одном сказочном развлечении, которого не вкусила из этой сказочной жизни — круизе. Она хотела поехать в круиз. У Сабрины вон их сколько было и еще будет, а ей нужен был только один!

«А потом я вернусь, — рассуждала она про себя, — к тому, что меня ожидает. Я вернусь к Гарту, и мы вместе отыщем ту любовь, которая была между нами прежде. Теперь я буду совсем другой женой. За последний месяц я узнала о себе так много нового. Мы попытаемся, я обещаю. Но сначала дайте мне посмотреть последний сон. Один. Самый последний».

— Мы отплываем из Монако на итальянскую Ривьеру. Это займет четыре-пять дней. Такой вариант тебя устраивает?

— Да.

— Прелестно. Возьмем с собой еще три пары. Приятные люди. Они тебе обязательно понравятся. Двадцать четвертого, это будет среда, мы уезжаем. Утром. К девяти будешь готова?

— Да.

Повесив трубку, она повернулась на своем крутящемся кресле к открытой двери кабинета так, чтобы видеть весь демонстрационный зал и улицу за узорчатой входной дверью. День был облачный, но теплый. Серебристый туман словно экраном закрывал и отделял Стефанию от спешащих по улице людей.

Она позвонит Сабрине и узнает, как прошел повторный рентген. Заодно скажет, что будет отсутствовать несколько дней.

А потом ее затянувшееся приключение закончится...

Ничто не вечно на этом свете. Миссис Тиркелл позаботится о Габи. Брукс обязательно придет на Кэдоган-сквер, чтобы забрать бедняжку обратно, это лишь вопрос времени. Александра нашла общий язык с Антонио. Фальшивый мейсенский аист разбит, и она сумела отвадить от «Амбассадора» нежелательного торговца по имени Рори Карр. Магазин под ее руководством функционировал вполне успешно: ей удалось продать несколько крупных вещей, за перепланировку нового дома Макса она получила солидное вознаграждение, к тому же поступили заказы на ближайшие месяцы.

Когда пришел Брайан, она поднялась из-за стола и накинула свою куртку. У нее еще были дела: позвонить Сабрине и порыться в шкафах для одежды на Кэдоган-сквер, чтобы выбрать наряды для круиза.

Она постояла некоторое время на середине демонстрационного зала, запоминая его, а потом молчаливо простилась.

ГЛАВА 15

Начавшая отходить ото сна Сабрина шевельнулась на постели.

«Сегодня шестое октября, — подумала она. — Гарт уезжает в Калифорнию».

Открыв глаза, она увидела, что за окном только-только начинает рассветать. В комнату стали проникать первые бледноватые лучи света, окрашенные в жемчужно-серый цвет. На клене пела какая-то птица. Сабрина шевельнулась еще раз, решив перевернуться на другой бок, но замерла, обнаружив, что ее рука находится в руке Гарта. Их пальцы были крепко сплетены и занемели.

И тут она вспомнила ночь... Воспоминание обрушилось на нее, будто ком снега. Она вспомнила ощущение дыхания и горячий шепот Гарта у себя на груди, вспомнила, как он накрыл ее тело своим, вспомнила собственную страсть.

Нет, это был не сон. Она позволила этому случиться наяву.

«Боже, как же...»

Гарт спал, но крепко держал ее за руку. Сабрина чувствовала, какое от него исходит тепло. Только сейчас, лежа с ним рука об руку в предрассветном сумраке, она осознала, какие огромные изменения произошли с того первого дня, когда она приехала в Эванстон, подменив сестру.

Сабрина испугалась своих мыслей. Внутренний голос успокаивал ее: «Не терзайся. Ты сама нисколько не изменилась. Изменились обстоятельства. Ты здесь ни при чем. Ты ничем не связана с ними». С этой мыслью она снова заснула, а когда проснулась во второй раз, солнце ярко заливало своим светом спальню, окна светились, и она была в постели одна.

Сабрина робко осмотрелась. На стуле лежал раскрытый, но уже загруженный чемодан Гарта.

«Я должна встать, — с неохотой подумала она, — и помочь ему собраться».

Но она не двигалась с места, ибо боялась смотреть Гарту в глаза после случившегося с ними.

«О, Стефания, прошу тебя, прости!.. Я не хотела. Пожалуйста, постарайся понять...»

В ее голове пронеслись воспоминания о всех сильных чувствах, которые были испытаны ею ночью. Неуемная радость, предельное счастье ощущать Гарта внутри себя. Затем придавливающая тяжесть сознания вины и стыд...

«Стефания никогда не узнает об этом...»

Ее снова пробил стыд. Как она... Какое право она имеет...

Сабрина вновь закрыла глаза и стала похожа на ребенка, который в минуту опасности заслоняет лицо руками.

Она не могла отрицать того, что хотела Гарта, хотела заниматься с ним любовью. Впервые за все время, проведенное вместе, он обратился к ней не с подозрительным вопросом, а с выражением любви и поддержки.

«Какими же мы были дураками, полагая, что он будет ждать больше месяца, не глядя в сторону жены! — думала Сабрина, закусывая губу. — Он же обыкновенный мужчина, не монах... Риск присутствовал всегда. Он витал ночами над кроватью. И наконец все свершилось».

Впрочем, к этому следовало относиться спокойнее. То, что произошло, уже произошло. Обратно ничего не вернешь.

Она услышала его шаги на лестнице и тут же закрыла глаза. Он вошел в спальню, подошел к кровати, поцеловал ее в щеку и, захватив чемодан, вышел.

Через некоторое время хлопнула входная дверь и было слышно, как он сбежал по крыльцу. Чувство свободы захлестнуло Сабрину. Прошлая ночь была случайностью. Она ничего и не почувствовала, если не считать... Неважно! Какая женщина смогла бы лежать спокойно под такими ласками?..

«Ты хотела его и прекрасно это знаешь! Ты обнимала его и вы всю ночь спали, держась за руки.»

«Это всего лишь эпизод! — упрямо возразила она внутреннему голосу, который предательски менял свою позицию каждые пять минут. — Я сильно устала за день и потеряла контроль. Не моя вина в том, что каждую ночь, ложась в постель, я страшно рисковала. Оступилась, с кем не бывает?»

Лжешь!

«Стефании не о чем беспокоиться. Я быстро забуду, что натворила. У меня здесь много разных дел. К тому же, скоро все это вообще закончится. Больше такой ошибки не повторится. — Она избегала смотреть на свое отражение в зеркале. — Больше этого не повторится. Обещаю. К тому же Гарта не будет целую неделю».

Позвонила Линда Талвия и пригласила Сабрину и детей к себе на ужин.

— Пока не могу, — сказала Сабрина. — Хочу несколько дней побыть одна. Может быть, в конце недели?

— Понимаю! — со смехом отозвалась Линда. — Леди хочет вкусить сладость одиночества? Мне это знакомо. Когда Мартин куда-нибудь уезжает, я чувствую себя на три дюйма выше и на сотню фунтов легче. Предоставлена самой себе. Рай, да и только.

«Такова была моя лондонская жизнь, — подумала Сабрина. — Предоставленная самой себе и ответственна только перед собой. От такой жизни-то я и сбежала».

— Но мне очень хочется увидеться с тобой, — настойчиво продолжала Линда. — Когда возвращается Гарт?

— В следующее воскресенье.

— Может, заглянешь в среду? Или даже во вторник? Пораньше. Мы бы о многом поговорили.

«Ей необходимо поделиться с кем-нибудь своими тревогами», — поняла Сабрина.

— Ладно, почему бы нам не прийти сегодня? В конце концов, мне надоело есть то, что я готовлю сама.

— Ты серьезно?! О, Стефания, какая ты милая! И что бы я без тебя делала?! Приходи в четыре тридцать, ладно? У Мартина сегодня весь день идет семинар и он вернется не раньше шести. А дети могут поиграть во дворе.

— Отлично, мы придем, — согласилась Сабрина.

В тот день она отправилась с Пенни и Клиффом в магазин. Поначалу она не хотела этого делать, рассчитывая на то, что дети могут дождаться Стефанию. Но в один прекрасный день ботинки Клиффа почти совсем развалились. А Пенни начала ныть о том, что у всех ее подружек давно уже есть так называемые джинсы «Би», и если у нее не будет их, она умрет. Словом, Сабрина уже не могла отделываться отговорками и обещаниями. «Так много приходится выдумывать разных предлогов, чтобы не делать то или иное дело! — сетовала она. — Хоть бери и ломай вторую руку!»

В обувном магазине продавец внимательно оглядел ноги Клиффа и вынес несколько коробок с ботинками. Клифф стал примерять их все по очереди, постоянно оглядываясь на Сабрину. «Чего он от меня ждет?»

— Ну, и какие же тебе больше нравятся? — спросила она.

После минутного колебания, не глядя матери в лицо, Клифф показал на пару высоких ботинок, которые сильно смахивали на армейские.

— А тебе не кажется, что они слишком теплые? Зажаришься, сидя в них на уроках.

Клифф отрицательно покачал головой.

— Ну, хорошо. Тогда давай купим. Бери их скорее, у нас еще Пенни на очереди.

— Мамочка! — заорал Клифф. — Ты правда разрешаешь?!

«Ну что я опять не так сделала?»

Она взяла в руки один ботинок, делая вид, что пристально изучает его. Судя по реплике Клиффа, он не ожидал такого подарка. Значит, Стефания не купила бы ему эти ботинки... Почему? Потому что они слишком теплые и годятся только для улицы, но не для помещения. И потом еще из-за цены.

«Господи, откуда мне знать, сколько должны стоить ботинки для мальчишки!»

— Если они тебе нравятся — бери. И закончим на этом. Они очень крепкие и долго тебе послужат. Хотя и имеют свои недостатки. Смотри, береги их! Это вещь дорогая. Интересно, они непромокаемые?

Продавец тут же появился с тюбиком, который направил на ботинки и прыснул из него водой. Сабрина убедилась в том, что обувь действительно непромокаемая.

— Ну, вот видишь, конечно берем. Тут и думать нечего.

Пока Клифф, сияя от счастья, прямо в магазине натягивал новые ботинки, Сабрина рылась в сумочке в поисках одной из кредитных карточек Стефании.

Когда они вышли на улицу, Клифф бросился в сторону футбольного поля, крикнув, что покажет обновку друзьям. На бегу он обернулся и весело прокричал:

— Спасибо, мам!

И унесся, оставив у себя за спиной криво ухмыляющуюся Пенни и сияющую от счастья «маму».

При входе в «Маршалл Фил» они столкнулись с Вивьен и Барбарой Гудман.

— Мы вот ищем какие-то джинсы, которые называются «Би», — сказала Вивьен после приветствий.

— Удивительно, — сухо произнесла Сабрина. —

Джеффри Бин загипнотизировал всех здешних шестиклассников.

— Мам, — попросила Пенни. — Можно мы пойдем с Барбарой?

— В самом деле, почему бы вам самим не сделать свои покупки? А мы с Вивьен прогулялись бы в это время где-нибудь. Вот тебе кредитная карточка «Фил». Иди смотри свои джинсы, но больше одной пары пока не покупай.

Вивьен изумленно уставилась на Сабрину.

— Вот это да! Я никогда бы не отпустила Барбару одну с кредитной карточкой в руках.

— А почему? Пенни в этом смысле вполне самостоятельная девочка, — сказала Сабрина, заметив изумленный взгляд девочки. — К тому же я достаточно натолкалась в обувном магазине. Впрочем, ты поступай, конечно, как привыкла...

— Напротив! Мне это нравится. — Она вручила Барбаре кредитную карточку, на которую та уставилась, не веря своим глазам. — Пойдем выпьем кофе!

— Тут, кажется, где-то недалеко есть новый антикварный магазин? Я бы хотела его посмотреть.

— Верно. Гарт мне говорил как-то, что ты интересуешься такими вещами.

Это была небольшая лавка под названием «Коллекция» и втиснутая между каким-то магазином и ресторанчиком, специализирующимся на домашнем печенье. «Великолепное расположение, — подумала Сабрина. — Владелец лавки знает, что делает». Внутри был довольно простой зал, пол которого был покрыт множеством маленьких восточных ковриков. Зал загромождала мебель.

Вивьен коснулась рукой освинцованной лампы, выполненной в форме цветка тюльпана.

— Неужели и сегодня некоторые люди могут позволить себе купить лампу от Тиффани?

Сабрина смерила лампу коротким взглядом.

— Это не Тиффани, — уверенно сказала она. — Если бы я продавала ее, то назначила бы цену в пятьдесят-шестьдесят долларов. Не больше.

— Именно, — услышала она за своей спиной незнакомый голос.

Обернувшись, Сабрина увидела, что к ним приближается стройная женщина. Ее короткие волосы серебрились сединой. На тонком и привлекательном лице выделялись большие глаза. На ней не было дорогого наряда и, тем не менее, она была элегантно одета. Это приятно удивило Сабрину. «Не обладая большими деньгами, — подумала она, — эта женщина многое умеет делать. Похоже, она и является хозяйкой лавки».

— А как вы думаете, какую цену за лампу назначила я? — спросила она с улыбкой.

Вивьен тут же взглянула на бирку, прикрепленную к лампе.

— Пятьдесят пять долларов. Удивительное совпадение!

— Удивительным это кажется только дилетантам, не имеющим представления о богемском стекле, — проговорила женщина и протянула руку Сабрине. — Мэйдлин Кейн. Вы работаете с антиквариатом?

— Са... Стефания Андерсен. — Они обменялись рукопожатием. — Работала. Когда-то.

— Вы уже прошлись по моему магазину? Что скажете? Я открылась всего неделю назад. Все еще в стадии организации.

Сабрина взволновалась, прогуливаясь по лавке и осматривая мебель. Впервые за время пребывания здесь она едва не произнесла собственное имя. Но она понимала, что ее трудно винить. Просто дух антикварной лавки захватил ее, поразил, словно удар грома. Она вдохнула запах мебельной полировки, темного бархата и парчи. Увидела, как пляшут сотни пылинок в солнечных лучах. Провела рукой по старинному дереву золотистого оттенка. Тут было от чего разволноваться.

«Я хочу домой! Я хочу пройтись по демонстрационному залу «Амбассадора», посидеть за своим вишневым столом в кабинете. Я хочу вернуться к своей работе...»

От внезапного приступа ностальгии на ее глаза навернулись слезы.

Вивьен испуганно взглянула на нее.

— Стефания? Что с тобой?

— Ничего, — ответила Сабрина, тут же смахнув слезу. Она остановилась перед великолепным старинным диваном, обитым пурпурным бархатом. — Так... Промелькнула одна мысль.

— Я могу чем-нибудь помочь?

— Нет... Просто я неожиданно вспомнила о своем неудавшемся бизнесе на продаже недвижимости. Тогда я имела дело с произведениями искусства, антиквариатом, коллекциями... Не получилось. Мне пришлось пойти на другую работу. Но сейчас я почувствовала, как мне всего этого не хватает. На меня нахлынули воспоминания... Запахи моего магазина...

— У тебя был магазин?

— О нет. Просто я всегда хотела его иметь.

Мэйдлин Кейн следовала за ними на некотором расстоянии. Она внимательно наблюдала за Сабриной и видела в ней нечто, чего до сих пор никто не замечал. Она чувствовала отстраненность этой женщины от эванстонской жизни, хотя и не могла этого объяснить. Просто она держалась как-то по-другому. Не так, как ее подруга. Это было видно и по походке, и по осанке, и по тому, как она держала голову. И по тому, каким профессиональным взглядом она окидывала ее лавку. Уверенным. Знающим. Мэйдлин возгорелась искренним интересом к ней.

— Может, вы смогли бы помочь мне, — сказала она, подходя к Сабрине. — У меня есть некоторые сомнения относительно происхождения этого стола Дункана Файфа. Вы можете что-нибудь сказать? Мне кажется, что это восемьсот пятидесятый год и...

— Это не Файф, — резковато прервала ее Сабрина, проведя рукой по гладкой поверхности стола и склонившись, чтобы осмотреть его ножки. — Это Бельтер. Очень ранний. Примерно сороковые годы девятнадцатого века. Файф никогда так не обращался с розовым деревом. Посмотрите на зубцы на ножках.

Мэйдлин пришлось тоже опуститься на корточки.

— Да, — после некоторого раздумья проговорила она. — Вы, пожалуй, правы. — Она выпрямилась. — Стефания, почему вы не возвращаетесь в свой прежний бизнес? — Сабрина смерила ее холодным взглядом.

— Я понимаю. Вы хотите сказать, что это не мое дело, — тут же сообразила Мэйдлин, но продолжала: — Дело в том, что мне нужен помощник. Есть работа с инвентарем и в магазине. Но, главным образом, речь идет как раз о продаже недвижимости. Я привыкла к этому, но работа мне не нравится, скажу прямо. Я предпочитаю бесцельно слоняться здесь. Но на продаже недвижимости можно хорошо заработать. И это самый легкий и простой путь пополнить мой инвентарный список. Словом, я предлагаю вам работу. Если вам нужно бывать дома с детьми, то не беспокойтесь: у вас будет такая возможность. Ну, что? Это можно считать только моим делом? Или уже нашим?

«О, какая вы умница, какая умница! Конечно, это именно то, что нужно и хотелось бы Стефании! Вы только что дали работу моей сестре!»

— Это можно считать нашим делом, — с улыбкой согласилась Сабрина. — Когда вы бы хотели, чтобы я начала?

— Вчера.

— Значит, я буду здесь в понедельник к десяти часам.

— Десять часов, моя милая, это время покупателей. Так что будет лучше, если вы придете к девяти.

— Отлично. — «Я и забыла, что это значит — работать на кого-то». — Мне нужно будет уволиться с прежней работы. Буду так близко к девяти, как только смогу.

— Великолепно. А зарплата вас, похоже, совсем не интересует?

— Прошу прощения?..

— Вы не спросили меня об оплате.

Сабрина рассмеялась.

— Да, когда у меня был свой бизнес, я была более осмотрительной и практичной. Впрочем, я считаю, что этот вопрос может подождать до понедельника, когда мы с вами договоримся о длительности моего рабочего дня и о том, что именно мне придется у вас делать.

Мэйдлин явно выглядела сбитой с толку, и Сабрина поняла, что ей следовало вести себя более осторожно. Она забыла о том, что уже не является леди Лонгворт, что окружающие воспринимают ее как домохозяйку, которая должна работать и тем самым помогать мужу сводить концы с концами.

— Хорошо, если это вас устраивает... — все еще не придя до конца в себя, проговорила Мэйдлин. Потом она улыбнулась и сказала: — Ну так, до понедельника.

Когда они возвращались к «Маршалл Фил», Вивьен сказала:

— А я и не знала, что ты такой эксперт в вопросах антиквариата. И Гарт не говорил.

— Мы с ним мало обсуждаем дела друг друга, — ответила Сабрина.

Она была довольна и готова была скакать по улице, как маленькая девочка. Она только что нашла прекрасную работу для Стефании и для себя на то время, которое еще будет здесь. Но ностальгия не угасла в ее душе.

Она всем сердцем была с «Амбассадором». «Позвоню Нату, — подумала она, — и попытаюсь ускорить повторный рентген. Если бы он снял с меня гипс к приезду Гарта! И я бы тут же уехала».

Она вспомнила, как проснулась и обнаружила, что он всю ночь держал ее руку в своей.

«Да, необходимо срочно уезжать. От греха...»

— Мамочка, посмотри, что я купила! — вскричала Пенни. — И знаешь... Сначала продавщица даже внимания на нас не хотела обращать. А когда мы ей показали кредитные карточки, она стала такой милой! И называла нас «мисс»!

Девочки так и сияли от счастья, глядя то на Сабрину, то на Вивьен.

— Это просто фантастично, что ты для них придумала! — воскликнула обрадованная Вивьен. — И как я сама не догадалась! Но мне казалось, что в одиннадцать лет еще рано...

«А вот я догадалась. Но не потому, что я такая умная. А потому что не являюсь Пенни матерью», — подумала Сабрина.

Но когда Пенни бросилась ей на шею и принялась целовать, у нее защемило сердце. Она вспомнила, как горячо благодарил ее за ботинки Клифф. Она доставила им радость. Они любят ее.

Всю дорогу домой Пенни держала Сабрину за руку. И та непроизвольно вздрогнула, когда ее вдруг холодом обдала мысль: «Ты уедешь и оставишь этих очаровательных детей?»

Пенни расшвыривала попадавшие под ноги бурые и порыжевшие опавшие листья и ни на секунду не умолкала, рассказывая о кукольных костюмах, которыми она была занята.

— Через несколько дней я устрою дома показ мод! — пообещала она. — И тогда мне останется сделать только четыре последних костюма. Ты мне поможешь?

— Конечно, дочка.

«Нет, я не буду сейчас звонить Нату, — подумала Сабрина. — Зачем так торопиться. Это может вызвать у него подозрения...»

Пенни и Клифф уже укладывались спать, когда из Беркли позвонил Гарт. Сабрина вот уже целый час сидела с ниткой и иголкой, держа на коленях порванную на тренировке куртку Клиффа и вполголоса ругая свою гипсовую повязку. Трудно заниматься шитьем, когда ты этому никогда не училась и когда у тебя к тому же действует лишь одна рука. Она сказала, что не будет подходить к телефону. Поэтому как только раздался звонок, дети вскочили с постелей и каждый бросился к ближайшему телефонному аппарату: Клифф — на кухню, Пенни — в спальню родителей. Сидя на кресле в гостиной, Сабрина хорошо слышала веселые восклицания детей и удивлялась этому. Они радуются голосу отца, как будто он уехал не два дня назад, а пропадал по меньшей мере месяц! Смех Пенни прокатился по всему дому, после чего Клифф позвал ее:

— Мам! Папа хочет с тобой поговорить.

Она прошла на кухню, отложив шитье в сторону, взяла трубку и тут же услышала голос Гарта. Слышимость была изумительная и казалось, что он находится рядом с ней. У него был теплый и низкий голос. Знакомый... У Сабрины учащенно заколотилось сердце. Только сейчас она поняла, как успела по нему соскучиться.

— Здесь просто чудо какое-то, — говорил он. — Жаль, тебя нет. Солнце. Тонкий туман. Красота! Небо от воды золотисто-зеленое. А сама вода постоянно меняет оттенки. От серого до серебристо-голубого. Ты такого еще никогда не видела.

— И как это ты все сумел разглядеть из окна аудитории?

— Лекции начинаются только завтра. Пока что я только и делаю, что встречаюсь с другими участниками семинаров и составляю рабочий график на неделю. Насколько я понял, ты устроила Пенни и Клиффу незабываемый день?

— Вчера-то? Да, мы хорошо провели время.

— И ты потащила Пенни с Барбарой за штанами «Би»?

— Какие штаны?! — засмеялась она. — Джинсы. — Да, ей определенно не хватало Гарта. Они сумели стать друзьями, несмотря на многие неясности в их отношениях. Она с радостью думала о предстоящей свободной неделе, о том, что она наконец-то сможет стать полновластной хозяйкой семьи. *Впрочем, какая же это семья без мужа?..* — Теперь я понимаю, почему так дико расхохоталась Пенни. Ты и при ней говорил про штаны?

— А как же! Ей понравилось. А куда *ты* ходила, пока они покупали себе эти самые штаны?

— В новый антикварный магазинчик на Шерман-авеню. А владелица там — очень симпатичная и остроумная леди, которая, похоже, решила устроить мне нешуточный экзамен на определение особенностей работы Дункана Файфа.

— Ну, и как ты? Не ударила в грязь лицом?

— Разумеется, нет. Потом она мне предложила работу у себя и я согласилась. Начинаю завтра с утра.

— Ты что, уходишь из университета?

— Это первое, что сделаю завтра.

— Что ж... Тем лучше.

— Что-то не так? Ты думаешь, мне не следует уходить с нынешней работы?

— Еще как следует! Ты разве забыла, что я неоднократно предлагал тебе выбрать работу, которая была бы тебе больше по вкусу? К тому же, ты любишь напоминать мне, что существенно помогаешь оплачивать закладные. Так что, я не имею права диктовать тебе, где именно работать.

— Гарт, что с тобой?

Она почувствовала, как внутри нее поднимается тревога. Как так вышло, что он разозлился? Она попыталась найти ответ на этот вопрос, но осеклась: речь шла о работе для Стефании. Чего это она взволновалась? Ей-то какое дело до того, разозлился Гарт или нет?..

«Самое прямое! Потому что когда Гарт злится, это значит, что он испытывает душевную боль. А ты не хочешь, чтобы он ее испытывал».

— Гарт, ты слушаешь?..

— Да. Прости, я сорвался...

— Нет, это ты меня прости. Мне следовало сначала посоветоваться с тобой. Но предложение поступило так неожиданно и я сразу обрадовалась, что... Представляешь, я даже забыла спросить, какая будет оплата?! Ничего, завтра все выясню. И только потом решу с моей нынешней работой.

— Нет, лучше уходи из университета. Если в антикварном магазине тебя что-то не устроит, найдешь еще что-нибудь. Зачем насильно держать себя там, где тебе не нравится?

«Мы стали друг перед другом приседать в реверансах», — с грустной улыбкой поняла Сабрина.

Гарт что-то говорил, когда она задумалась.

— Что? — переспросила она.

— Я спрашиваю, как прошел ужин у Линды?

— А... Печально.

— Печально?

— Нет, я не сам ужин имею в виду. Тут-то как раз все было здорово. Просто Линда попросила меня прийти к ней пораньше и... поговорить. Она была так расстроена... Мартин когда-нибудь заговаривал с тобой о том, что у него были другие женщины?

После продолжительной паузы Гарт ответил:

— Даже если у нас и состоялся бы подобный разговор, то ты, надеюсь, понимаешь, что это дело сугубо личное.

«Да ладно тебе! Все тайное всегда, — рано или поздно, — становится явным. Если разговоры были, то предание их широкой огласке — это лишь вопрос времени».

— Ну, хорошо, — сказала она. — Но ты можешь мне хотя бы сказать другую вещь? Мартин подозревает, что у Линды есть какие-то свои дела на этом фронте?

— Не то что подозревает. Он ей сам об этом не раз говорил, насколько мне известно.

— Он хочет подозревать. Разумеется, никаких любовников у нее не было и нет, но она хочет, чтобы он... ну, приревновал ее хоть раз, что ли... Она нуждается в его любви, ласке, заботе. Ведь Линда не уродка и у нее много соблазнов. Пока что она от них удерживается. Но хочет, чтобы и он помог ей в этом. Но до сих пор, к сожалению, ничего не получается. Я не знаю другой такой пары, которая говорит между собой об одном, а думает совсем о другом!

— Не знаешь?

«Черт тебя возьми!»

Она прикрыла в раздражении глаза, но сумела взять себя в руки. Ему не удастся повернуть разговор к обсуждению их собственных проблем.

— Гарт, до тебя не доходили слухи о профессорах, которые якобы спускают на тормозах экзамены у тех студентов, с которыми спят?

На этот раз пауза была дольше первой.

— Кто тебе такое порассказал? — спросил он наконец.

— Линда прослышала об этом в студенческой книжной лавке. Ты знаешь что-нибудь? Слышал?

— Не слышал ничего из того, чему можно было бы поверить.

— Значит, все-таки слышал. И будто бы одним из таких профессоров является Мартин...

— Боже, что за бред! И это тебе Линда сказала?

— Поэтому она и хотела со мной поговорить. Это правда?

— Если ты о самом слухе, то, боюсь, что правда. Что же касается персоналий, то я ничего не знаю. Сами по себе обвинения ничего не значат: каждый студент, получивший у профессора оценку на экзамене, может распустить про него неизвестно какую чепуху. Впрочем, в факультетском клубе тоже был какой-то разговор... Довольно серьезный по сравнению со сплетнями, распространяемыми в книжной лавке. Ты об этом еще с кем-нибудь говорила?

— Я не занимаюсь распространением слухов.

— Я знаю, извини. А что ты сказала Линде?

— Успокоиться и подождать, пока я поговорю с тобой.

— Ты в самом деле так ей сказала?

— Да, а что? Я доверяю тебе больше, чем кому-либо другому, кроме того, по всем вопросам университета ты у нас являешься наиболее компетентным. Ох, уж эти слухи, слухи!.. Совершенно невозможная вещь. Помню, Александра однажды рассказывала мне...

— Александра?

— Ну, это... Знакомая по Китаю. Мы были вместе на корабле. Так вот, на третий день она уже говорила, что всем все известно: кто с кем валяется в кровати, а кто подсматривает в замочную скважину. Похоже на университет, не правда ли? Впрочем, в университете стиль и лексика слухов, наверно, более благородны.

Он засмеялся.

— Господи, я соскучился по тебе, моя красавица! Почему бы тебе не навестить меня здесь в конце недели?

«О, с удовольствием бы».

— Я же не могу вот так просто взять и улететь, бросив детей.

— Мы можем послать их к друзьям.

— А твоя работа?

— Ах, да, точно... Тогда оставайся. Ну, что там еще делается в Эванстоне?

Они говорили, как потом подсчитала Сабрина, целый час.

— Университет оплатит, — сказал Гарт, позвонив на следующий день.

Она спросила его:

— Тебя так любят в университете?

— Не то слово! Впрочем, если бы ты прилетела сюда ко мне, это спасло бы университету сотни долларов!

Сабрина засмеялась, но промолчала. Она останется дома. Она скучала по нему, но не хотела жертвовать своей свободой. Если бы их с Гартом и впредь разделяли две тысячи миль, это было бы лучше как для нее, так и для него. Не говоря уже о Стефании.

Каждое утро, просыпаясь, она слышала внизу голоса детей и соседей за окном. Сабрине предстояло прожить еще один день в качестве Стефании Андерсен. А каждый вечер, когда звонил Гарт, она думала: «Да закончится этот день когда-нибудь или нет?»

По утрам ей приходилось заниматься работой по дому, но выполняла она так мало дел, как только было возможно. Порой ее разбирала дикая злость на Стефанию за то, что она подсунула ей такой тяжкий образ жизни. Хуанита приходила регулярно и здорово помогала, но не могла сделать всего и Сабрине также нужно было частенько закатывать рукава. Пенни и Клифф являлись хорошими помощниками, но даже с их помощью Сабрина чувствовала себя рабыней, протирая мебель или убирая вещи, лежавшие не на месте.

После утомительной работы по дому магазин «Коллекция» казался приятным хобби. Она с увлечением помогала Мэйдлин организовывать продажу, писать «историю» каждого предмета, определять его цену и ставить в салоне на видное место. Мэйдлин нравилась Сабрине. И хотя она ненавидела быть подчиненной, работала она прекрасно, зарекомендовав себя с самой лучшей стороны. Словом, как следует протоптала дорожку своей сестре.

Сабрина чувствовала себя на работе, как дома, и время поэтому летело незаметно. Порой она спохватывалась: оказывается, давно уже нужно бежать домой, прибраться там чуть-чуть, заглянуть в холодильник. Все это — до прихода детей, которые появлялись, как правило, в окружении своих друзей.

Вечером все трое собирались за скромным ужином во внутреннем дворике. Потом Пенни и Клифф шли мыть посуду. Они затевали какую-нибудь интересную игру, которая обычно прерывалась звонком Гарта.

А еще позже, когда дом успокаивался и замирал, Сабрина забиралась с ногами в кресло, стоявшее в гостиной, и развлекала себя каким-нибудь чтением до тех пор, пока не обнаруживала, что давно уже ничего не видит на странице.

В четверг они принесли домой продукты и поваренную книгу и приготовили китайский обед. Пенни добавила туда две дюжины сушеного горького перца, когда никто не видел.

— Ты бы посмотрел на нас, папа, — рассказывала она Гарту, когда он позвонил. — Мы все плакали, но мама сказала, что все равно было вкусно. — Она протянула трубку Сабрине.

— Папа хочет поговорить с тобой и сказать, что он тебя любит.

Сердце Сабрины сильно застучало.

— Он так и сказал?

— Не совсем, но разве он не говорит так, когда звонит?

Сабрина улыбнулась и взяла трубку.

— Как я понял, это был жгучий обед, — произнес Гарт.

— Мы запомним его надолго.

— Жаль,что я его пропустил.

— Мне тоже.

— Приготовишь такой же в воскресенье, чтобы я тоже попробовал? Перец и все остальное?

— Если у тебя хватит мужества и мы не струсим, то приготовим его специально для тебя.

— Жду с нетерпением. Кстати, Пенни была права.

— Насчет чего?

— Я хочу сказать, что люблю тебя.

Сабрина снова почувствовала, как ее сердце застучало. Ей не хватало воздуха. «Но это просто потому, что я устала, — подумала она, — день был такой длинный. Я успокоюсь, как только смогу побыть одна».

— Мой самолет прилетает в два пополудни в воскресенье. Сможешь меня встретить?

— Да, конечно.

— Что вы делаете завтра вечером? Опять китайская кухня?

— Долорес и Нат пригласили нас на обед.

— Передай им привет.

— Передам.

В пятницу вечером после обеда, когда Пенни и Клифф поднялись наверх с детьми Голднеров, Сабрина пересказала Долорес и Нату, что говорил Гарт о своих лекциях и о людях, с которыми он встречался.

— Гарт не говорил прямо, но мне кажется, что он звезда в этом шоу.

Она перехватила быстрый взгляд, которым они обменялись.

— Что-то не так?

— Ничего, — быстро ответил Нат.

— Нет, Стефания имеет право знать, — сказала Долорес. — Мы просто подумали, что обычно, когда Гарт добивается какого-либо успеха, ты напоминаешь о той работе, которую ему предложили в Стэмфорде. А на этот раз нет.

— Вот оно что. — «Я все время забываю, как много значит для Стефании эта работа. Нужно спросить о ней у Гарта перед тем, как я уеду. Я же обещала Стефании».

Нат закурил трубку.

— У вас еще бывают головные боли, Стефания?

— Нет, — ответила она, вздрогнув от неожиданности. А затем ее осенило. — Ну, вообще-то, бывают. Я не хотела об этом говорить.

— Почему?

Она пожала плечами:

— Я знаю, что скоро мне предстоит делать у вас рентген, и если до того времени головные боли все еще будут сильными...

— А они сильные?

— Иногда.

— Когда?

— О, в основном по вечерам. Возможно, потому что я устаю.

— Где болит? Покажите мне это место на голове.

Она положила руку на то место, где болела голова после сотрясения мозга. «Извини, Гарт, — мысленно произнесла она. — Хотела бы я придумать что-нибудь более оригинальное, чтобы не спать с тобой. Но это самая легкая ложь, которую я могу придумать. Всего на несколько дней, пока вернется Стефания. Потом головные боли прекратятся».

— Должны бы уже прекратиться, — проговорил Нат. — Думаю, вам следует провериться у своего терапевта. И мы должны вскоре посмотреть руку. Когда вы ее сломали?

— Двадцать второго сентября.

— Мне бы хотелось подождать еще дней десять. Позвоните в кабинет и запишитесь на прием через неделю, начиная с понедельника. Если рентгеновские снимки будут хорошими, мы снимем гипс.

— Договорились. — Теперь она знала, что позвонит Стефании завтра утром. Десять дней. Достаточный срок, чтобы разобраться с Гартом.

Но он приезжает домой в воскресенье. Как чудесно будет снова увидеть его. Затем она сосредоточилась на том, что говорила Долорес, и приказала себе забыть, что такая мысль вообще приходила ей в голову.

Только в пятницу Гарт разобрался с делами в университете и получил возможность заняться почтой, скопившейся за время его отсутствия. Он нервничал и был сыт по горло досадными неурядицами в управлении факультетом, которые задерживали его за рабочим столом. Он вернулся домой из Беркли подобно школьнику, спешащему к своей первой возлюбленной, вспоминая теплоту голоса и смех Стефании во время их телефонных разговоров, вспоминая, как они занимались любовью в ночь перед его отъездом. Он вернулся, предвкушая удовольствие проводить долгие часы со своей семьей, но, привязанный к своему кабинету, лаборатории и классным комнатам, почти не видел их.

И жена, кажется, поощряла его отсутствие. Он обнаружил с отчаянием, что ее теплота ослабела, а осторожность осталась прежней.

Сначала все было не так. В воскресенье в аэропорту она встретила его такой радостной улыбкой, что он замедлил шаг, направляясь к ней и пораженный ее красотой.

— Боже мой, — вздохнул мужчина, идущий сзади, — хотел бы я быть парнем, которого она встречает!

С поющим сердцем Гарт шагал к ней, но, когда он приблизился, ее улыбка погасла, глаза затуманились, будто она не меньше его удивлена своей неприкрытой радостью.

— Добро пожаловать домой, — сказала она сдержанно.

Он поцеловал ее в прохладные и мягкие губы, уголки которых слегка дрожали. А затем она незаметно отодвинулась, и он снова увидел ее счастливой только за обедом, когда распаковывал подарки. Для Пенни и Клиффа он привез сборные модели вагончиков, которые шахтеры использовали во времена калифорнийской золотой лихорадки. А для жены, из магазина на площади Гирарделли, замшевый жакет, мягкий как масло, простой, но богатый, глубокого зеленого цвета, со старинными золотыми пуговицами. С сияющими глазами она надела его и закружилась, изображая манекенщицу.

— Для меня, — прошептала она как бы про себя.

Он был тронут и опечален ее изумлением.

— Только для тебя.

Она прижалась щекой к его щеке.

— Спасибо. Великолепно.

— Я подумал, что размер как раз такой, как надо, — сказал он с легким оттенком иронии. — Не думаю, что у тебя есть что-либо подобное, но мне кажется, он подходит к слегка изменившемуся в последнее время стилю твоей одежды.

— Я одеваюсь по-другому?

— Мне так кажется. Разве нет?

— Как?

— Ярче. Комбинации цветов другие. Или, возможно, более небрежные.

Сабрина рассмеялась, и он покачал головой.

— Ты всегда упрекала меня, что я не замечаю, как ты выглядишь. Ты была права, прости меня. Тем не менее, я все-таки заметил разницу. И мне нравится твой новый облик, как бы он ни создавался.

Счастливый семейный вечер. А потом Сабрина рассказала ему о своих головных болях, о советах Ната. И постепенно она отодвинулась от него на то дружеское расстояние, которое сохраняла со времени своего возвращения из Китая. Она даже, казалось, нервничала больше.

Гарт упрямо просматривал почту на своем столе. Сверху лежало полученное два дня назад приглашение от президента лаборатории Фостера посетить Стэмфорд двадцать третьего октября. В следующий вторник. Это невозможно. Он не может снова, через такое короткое время, отменить занятия. Но Стэмфорд и Фостер были мечтой Стефании. И он знал, что у них есть сложное оборудование для более совершенных исследований, чем те, которые он может проводить здесь. Гарт мог бы попросить Вивьен заменить его на занятиях. Не раздумывая больше, он набросал записку с благодарностью и положил ее в почту для отправки. Может быть, это доставит ей удовольствие.

Правда заключалась в том, что его так измучило меняющееся настроение жены, что он начал думать, что будет лучше пойти на открытое столкновение, рискуя все разрушить, чем вечно ходить вокруг нее на цыпочках. Жизнь ученого-исследователя научила его терпению и терпимости к неожиданностям, но также научила ожидать результатов от имеющихся у него данных и фактов, или искать новые в другом направлении. Или они женаты и вместе находят выход из создавшегося положения, или они чужие друг другу; если они не муж и жена, им придется искать новое направление, потому что их жизнь — это ложь.

Телефон на его столе зазвонил, и когда он снял трубку, секретарь вице-президента спросил его, не мог бы он зайти в контору на несколько минут. Это был приказ, а не просьба, и снова Гарт не попадал домой пораньше.

Лойд Страус был всего на несколько лет старше Гарта, партнер по теннису и давний друг. Маленький и компактный, смуглый комок энергии, всегда в движении, он в совершенстве изучил все повороты и подводные камни университетской политики и вышел прямой дорогой на пост вице-президента. Все знали, что большинство членов совета попечителей было готово избрать его президентом, после того, как нынешний уйдет на пенсию, и немногие осмеливались оспаривать его решения.

— Ну, правление все проверило, — говорил он, шагая по кабинету, в то время как Гарт присел на край его письменного стола.

— Посмотрели твой список отвергнутых женщин — прошу прощения за такой неудачный подбор слов, — твой список женщин-соискательниц, получивших отказ. Рассмотрели отношение Вебстера к женщинам-преподавателям и вообще ко всем женщинам, побеседовали с другими научными сотрудниками и с членами комитета по соискателям. Несомненно, ты прав, он нарушал все правила насчет равных возможностей, которые только существуют. Конечно, они были приняты совсем недавно, поэтому он всю свою жизнь был негодяем, нетерпимым к женщинам, но негодяем, не нарушавшим законов.

Гарт встрепенулся, но Страус поднял руку:

— Не торопись, дай договорить. Правление поручило комитету по соискателям еще раз рассмотреть заявление Вивьен Гудман. Я предвижу, что она пройдет. Правление также приняло мудрое решение и попросило декана Вебстера уйти на пенсию досрочно. Ему шестьдесят два года, осталось всего три. Так проще всего. Ему объяснили, что учебный год только что начался, и мы как-нибудь выкрутимся, если он уйдет немедленно, поскольку было бы слишком грубо заявить, что ему дали пинка под зад. Итак, мы ищем нового декана научного факультета.

Он сел за стол и стал перебирать пачку бумаг. Гарт обернулся и наблюдал за ним, понимая, что последует дальше. «Это понравится Стефании, — подумал он. — Больше денег и престиж более высокий, регулярные часы работы, больше времени дома. Но тогда придется отказаться от научной работы. И от преподавания. Декан научного факультета — администратор, у него не остается времени ни на что другое. Я не могу целый день сидеть в конторе, пока другие исследуют закрытые миры, которые я начал изучать. Если уж придется что-то менять в угоду Стефании, то лаборатория Фостера была бы лучше».

Страус снова встал.

— Нет необходимости говорить тебе, что первой рассмотренной кандидатурой на эту должность была твоя. У тебя международная репутация ученого-исследователя, — кстати, неплохая статья в «Ньюсуик». Итак, ты поднял бы престиж должности декана, и исполнял бы ее с достоинством и справедливо. Но не думаю, чтобы ты стремился ее занять.

Гарт резко вскинул голову и посмотрел на него. Одно дело, когда он сам решает отказаться от этой работы, совсем другое, когда за него решает Страус.

— Ну же, Гарт, — ухмыльнулся Страус. — Если бы я предложил тебе этот пост, ты бы поблагодарил меня, пожал мне руку и сказал, что я всегда могу рассчитывать на твою помощь, если она понадобится, но ты предпочитаешь лабораторию и аудиторию. Ты бы еще предложил помочь подыскать нового декана...

Гарт рассмеялся.

— Согласен. Но ты не даешь мне возможности произнести красивую речь.

— Я предлагаю тебе произнести другую речь. Что бы ты сказал по поводу должности директора нашего нового Института генетики?

Гарт поднял голову и насторожился, взвешивая новую информацию.

— Когда было принято решение о создании Института генетики?

— Недавно.

— Лойд, я пытался получить этот институт в течение пяти лет, и мне всегда отвечали, что нет денег. Это одна из причин...

— Почему ты думаешь о переходе в лабораторию Фостера? — закончил Страус. — Ты к ним уже ездил?

— Собираюсь на следующей неделе.

— Когда они покажут тебе свое оборудование, можешь сравнить его вот с этим, — он развернул пачку чертежей. — Плюс зарплата директора, возможно, около шестидесяти тысяч, и любые курсы. Читай какие хочешь.

Гарт развернул чертежи на столе и внимательно рассмотрел их.

— Я вижу, вы внесли некоторые изменения. Нет актового зала.

— Не можем себе позволить. Зато никаких сокращений в лабораторном оборудовании.

— Откуда деньги?

— Высвободились средства.

Он взглянул на Страуса:

— Значит, они всегда были? Но не свободные?

— Были более важные вещи.

— Почему же сейчас появились деньги?

Страус открыл шкафчик, в котором скрывался маленький холодильник.

— Я всегда люблю что-нибудь выпить в это время дня. Что тебе налить?

— Виски. Лойд, я задал тебе вопрос...

— Помолчи и послушай. Ты убедил нас, что нам необходим такой институт, чтобы получить деньги на исследования из федерального фонда и чтобы вырабатывать продукцию, которую можно лицензировать. Но каждый раз, как мы забрасывали удочку насчет директора в нашей стране или в Европе, нам отвечали одно и тоже: самый подходящий человек у вас прямо под носом, и почему вы ищите где-то еще?

— И почему же?

— Пей свое виски.

— Ну?

— Гарт, ты не смог бы с этим справиться. Ты блестящий исследователь, но паршиво ладишь с людьми. Нетерпелив, быстро выходишь из себя — черт, все мы знаем, как часто ты шел в свой кабинет и лупил теннисной ракеткой воображаемых глупцов и своих противников... Еще налить?

— Нет.

Страус наполнил оба стакана и добавил содовой.

— У тебя репутация чистого ученого, который был бы счастлив в мире, не столь населенным людьми. Вижу, что ты морщишься. Ты слышал это раньше?

— Нет. — «Но жена намекала на это прежде», — подумал он, покачивая жидкость в своем стакане. — Поэтому ты не предлагал мне должности до сегодняшнего дня. Неужели неожиданно пришло время чистых, но вспыльчивых ученых, избивающих невидимых противников при помощи теннисной ракетки?

— Мне кажется, ты изменился за год, особенно за последние несколько месяцев. Справляешься с обязанностями руководителя факультета по высшему разряду, — как тебе известно, мы действительно ценим руководителей, добивающихся для нас правительственных гарантий на исследования. Твое выступление в защиту Вивьен было восхитительным, а твои доводы во время выступления на правлении по обвинению Вебстера — вескими и неоспоримыми. А потом еще этот парнишка, который запорол лабораторную работу, пока ты был в Беркли. Боже мой, Гарт, несколько месяцев назад ты бы его на куски разорвал и отправил в сельскохозяйственную школу чистить конюшни до конца своих дней. Вместо этого ты всего лишь отправил его мыть раковины и пробирки, которые никто не чистил вот уже сто пятьдесят лет. Еще виски?

— Если я настолько размягчился, как ты говоришь, то больше не надо...

— Тебе и не надо. Это за твою новую должность.

— Погоди минуту. Я еще не согласился.

— Гарт, мне нужно доложить совету попечителей...

— Проклятье, я же сказал тебе, что собираюсь в Стэмфорд на следующей неделе.

— Тебе не хочется переходить в лабораторию Фостера. Ты просто хотел приставить нам к виску пистолет.

— Не рассказывай, чего мне хочется, а чего нет. Я еду в Стэмфорд в следующий вторник. В четверг или в пятницу дам тебе ответ.

— Я если мне надо знать раньше?

Гарт колебался какое-то мгновение.

— Мне хочется получить эту должность, Лойд. Ты же знаешь, как долго я ее добивался. Надеюсь, что смогу ее принять. Это все, что я могу сказать тебе сейчас. Я должен поехать в Стемфорд.

— Вот оно что: Стефания. Но, Гарт, и деньги, и престиж должности директора...

— Знаю. И она тоже поймет. Но я должен сделать это для нее. И для себя — я должен время от времени окидывать взглядом большой мир вокруг нас. Я дам тебе ответ на следующей неделе, Лойд. Надеюсь, тебя это устроит.

— Устроит.

Сабрина проснулась от оглушительной перепалки между Пенни и Клиффом, которые бранились и наскакивали друг на друга на кухне из-за подгоревшего тоста. Субботнее утро. Занятий в школе нет. Она зарылась в подушку. Справятся без нее, можно еще немного поспать.

Но Сабрина не могла расслабиться. Что-то было не так, о чем-то ей нужно было подумать. Она услышала, как Пенни и Клифф говорят о яблоневых садах.

— Я соберу сто бушелей, — объявил Клифф.

— Тебе не позволят, — огрызнулась Пенни. — А то другим ничего не останется.

И тогда Сабрина поняла, о чем ей нужно подумать. *Пенни и Клифф на кухне. Сбор яблок. Суббота, двадцатое октября. В понедельник будет двадцать второе.*

— Мы сделаем рентген, — сказал тогда Нат. — И если все будет хорошо, сразу снимем гипс.

Время. Времени больше не осталось. Она открыла глаза. Гарт спал на боку, его лицо было всего в нескольких дюймах от ее лица. Она смотрела на него. Он так спокоен, не сомневается в себе и в том, куда идет. И, несмотря на то что он не был уверен в ней, сбитый с толку ее неожиданными выходками и сменой настроений за прошедшие недели, он все же был мягким и любящим мужем, хотя она иногда была холодной, язвительной. Он давал ей время, как и обещал, чтобы найти себя.

«И кто же я?» — спросила Сабрина про себя, и поняла ответ еще до того, как задала вопрос. Женщина, влюбленная в мужа своей сестры.

Как давно она его любит? Она не знала, это не имело значения. Она чувствовала это теперь настолько сильно, что страсть захлестнула ее и Сабрина ощутила всепоглощающую радость любви к Гарту, сменившуюся отчаянием. Импульсивно она протянула руку и дотронулась до его лица, погладила сильные высокие скулы и жесткую щетину на щеках, маленький нерв под глазом, дернувшийся, когда ее палец нечаянно нажал на него. Она отдернула руку, но Гарт уже открыл глаза и наблюдал за ней.

Он увидел любовь на ее лице, но прежде, чем он успел протянуть руки и обнять ее, лицо стало бесстрастным, и он снова смотрел в глаза дружелюбного товарища.

— Доброе утро, — сказал он тихо, не двигаясь.

Сабрина беспомощно глядела на него. Все, что он ни делал, было правильно, а все, что она делала, казалось, выходило не так. Молча она произнесла слова, которые хотела сказать вслух: «Доброе утро, любовь моя», и в это время из кухни послышался оглушительный треск и звеневший триумфом голос Пенни:

— Я же тебе говорила!

Сабрина выпрыгнула из постели. Край ее ночной рубашки зацепился за стул, и она выругалась — она бы давно перестала надевать ночные рубашки Стефании, но в них ей было легче делить постель с Гартом, — а потом набросила халат и выбежала из комнаты.

На кухне Клифф стоял у края озера из апельсинового сока, в котором виднелись островки разбитого стекла. Пенни бросила ему рулон бумажных полотенец, и он держал его перед собой, разматывая в длинную ленту, которая складывалась сама по себе посреди озера, постепенно становясь оранжевой. Когда вошла Сабрина, он взглянул на нее, сосредоточенно нахмурившись, точно так же, как хмурился Гарт, работая за письменным столом над своими бумагами.

— Как ты думаешь, сколько понадобится *полотенец,* чтобы *впитать* сок, чтобы я мог потом использовать *мокрые* полотенца, чтобы собрать осколки *стекла* и остатки *сока,* а потом еще *сухих* для *остального?* — спросил он серьезно, подчеркивая ключевые слова так же, как отец.

Сабрина расхохоталась. Пенни пришла в ярость.

— Почему тебе смешно? — спросила она, и Сабрина поняла, что Стефания не засмеялась бы. Стефания разволновалась бы из-за разбитого стекла, порезанных пальцев, липкой грязи, испугавшись, что дети могут поскользнуться. Но Сабрина видела другую сцену: теплую постель наверху, свою руку на лице Гарта, их взгляд в глаза друг другу, а затем — не слова любви, а звонкий треск разбившейся бутылки апельсинового сока, лента бумажных полотенец в утреннем солнце и Клифф, с его научным подходом к проблеме и лицом — точной копией Гарта.

Она покачала головой, прекратив смеяться.

— Ты права, это не смешно. Как все получилось?

Клифф на мгновение поколебался, потом сказал правду:

— Я пытался удержать бутылку на голове.

— Лучший форвард футбольной команды не имеет понятия о равновесии?

Он мрачно пожал плечами.

— Ну, все в твоих руках. Используй столько полотенец, сколько потребуется, сухих и мокрых. Если не хватит, то у нас есть еще в запасе. И никакого сбора яблок для тебя не будет, пока пол не станет чистым.

— Мам! Мужчины не моют полы на кухне! Я соберу стекло и промокну апельсиновый сок, но...

— В этом доме, — спокойно ответила Сабрина, — мужчины моют полы на кухне. — Она пошла к двери, потом обернулась. — Пошли, Пенни. Поговорим о том, какие яблоки будем собирать. — Она обняла Пенни, увлекая ее за собой из кухни и, посмотрев через плечо, поймала быстрый благодарный взгляд Клиффа за то, что увела зрителей.

Поднимаясь по лестнице, Пенни с любопытством взглянула на нее:

— Что ты имела в виду — какие яблоки? В самом конце октября есть только один сорт яблок.

Сабрина вздохнула. Стефания не рассказала ей много всяких подробностей. Подробностей целой жизни.

— Ты права, — ответила она. — Я, наверное, забыла.

— Каков ущерб? — спросил Гарт из спальни, и Пенни побежала рассказывать, а Сабрина пошла в конец коридора. Здесь дом закруглялся подобно башне, и у изогнутой стены стояла скамья под круглым окном, выходящим на задний двор. Сабрина любила эту нишу, отгороженную от домашней суеты складной ширмой, которую поставила здесь Стефания. Сев на скамейку, она посмотрела в окно на пылающие оранжевые листья сахарного клена во дворе. Сбор яблок. Осень.

В Лондоне, в Париже, в Риме все вернулись из летних путешествий, начинались званые обеды и балы, и в ее «Амбассадор» начнут съезжаться клиенты. Что она здесь делает, планируя провести день в яблочном саду, в то время, как ее мир пробуждается с началом нового сезона? Ей так много нужно сделать. Миссис Пимберли, наверное, уже закончила осенние наряды; нужно было подновить прическу; в ноябре приедут клиенты за вещами, которые она еще даже не нашла для них.

Это не ее мир. Слова были слишком резкими для мягкого, залитого солнцем дня. Тот, другой мир за океаном не исчез: там жила Стефания, и, независимо от того, какие новости рассказывает она в письмах и по телефону, теперь Сабрина знала лучше, чем когда-либо, сколько мельчайших подробностей составляют жизнь человека — больше, чем возможно описать на расстоянии. Что делает Стефания в ее мире? Сколько следов оставит она в качестве Сабрины Лонгворт, по которым предстоит идти Сабрине после возвращения? *Что она делает с ее жизнью?*

Она почувствовала, как Гарт сел с ней рядом, обнял ее за талию. Он притянул ее к себе и поцеловал в лоб, в уголки глаз, в кончик носа.

— Доброе утро, — повторил он расслабленным голосом. — Можно ли пойти на кухню и приготовить завтрак?

Мысли ее все еще были в Европе.

— Думаю, у нас больше не осталось апельсинового сока, — сказала она и удивилась, когда он рассмеялся и крепче обнял ее. Потом все вернулось на свое место: оранжевое озеро, ее смех, благодарный взгляд Клиффа. Ее семья. Этот мир. Гарт. Она любит его, хочет его, он ей необходим. Один мир на весах против другого.

Дрожа, она откинулась на его руку, и он покрыл легкими поцелуями ее лоб и щеки. Внутри у Сабрины распустился тугой узел, и желание захлестнуло ее, нетерпеливое, горячее, тяжелое. Она подняла к нему лицо и раскрыла губы, и впервые поцеловала так, как ей хотелось его поцеловать, глубоко впитывая его в себя;

как хотелось, чтобы он целовал ее. Она теперь поняла, как они должны были целовать друг друга. Он снял руку с ее талии и обнял за плечи, поддерживая ее голову, в то время как его рот впился в ее губы. Другой рукой он сдвинул край ее прозрачной рубашки и охватил ладонью ее грудь, провел пальцами вверх по изгибу ее соска, сделавшегося упругим под его прикосновением.

У Сабрины кружилась голова, мысли ее путались, а тело сжигала жажда. Слезы обожгли ей глаза, и она отпрянула, дрожа всем телом.

— Я не могу! — воскликнула она. «Стефания, прости меня, я не хотела полюбить его». Она покачала головой: — Не могу. Не могу.

— Что, черт побери, с тобой происходит? — зарычал Гарт.

— Не надо! — закричала Пенни. Сабрина подняла голову и увидела, что Пенни стоит в дверях своей спальни в противоположном конце коридора. «Слишком много всего происходит, как мне разобраться во всем?» Но лицо Пенни было искажено страхом, и Сабрина подошла к ней. Она опустилась на колени и обняла ее.

Снизу закричал Клифф:

— Папа на меня кричит? Что я сделал на этот раз?

— Проклятье! — взорвалась Сабрина. Она все еще дрожала от желания и чувства вины. — Разве все должны участвовать во всех событиях? Что, в этом доме уже не может быть ничего личного?

Пенни расплакалась, и Сабрина почувствовала, как утро ускользает от нее, что она сама все портит.

— Прости меня, — сказала она и крикнула вниз: — Никто не кричит на тебя, Клифф. — Она повернулась к Пенни.

— Прости меня, дорогая. Не пугайся. Все в порядке. Все хорошо, — повторяла она, спрашивая себя, успокаивает ли она Пенни, себя и Гарта. — Держу пари, мы кричали, как вы с Клиффом, правда?

— Папа кричал так сердито, — прошептала Пенни, потрясенная и испуганная. — Он никогда ни на кого не кричал...

Сабрина ожидала, что Гарт вмешается, но он хранил молчание. «Он мог бы помочь мне, — подумала она, — но он слишком рассержен». Она улыбнулась Пенни:

— Ну, иногда, если послушать вас с Клиффом, может показаться, что вы готовы сделать друг из друга котлету.

У Пенни вырвался короткий смешок. Сабрина знала: девочка думает, что взрослым не полагается кричать так, как их детям, она даже вспомнила о своих друзьях, чьи родители ссорились и даже иногда разводились.

— Кричать не очень-то хорошо, — сказала она легкомысленным тоном, — но это действительно прочищает легкие, чтобы было легче орать на футбольных матчах.

Пенни снова рассмеялась.

— Ну давай. Ты еще даже не оделась. Нам нужно проверить способность Клиффа в области мытья полов, потом поесть и выбраться отсюда, а то весь «Джонатан» уплывет прежде, чем мы доберемся до сада.

— «Гольден восхитительный», — автоматически поправила ее Пенни. — Я тебе говорила, что только этот сорт сейчас собирают. *Ты* же знаешь.

— Сегодняшнее утро не принесло пока ничего восхитительного. Кроме тебя, — сказала Сабрина, целуя ее в щеку. — А теперь иди, накинь на себя что-нибудь.

После того как Пенни ушла в свою комнату, Сабрина осталась стоять на коленях, ожидая, что Гарт скажет ей, как она говорила Пенни, что все в порядке. Но он сидел молча у окна, там, где она его оставила. Несколько долгих минут они не двигались, разделенные всей длиной дома и ужасной пропастью непонимания. Сабрина подняла голову и встретила его взгляд.

— Мне так жаль, — сказала она. Ее слова перенеслись через холл, прикоснулись к нему с той же нежной осторожностью, с которой ее пальцы дотрагивались до его лица во сне меньше часа назад.

Тогда Гарт улыбнулся такой любящей улыбкой, что у нее перехватило дыхание.

— Все в порядке, — произнес он наконец и добавил: — Я подумал, что ты, возможно, уже приняла решение.

Сабрина слышала его слова, но они ничего не значили для нее. Приняла решение? О чем? Заниматься с ним любовью? Рассказать ему, почему она колеблется между холодностью и теплотой? Признаться? Если он что-то знал или подозревал, почему не сказал прямо?

— Мне надо одеться, — поспешно сказала она и ушла в спальню, закрыв за собой дверь. «Я не буду думать об этом сейчас». Она натянула джинсы «Левис», бледно-желтую оксфордскую рубашку и желтовато-коричневый свитер с вырезом «лодочкой», в котором она, глядя в зеркало, отражавшее ее в полный рост, показалась себе всего на несколько лет старше Пенни. На какое-то краткое мгновение она почувствовала себя очень юной — не тронутой временем и сложными маневрами взрослых.

Она собрала сзади свои тяжелые рыжие волосы, связав их бархатной коричневой лентой. По бокам выбились прядки, обрамляя ее лицо легкими колечками, что придавало ей вид скорее шаловливого подростка, чем взрослой женщины.

Она посмотрела на девочку-подростка в зеркале и вспомнила другие зеркала, во дворцах и поместьях, где она одевалась в платья из кружев и шелка, собираясь на самые знаменитые балы Европы, а затем сбегала по лестнице через высокие двери, заставляя умолкнуть самых искушенных и прекрасных людей высшего общества.

Где она сейчас, та потрясающая женщина? В трехэтажном деревянном доме в Эванстоне, штат Иллинойс, босоногая, в выгоревших джинсах.

Она спустилась к завтраку босая.

Сидя на изогнутой скамейке в конце холла, Гарт наблюдал, как его жена вошла в их спальню и закрыла дверь, а через десять минут вышла из комнаты босиком и, не посмотрев в его сторону, спустилась вниз. Он был поражен ее упрямством; снова и снова она отказывалась спокойно принять их брак. На каждый шаг вперед она делала шаг назад в твердую скорлупу, которой окружила себя с тех пор, как вернулась из поездки.

А чего она ждет от него, прячась в свою скорлупу и не позволяя ему участвовать в ее споре с самой собой. Уйти от него или нет? Ожидала ли она, что он скажет ей, хочет она того или нет, что он влюблен в нее почти как в первый раз?

— Папа! — позвала Пенни, и он спустился вниз завтракать.

Пол в кухне был чистым. В углу стояло мусорное ведро, раздувшееся от промокших оранжевых бумажных полотенец. Клифф и Пенни накрыли на стол, налили в стаканы апельсиновый сок и положили на тарелки пышки. Кофе был готов. Его семья мирно сидела за столом, улыбаясь ему.

— Я зашел не на ту кухню? — спросил он. Пенни хихикнула. Он поднял стакан с соком. — За восхитительный день.

Сабрина взглянула в его глаза:

— Спасибо, — кивнула она.

В машине он почувствовал, как она расслабилась, сидя рядом с ним.

— Какой чудесный способ провести субботу, — сказала Сабрина.

На заднем сиденье Пенни с Клиффом соревновались, кто назовет больше марок встречных машин. Гарт был погружен в свои мысли. Предоставленная самой себе, Сабрина смотрела на проплывающие за окном пейзажи: аккуратно вспаханные поля, уходящие к горизонту; откормленные стада скота, стоящие или лениво передвигающиеся небольшими кучками, подобно гостям, собирающимся в группки поболтать, которых она наблюдала на балах; белые фермерские домики, ярко-вишневые загоны для скота, ярко-желтые трактора, — цвета, горящие на фоне синего неба. И все это в окружении густо-коричневой земли и сияющих красок осенней листвы.

Европейские фермы были меньше, старее, более потрепанные. Сабрине представлялось, что эти американские фермы, простираясь от шоссе к горизонту и за его пределы, символизируют экспансию, нескончаемый прогресс и обладание землей. Все казалось открытым и гармоничным, свободным, устоявшимся, и ей хотелось протянуть руку и взять все это с собой, поместить в записную книжку на память.

Яблоневый сад расположился в местности, усеянной маленькими озерками. Более крупные из них были окружены домами, лодочными причалами и парками, повсюду виднелись толпы отдыхающих. Гарт проклинал дорожное движение; чем ближе они подъезжали к саду, тем медленнее двигались. Клифф застонал:

— Нельзя ли выйти из машины? Мы бы побежали с вами наперегонки до сада. И были бы на финише первыми.

— А еще лучше, — сказал Гарт, — если ты поведешь машину. Давно пора заставить вас потрудиться. Мы с мамой совершим приятную прогулку к саду, а вы с Пенни останетесь сражаться с дорожными пробками.

— Ты серьезно, пап? — с готовностью спросил Клифф. — Ты разрешишь сесть за руль?

— Закон против, — покачал головой Гарт. — Когда тебе исполнится пятнадцать лет, тебя научат водить машину в школе.

— Они никогда ничему не научат,— ворчливо ответил Клифф.

— Если это правда, тогда я с тобой разберусь, но не раньше. Ты и так скоро сядешь за руль, а мы с мамой будем тебя ждать, беспокоясь каждый раз, когда ты будешь опаздывать на десять минут. Так что не торопи время — ни для нас, ни для себя.

Их голоса долетали до Сабрины как будто издалека. «Меня не будет здесь, когда Клиффу исполнится пятнадцать. Мне не доведется прогуляться с Гартом, пока Клифф и Пенни будут сражаться с транспортными пробками. Они все будут жить дальше, вырастая и изменяясь, после того, как я уеду. И они даже не узнают, что я уехала», — внезапно подумала она. Жена Гарта, мать Пенни и Клиффа по-прежнему будет частью их жизни, их ссор и шуток, семейных бесед, прогулок и сна. Их любви. Не будет только Сабрины.

— Что случилось?

Она быстро покачала головой:

— Ничего. Пойдем?

Они взяли большую корзинку и вошли в сад. В воздухе стоял густой запах опавших яблок, ковром усыпавших затоптанную траву под деревьями. Ветки над ними клонились под весом сотен других, безупречных шаров, раскрашенных в цвета от желтовато-зеленого до глубокого золотистого с розовыми бочками. Вокруг них сборщики яблок наполняли корзинки и пластиковые мешки, но они прошли вперед, пока не оказались на тихом участке. Взглянув разок на искривленные сучковатые деревья, Клифф с воплем восторга подпрыгнул и вскарабкался наверх, уверенно цепляясь руками и ногами за сплетенные ветки.

— Двоюродный братец обезьяны, — заметил изумленный Гарт.

Пенни полезла было за ним, но Клифф крикнул сверху:

— Подожди, я сначала брошу тебе сорванные яблоки, а потом поменяемся местами. Я помогу тебе залезть наверх.

Сабрина была растрогана. Дети ссорились, но Стефания также научила их заботиться друг о друге. Они с Гартом наблюдали, как дети срывали, бросали и подбирали яблоки.

— Может быть, погуляем немного? — спросила она.

— Отличная мысль. — Он взял ее за руку и помахал Клиффу. — Мы скоро вернемся. Если наполните одну корзинку, начинайте другую. Единственный ограничитель — это количество яблок, которое вы захотите очистить дома.

Клифф замер с протянутой рукой, потом кивнул. Когда они уходили, Сабрина услышала, как он благоговейно произнес:

— Мама даже не напомнила нам, что нужно быть осторожными.

Гарт и Сабрина пошли по тропинке; по обеим сторонам стояли деревья с пышными, тяжелыми ветвями, воздух над их головами был полон приглушенными голосами семейных групп, собирающих яблоки. Темные листья и желтые яблоки сияли на фоне синего неба, легкий ветерок развевал пряди волос Сабрины. Она подняла лицо к солнцу и глубоко вздохнула. Ничего не случилось. Ничего волнующего, ничего потрясающего, ничего, что привлекло бы к ней внимание богатых влиятельных людей. Ничего не случилось, кроме того, что она влюблена в идущего рядом с ней человека. И она была счастлива.

Тропинка пересекала другую дорожку, на которой стоял знак, запрещающий вход. Там были ряды деревьев «Джонатан», «Макинтош» и «Красные деликатесные»,— яблок, предназначенных для продажи во фруктовом магазине и на переработку в сок и яблочный соус.

— Давай нарушим запрет, — сказал Гарт. — Со всем уважением к флоре и фауне.

Держась за руки, они медленно шли, греясь в теплых лучах октябрьского солнца, вдыхая аромат яблок, клевера, скошенной травы с близлежащих полей.

— Ты делаешь меня чудесно счастливым, — тихо сказал Гарт. — Я недостаточно часто говорю тебе об этом.

Она взглянула на него снизу вверх.

— И еще, — добавил он, — ты так потрясающе красива. И об этом я тоже говорю тебе крайне редко.

Сабрина продолжала молча смотреть на него.

Он повернул ее к себе и, сжав лицо в своих ладонях, почувствовал, как она напряглась.

— Не убегай, любовь моя. Я знаю, что тревожит тебя, и стараюсь тебя ни к чему не принуждать. Но ты должна знать, что я не буду ждать так до бесконечности — в конце концов, я кровно заинтересован в том, чтобы поговорить откровенно...

Его остановила тревога в ее глазах. Боялась ли она его — или себя?

— Стефания, — мягко сказал он; его слова звучали до странности официально, потому что он так тщательно подбирал их, — я не причиню тебе боли. Что бы ты ни решила, я думаю, мне придется принять это. Но я люблю тебя больше, чем когда-либо раньше. Ты нужна мне, и конечно, детям, и если ты останешься с нами, для меня это будет иметь решающее значение.

Позднее красное яблоко упало с мягким шлепком на землю у их ног. Мимо пронеслась стрекоза, ее прозрачные крылья блеснули на солнце; бурундук разбросал холмик сухих листьев. Сабрина молчала. Теплые ладони Гарта на ее лице не позволяли ей отвернуться, и их глаза встретились, его вопрошающий взгляд и ее — полный неуверенности. Она была озадачена его словами, но одна фраза снова и снова эхом отдавалась в ее сознании: «больше, чем когда-либо раньше, я люблю тебя больше, чем когда-либо раньше». Эти слова отзывались в ней тем желанием, которое он пробудил сегодня утром, все еще пульсирующем в ее теле, бьющемся сильно, настойчиво, горящем в ее крови так же, как плавящееся солнце горело сквозь ее веки, когда она закрыла глаза.

— Посмотри на меня, — резко сказал Гарт, но она покачала головой. Что бы он ни знал, но только не правду, — не мог он знать правду, иначе он не назвал бы ее Стефанией, — но каким-то образом он понял, что она может покинуть его, и это было правдой. Это было правдой, хоть он и не узнает никогда почему или что это на самом деле означает. «Любовь моя, мне нечего ответить тебе».

Гарт уронил руки. Ее лицо стало беззащитным и холодным, таким же ледяным, как суровый взгляд Гарта, когда она открыла глаза. Она попыталась найти слова, которые возродили бы гармонию, существовавшую между ними несколько минут назад, но сказать было нечего.

— Нам надо вернуться — дети...

— Позже, — коротко ответил он и свернул на следующую дорожку. Сабрина шагала рядом с ним. — Мы должны проводить какое-то время вместе, — небрежно сказал он. — Когда мы последний раз уезжали вдвоем?

— Не знаю, — ответила она, радуясь возможности просто сказать правду.

— Тогда мы едем на этой неделе. Я хотел сказать тебе, я наконец-то принял предложение Каллена посетить лабораторию Фостера. Мы вылетаем во вторник утром, проведем ночь в Нью-Йорке и вернемся в среду.

Сабрина среагировала автоматически:

— Нет. — Когда он нахмурился, она попыталась найти причины: — Дети. Моя работа. Моя рука. Деньги.

Он отвел эти доводы.

— Ребята останутся с Вивьен, я уже попросил ее. Твой антиквариат обходился без тебя сотню лет, потерпит еще пару дней. Ты сказала мне, что гипс снимут в понедельник. Фостер оплатит всю поездку, включая гостиницу в Нью-Йорке. Послушай, ты подталкивала меня несколько месяцев, чтобы я принял эту должность. Поэтому я и сказал, что мы едем.

Сабрина подняла яблоко и потерла его о рукав. Оно было безупречным, ни одного пятнышка или повреждения от удара. Она вгрызлась в его мякоть, острый вкус сока обжег ей язык. Поездка с Гартом, наедине с ним. *«О, как бы я хотела этого»,* — подумала она тогда, когда он пригласил ее приехать к нему в Беркли. Но как может она ехать с Гартом? Сколько интимных моментов сможет она делить с ним?

Но она не может заставить его отказаться от этого места, когда Стефания так отчаянно хотела, чтобы он его принял, и она даже пообещала Стефании, что постарается убедить его съездить в Стэмфорд. Поэтому она неохотно кивнула. Он обнял ее рукой, поворачивая обратно к Пенни и Клиффу.

— Настало время нам с тобой побыть наедине, — сказал он, — и выяснить, кто же мы в действительности такие.

ГЛАВА 16

Натан Голднер установил рентгеновский снимок на освещенной панели и отступил назад, чтобы Сабрина могла рассматривать снимок вместе с ним.

— Лучше и не бывает, — сказал он. — Можете снова колотить Гарта и детей и взбивать ваши знаменитые пирожные. Теперь давайте снимем гипс.

Он склонился над рукой Сабрины, потом взглянул на нее.

— Не слышу радостных криков.

Она слабо улыбнулась, погруженная в свои мысли, видя перед собой не свою левую руку, лежащую на столе и все еще заключенную в гипс, а две левые руки, одинаково здоровые: руки Стефании и Сабрины, снова не отличимые друг от друга.

— Стефания? — позвал Нат. — С вами все в порядке?

«Все в порядке, вот в чем беда».

— Извините, Нат. Я думала о трех бушелях яблок «Гольден», ожидающих меня дома. Если бы можно было оставить гипс еще на несколько недель, я могла бы свалить приготовление пирогов, струделя и яблочного соуса на остальных членов семьи.

Шутка. Если бы можно было оставить гипс еще на несколько недель... Хотела ли она этого? Как ни сильно скучала она по Лондону и сколько ни спрашивала себя, что происходило с ее другой жизнью, хотела бы она этих дополнительных недель, — она не знала. Вот что было безумием: она действительно не знала. Но не все ли равно? У нее не было выбора.

Однако для Ната это была шутка.

— Приговорена к струделю, — произнес он и снова склонился, чтобы разрезать гипс.

Когда гипс был снят, Сабрина увидела свою руку, белую и хрупкую, словно новорожденную.

— Нужно держать ее в повязке? И не слишком много ее утруждать?

Доктор покачал головой:

— Вам не отвертеться, Стефания. Можно чистить яблоки с сегодняшнего дня и до самого Рождества, или передвинуть всю мебель в том магазине, где вы работаете. Наоборот, используйте руку как можно больше, чтобы мышцы окрепли.Теперь кость еще крепче, чем раньше.

«Я еще крепче, чем раньше, — сказала она про себя, идя к машине. Она подумала о Гарте. — И мне легче сделать больно».

В то утро она отпросилась с работы, а дома открыла дверь во двор, чтобы впустить ветерок и свежий аромат поздних роз, все еще цветущих у дома. Сабрина задумчиво посмотрела на три доверху полных корзины, стоящих рядышком у двери черного хода там, где Гарт поставил их вчера вечером. «Я должна что-то с ними сделать, — подумала она. — По крайней мере, потушить их с сахаром».

Вместо этого она приготовила чашку кофе и села к столу. Странно было ощущать свою руку в теплом воздухе. Сабрина Лонгворт снова целенькая, готовая принять на себя груз всего мира. А затем зазвонил телефон.

Она знала, что это Стефания.

— Сабрина, — сказала Стефания поспешно, слегка задыхаясь. — Как вы там? Как Пенни и Клифф?

— Прекрасно. — Сабрина была озадачена. «Не просто запыхавшийся голос, — подумала она. — Настороженный. Как-будто она боится того, что я могу ей сказать».

— Мы ездили собирать яблоки, и дети превратились в пару автоматов по сбору урожая. Стефания, что мне делать с тремя бушелями яблок?

В смехе Стефании прозвучали тоскливые нотки, которые тотчас же уловила Сабрина.

— Они всегда увлекаются. Почему ты их не остановила?

— Нас там не было...

— Не было?

— Мы решили пройтись. Мне... не хотелось рвать яблоки, гипс слишком неуклюжий, поэтому мы оставили им всю работу.

Последовало короткое молчание.

— Как Гарт?

— Хорошо. Он... в порядке. Я говорила тебе на прошлой неделе, он проводит больше времени дома, Пенни и Клифф счастливы. Мы все.. в порядке.

— И?..

Сабрина глубоко вдохнула.

— И сегодня утром мне...

— Нет, я спрашивала о Гарте. Я подумала, возможно, когда он вернулся из Калифорнии, он захотел заняться любовью. Что-то вроде «добро пожаловать домой».

Ее голос снова изменился, словно она попыталась отодвинуть Сабрину на какое-то расстояние. Сабрина почувствовала неловкость.

— А он обычно так и делал?

— Да. И на этот раз тоже, правда? Я не против, знаешь ли. Можешь делать все, что хочешь. Было бы ошибкой ожидать, что человек сможет прожить всю жизнь и не сделать чего-то... ну, отличающегося... В конце концов, пять недель — долгий срок...

Ее голос замер, и неожиданно Сабрина поняла. «Интересно, кто он? — подумала она. — Наверное, это случилось совершенно неожиданно».

— Не такой уж и долгий, — осторожно сказала она. — Многое происходит...

— Но он хотел, да? Сабрина, сколько раз вы с Гартом занимались любовью? Пять? Десять? Сколько? *Не лги мне!*

— Один, — ответила уязвленная Сабрина, на нее снова нахлынуло чувство вины. Она услышала, как Стефания резко вздохнула. — В ту ночь, когда он уезжал в Калифорнию. Я не смогла избежать... Но, Стефания, это не имеет никакого значения... совсем не важно.

— Это было важно для Гарта. — Сабрина ничего не ответила. Стефания свернулась клубком в кресле, ей хотелось, чтобы был хоть один человек, с которым она могла бы поговорить. Габи скоро вернется, но ей нельзя поговорить с ней. И ни с кем другим. Даже с собственной сестрой, которая занимается любовью с ее мужем.

— Мне это очень не нравится, — сказала она, но говорила она не столько о Сабрине и Гарте, сколько о собственных резких перепадах эмоций. Она позвонила, чтобы рассказать Сабрине о круизе. Когда она услышала о сборе яблок, ей захотелось домой. Когда Сабрина призналась, что занималась любовью с Гартом, ей захотелось к Максу.

— Я знаю, что тебе это не нравится, — ответила Сабрина. — Но я не соблазняла его, ты же понимаешь. Я случайно уснула на его кровати. Я бы ничего и не сказала...

— Почему бы и нет? Ты думаешь, мне не все равно? Ты можешь заниматься любовью с Гартом сколько тебе угодно.

— Тебе не нужно предлагать мне твоего мужа, — холодно ответила Сабрина. — Это случилось всего один раз, и я не позволю, чтобы произошло опять. Не из-за тебя, а ради моего душевного спокойствия.

— Сабрина, погоди, не сердись. Прости меня, я не хотела... Сабрина, послушай, я чувствую, что ты расстроилась, ведь я так далеко запуталась... Сабрина? Ты слушаешь?

— Да, слушаю. Что случилось, Стефания?

Стефания услышала любовь в голосе Сабрины и захотела все ей рассказать, но мысли слишком спутались, и ей не удавалось привести их в порядок.

— Не знаю... Нервы расшатались наверное, потому что иногда я сама не знаю, кем бы мне действительно хотелось быть. Нет, это неправда, конечно же, я знаю. Все это пройдет, как только я вернусь туда, где мое место. Так много странных ощущений...

Стоя в залитой полуденным светом столовой, Сабрина провела пальцем по царапине на крышке круглого стола и уставилась на мертвый листик, свисающий с побега авокадо, который Пенни отказалась выбросить. Так же ясно, как она видела стол и растение, она могла представить себе каждую комнату на Кэдоган-сквер; могла ощутить их тихий покой и уединенность, красоту, которую она сама создала.

Сабрина рассеянно подняла с пола ярлык от бейсбольной кепки, оброненный Клиффом, и положила на шкафчик. Она подумала о том, что забыла вынуть из морозилки мясо на обед.

— Знаю, — сказала она. — Со мной происходит то же самое.

— В Эванстоне? — спросила Стефания с таким искренним изумлением, что Сабрина рассмеялась, ощутив прилив любви к сестре.

— Даже в Эванстоне, — подтвердила она. — Здесь многое происходит.

— Да, действительно, — равнодушно сказала Стефания. — Ты мне говорила.

«Ну, хорошо, — подумала Сабрина. — Все кончено. Я не знаю, почему она не спросила о рентгене. Она знала, что его должны сделать сегодня, но я должна рассказать ей и потом уехать. Не имеет значения, хочу я этого или нет; это ее семья, а я не посторонняя разрушительница жизни сестры».

— Стефания, я была у...

— У нас в «Амбассадоре» дела идут полным ходом, — перебила Стефания.

— Правда? Что вы продали?

— Тот фарфор, который ты купила в Китае, — голос Стефании звучал возбужденно. — Его доставили три дня назад, и мы с Брайаном даже не успели все распаковать, как его купил торговец из Бонна — его прислал Брукс. А один адвокат из Манчестера купил кушетку Грендли, ту, из красного дерева, с завитушками. Еще заходила леди Старгрейв — ей нужен чиппендейльский лакированный шкафчик для нового городского дома. Я сказала, что достану, только не знаю, где.

— Возможно, такой есть в магазине Томаса Стренга. Он в прошлом году купил что-то похожее. Если нет, может быть, у него есть Джиллоуз, Беттина будет довольна и этим: они так похожи по технике исполнения, что она и не догадается о разнице. Но я могу...

— Я позвоню ему, — сказала Стефания и торопливо продолжала. — У Габриэль все хорошо, хотя она и сохнет по Бруксу, как девчонка, и не хочет встречаться ни с кем другим. Думаю, я попрошу ее помочь Брайану в магазине, пока меня не будет.

Молчание.

— Пока что?

— Всего несколько дней, Сабрина. Я встретила одного человека — не такого, с которым я бы хотела быть долго, но он меня волнует, и он не похож на тех, кого я знала. Он страшно богатый. — Она легкомысленно рассмеялась. — Совершенная фантастика. Он хочет, чтобы я поехала в круиз по Средиземному морю на четыре или пять дней на его яхте, и я решила поехать. Только один раз, только этот шанс, и я не хочу упускать его.

«Вот почему ты заставила меня сказать, что мы с Гартом занимались любовью. Тебе хотелось иметь оправдание. И вот ты не даешь мне рассказать о моей руке. Тихая Стефания, которую беспокоило, что ее держат в тени; осторожная Стефания, боявшаяся рисковать, которая встретила Гарта и так рано вышла замуж и остепенилась, — теперь у нее рискованный роман. — Сабрина улыбнулась повороту, который сделала их жизнь. — У меня *свой* рискованный роман, — подумала она, — потому что я встретила Гарта так поздно».

Однако круиз, яхта, Средиземное море. Это был мир Сабрины, и мысль о нем разожгла ее аппетит так, как никакое другое воспоминание. Она знала такие круизы: автономный мир роскоши и чувственности, вне времени и пространства. Ослепительно белая яхта, разрезающая воды сине-зеленого моря, туманные острова, подобные миражам на горизонте, расплавленное солнце, прохладные каюты и томный, как во сне секс, вплетенный в дни и ночи. *О, как мне не хватает этого, как мне это необходимо!*

— Но у тебя все это было, — сказала Стефания, будто подслушав мысли Сабрины. — И еще будет. Это мой единственный шанс.

— Последняя попытка?

— Последняя. — Это было обещание, данное ими обеими.

Сабрина глубоко вздохнула. Еще неделя. Еще неделя с Гартом.

— Кто этот человек? — небрежно спросила она.

Стефания колебалась.

— Макс Стуйвезант.

— Нет!

— Не торопись. Он изменился. Даже Александра так считает. И вообще, когда ты видела его в последний раз? Он три года провел в Нью-Йорке.

— Александра говорит, что он изменился?

— Она считает, что он стал мягче. Как спелая груша.

Сабрина рассмеялась.

— Похоже на Александру. Стефания, ты не можешь хорошо знать Макса. Ты спрашивала о нем Александру?

— Мне это не нужно. Я оформляла его дом. Сверху до низу. Так же, как ты дом Александры. Я не сказала тебе об этом. Боялась, что у меня ничего не получится, и мне придется звать кого-нибудь на помощь. Но мне не пришлось. Сабрина, я знаю о Максе все, что мне нужно. Знаешь ли, я не спрашиваю твоего разрешения и уже сказала, что поеду с ним. И вряд ли в твоем положении ты можешь потребовать от меня, чтобы я не легла с ним в постель.

— Я этого не заслужила.

— Наверное, нет, — небрежно ответила Стефания.

— Какова истинная причина того, что ты не хочешь, чтобы я поехала? Не может быть, чтобы из-за Макса. Тебе так скучно, что ты не можешь дождаться своего возвращения домой? Но это же только несколько лишних дней. И я же не прошу у тебя об одолжении, у нас просто нет другого выбора. Правда, Сабрина? Нат еще не делал последних снимков?

«Она хочет, чтобы я солгала». — Нет. Еще нет. Он перенес на конец недели. Ты как раз успеешь вернуться из своего круиза.

— Ну тогда все чудесно, правда? Я не заставлю тебя больше ждать. Возьму билет на самолет на следующий понедельник. Сабрина... Не сердись на меня. Ты нужна мне. Я знаю, что вернусь, и буду жить в своем доме и заботиться о детях, я постараюсь наладить отношения с Гартом, и все будет в порядке. Я просто пока еще не представляю себе возвращения домой. Потом, после круиза... Ты мне поможешь, правда? Потому что, мне кажется, теперь ты можешь рассказать *мне* кое-что о моей семье, что поможет мне снова войти в нее. Ты ведь поможешь мне, правда, Сабрина?

Сабрина плакала.

— Да, всем, чем смогу. — Она закрыла глаза, загородившись от солнца. Она уловила напряжение в голосе Стефании и поняла, что та настолько же боится возвращения домой, насколько хочет вернуться. Но это не имело значения. Что бы ни произошло между Стефанией и Гартом, Сабрина исчезнет, и именно Стефания займет место в объятиях Гарта, и целый мир будет отделять ее от Макса с его яхтой. И Стефания забудет свое фантастическое путешествие на яхте гораздо быстрее, чем Сабрина перестанет тосковать по Гарту.

«Следующий понедельник. Но до тех пор пускай Стефания отправляется в свой круиз, использует свой шанс. Я должна дать ей этот шанс. Пускай едет, не зная о поездке в Коннектикут, не зная, что гипс сняли. Пускай едет. Она еще успеет узнать правду».

Сабрина смотрела, как под ними разворачивается панорама Чикаго, когда самолет взлетел сквозь утреннюю дымку и лег на крыло, поворачивая на восток. Озеро Мичиган сверкало внизу, городские небоскребы сгрудились на его берегу. Она смогла разглядеть Эванстон и университетский городок, обширное зеленое пространство парка Линкольна, высокую стену жилых многоквартирных домов вдоль бледной ленты пляжей, на которые накатывали длинные медленные волны. Несколько отважных моряков вывели свои лодки на озеро, их высокие белые паруса надувались и опадали над водой, играющей синими и зелеными полосами в солнечном свете и под бегущими облаками.

— Конец сезона, — заметил Гарт, глядя вместе с ней в окно. Он обнял ее рукой. — Какая чудесная нынче осень.

Она вытянула кисть, покачала рукой с золотым обручальным кольцом.

— Странная осень.

Ее блестящие волосы вились у плеча, безупречный овал ее щеки, чистая кожа и длинные загнутые ресницы были в нескольких дюймах от его губ, его рука обнимала ее плечи. Он вспомнил прошлый год, когда они вместе полетели в Амстердам, и она потом одна уехала в Лондон навестить сестру. Были ли они хоть какое-то время вместе в той поездке? Он не мог вспомнить. Вероятно, нет. В те дни они почти ничего не делали вместе. Почему? Он посмотрел на прекрасную женщину, сидящую рядом с ним, и не смог ответить.

Они поднялись выше облаков. Под ними на фоне белого пейзажа перемещался абсолютно правильный радужный круг с тенью от их самолета в центре.

— Это называется нимб пилота, — сказал Гарт, когда она указала ему на него.

— А мы тоже в центре радуги?

— Нет, насколько я знаю. А что?

— Интересно, выглядит ли наш самолет как тень внутри радуги, если смотреть на него из другого самолета, высоко над нами?

Он улыбнулся.

— Ты думаешь, что мы, возможно, всего лишь тени?

— Если бы мы были тенями, мы, наверное, не знали бы об этом.

Он прикоснулся к ее волосам губами.

— Мне все равно, пока ты для меня такая настоящая.

Сабрина промолчала. Гарт снял руку с ее плеча и раскрыл книгу, через минуту она последовала его примеру. После приземления в Нью-Йорке, когда они ехали в лимузине, который лаборатория Фостера прислала за ними, чтобы отвезти их в Стэмфорд, он сказал, поморщившись:

— Моя первая поездка с женой за целый год, а я должен провести весь день с кучкой фармацевтов-администраторов. Лишено всякого смысла.

— А я должна провести его с их женами, — парировала она. — В этом смысла не намного больше.

— Давай убежим? Вернемся в Нью-Йорк, устроим себе каникулы и забудем о Стэмфорде.

— Мы не можем.

— Не можем. — Его голос изменился. — Конечно, нет. Я забыл, как это важно для тебя.

«Это важно для Стефании».

— Я хочу сказать, что мы приняли их приглашение, и они запланировали для нас день. Гарт, что мне делать со всеми их женами?

— Ничего, просто ходи, куда поведут. Это им надо что-то делать. Развлекать тебя и, думаю, убедить, что Стэмфорд — рай на земле, чтобы тебе не терпелось туда перебраться.

— Но я не имею ни малейшего представления, как себя вести с ними.

— Как тебе хочется.

— Гарт, а чего *ты* хочешь? Я могу широко раскрывать глаза и с готовностью слушать, или быть холодной и презрительной, или вести себя по-дружески — чего бы ты хотел?

— Послушай, дорогая, ты же не играешь какую-то роль. Я просто хочу, чтобы ты была сама собой.

Она взглянула на него, губы ее слегка приоткрылись.

— Я сделаю все, что в моих силах.

Их было трое, они ожидали в приемной президента, когда лимузин подкатил к административному корпусу лаборатории Фостера в Стэмфорде, городе, очень похожем на Эванстон, примерно в тридцати милях от Нью-Йорка. Здание из стали и стекла поднималось из вымощенной мраморными плитами площади, утопающей в море травы, с фонтанами и волнистыми клумбами хризантем, обрамляющими подъездную аллею длиной в полмили.

Женщины были одеты в шерстяные костюмы — синий, коричневый и зеленый. Они стояли в ряд в приемной, обшитой панелями из розового дерева. Неподалеку массивные кожаные диваны изгибались вокруг стеклянного столика, покоящегося на хромированных завитушках. Всюду на обширном пространстве ковра стояли прозрачные освещенные колонки, внутри которых были выставлены различные предметы, словно редкие драгоценности: подкожные иглы, капельницы, упаковки таблеток, бутылки с разноцветной жидкостью.

Женщины дали Сабрине и Гарту время, чтобы почувствовать благоговение перед этой ослепительной обстановкой. Гарт ничего не сказал. Сабрина знала, что на него не произвело впечатления такое тщательно поставленное великолепие. И действительно, он его почти не заметил. Его больше интересовала хорошо оснащенная лаборатория или даже устройство нового пищевого процессора, чем все розовое дерево Коннектикута.

Но она понимала, что хозяева надеются произвести впечатление на гостей, поэтому обвела взглядом всю комнату и пробормотала:

— Великолепно. Роскошно.

Женщины заулыбались и протянули ей руки, искоса поглядывая на Гарта, который оказался моложе и внешне гораздо интереснее, чем они ожидали. Когда его увлекали за собой их одетые в темные костюмы мужья, они сосредоточили свое внимание на Сабрине.

— Вот мы и встретились снова, — сказала одна из них. — Добро пожаловать в Стамфорд.

Это было для Сабрины полной неожиданностью. Стефания не была в Стэмфорде. Значит, эта женщина, наверное, приезжала в Эванстон. Почему же Гарт не упоминал об этом?

— Мы рады, что вы приехали к нам, — ответила она, однако после заметной паузы.

— Слишком много новых лиц, — сказала небрежно другая, придя на помощь Сабрине. — Конечно, вы помните Ирму Каллен...

— Президента, — быстро вставила Ирма Каллен.

— Она иногда останавливалась в Чикаго по дороге в Лос-Анджелес, — спасительница Сабрины продолжала выкладывать подробности. — А я — Фредди Пейн, вице-президент по финансам.

— Энджи Уорнер, — продолжила третья, — вице-президент по производству.

На этот раз Сабрина соображала быстрее и поняла, что они называют себя по должностям своих мужей. Она улыбнулась.

— Стефания Андерсен, профессор.

Фредди Пейн ухмыльнулась, но слегка покачала головой в знак предупреждения. «Плохое начало, — подумала Сабрина. — Попытаюсь еще раз».

— Мы так ждали этой поездки.

— Да, — сказала Ирма Каллен. — Мы уже удивлялись. Вы откладывали ее так много раз.

— Нам хочется, чтобы вы полюбили наш город, — быстро вставила Энджи Уорнер. Низенькая и пухленькая, с ангельским личиком и ротиком-бутончиком миротворца. — Нам хочется, чтобы вы полюбили нас. Мы запланировали совершить небольшое путешествие по городу по дороге к дому Ирмы, где нас ждет ленч, а потом посетить школу и женский клуб, если вы не возражаете... если вам это удобно...

Сабрина склонила голову в знак согласия. Как можно было не согласиться с Энджи Уорнер? Или любой из них в данный момент? Их мужья зарабатывали свыше трехсот тысяч долларов в год, ее муж зарабатывал тридцать пять тысяч. На их территории при их мерках власти и престижа Сабрина оказалась в невыгодном положении. Она сказала себе, что ей следует об этом помнить. Ирма Каллен провела их к своей машине, которая заскользила по широким мирным улицам, мимо двухсотлетних церквей, мимо зеленого луга, на котором когда-то разыгралось одно из сражений войны за независимость. Они въехали на подъездную аллею, ведущую к трехэтажному кирпичному особняку, к которому были пристроены новые комнаты, выступающие во все стороны. «Похоже на спятившего цыпленка, хлопающего крыльями», — подумала Сабрина. Ей очень не понравилась Ирма Каллен. Но ведь она — супруга президента, значит следует выказать уважение.

Ирма Каллен была высокой и угловатой дамой с длинным подбородком и карими глазами, которые смотрели в разных направлениях, как будто каждому нет дела до того, на что смотрит другой. Это создавало трудности для окружающих, они никогда не знали, в который глаз смотреть во время беседы. Сабрина выбрала левый и оказалась в фокусе ее взгляда примерно в половине случаев. Такая женщина, чей вид заставлял окружающих нервничать и которая не отличалась терпением, не могла благожелательно отнестись к гостье, которая не только была молода и красива, но и вдобавок легкомысленно пошутила над званием своего мужа и, что еще хуже, забыла об их предыдущей встрече.

Однако у Ирмы Каллен был великолепный дом, отделанный с изысканным вкусом. Сабрина шла по комнатам, пораженная смешением двух стилей простоты: стройная мебель Шейкера и более массивная, но все же простая дубовая мебель начала века Филиппа Уэбба, тонированная зеленым, что было ее отличительным признаком, и украшенная лаковой кожей или выпуклыми серебряными узорами. Она провела по изящному узору на пианино.

— Уэбб, — прошептала она. — Как прекрасно.

Ирма казалось изумленной и польщенной. На мгновение оба ее глаза попытались сфокусироваться на Сабрине.

— Откуда вам это известно?

— Я разбираюсь в мебели, — ответила Сабрина. — Работаю с антиквариатом.

— О! — воскликнула Энджи Уорнер. — Тогда вам понравится Силвермайн.

Сабрина вопросительно посмотрела на нее.

— Колония художников в Норфолке. Всего несколько миль отсюда. Мы ездим туда за покупками и завтракаем там по крайней мере раз в неделю.

Фредди Пейн хихикнула.

— У меня такое ощущение, что Стефания далеко ушла от Силвермайна. Она, наверное, знает больше, чем любой из них. Даже больше вас, Ирма.

Сабрина встревожилась. Частная война. Она стала свидетельницей одной из стычек еще раньше, в машине.

— Меня зовут Фредерика, — сказала Фредди, объясняя свое имя. Она была высокой и яркой женщиной с густыми черными волосами, подстриженными ровной линией, с карими глазами под тяжелыми веками и черными бровями.

— Фредерика, от какого-то неизвестного французского предка. Но такое происхождение невысоко котируется в Стамфорде. Лучше быть одним из пилигримов. Ирма — пилигрим, правда ведь, Ирма? Или, скорее, поскольку Ирма не могла так хорошо сохраниться, один из ее предков-пиратов был им.

Ирма проигнорировала ее.

За ленчем ангелоподобная Энджи старалась поддерживать мир между Ирмой и Фредди. Поскольку на женщин распространялся ранг мужей, то Ирма, как президент, явно была главнокомандующим за столом и во всей общественной жизни. Однако она нередко позволяла Энджи сглаживать углы, заостренные ее нетерпимым характером.

Сабрина ела свою долю поджаренного грейпфрута и индейки по-флорентийски, забавляясь и наблюдая все ту же драму, тот же обмен быстрыми, короткими ударами кинжала, который обычно происходил и в их кругу в Лондоне. «Конечно, — подумала она, — такое происходит повсюду, даже в Эванстоне». Но я никогда не задумывалась над этим, потому что раньше не считала Эванстон чем-то большим, чем временное пристанище.

«Ничто, связанное с Гартом, не является постоянным».

Она почувствовала знакомый укол боли. Ее задумчивость прервал голос Ирмы.

— Что? — спросила Сабрина. — Простите, я думала о другом.

— Я сказала, — отрывисто бросила Ирма, — что мы

запланировали небольшой обед в клубе сегодня вечером, чтобы вы и ваш муж могли познакомиться со всеми нами. Вам следует знать, что мы здесь тесно связаны между собой. Многие из стамфордских мужчин ездят на работу в Нью-Йорк каждый день, но мы чувствуем, что наши основные обязательства здесь. Лаборатория Фостера — наиболее престижное заведение в Стэмфорде, поэтому его лидеры также являются лидерами общины. Мы укрепляем Стамфорд, мы не увозим свои деньги в Нью-Йорк. Это ответственность, которую мы с радостью берем на себя, но она срабатывает только в том случае, если мы держимся вместе. Фредди считает это глупостью — у нее много друзей на стороне.

— Чьи мужья не руководители, — торжественно объяснила Сабрине Фредди.

— Но Фредди никогда не заходит слишком далеко, — продолжала Ирма. — Потому что мы все нужны друг другу, как вы поймете, когда ваш муж присоединится к нам. И с нашей помощью вы быстро научитесь быть одной из нас. Тот факт, что вам предстоит многому научиться, не должен вас смущать. Поскольку вы приехали со Среднего Запада, нельзя ожидать от вас знания обычаев.

Сабрина слушала молча, широко раскрыв глаза, а Ирма продолжала:

— Наш стиль жизни понемногу просачивается и в остальные регионы страны. Разумеется, часто бывает так, что когда остальные начинают копировать нас, мы уже переходим к новому стилю жизни.

Энджи выглядела смущенной; Фредди подмигнула Сабрине. Сабрина упорно смотрела на четко очерченный рот Ирмы.

— Мы принимаем в качестве модели культурные центры Европы. Мы, например, обедаем позже, чем вы: в восемь часов, иногда даже в девять. Для детей, конечно, больше подходит шесть. Мы не едим на заднем дворе; мы не жарим шашлыки в клубах грязного дыма. Мы не носим цельнокроеной одежды, всяких там трико и комбинезонов. Мы поддерживаем бесплатные средние школы, как необходимые нашему городу, но мы не посылаем в них своих детей. У вас, безусловно, есть дети.

— Двое, — автоматически ответила Сабрина. Она была зачарована, почти загипнотизирована монотонным голосом Ирмы. — Мальчик и девочка.

— И вы растите их, как добрых христиан?

— Мне кажется, мы растим из Клиффа футбольного форварда, — сказала Сабрина. — Насчет Пенни я пока не уверена.

Фредди рассмеялась, Энджи хихикнула. Ирма застыла, не донеся до рта чашку с кофе.

— Те из нас, кого Господь наградил материальным благосостоянием, серьезно относятся к своим обязательствам.

— Все в порядке, Стефания, — весело сказала Энджи, сознавая, что Ирма поставила себя в дурацкое положение. Энджи не знала точно, в чем дело, возможно, в том, как Стефания узнала Уэбба, или в том, как она пристально и спокойно смотрела в лицо Ирмы, или в царственном повороте ее головы. Или в ее красоте, которая вызывала у Энджи простую и добродушную зависть, такую же, как и к женщинам, умеющим хорошо готовить или шить. Но в чем бы ни было дело, Энджи знала, что Стефания вовсе не сельская девочка, и не хотела, чтобы Стефания судила о них по тому, как обращается с ней Ирма.

— Ирма всегда такая серьезная с новыми людьми, но в нашей компании она очень веселая. Она играет в теннис, и мне приходится потрудиться, чтобы не отстать от нее, а иногда мы водим ее на волейбольную площадку. Не часто, — добавила она честно с грустью, — но иногда.

— Мы не очень много играем в волейбол на Среднем Западе, — серьезно сказала Сабрина, наклоняясь вперед и обращаясь к левому глазу Ирмы.

— Хотя прогресс уже привел теннис к нашему порогу. Однако мы много работаем, пытаясь научиться быть искушенными. Некоторые из нас время от времени одеваются в наряды Карла Логерфельда или Перри Эллиса. Иногда мы подаем на обед вино — «Монтраше», или «Бруийи», если подходит красное. А в последнее время самые смелые из наших хозяек начали подавать салат после закусок, а не перед ними. Разумеется, нам приходится очень много трудиться над этим. Но можете быть уверены, мы благодарны вам за все, чему вы позволяете у вас научиться.

Последовало долгое молчание. Энджи попыталась улыбнуться, но ее губы дрожали. Фредди сказала:

— Ну, черт меня возьми. Поделом тебе, Ирма.

А впрочем, неважно. — Она повернулась к Сабрине. — Ирма рассказала нам, что вы — застенчивая маленькая домохозяйка из захолустья. Ирма, дорогая, вам следует отослать ваши первые впечатления в постель без обеда. Они вас очень подвели. — Она отодвинула назад свой стул. — Стефания, давайте выглянем на террасу.

Сабрина сидела неподвижно. *«Черт! Ах, черт возьми! Что со мной случилось? Стефания беспокоилась бы о Гарте; она была бы тихой и вежливой и позволила бы жене президента почувствовать превосходство. Теперь я все испортила. Стефания действовала бы в интересах Гарта. Я же думала о себе. И зачем только я позволила этой глупой женщине вывести меня из терпения?»*

— Стефания! — повторила Фредди.

Сабрина извинилась и последовала за ней через раздвижную дверь. Обе женщины сели на низкую кирпичную стенку, огораживающую террасу, вымощенную каменными плитами. Гигантские кадки из красного дерева с поздними розами и астрами стояли рядом с белой металлической мебелью, еще не убранной на зиму. За стеной команда садовников сгребала опавшие листья и сажала луковицы тюльпанов и гиацинтов на следующую весну. Другая команда накрывала брезентом плавательный бассейн, а третья сворачивала сетки на теннисных кортах. Это была мирная сцена достатка — настолько совершенная, как подумала Сабрина, как будто ее нарочно поставили, чтобы проиллюстрировать преимущества принадлежности к команде Фостера.

— Она может причинить вред, но по-настоящему не опасна, — сказала Фредди. — Если не давать ей над собой власти. Дело заключается в том, чтобы это понять. Она дура, которую следует принимать всерьез.

Сабрина пожала плечами.

— Я бы приняла ее всерьез, но только если меня попросит Гарт.

Фредди удивилась.

— А зачем же еще вы здесь?

— Осмотреться. Чтобы на нас взглянули. Почему вы все считаете, что все уже решено? Разве нельзя подумать?

— Послушай, лапочка. Я не знаю, что тебе сказал твой муж, но он здесь не ради беседы. Это официальное собрание, чтобы мужчины обсудили детали работы и чтобы мы удостоверились, что твое сердечко трепещет от радости стать одной из нас. Насколько я слышала, вы переезжаете сюда после окончания этой учебной четверти.

Сабрина почувствовала, что ее предали. Гарт не сказал ей, что все решено. Действительно ли он согласился на эту работу, не обсудив ничего с ней? Они всегда все обсуждали.

— Эй, — сказала Фредди. — Все в порядке. Проигнорируй Ирму. Она только небольшая деталь пейзажа. Хотя я бы тебе кое-что предложила. Чтобы облегчить жизнь, когда вы переедете к нам, продолжай притворяться перед ней так же, как тогда в Чикаго. От тебя потребуется выполнить несколько обязательств: давать обеды с нужными гостями, несколько ленчей, организовать пару благотворительных мероприятий, несколько раз появиться по команде на приемах у Ирмы — придется с ней ладить. А остальное время можешь быть самой собой. Пока держишься в рамках приличий, можешь делать так, как пожелаешь, и с тем, с кем хочешь. Не такая уж плохая жизнь, знаешь ли.

— Знаю. — Сабрина встала и поправила юбку. Стефания справится с этим. Она сможет быть тем, что ждет от нее Ирма, не выходя из себя, но и не затерявшись в их маленькой группе, как Энджи и даже Фредди. Стефании понравится жить здесь.

Сабрина поблагодарила Фредди:

— Вы дважды спасли меня, я вам очень признательна. Но теперь, думаю, мне надо самой исправлять положение.

Вернувшись в столовую, она принесла извинения:

— Так нехорошо с моей стороны... слишком много новых впечатлений... ленч был великолепен... беседа такая приятная...

Ирма поднесла руку к безупречно гладким волосам и пригладила их.

— Мы принимаем ваши извинения. Мой муж полагает, что ваш муж будет ценным приобретением для лаборатории. А теперь не совершить ли нам небольшое путешествие?

Они объехали город, осмотрели новую школу, посетили больницу, в которой Ирма была главой добровольных помощников, остановили машину на берегу Лонг-Айленда и понаблюдали за парусниками, напомнившими Сабрине о доме. Затем вернулись к главному зданию лаборатории Фостера, захватили Гарта и прочих мужей и отправились обедать в клуб, чтобы Сабрина и Гарт могли познакомиться с теми людьми, которых обязаны были знать.

Позже, когда лимузин вез их к отелю «Плаза» в Нью-Йорке, где они проведут ночь, прежде чем сесть на утренний самолет на Чикаго, Гарт взял Сабрину за руку.

— Кормили, поили и говорили комплименты. На ужин утка. А ты что ела?

— Индейку. Пересушенную, потом утопленную в соусе.

— А на обед омар. А что у вас было на десерт?

— Ореховый мусс с малиновым пюре.

— Как ты думаешь, профессора всегда так питаются, когда приезжают в Коннектикут?

— Как ты думаешь? Их жены всегда выслушивают лекцию о том, как отсталые жители средних штатов могут освоить красивый стиль жизни восточного побережья, когда приезжают в Коннектикут?

— Это интригует. Кто читал лекцию?

Она описала ленч, не пытаясь себя оправдать.

— Я тебе ничуть не помогла. Но если Фредди была права, и ты уже решил...

— Не решил. — Гарт по-прежнему держал ее за руку. Теперь он прикрыл их руки второй рукой и повернулся к ней лицом. — Я согласился приехать сюда, потому что считал, что это нам необходимо. Я никогда не стал бы принимать решения без тебя. Мне кажется, — осторожно продолжил он, — что, дав по Ирме Каллен залп из обоих стволов, ты, возможно, говорила, что не хочешь моего согласия на эту работу.

Сабрина закрыла глаза. Вся ложь, все обманы, вся вина и неразбериха чувств последних пяти недель воздвигли между ними стену, которую она не могла разрушить. *«Любимый мой, я хочу помочь тебе. Я хочу, чтобы ты был счастлив. Но я должница перед Стефанией»*. Ее руке было тепло между его двух рук.

— Гарт, это твое решение. Я не могу принять его за тебя.

Усталый и подавленный, он убрал руки. Если ей теперь все равно, что он будет делать, значит она не планирует будущего. И все же она любит его. Он видел это по ее лицу, слышал в ее голосе. Она любит его.

Но она все равно отталкивает его. Они так часто

приближались к теплу, к любви, к разделенным чувствам — и она отступала, отворачивалась. Все эти упущенные возможности поговорить... Как будто она боится, что если прислушается к нему, то поддастся — его уговорам или своим чувствам — и не сможет самостоятельно принять решение, уйти или остаться. Как, черт подери, может мужчина с этим бороться? А он, конечно, намерен бороться. Он сказал ей тогда в саду, что смирится с ее решением. Но это абсурдно. Гарт будет бороться за то, чтобы удержать ее. Но пока он не поймет, почему она специально отстраняется от него, почему она отказывается его любить, почему она не перестает зорко следить за детьми, он не сможет решить, с чего начать, или предвидеть, чем все кончится.

Остаток поездки они провели в молчании, молча поднялись в лифте в забронированный для них номер. Сабрина стояла у окна и смотрела на окружавшие темные кроны Центрального парка, горящие окна зданий, которые никогда не спят.

Гарт запер дверь.

— Мне не нужна эта работа, — отрывисто сказал он. На круглом столике бутылка шампанского выглядывала из ведерка со льдом, привязанная к горлышку карточка желала им от имени Калленов приятно провести вечер. Гарт осторожно вытащил пробку. — Даже если она означает омаров каждый вечер и шампанское на сон грядущий.

— А почему бы и нет? — спросила она.

Он наполнил два высоких узких бокала и вручил ей один из них.

— Когда мы с тобой последний раз были в гостиничном номере? — вслух подумал он.

«Мы никогда не были в гостиничном номере». Она присела на край кушетки, обитой полосатым шелком.

— Давно. А почему тебе не нужна эта работа?

— Потому что единственное, о чем сегодня говорили хозяева дома, — это рынок, потребитель, количество долларов на час исследовательской работы, прибыль от инвестиций. Потому что для них генная инженерия означает продукт, как будто я буду руководить группой шеф-поваров, изобретающих новые хлопья для завтрака. Они хотят только зарабатывать деньги. А я хочу исследовать и учить. Я не желаю объяснять, почему я следую перспективному направлению исследования, хотя от него нельзя будет ждать результатов в течение многих лет. Если они вообще будут. Потому что я не могу рассматривать проблемы генетики, а видеть за ней прибыль корпорации и декларации о затратах без прибыли. Потому, черт побери, что я тут не свой. Еще шампанского? Фирма платит.

Сабрина протянула свой бокал. Он наполнил его и сел в глубокое кресло около другого конца кушетки.

— Еще два обстоятельства, — продолжал Гарт. — Первое, как я уже говорил раньше, ты тут тоже не своя. Может, когда-то и была, или считала, что была, но теперь — нет. Два или три месяца назад ты не накинулась бы на Ирму Каллен. Когда она была в Чикаго прошлой весной, ты обращалась с ней так, будто она — родная сестра королевы Англии. С тех пор ты изменилась.

Он замолчал, но Сабрина не воспользовалась его молчаливым предложением.

Гарт не мог заставить себя посмотреть на нее. Никогда он так остро не ощущал ее близости или того, как она от него отдалялась, когда замыкалась в молчании. Он осушил свой бокал.

— И больше всего мне нравится в этих переменах то, что ты можешь поставить на место надутую провинциальную королеву-мать вроде Ирмы Каллен и не бояться, что потом она будет не любить тебя или меня. Что означает одно из двух. Ты намного больше уверена в себе, чем раньше...

Сабрина наблюдала, как в ее бокале стремительно всплывают пузырьки:

— Или?

— Или ты решила, что тебе абсолютно наплевать, что я делаю и что со мной происходит. Или с нами.

В комнате стало тихо. Мягкий свет настольной лампы бросал блики от тающего льда в ведерке для шампанского и от темно-зеленой бутылки, которую Гарт наклонил над их бокалами. Остальная часть комнаты оставалась в темноте. Через открытую дверь была видна спальня, где горевшая лампа освещала кровать, которую горничная разобрала на ночь, оставив в центре каждой подушки шоколадку в золотой обертке. Рядом стояли их два дорожных чемоданчика, прикасаясь друг к другу, как любовники.

В течение тех пяти недель, которые Сабрина провела здесь, они не были одни, вдали от детей. В приглушенной тишине она остро ощущала присутствие Гарта: настолько сильно, что, казалось, чувствовала кожей его прикосновение, хотя он был от нее футах в десяти. Она видела каждую черточку его лица, хотя и не смотрела на него. Ее губы ощущали прикосновение его губ, хотя они не целовались уже три дня, с того момента в прихожей, дома, когда она вырвалась из его объятий в панике любви и вины.

«Он стал частью меня».

— И, наконец, — сказал он, когда она не отозвалась, — мне предложили место директора Института генной инженерии в университете средневосточных штатов, который должен быть построен к этой весне и открыться к началу следующего года.

— Гарт! — Она подняла засиявшие глаза. — Чудесно! Это должно быть твоим главным делом. Единственным делом. Все остальное не имеет значения. Правда?

— Могло бы иметь.

— Почему ты не сказал мне? О, теперь я знаю, о чем говорила Вивьен, когда я вчера отвезла к ним Пенни и Клиффа. Она велела поздравить тебя от ее имени. Я думала, она говорит о том, что твой комитет заключил с ней контракт, чего добился ты. Но она имела в виду другое: она знала о твоем назначении.

— Она знала, что мне предложили это место. Я еще не дал согласия.

— Но почему же? Разве это не именно то, что тебе нужно?

— Я не знаю, то ли это, что нужно тебе. Оклад будет примерно две трети от того, что будет платить Фостер, и гораздо меньше, если прибавить к этому премии, командировочные, машину компании, членство в клубе — все дополнительные блага, о которых в университетах не слыхивали. Я знаю, как тебя беспокоят деньги — наверное, достаточно сильно, чтобы считать Ирму Каллен терпимой.

— Но все доводы, которые ты высказал против...

— Я сказал, что не хочу соглашаться. Но если ты хочешь, чтобы я это сделал, если ты будешь со мной...

— Но тебе это будет отвратительно.

Он пожал плечами.

— Многое. Я буду сосредоточиваться на исследовании и научусь мириться со всем остальным. — Он наклонился вперед в своем кресле. — Стефания. Выслушай меня. Я люблю тебя. Я не могу себе представить жизнь без тебя. Все, что я делаю, не значит абсолютно ничего, если я не могу принести это домой, к тебе. Если не могу окликнуть тебя по имени и услышать твой ответ. Если я не могу заснуть вечером, зная, что, когда утром открою глаза, ты будешь рядом со мной. Все ощущение чуда, связанное с моей работой, исчезает, когда я смотрю на то чудо, которое воплощаешь собой ты. Открытия есть, даже возбуждение есть, но все это пусто, ничего для меня не значит без тебя. Неужели ты не понимаешь? Неужели ты не догадываешься, что я готов на все, лишь бы твоя жизнь была по-прежнему переплетена с моей? Если ты попросишь меня согласиться на эту работу...

— Не попрошу. Я не хочу, чтобы ты на нее соглашался. Конечно, я не хочу, чтобы ты на нее соглашался.

Он серьезно взглянул на нее.

— Я не понимаю, что это значит.

«Это значит, что я тебя люблю. Я тебя люблю. Я хочу, чтобы ты был счастлив. Я хочу, чтобы ты поступал так, как лучше для тебя, даже если я уйду, даже если никогда не разделю этого с тобой, никогда не буду с тобой, когда ты будешь просыпаться по утрам».

Гарт смотрел, как шевелятся ее губы, как на глаза набегают слезы. Он пошевелился, желая подойти к ней, но заставил себя ждать.

— И я не понимаю, что значат твои слезы, — резко произнес он.

Сабрина закрыла лицо руками и дала волю слезам. Она удерживала их так давно, что теперь они принесли облегчение и какое-то странное торжество. *«Я ничего не могу поделать. Мне так жаль, но я ничего не могу поделать. На большее я не способна. И я очень старалась».*

— Что они значат? — повторил он.

Гарт подошел к ней и отвел ее руки от лица. Оно было залито слезами, и губы ее дрожали, а глаза сияли, как тогда утром, когда он проснулся и застал ее незащищенной.

— Что я тебя люблю, — сказала она наконец, отпустив на свободу эти слова, и его руки обхватили ее, заключив в объятие, такое надежное, что она наконец почувствовала, что нашла свой дом.

Он хотел было поднять ее, но она покачала головой. Она разделит все с ним, это ее решение, а не только его. Они вошли в спальню и раздели друг друга: торопясь, прикасаясь к коже, которую обнажили, как ребенок исследует что-то новое, чтобы убедиться в том, что это настоящее, что это принадлежит ему.

Гарт вынул гребни из ее волос, и тяжелые волны рассыпались по плечам, бронзовые в неярком свете. Он смотрел на ее стройное тело и проводил руками по чистой шелковой коже, как будто никогда прежде не видел. Ее пышная грудь поднялась к нему, и голову она держала высоко и гордо, когда он любовался ею. «Я часть нас, — говорили ее глаза, — и моя красота больше, потому что ты меня хочешь».

Он опять обнял Сабрину, ощущая ее мягкое тело руками, животом и ногами, и тепло ее тела слилось с его теплом. Они обнимали друг друга, наслаждаясь своим желанием, потому что теперь они знали, что оно будет удовлетворено. Наконец он наклонил голову к поднятому навстречу ему лицу и поцеловал ее, ощутив прохладу шампанского в тепле ее рта.

— Мой любимый, — прошептала Сабрина у его губ.

Они лежали на постели, и весь вес Гарта был на ней. Он поднял голову, и его глаза, темные и пристальные, встретили ее взгляд, более глубокий, чем он раньше думал, с голубым пламенем в глубине.

— Любимая, — пробормотал он. — Моя вновь обретенная любовь.

Комнату заливал блеск ее тела. Он закрыл глаза, но этот свет не исчез, и он понял тогда, что он везде, что, вновь найдя свою жену, он нашел свет и жизнь, и что они — часть его, как и она.

— Да, — сказала она, и со страстью, которую они так долго сдерживали, он погрузился в нее. Она обернулась вокруг него — одно тело, один кипящий поток крови.

Шоколадка в золотистой фольге лежала раздавленная на подушке. Гарт осторожно развернул ее, и Сабрина губами взяла ее у него из руки.

— А где твоя? — спросила она, и они принялись ее разыскивать, пока, наконец, не обнаружили вторую на полу, куда она свалилась.

— Но я все еще голоден, — сказал Гарт, слизывая сладость с ее пальцев. — Что мы потребуем принести в номер?

— Нектар. Яйца малиновки. Лепестки роз в росе.

Гарт набрал номер.

— Шампанское, омлет, салат. И грейпфрутовый шербет.
Сабрина смеялась.

— Грейпфрутовый шербет?

— Я забыл тебе сказать. Новая страсть, которую я открыл в Калифорнии. Яйца малиновки готовят полчаса. Я хочу еще раз любить тебя.

— Да.

«Наши совместные годы — эти часы. Это все, что у нас есть». Гарт склонился над ней, целуя ее губы, но она положила руки ему на грудь и твердо его отстраняла, пока он не лег на спину, и тогда она стала целовать его. Ее губы, дрожа, скользили вдоль его шеи, по заросшей темными волосами груди; мягко, неспешно задержались на его гладком, подтянутом животе. Она удобно свернулась рядом с ним, оперевшись руками о его бедра и на секунду подняла голову, встретив его затуманившийся взгляд, приказав ему глазами и сильными руками лежать не двигаясь и позволить ей дать ему наслаждение. Ее язык неспешно ласкал конец его пениса, поднятого к ней, а потом она медленно взяла его в рот, направила вдоль языка, в горло... Он наполнил ее: гладкий, твердый — мощная, упругая сила, в которой пульсировала жизнь, и Сабрина ощутила ликование, свободу и такую дарственную любовь, какой никогда прежде не знала.

Гарт застонал, когда волны удовольствия захлестнули его расширяющимися кругами, и подумал, что вот еще нечто новое, что она дала ему впервые после столь долгих лет, и представил, что мог бы окунуться в нее, утонуть в нежности и силе ее рта. Он почувствовал потребность подарить наслаждение ей и, высвободившись из ее рта, уложил ее рядом с собой.

Он поцеловал ее губы, проследил губами контуры ее лица, изящную линию стройной шеи, округлые груди, тяжело лежавшие у его щеки, и взял в рот один за другим ее соски, пока они не напряглись у него под языком.

Медленно, медленно его губы двигались вдоль ее тела, впитывая аромат шелковистой кожи, осыпая поцелуями ее сияющую белизну, оживавшую под его прикосновением — вдоль живота к завиткам волос, к теплой, податливой плоти, затрепетавшей при его приближении. Сабрина запустила пальцы в его густые темные волосы и раздвинула ноги, ощущая, как он берет ее языком и губами. Все ее чувства сосредоточились на одном. И тут внезапно, яростно он просунул язык глубоко внутрь, овладев ее пульсирующим темным центром, пока он не сжался, замерев над узкой бездной, а потом рванулся, безудержно затрепетав, когда она вскрикнула и задрожала под его руками.

Когда она открыла глаза, он ей улыбался. Ее губы произнесли безмолвное «О!», и она ответила ему улыбкой.

— Любимый... — начала Сабрина, но тут раздался стук в дверь и жизнерадостный голос возгласил, что их заказ доставлен. Гарт вскочил с кровати.

— Болван, — пробормотал он. — Если у него столько энергии в три часа утра, то почему он не поет нам серенады по-итальянски? Знаешь что? Я забыл взять с собой халат.

Он взглянул на Сабрину, сидевшую по-турецки на постели, с сияющим лицом, смеющуюся.

— Держи, — сказала она, протягивая ему покрывало. Делая из него тогу, он начал хохотать вместе с нею, и их смех наполнил комнату.

Ничего не было решено, но все изменилось. Сабрина сидела у иллюминатора самолета, глядя на громоздящиеся облака, как это было всего сутки назад, и понимала, что игра окончена. Ей придется уехать сегодня же. Она получила свое мгновение любви, и с этого момента все в ее жизни будет иначе благодаря этому мгновению, но как бы она ни возвращалась мыслями к прошедшим суткам, они ей не принадлежат: они — Стефании.

То, что в середине сентября началось как беззаботная проделка, к концу октября переросло в сложную сеть страсти, преданности и желания. Что невозможно для Гарта и Сабрины, но жизненно необходимо для Гарта и его жены. И даже если бы Сабрина хотела забыть об этом, она не смогла. Потому что жена Гарта была ее половиной.

Рядом с ней Гарт отрицательно покачал головой в ответ на предложение стюардессы принести журналы и откинулся на спинку сиденья.

— Трудно поверить, как много произошло со времени твоей поездки.

Она стиснула руки на коленях и повернулась к нему, разрешив себе пристально вглядеться в его залитое ярчайшим светом солнца лицо, чтобы запомнить все морщинки, расходящиеся из уголков его темных глаз, резкие скулы и большой рот, ямочку на подбородке, седину в темных волосах над лбом.

— Поворотный момент, — размышлял он. — Ты знала, что так будет? Или ты просто убежала, а потом осознала, что это может оказаться первым шагом за дверь? По-моему, именно так. А потом ты вернулась и так во многом старалась быть другой, как будто приняла твердое решение обновить наш брак, заставить меня увидеть, что с нами происходит. Я довольно давно хочу сказать, как я благодарен тебе, хотя ты не можешь этого не знать. Я хочу, чтобы ты поняла, я осознаю то, что ты сделала, понимаю, как трудно меняться, как сильно ты старалась. И ведь это ты все сделала. Я не знал, как. Я даже не знал, что надо делать.

Гарт поймал ее руку.

— Кое-что из этого я пытался сказать тебе вчера вечером. Наверное, бо́льшую часть ты уже и так знаешь. А сейчас я хочу сказать, что больше не дам тебе ускользнуть. Ты научила меня... Стефания, что такое? Что случилось?

Она наклонила голову.

— Я не знаю. Я меня неожиданно закружилась голова. Ты можешь попросить чашку чая?

Он вызвал стюардессу, а Сабрина откинула голову на спинку кресла.

— Спасибо.

У нее дрожал голос — и все тело дрожало. «Что со мной случилось? — испуганно подумала она. — Это не Гарт, что-то еще. Что-то произошло, что-то ужасное, а я не знаю что...»

Протянув руки, чтобы поставить поднос перед ней, Гарт ощутил, как сотрясается ее тело.

— Господь милосердный, что такое? Стефания, милая, что я могу?..

— Не знаю, — прошептала она, зарываясь лицом ему в плечо. Гарт обхватил ее обеими руками, крепко прижимая к себе, пока стюардесса не принесла чай.

— Я могу чем-нибудь помочь? — спросила она. — Одеяло?..

— Наверное, нет, — ответил Гарт. Он осторожно высвободился. — Стефания, сможешь выпить немного чая?

Она кивнула и взяла чашку обеими руками, отпив немного обжигающего горячего напитка.

Гарт взглянул на часы.

— Половина двенадцатого — через полчаса приземлимся. Пенни и Клифф будут в аэропорту вместе с Вивьен, ты знаешь.

— Да. Подожди несколько минут.

Дрожа, Сабрина пила горячий чай. Пока Гарт доливал ее чашку, она в иллюминаторе увидела вдали самолет, летящий в противоположном направлении.

Она заставила себя подумать о Гарте и о том, что он говорил ей, когда началось головокружение. Теперь она поняла, почему он не разгадал обмана. Гарт — опытный ученый, внимательный наблюдатель, женатый на одной и той же женщине в течение двенадцати лет, не догадался, что живет с близнецом своей жены. Он убедил себя, что она сознательно меняет свое поведение, чтобы спасти их брак. Если бы они со Стефанией написали сценарий, чтобы обезопасить себя, они не смогли бы придумать лучшего.

Ей надо уехать. Сегодня же. А это значит, надо позвонить Стефании, сказать ей, чтобы она села на первый же самолет, но Стефании нет. Стефания на яхте Макса. До пятницы или субботы. *«Я не могу остаться так надолго. Я не могу так поступить ради всех нас. Но и просто исчезнуть я тоже не могу»*.

Она закрыла глаза. Ей придется остаться еще на несколько дней. Стефания позвонит, как только вернется на Кэдоган-сквер, и в понедельник они встретятся в аэропорту Чикаго и, повторив процедуру, которую так весело устроили в Китае, обменяются одеждой и сумочками, передадут обручальное кольцо, сменят ключи от дома. И все кончится.

«Все кончится». Эти слова звенели у нее в голове. Они повторялись на фоне взволнованных приветствий Пенни и Клиффа в аэропорту, эхом звучали на фоне всех домашних звуков: хлопнула дверь, Клифф уронил противень с печеньем; Пенни кричит ему, чтобы он сейчас же убрал эту гадость, Гарт переходит из комнаты в комнату, что-то говоря о ставнях... Они повторялись на фоне шипенья бифштексов, которые Сабрина жарила на обед, на фоне клокотания кофейника, на фоне историй, которые рассказывали Пенни и Клифф по очереди: ничейная кошка, школьный конкурс, планы карнавала в День благодарения...

«Все кончится» повторялось на фоне звона посуды, когда ребята убирали на кухне, на фоне телефонных

звонков, на фоне слов Гарта, что это звонят по междугородней. С ней хочет поговорить кто-то, кого зовут Брукс Вестермарк.

И неумолимое эхо замолчало, когда голос Брукса на той стороне океана тяжело выговорил:

— Миссис Андерсен... Стефания...

И со слезами сообщил ей, что они только что узнали новость: яхта Макса Стуйвезанта взорвалась где-то в Средиземноморье и затонула примерно в половине двенадцатого по чикагскому времени. Все, кто находился на борту, включая ее сестру, леди Сабрину Лонгворт, погибли.

ЧАСТЬ ТРЕТЬЯ

ГЛАВА 17

Участники печальной церемонии рано пришли на Кенсингтонское кладбище. Некоторые плакали, другие негромко переговаривались, стоя у могилы. Сабрина слышала их за собою, как шуршание листьев, но не оборачивалась: она смотрела на гроб сестры, свой собственный гроб, который опускали в могилу, когда викарий прочитал короткую молитву и заговорил:

— Леди Сабрина Лонгворт, полная биения жизни, приносила нам любовь и радость...

Тяжелые, бледные облака низко нависли над землей и травой, выпивая их краски, делая их серыми под моляще взметнувшимися ветвями безлиственных деревьев. Легкий октябрьский туман поднимался от Темзы, прикасаясь к присутствующим холодными пальцами. Сабрина ничего не ощущала, но все равно дрожала, и рука Гарта крепче обхватила ее плечи.

— Она была молода и красива и чутко ощущала красоту вокруг себя...

В кольце руки Гарта Сабрина стояла очень тихо, но в горле ее стоял раздирающий крик. *«Стефания...»*

— Посреди жизни мы в смерти.

Стефания была мертва.

Сабрине было холодно. Холодно. Кожа ее болела, натягиваясь на костях — тонкая, напрягшаяся пленка, удерживающая в себе боль и невидимые слезы, которые не останавливались даже тогда, когда она спала.

«Вернись, Стефания мы придем к самому началу, мы все сделаем по-другому, и все будет в порядке».

— Господь мой пастырь...

Но единственное начало, которое ей приходило в голову, был телефонный звонок Брукса. Начало кошмара. Его голос принесся из-за океана, полный слез, и пока он говорил, комната вокруг Сабрины потемнела, сузилась до маленькой точки света, а потом нахлынула обратно, навалилась на нее. Она не могла дышать. На стук упавшего телефонного аппарата прибежали Гарт и дети: она помнила, как Пенни и Клифф, испуганные и неподвижные, смотрели на нее, Гарт подхватил ее, а другой рукой поднял телефон и стал разговаривать с Бруксом. Голос его звучал ровно, когда он обо всем договаривался. Он был надежным центром сумасшедше вращающейся комнаты — водоворота, который втянул бы ее в себя, если бы Гарт не держал ее. Она цеплялась за него. Гарт, мой любимый...

Но он не знал, он не знал, что произошло.

— Подожди. — Она попыталась отодвинуться от него. — Это была не Сабрина. Это была не Сабрина. Это не Сабрина умерла.

— Ш-ш-ш, любимая, просто обними меня, тебе пока не надо об этом думать.

— Но это была не Сабрина, это была не Сабрина...

Тут пришли слезы — раздирающие рыдания, которые заглушали ее слова, когда она пыталась объяснить им.

— Не... Сабрина... умерла.

Пришел Нат со шприцем.

— Нет! Дайте мне плакать! Не отнимайте этого у меня, у нас обеих!..

Но иголка плавно вошла в ее руку, и постепенно, мучительно она успокоилась, смутно услышав:

— Боже мой, Боже, какой ужас. Гарт, что еще я могу сделать?

Четверг был мешаниной лиц и голосов. Телефон звонил, не смолкая. Двери открывались и закрывались. Кто-то приносил цветы и еду. Почему все были так заняты, когда Стефания умерла?

Гарт позаботился обо всем. Он позвонил ее родителям, она слышала, как он снова звонил Бруксу:

— Зарегистрируйте смерть в американском консульстве в Марселе и отправьте самолетом тело...

«Не «тело», вы, дурни, это Стефания...»

— ...обратно в Англию... в похоронном бюро... да,

говорите адрес. Т.С. Драйден и сыновья, Риджент-стрит, Мэйфэр...

«Рядом с домом. Стефания будет рядом с домом».

— ...выезжаем сегодня днем. Увидим вас завтра утром. В пятницу... конечно, в доме Сабрины — этого хочет Стефания...

«Домой. Я еду домой».

Она предоставила Гарту возможность все сделать самому. Он отвез детей к Вивьен, уложил вещи и крепко прижал ее к себе, когда они приехали в аэропорт и шли через гулкое здание к самолету.

«Гарт — центр моего мира, — думала она, — все что у меня осталось. — Она постаралась скинуть с себя летаргию. — Я должна сказать ему — он все еще не знает. Я скажу ему, как только мы устроимся в самолете. Брукс только что звонил. Я могу подождать несколько минут, пока мы... нет, Брукс звонил — когда?.. Я не могу вспомнить. Вчера? Несколько минут назад?»

В самолете Гарт взял предложенные стюардессой журналы, предоставив Сабрине возможность побыть в одиночестве. Она откинула спинку кресла и закрыла глаза, пытаясь думать, вернуться к началу, а ее захлестывали волны сна.

Если бы они не поменялись местами?

«Или я не сломала бы руку? Тогда все было бы в порядке. Если бы я настояла, чтобы мы покончили с обманом, сказали бы правду, вместо того, чтобы позволить ему продолжаться. Или позже, если бы я отказалась дать Стефании еще одну неделю?

Если бы я не полюбила Гарта... *Я виновата в смерти моей сестры.* — Всю оставшуюся часть полета она не спала, отвернувшись от Гарта. — *«Все, что я делала, вело к ее смерти. Но я не знала...»*

В аэропорту она настояла, чтобы сразу ехать в похоронное бюро.

— Я хочу видеть сестру. Мне надо видеть сестру.

Она вошла туда одна — в маленькую комнату в задней части помещения бюро «Т.С. Драйден и сыновья» — и опустилась на колени рядом с гробом.

— Стефания!

Ее сестра спала, холодная и отчужденная, ее красота была хрупкой, как старинный пергамент. Сабрина стояла над ней, вернувшись в начало, далеко-далеко назад, к городам, в которых они росли, к школам и снятым внаем домам, лимузинам с шоферами и прислуге, лощеным фигурам Гордона и Лауры, оставляющим их одних, устраивавших свою собственную семью.

Она вспомнила одни летние каникулы, когда им было семь или восемь. Они со Стефанией убежали, чтобы найти водопад, и Стефания поскользнулась на каких-то булыжниках, сломав себе щиколотку. Сабрина побежала обратно найти Гордона и Лауру, и пока Гордон высвобождал ногу Стефании, застрявшую между камней, Сабрина сжимала ее руку, чтобы помочь облегчить боль. Той ночью, в постели, Стефания сонно проговорила:

— Мы всегда будем помогать другу другу, правда? Когда нам будет больно или плохо, мы всегда будем рядом.

— Да, — сказала Сабрина.

— Обещай.

— Обещаю.

— Я тоже обещаю, — сказала Стефания.

В молчащей комнате похоронного бюро, освещенной свечами и маленькими лампочками, полной тяжелого аромата высоких букетов цветов, Сабрина смотрела на сестру.

— Мы обещали, Стефания. Мы обещали.

Она плакала, холодные слезы текли по ее щекам, и она прислонилась лбом к полированному дереву гроба.

— Я люблю тебя, Стефания. Я не хотела сделать тебе плохо. Все казалось пустяком — еще одна неделя. Я хотела любить твою семью еще несколько дней, а ты могла... погулять в последний раз...

Она закрыла глаза.

«Это все моя вина, и теперь я осталась одна и должна им сказать. Мы этого не планировали, мы были так беспечны, мы ни минуты не думали, что нам придется кому-нибудь признаваться, а теперь я не знаю, как это сделать и как я перенесу их гнев. Я ведь уже попыталась им сказать, но никто не слушал, и мне не с кем об этом поговорить. Все прошлые недели, когда у меня никого не было в Эванстоне, это было неважно, потому что у меня была ты и мы понимали друг друга. Но теперь... Стефания, *нет никого, кто бы понял*».

Сабрина протянула руку, чтобы пригладить волосы сестры, и тут ее взгляд привлекло поблескивание золота: надетое на ее палец обручальное кольцо сверкало на фоне темных прядей. Она быстро сняла его.

— Оно твое, Стефания. Я не имею на него прав. — Она надела его на палец сестры, и ее теплая рука прикоснулась к ее, мраморно-холодной. — Оно всегда было твоим. Если бы я это помнила, ты раньше вернулась бы домой, и всего этого...

Она сжала руки на коленях. Если бы она помнила, то уже сказала бы всем правду. У нее никогда не было прав на ее семью. И ей надо сказать им это. Наедине. Без Стефании они обратят свой гнев на нее. Только на нее. И следует привыкнуть к такой мысли.

Она наклонилась вперед, чтобы сказать сестре «до свидания». Она ощущала себя истощенной, такой же безжизненной, как Стефания. *«Потому что часть меня умерла. Я хороню мою сестру, которая «тоже я»*.

— Нет! — воскликнула она. — Нет, они не могут нас похоронить. Я им не позволю. Нет! Нет! Нет!

— Стефания, — произнес Гарт. Она не слышала, как он вошел, но он стоял на коленях рядом с нею, обнимая ее рукой за плечи. Сгорбившись у гроба, Сабрина ощутила в его руке жизнь и задрожала. Кто лежит в гробу? Для этого человека она — Стефания, она живет с ним в доме Стефании, заботится о детях Стефании, любит их, любит мужа Стефании. И она находится в Лондоне, чтобы похоронить сестру Стефанию. «Что я наделала? — отчаянно думала она. — Я заставила нас обеих умереть».

Приглушенный крик вырвался из ее горла, и вот уже Гарт усаживал ее в такси, чтобы отвезти в дом Сабрины.

— Любимая, — сказал Гарт, пока машина медленно пробиралась через полуденные заторы, — я помогу тебе, чем смогу, но в конечном итоге ты должна справиться с этим сама. — Его голос звучал мягко, но он не пытался что-нибудь от нее скрыть. — Ты уверена, что хочешь остановиться в доме Сабрины? — Она кивнула. — Хочешь занять комнату для гостей, а не ее спальню? — Она помотала головой. — Тебе могло бы быть легче.

— Нет, — ответила она. — Это моя комната. Я буду занимать ее.

— Как хочешь, — сказал он. — Я помогу тебе.

«Нет, ты не будешь мне помогать. Не будешь, когда я тебе расскажу. Когда мы приедем домой и останемся вдвоем, я скажу тебе правду».

На Кэдоган-сквер миссис Тиркелл, смятая горем, встретила их у двери и махнула рукой в сторону лестницы.

— Миссис Андерсен, ваш отец приехал несколько минут назад. Он очень болен, и ваша мать...

Сабрина бросилась мимо нее наверх, предоставив Гарту следовать за ней. Она нашла Гордона и Лауру в рабочей комнате четвертого этажа. Ее отец сидел в кожаном кресле, лицо его было серым и осунувшимся, мать стояла у телефона.

— Стефания, благодарение небу, ты здесь. Знаешь, как вызвать скорую помощь? Наверное, нет, но...

— Набери девятьсот девяносто девять. Я все сделаю. — Она набрала номер и повернулась к отцу, когда в комнату вошел Гарт. — Что случилось?

Он недоумевал.

— Грудь, рука... Думал, желудок. Пища в самолете. — Голос его звучал слабо.

Лаура рассерженно расхаживала по комнате.

— Его доктор сказал, что ему не следует ехать в Лондон. У него уже было два таких...

— Скорую помощь, — сказала Сабрина в телефонную трубку. — В больницу святого Георга. — Она назвала адрес Кэдоган-сквер. — Дом леди Лонгворт. Пожалуйста, побыстрее, возможно, у ее отца сердечный приступ. — Она посмотрела на родителей. — Вы ни разу не говорили мне о других приступах.

— Случайности, — пробормотал Гордон. — Ничего серьезного.

— Доктора говорили, что это — предупреждения, — сказала Лаура. — Какая удача, что ты знала о больнице. Откуда ты знала?

— Я здесь бывала раньше. — Сабрина набрала номер на домашнем телефоне. — Миссис Тиркелл, сейчас приедет скорая помощь. Пожалуйста, сразу же позвоните нам.

Гарт задумчиво наблюдал за ней, когда она склонилась над Гордоном, который казался маленьким и хрупким и держался за ее руку, как ребенок. Куда делся высокий властный отец из ее детства? Она оттолкнула в сторону свое горе и опустилась рядом с ним на колени.

— Очень сильно болит?

— Уж меньше. Нальешь мне немного виски?

— Нет.

— Стефания, — спросила Лаура, — что с тобой случилось?

Гордон бледно улыбнулся.

— Она старается быть такой же волевой, как Сабрина. Но послушная дочь не откажет своему отцу в небольшой порции виски в медицинских целях.

— Послушная дочь не станет убивать своего отца, — сказала Сабрина, стараясь, чтобы ее голос звучал легко. — Откуда мне знать, что виски сделает с непослушным сердцем?

Миссис Тиркелл позвонила и сообщила, что скорая помощь приехала.

— Они несут носилки, миледи. — Ее смущение было заметно даже по телефону. — Извините. Я хотела сказать: миссис Андерсен. Я не могу привыкнуть...

— Ничего, — отозвалась Сабрина. — Я понимаю.

Когда вошли санитары, Гордон поднялся, тяжело опираясь на ручки кресла.

— Я пойду сам, Стефания.

— Нет, — сказала она. — Здесь три лестничных марша. — Он колебался, но она взяла его за руку. — Не спорь, мы стараемся тебе помочь.

Он всматривался в ее лицо.

— Какая ты стала яростная.

Но он позволил закутать себя одеялом и привязать к носилкам, прежде чем его вынесли.

— Мы поедем за вами на такси, — крикнула Сабрина им вслед, но как только они вышли, колени ее подогнулись. Гарт тут же оказался рядом, обняв ее. Он отправил Лауру в больницу на такси и устроил Сабрину на двойном кресле в гостиной.

Всюду были люди, они целенаправленно двигались, хлопотали. Все, кроме Сабрины. В беспокойстве и смущении она следовала за ними взглядом, наблюдая, и время от времени они передвигали ее с места на место, как марионетку, тяжелую и бесчувственную. Как Стефанию.

«Мы мешаем, — с горечью думала она. — Мы никому не нужны: у всех есть дела, которые надо сделать. Мне тоже надо что-то сделать. Но я не могу вспомнить, что именно».

Она вспомнила об этом на кладбище, когда викарий заканчивал службу. «Я подыму мои глаза к холмам, откуда придет мне помощь».

Толпа молчала. За спиной Сабрины Александра стояла с Антонио, и по лицу ее струились слезы. Рядом с нею, впереди Брукса, Габриэль рыдала в носовой платок. Джоли держалась за руки с Майклом, у которого было каменное лицо, а Николс Блакфорд подпрыгивал от волнения, хотя Эмилия пыталась заставить его стоять спокойно. Присутствовали все: американский посол с помощниками, группа торговцев произведениями искусства, некоторые из которых прилетели из Парижа и Рима, аристократы, которые были клиентами и друзьями, слуги, официанты и продавцы, которые помнили улыбку и слова благодарности. Они все пришли, даже миссис Пимберли, стоявшая за ошеломленным и неподвижным Брайаном, и миссис Тиркелл, прижимавшая носовые платки к бледному лицу, и Оливия, стоявшая позади группы, в которой оказались туманные фигуры леди Айрис Лонгворт и Дентона Лонгворта. «Как странно, что они пришли, — подумала Сабрина. — А Рэддисонов нет».

Она чувствовала сильную руку Гарта на своих плечах. Стоя на краю могилы, она слышала красивые интонации голоса викария.

— И пусть нам будет дано увидеть сияние нового дня.

В этот день она хоронит сестру, отец ее в больнице, а мать стоит рядом, дрожа и сжимая ее руку.

— Персть к персти, зола к золе, прах к праху *.

Викарий взглянул на нее, давая печальными глазами понять, что настало время ей бросить первую горсть земли на крышку гроба. Все ждали. Все они стояли и ждали, и викарий смотрел на нее. И Сабрина вспомнила. *«Ты не сказала им. Это твой последний шанс. Скажи им сейчас. Больше откладывать нельзя. Скажи им. Скажи им!»*

Долгая дрожь пронзила ее тело и Сабрина упала на колени возле могилы.

— Это не Сабрина! — воскликнула она. Она услышала, как за ее спиной кто-то испуганно втянул в себя воздух. Лаура застонала. Она посмотрела на гроб, потом, моляще, на викария. — Умерла не Сабрина, а Стефания! *Стефания умерла!* Или, может быть, это были мы обе, иногда мне кажется, что... Иногда я чувствую себя, как Стефания, но я не она, я Сабрина. Я всегда была Сабриной. Я стала Стефанией только с тех пор, как мы...

— Перестань, любимая, — Гарт поднимал ее. Голос его звучал встревоженно, руки крепко прижимали ее к нему. — Я отвезу тебя домой.

— Нет, подожди, выслушай! — Она отталкивала его руки. — Послушай меня!..

* Слова поминальной службы из англиканского требника «Книга общей молитвы» *(Примеч. ред.)*.

Рядом с ними возник Брукс, и Гарт встретился с ним взглядом:

— Вы с викарием можете закончить церемонию?

— Конечно. Я увижу вас дома. Между прочим, доктор Фарр...

— Перестаньте, пожалуйста, перестаньте! — вскричала Сабрина. — Выслушайте меня! Разве вы не понимаете, я пытаюсь вам сказать...

— ...мог бы ей что-нибудь дать. Его телефон есть в книге.

Гарт кивнул и повел жену прочь. Голос викария следовал за ними:

— И да примет Господь ее душу.

— По-моему, нам следует позвонить доктору Фарру, — сказал Гарт на пути к лимузину. — Это поможет тебе в эти первые дни.

Сабрина, спотыкаясь, шла рядом, потерянная и опустошенная, недовольная собой. Если бы не ее смятение, когда она вдруг почувствовала, что не уверена, кто она, они бы ей поверили.

— Ты не дал мне договорить, — сказала она в отчаянии. — Я пыталась сказать тебе правду, но ты не слушал.

— Позже.

— Ты не поверил мне.

— Позже, любимая.

Гарт помнил то время, когда умерли его родители. Он тогда испытывал гнев и горе из-за того, что они оставили его. Но траур его жены был более отчаянным; она не находила себе места, как будто из нее вырвали самое ее существо. Даже зная, что она потеряла сестру-близнеца, он недоумевал, как эта сильная женщина, которая так уверенно распоряжалась всем, когда был болен ее отец, может скатиться до бессвязного лепета и всепоглощающего отчаяния.

Он знал, что в горе люди часто находят убежище в отрицании, отказываясь признать, что любимый человек умер. Но если бы дело обстояло так, она говорила бы, что сестра жива, что она где-то путешествует, и что они скоро встретятся. Вместо этого она делала вид, что она — это сестра. Почему? Чтобы загладить какую-то вину? Или причина в том, что, несмотря на физическую разлуку, сестры-близнецы были гораздо ближе друг другу, чем он думал?

На Кэдоган-сквер Сабрина отказалась видеть доктора Фарра:

— Он даст мне какое-нибудь снотворное. Почему ты не даешь мне оплакивать ее?

— Ты должна ее оплакивать. Но не устраивать истерики.

— Постараюсь избежать этого, — сказала она с нотками своего обычного едкого юмора, и Гарт позволил ей поступить по-своему. Она была права: будет лучше, если она справится с горем самостоятельно.

Брукс и Оливия сделали все нужные распоряжения для похорон, и теперь приглашенные ими на ленч гости наполняли дом.

Миссис Тиркелл направила всю энергию своего горя на руководство работой нанятого по этому случаю персонала, и через короткое время блюда с мясом и рыбой, сырами, паштетами, пирожками, пирожными и тортами уставили длинные столы в гостиной и столовой. Сабрина переходила от одной группы гостей к другой, и Гарт находился подле нее. Бледная и отрешенная, с высоко поднятой головой, она легко двигалась по комнатам, как будто чувствовала себя в них, как дома, или занимала место Сабрины. Все говорили о том, как они похожи и как естественно видеть ее здесь, и она вежливо выслушивала их, как будто пытаясь понять, какое они имеют к ней отношение.

Гарт с болью ощущал, что никогда не любил ее сильнее, чем сейчас, когда она одновременно казалась потерянной и на своем месте, нуждалась в нем и чуждалась его. Горе облекло ее в тайну и ранимость; он хотел притянуть ее к себе и поцеловать полные отчаяния глаза, внимательно выслушать все, что она говорит, осмысленно это или нет, только для того, чтобы понять, что значит потерять кого-то, кто был настолько глубоко ее частью.

Но она говорила очень мало и поэтому, продолжая наблюдать за нею, он прислушивался к тому, что говорили вокруг о случившемся. Брукс рассказал нескольким из присутствующих всю историю, и она быстро распространилась. Никто не знал, отчего яхта «Лафит» затонула, но шел слух, что топливные баки взорвались как раз в тот момент, когда она выходила из гавани в Монте-Карло. В ту неделю Дентон Лонгворт играл в казино и когда услышал, что это яхта Макса Стуйвезанта, обратился к береговой охране с предложением своих услуг. В его присутствии из воды извлекли первые тела, и среди них была и Сабрина, и именно Дентон ее опознал.

Полиция позвонила в Лондон, чтобы узнать имена ближайших родственников леди Лонгворт, но подошедшая к телефону Габриэль сказала им, чтобы они позвонили Бруксу. И это было очень удачно, — подумал Гарт, — потому что тот взял на себя все сложные процедуры, связанные с французской береговой охраной и полицией, авиационной компанией и британской полицией. Все было сделано спокойно и гладко. Гарт поначалу испытывал недоверие к его властности, но вскоре откликнулся на его искренность.

— Мне будет не хватать Сабрины, — сказал Брукс, когда оба они сидели допоздна в ночь перед похоронами. — У меня сейчас одна проблема — ни к чему вдаваться в подробности — и Сабрина заставила меня увидеть, что отчасти я сам мог быть виноват, или, вернее, что я, возможно, подхожу к ней не с той стороны. Она была очень цельной личностью, прекрасно знала, во что она верит и не выносила тех, кто притворялся, что он не тот, кто есть на самом деле. Наверное, она могла притворяться не хуже любого из нас, но когда она говорила мне что-то, я всегда чувствовал, что это честно, и именно так она на самом деле думает.

Гарт оглядел кабинет, мысленно представил себе другие комнаты дома — их неброскую красоту и гармонию, их сочетание безмятежности и остроумия. Он никогда не был здесь раньше. Если бы был, то гораздо больше знал бы о своей свояченице, потому что дом был отражением женщины, во многом похожей на его жену, а не такой, какой он представлял Сабрину.

— Я никогда не был с ней знаком по-настоящему, — сказал он Бруксу. — И сожалею.

И на следующий день, после похорон, он стоял со своей женой, слушая, как друзья Сабрины говорят о ней, и снова думал о том, сколь многого он не знал.

— Она очень много работала, — вспомнила Оливия, откусывая кусок торта.

— Она очень долго боялась, что потерпит неудачу, — сказала Александра.

— Чепуха. Я никогда не знала более уверенной в себе женщины. Она, бывало, слушает мои соображения и вежливо кивает, а потом все так же вежливо говорит мне, в чем я ошибаюсь. Просто невероятно, когда вспоминаешь, как часто она это делала и как я все от нее принимала.

Джоли повернулась к Оливии:

— Вы не думаете, что она поначалу боялась потерпеть неудачу? Когда ее все игнорировали?

— Зачем говорить о плохих временах? — прервал их Николс. — Когда она добилась успеха и могла выбирать клиентов, она работала ради удовольствия — удовольствия от красоты, от творчества в своем непогрешимом стиле, удовольствия от...

— Денег, — вставила Александра с легким смешком. — Не забывайте об этом. В отличие от всех нас она должна была зарабатывать себе на жизнь.

Гарт заметил, что жена слушает с интересом.

— Извини, — негромко сказал он ей. — Все это время, когда я критиковал ее... я ее как следует не знал, о чем ты всегда мне и говорила.

Она кивнула:

— Да, но это не имеет значения, правда? Когда-то я думала, что остается масса времени, чтобы сказать правду, но я ошибалась. Ложь и ошибки все растут, и их так трудно остановить... А потом это, кажется, уже перестает иметь значение.

Гарт понятия не имел, о чем она говорит, но он не успел ответить. К ним подошел незнакомец: высокий, смуглый, с тяжелыми бровями на худом лице и черными внимательными глазами.

— Извините, — сказала Сабрина, когда он пожал ее руку, — я не...

— Дмитрий Каррас, — ответил он, чуть улыбаясь. — Мы встретились однажды, очень давно, в...

— В Афинах! — воскликнула она, и лицо ее оживилось. — Когда вы нас прятали! Ну разве не изумительно! После стольких лет! Вы живете в Лондоне? Вы здесь работаете? Погодите, вот я расскажу Стефании...

Она внезапно замолчала.

Гарт увидел направленные со всех сторон украдкой взгляды — жалость, смущение, любопытство. Он протянул руку Дмитрию.

— Гарт Андерсен. Стефания мне о вас рассказывала.

Дмитрий благодарно пожал ему руку.

— Да. У нас троих было приключение. — Он повернулся к Сабрине. — Я так хорошо помню вашу сестру: ее отвагу и ее глаза — такие живые, так стремящиеся все увидеть. Я позвонил ей три дня тому назад, когда приехал, но ее не было. Может быть, прежде чем вы уедете, если у вас будет время, мы выпьем вместе чаю?

— Может быть, — ответила Сабрина, торопясь уйти. Он напомнил ей о времени, когда все было просто. О сказочном времени, которое умерло.

Она дрожала. «Я не могу рассказать Стефании, что встретила Дмитрия, — думала она. — Я больше уже никогда ничего не смогу рассказать Стефании. И я не могу говорить о ней ни с кем другим. Потому что я все еще Стефания. И *я не вижу способа сказать правду...»*

— И сколько вы здесь пробудете? — спросил Дмитрий.

Сабрина повернулась, но он обращался к Гарту.

— Я не знаю.

— Почему? — резко спросила она. — У тебя билет на завтра.

— Я не уеду, если я тебе нужен.

— Ты мне не нужен.

— Возможно, но это виднее не тебе.

Дмитрий собрался отойти.

— Я тогда позвоню относительно чая — если вы еще будете здесь...

— Я буду здесь, — сказала Сабрина. — Мой отец в больнице, моя мать тут и мне надо заняться своими собственными делами.

— Дорогая, — настойчиво проговорил Николс, подходя очень близко, — мне бы хотелось поговорить с вами об «Амбассадоре». Мы с леди Лонгворт обсуждали вопрос о партнерстве. Сколько вы пробудете в Лондоне?

В то же мгновение рядом с ней оказался Сидни Джонс — нотариус и адвокат Сабрины, который занимался ее разводом с Дентоном, который составил ее завещание.

— Я могу устроить встречу. Я, конечно, буду присутствовать. Таково было бы желание леди Лонгворт, поскольку это я составлял завещание. И я тут же говорил с миссис Андерсен относительно того, что она является наследницей.

«Все хозяйство, — подумала Сабрина. — Завещано Стефании Андерсен. Я все завещала себе», — слезы навернулись у нее на глазах.

Но зажглась искра любопытства. Стефания разговаривала с Николсом о партнерстве? Что еще она сделала, если не считать знакомства с Максом Стуйвезантом? Впервые Сабрина поняла, что почти ничего не знает о том, что Стефания делала в Лондоне. А теперь Стефания не может ей рассказать.

Она взглянула на Антонио и Александру, стоявших поблизости: сексуальное притяжение между ними было настолько сильным, что, кажется, Сабрина его ощущала. Когда это началось? Стефания рассталась с ним совсем недавно. Но это — хорошая пара. Как умно со стороны Стефании, если она этому содействовала. У стола Майкл и Джоли накладывали полные тарелки цыплячьего паштета и корнишонов. Стефания не упоминала о них со времени дня рождения у Александры. Сабрине придется разузнать об их газетной истории так, чтобы не выдать своего невежества. Еще притворство. *«Когда начинаются обманы, им невозможно положить конец»*.

— Дорогая, — сказал Сидни Джонс, — я могу принести вам чашку чая? — Он высокомерно вскинул бровь и посмотрел на Гарта, чтобы продемонстрировать ему, кому из них лучше известно, как заботиться о хрупких женщинах. — Не чаю, — непринужденно ответила Сабрина. — Гарт, ты не принесешь мне рюмку вина?

Гарт улыбнулся: на сердце стало легче, когда он увидел, как она отходит от своего горя, чтобы поставить на место заносчивого сноба.

— Я люблю тебя, — сказал он, благодарно целуя ее в щеку. — Сейчас вернусь.

Сабрина увидела, что в комнату вошел Брукс и направился к Габриэле. Находившиеся поблизости насторожились в предчувствии ссоры и придвинулись поближе, чтобы послушать. Сабрина покачала головой. «Ничего не меняется, — подумала она. — Некоторым из них какое-то время будет меня не хватать, но все будет идти, как шло всегда. Ничего не меняется. Но когда я расскажу правду, для Гарта и детей все изменится. *Если только я не промолчу»*. Мысль промелькнула так быстро, что Сабрина не сразу ухватила ее, и она поняла, что уже прежде так думала. Если не промолчит. Если она расскажет правду сегодня, или завтра, или через месяц, или на следующий год, что изменится? А если не расскажет никогда? Они могли бы просто жить как раньше.

Но если она никому не расскажет правды, то как она сможет когда-либо снова стать Сабриной?

Гарт вернулся в сопровождении официанта с подносом, на котором были бутерброды и вино.

— Он не разрешил мне подать самому. Насколько я понял, он считает меня провокатором, пытающимся расколоть его профсоюз.

Сабрина невольно рассмеялась, и он почувствовал себя так, словно одержал победу.

Они сидели рядом в спокойном согласии, окруженные шумом.

— Ничто не меняется, — пробормотал Гарт, разглядывая толпу.

Сабрина бросила на него быстрый взгляд.

— Но ты их не знаешь.

— А это нужно? Посмотри на них. Они пришли сюда печальные и уважительные и говорили шепотом. Прошло два часа — и они уже поглощены своими бесконечными отношениями. Прислушайся.

«Все идет своим чередом», — снова подумала она, слушая пронзительную болтовню коктейльной вечеринки.

— Поразительное сходство. Я мог бы поклясться, что это Сабрина.

— Нет, оно совершенно поверхностное. Рот другой и глаза. Ты просто не наблюдателен.

— Я спрошу ее: она скажет тебе, что я прав — они на самом деле одинаковые.

— Ой, ради Бога, не вздумай спрашивать! Еще одна сцена вроде той, у могилы, у меня от нее неделю будут кошмарные сны. Просто леденящая, Боже, я еще одной такой не вынесу.

Гарт следил за женой, но она, казалось, оставалась равнодушной к болтовне. Она была очень бледна, но спокойна и в полном сознании. Вид сомнамбулы исчез. По правде говоря, хотя она предоставила Бруксу и Оливии устраивать похороны и ленч а-ля фуршет, она держалась как хозяйка дома и с миссис Тиркелл, и с прислугой. И хотя она опиралась на его руку, она все же, время от времени, внезапно и неожиданно отдалялась от него и смотрела так, как будто не знает точно, кто он такой и что она должна с ним делать.

— Чего бы мне хотелось, — сказал Гарт, — так это виски.

— Я принесу, — сказала Сабрина, как будто радуясь, что для нее нашлось дело, и не успел он остановить ее, как она исчезла.

— Места себе не находит, — понимающе сказал Николс Блакфорд. — Так часто случается в горе. Понадобится время, чтобы она пришла в себя. Они были так близки в Китае, что я не могу себе представить одну без другой.

В Китае? О чем, к черту, он говорит? Они не были вместе в Китае. Но Блакфорд там точно был: Гарт вспомнил, как Стефания говорила, что подцепила у него британские обороты речи.

— Правильно, совершенно правильно. Я надеюсь, вы поможете Стефании. Целых две недели вместе, тогда как в противном случае Сабрина могла бы... ох, Господи, как говорят в этом случае... умереть, и они не виделись бы уже больше года. Судьбы развиваются так таинственно. Я все думаю о фотографиях, которые сделал для них, в тех одинаковых шелковых платьях, которые они купили в Шанхае. Знаете, я так никогда и не видел этих фотографий. Они получились?

— Да, — задумчиво ответил Гарт, когда жена подошла к нему с бутылкой и бокалом, полным льда.

— Я обманула профсоюз, — сказала она со слабой улыбкой. — Но я принесла только один бокал. Николс, если вы хотите немного... — Она посмотрела Гарту в лицо. — Что случилось?

— Ничего. Где ты обнаружила виски?

— В кабинете наверху. Я... Сабрина держала там несколько бутылок. «Что-то все-таки случилось».

Николс задергался, встревожившись признаками семейной ссоры.

— Наверное, я возьму что-нибудь выпить. Если вы меня извините...

Гарт налил янтарную жидкость в бокал.

— Николс рассказывал мне, как вы были близки с Сабриной в Китае. Он говорит, что сделал несколько фотографий.

Ее лицо заледенело в каменной тоске.

— Да, — ответила она наконец. — В Шанхае. Рядом с отелем. Накануне того дня, когда он рассыпал пирожные по всей улице. Это неважно, конечно, но я только что об этом вспомнила. Я собиралась тебе обо всем этом рассказать, обо всем, с самого начала, но так много происходило, и я так запуталась, и все откладывала... Я собиралась сказать тебе сегодня, когда мы останемся вдвоем, так, чтобы ты знал, прежде чем уедешь завтра...

По крайней мере, мне кажется, что я так собиралась сделать, но мы можем сделать это сейчас, если ты хочешь...

В ее монотонном голосе было столько одиночества и отчаяния, что он встревожился.

— Нет, не сейчас. Не торопись. По правде говоря, можешь вообще мне не рассказывать. В чем было дело? Ты боялась, что я рассержусь, если узнаю? Ты была права, я, наверное, рассердился бы. Потому что я ее по-настоящему не знал. Мне только очень жаль, если ты боялась мне сказать, словно я какое-то чудовище, которому надо лгать, чтобы оно всех не сожрало. Я действительно был такой?

Она понурила голову и медленно покачала ею. Волосы закрыли ее лицо.

— Нет, не говори так. Ты не чудовище. Я тебя люблю.

— Тогда все остальное неважно. Какое мне, к черту, дело до того, что ты была с Сабриной в Китае? Давай поговорим о чем-нибудь другом. Например, не можешь ли ты мне сказать, почему эти гости, которым всем вместе принадлежит половина богатства Англии, набрасываются на ленч, как будто они — обездоленные без малейшей надежды на обед?

Она рассмеялась, поднимая к нему взгляд:

— Может быть, им надо напомнить себе, что они еще живы.

Он отвел прядку волос у нее со лба. «Даже оглушенный горем, — подумал он, — ум ее остается быстрым».

— Или чтобы увериться, что ничего не пропустили. Похороны напоминают им о ненадежности завтрашнего дня.

Они обменялись мягкими улыбками, как будто говорили, что они относятся к счастливцам, чей завтрашний день надежен. И Гарт начал верить, что они вскоре снова найдут то, что открыли для себя в Нью-Йорке в ту ночь накануне звонка Брукса из Лондона.

Ночью Гарт предложил Сабрине задержаться в Лондоне.

— Ты уезжай.

— Моя мать здесь, и все мои... все друзья Сабрины, и миссис Тиркелл — если мне потребуется общество или помощь, они всегда тут. Ты нужен детям, и тебе не следует пропускать лишние занятия и эксперименты в лаборатории. И разве ты не планировал встретиться с архитекторами по поводу Института генетики?

— Да, да и да. Но если я тебе нужен, я останусь.

Она повернулась к нему. Ее глаза в мягком свете ночника смотрели на него внимательно, как будто она старалась запомнить каждую черточку его лица.

— Я собиралась рассказать тебе сегодня о поездке в Китай, все историю...

— Я не хочу о ней слышать. Если только ты не считаешь, что это поможет тебе разобраться в твоих чувствах относительно сестры. Но я не могу подсказать тебе, как это сделать, ты это понимаешь. Как бы ты ни относилась к ней, пока она была жива, сейчас ты должна быть собой, отделиться от нее и воспоминаний. Ты не можешь порхать от одной к другой...

Она резко ахнула.

— В чем дело?

— В том, что ты сказал... Это я и должна рассказать тебе. Но как только я начинаю, я не могу говорить дальше...

— И не надо. Черт побери, я не хочу этого слышать. — Гарт боялся ее выслушать, боялся, что не сможет бороться с решениями, которые она примет в своем горе. — Повремени до тех пор, когда мы будем дома. Тогда ты можешь мне все рассказать, если по-прежнему будешь считать, что должна.

— Но это не...

— Стефания, я не хочу об этом слышать. Разговор подождет. — Он приподнялся на локте и поцеловал ее. — Время позднее и ты измучилась. Почему бы тебе не постараться заснуть?

Она колебалась. Он дает ей время. Почему бы не воспользоваться им? Она уже решила, что это ничего не меняет. Можно отложить еще ненадолго. Сабрина коснулась его лица:

— Я думала, ты захочешь любить меня.

— Я хочу того, чего хочешь ты.

Она потянулась к нему, и он прижал ее к себе: они замерли в объятиях друг друга. Гарт почувствовал, как она шевельнулась, и его руки начали ее гладить.

— Любимая, мне задержаться в Лондоне?

— Нет. Но сейчас люби меня.

Она потерлась об него и дыхание ее участилось. Он лежал на ней, растворяясь в аромате и прикосновении ее тела. Он уже собирался войти в нее, когда заглянул ей в глаза и внезапно остановился. Не говоря ни слова, он отодвинулся и лег на спину рядом с нею.

— Гарт... что?..

— Ты не хотела заниматься этим. Ты притворялась, так ведь?

Через мгновение она кивнула, закрыв глаза.

— Почему? Неужели ты думаешь, что мне так важно мое удовольствие, что я захочу получить его таким способом?

— Я хотела любить тебя

— Это неправда.

— *Я* хотела любить тебя. Мой мозг хотел любить тебя. Я не знаю, почему не смогла заставить мое тело откликнуться... Я пыталась, но оно не захотело, поэтому я притворилась. Разве ты не понимаешь? Я хотела ощутить тебя в себе. Мне наплевать, будет у меня оргазм или нет. Я хотела тебя.

— Тогда почему ты так и не сказала? Зачем притворяться?

Она содрогнулась.

— Извини. Я не знаю, почему не могу рассказать тебе всего.

Он взял ее за руку.

— Засыпай. Когда вернешься домой, мы поговорим. Ты сможешь рассказать мне все, что захочешь.

Она уткнулась головой в подушку.

— Ты возвращаешься завтра?

— Да. — Он склонился над ней и поцеловал кусочек лба, который остался виден. — Спокойной ночи, любимая.

— Спокойной ночи.

Он выключил лампу. В темноте ее голос коснулся его, как нежная рука.

— Я люблю тебя, Гарт.

В воскресенье утром Гордон лежал на больничной кровати, вспоминая о прошлом. Сабрина не сводила глаз с его худого лица, но она думала о Гарте, который возвращался в Америку. Голос Гордона становился все громче.

— Потом, в Алжире, было столько дел... конечно, в те дни сердце у меня было в порядке — я мог работать по восемнадцать часов без отдыха...

— И работал, — пробормотала Сабрина, — оставляя нас на прислугу.

— Стефания! — резко одернула ее Лаура.

Сабрина пожала плечами:

— Это было давно.

— Тогда зачем говорить об этом? Твой отец всегда старался поступать как можно лучше и по отношению к своей стране, и по отношению к семье. Надо сказать, я удивлена. В прошлом его осуждала не ты — это всегда делала Сабрина.

На имени Сабрины голос ее дрогнул.

— Извини, — сказала Сабрина.

Гордон смотрел на нее, сдвинув брови.

— Твоя мать рассказала мне, что произошло на кладбище. Нет смысла, знаешь ли, пытаться быть Сабриной. Этим ее не вернешь.

Сабрина смело встретила его взгляд, бросая ему вызов, в надежде, что он узнает ее, но понимала, что этого не будет. Если отец не сделал этого прежде, как он узнает ее сейчас, когда он сосредоточен на ровном биении своего сердца?

— И, кроме того, ты ей ничего не должна. Она была другая и вела иную жизнь. Не говорю, что она была хорошей или плохой...

Он закашлялся, и Лаура моментально встала рядом с ним.

— Тебе нельзя волноваться. Доктора сказали, что ты поправишься, если будешь вести себя спокойно. Мы никогда отсюда не выберемся, если ты не будешь слушаться врачей.

— Я и не волновался, — спокойно сказал Гордон. — Я просто напоминал, что Стефании незачем стыдиться своей жизни.

— Ты говорил так, словно образ жизни Сабрины имел какое-то отношение к ее смерти. Ты не имел права — извини, Гордон, мне не следовало этого говорить. Стефания, что ты будешь делать с «Амбассадором»?

— Твоя мать меняет предмет разговора, — сказал Гордон Сабрине. — Но я ведь любил твою сестру. Даже когда я считал ее необузданной и беспечной, даже когда она вышла за этого напыщенного осла, герцога Как-его-там...

— Виконта, — подсказала Лаура. — Но я думала, мы не будем говорить о Сабрине.

— Я всегда любил ее. Я просто не был с ней так близок, как с тобой. Ты это понимаешь?

— Не надо, — тихо сказала Сабрина. — Пожалуйста, не надо...

Щеки ее пылали, ей хотелось убежать.

— Мне с ней было неловко, потому что я всегда чувствовал, что она вот-вот вскочит со стула и бросится куда-то... сделает что-то. Побежит наперегонки, или залезет в какие-нибудь пещеры, или застрелит лисицу, или станет первой красавицей бала. Я любил ее, другой такой не было, но я не мог при ней расслабиться, потому что никогда не мог предсказать, что она сделает в следующую минуту.

Голос его звучал все громче. Сабрина заставила себя сидеть тихо.

— Я всегда беспокоился, как она повлияет на репутацию посольства. Мы пытались сказать вам обеим, что мы символизируем Америку, и что моя карьера зависит от того, какой образ мы представляем миру. Мне никогда не надо было беспокоиться о тебе, но Сабрина с ее живой натурой казалась неуправляемой.

Ты понимаешь, почему я иногда был суров с ней, боясь, что она сделает что-нибудь глупое или опасное? Почему мы решили отправить вас обеих к «Джульеттам?» Почему я мог казаться не всегда... по-отцовски нежен?

Сабрина молчала.

— Но я любил ее. Она была огонь, и свет, и любовь. Столько энергии и любопытства. Столько жизнелюбия. Я жалею, что ни разу не сказал ей об этом. — Голос Гордона начал затихать. — Даже когда мы переехали в Вашингтон, я не сказал ей. Она бегала столько же, сколько всегда. Вышла замуж и развелась, создавала свой магазин, ездила на верховые охоты и в круизы. Она даже сошлась с каким-то бразильцем. Но я любил ее не меньше, чем тебя. И я жалею, что не сказал ей этого.

Лаура плакала, отвернувшись. Глаза Гордона были закрыты, под белым покрывалом его грудь поднималась и опускались с неглубоким дыханием. В тишине Сабрина слышала шаги и негромкие голоса других посетителей больницы в воскресный вечер...

«Родители, — думала она. — Ей уже тридцать два, а они по-прежнему могут заставить ее чувствовать себя виноватой из-за того, что она их разочаровала. Гордон пытался объяснить и извинить пренебрежение, равное целой жизни, и в то же время сказать ей, что он не хочет, чтобы она походила на Сабрину. А Лаура, которая была ближе к Сабрине, старалась не показать, как ее возмущает предпочтение Стефании».

— Она знала, что ты любишь ее, — сказала Сабрина, обращаясь к закрытым глазам Гордона, жалея, что не может найти способа убедить отца. — Даже когда поняла, что разочаровала тебя.

Гордон кивнул. Поглощенный собственным здоровьем, он легко поддался убеждениям, что все хорошо.

— Я теперь подремлю, — сказал он.

Когда они выходили из больницы, Лаура взяла Сабрину за руку.

— Мне кажется, я должна извиниться за только что сказанные твоим отцом слова.

— Что он сделал?

— Отослал нас, как только сказал то, что собирался, и добился, что с ним согласились. Он всегда поступает так. Это оказывается очень эффективным в дипломатии, но в обычной жизни помогает не всегда.

— Но разве не успокаивает то, что он последователен даже в горе?

Лаура пристально посмотрела на дочь.

— Вот такое двусмысленное замечание могла бы сделать Сабрина. Это не по-доброму по отношению к твоему отцу.

Сабрина вздохнула.

— Мама, с тобой иметь дело не легче, чем с ним.

«Родители, — подумала она снова. — Но мы продолжаем их любить и жаждать их одобрения, сколько бы лет нам ни было. Как она найдет в себе мужество сказать им правду, когда Гордон поправится? Радуйся, мама, Сабрина не умерла. Горюй сильнее, отец: умерла твоя любимая Стефания».

Они оба никогда ее не простят.

— Я надеялась, — сказала на следующее утро Лаура, когда Сабрина отпирала своим ключом «Амбассадор», — что ты не продашь магазин. Конечно, может быть несправедливо просить тебя об этом. Я знаю, что вам с Гартом нужны деньги, но я надеялась, что ты его сохранишь.

Сабрина не ответила. Ее не было здесь так давно,

и теперь, идя по сумеречному залу, она глубоко втягивала в себя воздух, прикасаясь к знакомым вещам, и чувствовала то же, что и когда вошла в дом на Кэдоган-сквер: она вернулась на свое место. Магазин, дом. Здесь каждый дюйм принадлежит ей, создан ею, удерживался на месте ее работой.

— Конечно, я сохраню его, — сказала она.

— Но что ты будешь с ним делать? Если ты не сможешь им управлять...

— Конечно, я буду им управлять, о чем ты говоришь, мама?

— Стефания, я спрашиваю, как ты собираешься управлять «Амбассадором» из Эванстона? Или... ты хочешь сказать, что, возможно, не будешь в Эванстоне? Что вы с Гартом...

— Нет. — Остановившись рядом с матерью у двери в свой кабинет, Сабрина вернулась на землю. — Я как-нибудь договорюсь с Николсом Блакфордом. Он заинтересован в партнерстве.

— Тогда ты будешь изредка приезжать. Ну что ж, это может получиться. Но, конечно, «Амбассадор» на самом деле был делом рук Сабрины. Нужен человек ее калибра, чтобы магазин не потерял своей репутации. Но ты можешь это сделать, если поучишься или поработаешь в каком-нибудь небольшом магазине в Чикаго, чтобы приобрести некоторый опыт. И я буду тебе помогать. — Она обняла Сабрину одной рукой. — О, я могла бы научить тебя очень многому! Ну не здорово ли это будет? Так вот, я предлагаю...

— Мама...

Холодность, прозвучавшая в голосе дочери, заставила Лауру отступить.

— Если ты сейчас не хочешь об этом говорить...

— Я не хочу сейчас об этом говорить.

Сабрина чувствовала, как в ней нарастает напряжение. Этой ночью она не спала, думая о Стефании, и, оказавшись в постели одна впервые за много недель, ощущала себя одинокой и ранимой без прибежища, которое ей давали руки Гарта. Но сильнее всего был гнев на мать: как она осмеливается оскорблять Стефанию, считая, что та не справится с «Амбассадором»? Всю жизнь она предпочитала Сабрину, и вот теперь делает это снова, ведя себя так, словно Стефания обязательно потерпит провал, если возьмет на себя магазин.

«Погоди, это бессмысленно, — сказала она сама себе. — Кто я — Сабрина, защищающая умершую Стефанию? Или Стефания, которая сердится из-за того, что мать в нее не верит?»

— Я не хочу сейчас об этом говорить, — сказала она Лауре. — Мне надо встретиться с Сидни Джонсом, и Николсом, и Брайаном, и через несколько дней я буду лучше знать, что я собираюсь делать.

Она уже шла к двери, увлекая за собой Лауру. Магазин закрыт на неделю. Завтра она придет сюда одна и подумает о будущем.

К следующему дню у нее появился еще один повод идти в «Амбассадор» — это было единственное место, где она могла быть одна. В ее доме жили Лаура и Габриэль, и обе хотели с ней разговаривать. Миссис Тиркелл придумывала какие-то мелкие дела на верхних этажах, чтобы найти кого-нибудь, с кем можно было бы поговорить о леди Лонгворт. Телефон звонил, не умолкая: все хотели принять у себя американскую сестру Сабрины, прежде чем та уедет из Лондона, и хотя она просила миссис Тиркелл всем отказывать, приглашения продолжали поступать. Каждый день приносили цветы, письма и телеграммы. Сабрина бежала в сумеречное тихое прибежище «Амбассадора».

Сидя в одиночестве, она просмотрела книги учета и подшивки бумаг, пролистала каталоги, которые пришли в ее отсутствие. Стефания записала, что продана кушетка, французская бисерная сумочка и несколько других вещей. В записную книжку, лежавшую на полочке за столиком вишневого дерева, она внесла три заказа на устройство интерьера, которые приняла на ноябрь и декабрь. Сабрина уже собиралась положить записную книжку на место, когда увидела, что в ее конец вложено письмо. Оно начиналось словами «Дорогая Сабрина» и было датировано двадцать третьим октября. За день до начала круиза.

«Я все гадала, — писала Стефания, — какой подарок могу тебе оставить, когда уеду в Чикаго, в благодарность за самые чудесные дни моей жизни. Я могла бы купить тебе что-нибудь, но я только что придумала подарок получше, чем все, что можно найти в лондонских шикарных салонах. Это история, которую я держала в секрете, и я записываю ее, чтобы ты ее обнаружила, когда вернешься. Мне будет так забавно представлять твое лицо, когда ты об этом прочтешь, а потом ждать твоего звонка...

Это началось некоторое время тому назад на вечере у Оливии Шассон. Я разговаривала с Розой Рэддисон, когда произошло печальное происшествие...»

«Как чудесно, — подумала Сабрина, читая о разбитом аисте.— Такое простое решение. Почему оно не пришло мне в голову, когда я пыталась сообразить, что делать? Может быть, пожив с двумя живыми ребятишками, я бы тоже это придумала?» Она взяла письмо, чтобы его дочитать.

«Вот почти и все, если не считать того, что Рори Карр действительно приходил позже, после того, как я видела его на аукционе, с чудесным севрским фарфором, от которого было страшно обидно отказываться. Но к тому времени ты уже велела мне не иметь с ним дел. Да он и пришел не для того, чтобы продавать на самом деле. Он услышал об аисте и хотел выудить какую-нибудь информацию. Когда он все продолжал любопытничать, я разыграла полицейского следователя и сказала: «Вы не можете рассказать мне ничего, чего бы я уже не знала». Это его достало — он все поправлял шейный платок с элегантной нервозностью и поспешно удалился. Ох, звонят в дверь. Постараюсь дописать завтра».

Но завтра она умерла.

Вошедшая Александра увидела, как Сабрина аккуратно складывает письмо.

— Миссис Тиркелл выдала ваше убежище. Вы не против, чтобы я нарушила ваше уединение?

— Конечно, нет. Пожалуйста, садитесь. Я все равно мало что делаю.

— Думаете о Сабрине?

— Думаю о Сабрине и Стефании.

— Забавно, я никогда не знала, как вы близки.

Наступило молчание.

— Не приготовить ли мне чаю? — спросила Александра.

— Ох, какая я невежливая. Я сейчас.

Сабрина поставила чайник на плитку в кабинете Брайана.

— Боюсь, у нас ничего нет, кроме печенья.

— Печенье годится. — Опять молчание. — Вы все еще беспокоитесь об отце?

— Нет, ему намного лучше. Он поедет домой в воскресенье.

— И вы с ним?

— Я... наверное. Скорее всего.

Они посидели молча.

— Извините, милочка, — не выдержала наконец Александра. — Я никак не могу привыкнуть. Вы привидение? Сабрина говорила мне, что вы двое непохожи.

— Но... зачем ей было так говорить?

— Откуда мне знать? Я думала, она сказала это, потому что это правда. Николс во что-то играл: он обвинил ее в том, что она — Стефания, что вы поменялись местами в Китае — или что-то в этом духе, и Сабрина была великолепна: она так серьезно нахмурилась и велела Николсу сказать ей, кто она, потому что он ее так запутал, что она не может вспомнить. Знаете, я любила эту леди, хотя, кажется, так прямо и не сказала ей об этом. Ну так вот, после того как Николс объявил, что она Сабрина, я спросила ее, действительно ли вы двое идентичны, а она сказала — нет, он просто так подумал из-за пирожных или его диеты, или еще чего-то такого.

Сабрина засмеялась. *«Ох, Стефания, молодец. Ты это оставила, чтобы рассказать мне, когда мы встретимся в Чикаго, правда? Чтобы мы могли вместе посмеяться».*

Но они не смогут больше ничего делать вместе. Она поспешно встала.

— Посмотрю, что там с чайником.

— Черт, — сказала Александра, идя за ней в кабинет Брайана. — Я дура. Пожалуйста, простите меня, я не хотела вас расстроить. Но я просто не могу привыкнуть к такому сходству — вам, наверное, все время об этом говорят. Ох, почему я не могу заткнуться и оставить вас в покое?

— Нет, не надо. Я в порядке. Болтовня помогла. — Сабрина уверенной рукой заварила чай и наполнила тарелку печеньем. Она подняла поднос, чтобы отнести его в своей кабинет. — Салфетки, — сказала она Александре, наклоняя голову в сторону шкафчика в углу.

— Вот! Видите? Она сделала то же самое, всего неделю тому назад. Понимаете, почему мне трудно?

«Стефания сделала это неделю назад. Но я никогда раньше этого не делала».

Сабрина налила чай в чашки и намазала печенье джемом, не спеша раздумывая. Из всех, кого она знала в Лондоне, Александра была самая надежная, ближе всего к ней — и самая закаленная. Александру трудно шокировать. Но она — человек гордый. Останется ли она столь же близким другом, когда узнает, что ее провели?

Это не имело значения. «Я должна кому-то сказать, — думала Сабрина. — Я уже так давно ни с кем не разговаривала — мне необходимо кому-то сказать. Это будет моей репетицией перед тем, как поговорить с Гартом. И рассказать всем остальным».

— Я собираюсь рассказать вам историю, — медленно проговорила Сабрина, — если вы пообещаете выслушать ее до конца, не прерывая и не вынося приговора, пока не узнаете всего до конца.

— Интригующе звучит. Возможно, что-то нехорошее. Я в нетерпении.

— Вы обещаете?

— Хотите, чтобы я расписалась кровью?

Сабрина улыбнулась.

— Нет. Я не стала бы рассказывать, если бы не доверяла...

Звонок над входной дверью прозвенел, оповещая, что кто-то вошел.

— Сейчас вернусь. Я думала, что повесила на дверь табличку «Закрыто».

На фоне витрины вырисовывалась высокая фигура. Сабрина разглядела седеющие волосы, легкую сутулость, тонкую трость в руке.

— Миссис Андерсен? — спросил он.

— Да. Но магазин закрыт. Если вы зайдете на следующей неделе...

— Я из Скотланд-Ярда, миссис Андерсен. — Он предъявил свое удостоверение, — следователь, сержант Томас Фелпс. Я был бы благодарен вам, если бы вы уделили мне несколько минут вашего времени, чтобы поговорить о смерти вашей сестры.

— Из Скотланд-Ярда?

Он прошел мимо нее.

— Мы могли бы где-нибудь сесть?

Ничего не видя, Сабрина повернулась и провела его в кабинет. «Им как-то удалось узнать. Они знают, что она — Сабрина. Так что ей все же не удастся рассказать все так, как она хотела. Все узнают об этом из путаницы, которую устроит полиция, репортеры, сплетники... И Гарт тоже узнает об этом от полиции, когда они позвонят сказать, что его жена мертва. В лондонском обществе это будет скандалом. Дома, в Эванстоне, будут боль, гнев и слезы...»

— Боже! — вскричала Александра, взглянув в ее лицо, когда она вошла в кабинет. — Что такое? — Она посмотрела на Фелпса и встала. — Если вы считаете, что мне следует уйти, душенька... Стефания.

— Нет, если вы не против, останьтесь... Мне бы хотелось, чтобы вы побыли со мной.

— Это секрет, миссис Андерсен, — сказал Фелпс.

— Тогда княгиня Мартова сохранит ваш секрет, — холодно отозвалась Сабрина. — Я прошу ее остаться.

Он поколебался, потом пожал плечами. Все равно это скоро будет знать весь Лондон. Одной сплетницей больше... какая разница? Он сел и достал записную книжку.

— В ходе нашего расследования, — начал сержант, — мы узнали, что некоторые из тех, кто находился на борту яхты мистера Стуйвезанта, были не теми, кем казались.

Сабрина не отводила от него взгляда, ожидая, когда его монотонный неспешный голос назовет ее леди Лонгворт.

— Как вы узнали?

— Пожалуйста, миссис Андерсен, позвольте мне говорить по порядку.

«Миссис Андерсен. Он назвал меня миссис Андерсен». Она наблюдала за ним в ожидании той минуты, когда он попытается ее поймать.

— Позвольте рассказать вам то, что нам пока удалось узнать. Леди Лонгворт прилетела в Ниццу с Максом Стуйвезантом и двумя другими парами двадцать четвертого октября. Оттуда они на машине доехали до Монако. Какое-то время они провели в Монте-Карло, пока яхта мистера Стуйвезанта загружалась припасами. Примерно в половине пятого они взошли на борт яхты и покинули гавань. Когда они прошли приблизительно две мили — это было примерно в пять тридцать вечера — яхта взорвалась и загорелась.

Сабрина подалась назад, а Александра подошла к ней и уселась на ручке кресла.

— Есть необходимость в подробностях? — спросила она.

— Если бы я так не считал, я не вдавался бы в них, — Фелпс заглянул в свои заметки. — К тому моменту, когда подошли спасательные катера, яхта уже затонула. Они сосредоточились на поисках потерпевших и тел погибших. Троих они нашли сразу же, и среди них была леди Лонгворт. Извините, миссис, я понимаю, что это причиняет вам боль, но я пытаюсь объяснить, почему яхту осмотрели всего несколько дней тому назад.

— Какая разница? — спросила Сабрина, удивляясь, почему он так тянет с разоблачением. Они что-то нашли на яхте? Что-то, что было у Стефании?

Фелпс зачитывал из своей книжечки:

— Уверенное опознание, сделанное прежним мужем леди Лонгворт, виконтом Лонгвортом, было произведено в час ночи, и я имею сведения, что вы были извещены примерно часом позже, в Америке в это время наступил вечер. К этому моменту яхта уже затонула, и вместе с ней еще несколько человек из бывших на ее борту. Водолазы смогли поднять ее всего два дня назад. И мы обнаружили, миссис Андерсен — то есть, французская полиция обнаружила — большую дыру в борту ниже ватерлинии в районе салонов. Они сообщили, что...

— Салонов? — Сабрина подалась вперед. — Салоны совершенно не там, где баки с топливом. Так что они не могли быть причиной взрыва.

Фелпс был озадачен. Откровение, к которому он вел дело, было вырвано из его рук.

— Вот именно. Мы считали поначалу, что дело в топливном баке. Теперь мы знаем, что это не так. На самом деле мы думаем...

— Вы думаете, что в салоне взорвалась бомба.

Проигравший Фелпс откинулся на спинку кресла. Он был следователем низкого ранга, который проводит предварительное расследование для того, чтобы вышестоящие люди могли сделать выводы. В его работе было так мало интересного, и она лишена блеска. Единственный момент, когда он мог получать от нее удовольствие — это если его слушатели ахали, услышав от него неожиданные сведения. И вот теперь, как раз тогда, когда он собирался их выложить, эта бледная красавица, слишком сообразительная — просто рискованно сообразительная — отняла у него момент торжества.

— Но это значит, что было совершено убийство, — говорила теперь она, и сержант посмотрел на нее с невольным восхищением.

— Весьма вероятно, мэм. Так что мы пытаемся выяснить, не имели ли врагов мистер Стуйвезант или его гости. Ну, я не хочу сказать, что у леди Лонгворт были враги, но мы получили сведения от двух журналистов — Майкла Бернарда и Джоли Фэнтом — что они недавно узнали, что мистер Стуйвезант был владельцем компании под названием «Вестбридж импорт», и они также сказали, что леди Лонгворт иногда покупала... Миссис Андерсен!

Но Александра обняла ее и не дала упасть, пока в уме Сабрины крутилось письмо Стефании: «Я разыграла полицейского следователя и сказала: «Вы не можете рассказать мне ничего, чего бы я уже не знала...»

Вы не можете рассказать мне ничего, чего бы я уже не знала.

Вы не можете рассказать мне ничего...

«Они охотились за мной. Они думали, что я знаю об их подделках».

Фелпс был удовлетворен. Он добился желаемого эффекта.

— У меня есть несколько вопросов, миссис Андерсен, — мягко сказал он.

Сабрина подняла голову. Они не знают, кто она такая. Их интересует нечто похуже.

— Пожалуйста.

Фелпсу было любопытно. «Ее мучает что-то еще, — думал он. — Она напугана. Чем? Чем-то, связанным с «Вестбриджем». Но что это может быть? Она живет в Америке, она не имеет к ним никакого отношения».

— Во-первых, — начал сержант, — леди Лонгворт рассказывала вам о Максе Стуйвезанте?

— Упоминала, что едет с ним в круиз.

— А что она говорила о круизе? Или о других гостях? Куда они направлялись?

— Нет. Ничего.

— Она не говорила о врагах, которых мог был иметь Стуйвезант?

— Мистер Фелпс, моя сестра никогда не разговаривала со мной о делах Макса Стуйвезанта или о людях, с которыми он имел дело.

Фелпс был озадачен. Он готов был поклясться, что она говорит правду. Тогда чего же она боится? Он продолжал, заглядывая в свои записи:

— Майкл Бернард обратился к нам, когда узнал, что мы подозреваем, что яхта была взорвана. Он рассказал нам, что между Стуйвезантом и людьми «Вестбриджа» произошел разрыв. Леди Лонгворт никогда не говорила с вами о «Вестбридж импорте», или Рори Карре, или Иване Ласло? О том, что покупала у них?

Последовала пауза.

— Она иногда упоминала Карра, как и десятки других продавцов и дилеров. По-моему, она в последнее время ничего у него не покупала. По крайней мере, ничего крупного.

Они замолчали. «Ну, — подумал Фелпс, — на этот раз она в чем-то солгала. Но будь я проклят, если знаю, в чем. Нет ни намека на то, что этот магазин был связан с какой-нибудь контрабандой или сговором о подделках. Но что-то ей не дает покоя». Пытаясь это понять, он продолжал задавать вопросы о людях, которых Сабрина знала и о которых не знала. Он все продолжал и продолжал — казалось, совершенно бесцельно — потом наконец закрыл свою книжечку:

— Мы ищем Карра и Ласло и, несомненно, выясним больше, когда найдем их. Вы не знаете еще чего-нибудь, что могло бы нам помочь, мэм?

— Нет, — устало ответила Сабрина. Когда они найдут Рори Карра, она, вероятно, попытается впутать ее в это дело, но пока она ничего не может предпринять. Пока репутация «Амбассадора» вне опасности, и ее собственная тайна тоже. Но она так устала, как будто только что пробежала марафон и финишировала всего на полшага раньше остальных. Слишком поздно рассказывать Александре правду — раз вмешался Скотланд-Ярд, она не может сделать ее участницей своей полулжи. Она еще более одинока, чем раньше. «Я хочу домой, — подумала она. — Я хочу быть с Гартом».

— Где мы можем связаться с вами, миссис Андерсен? — спросил Фелпс. Она сказала ему телефон дома на Кэдоган-сквер. — А в Америке?

— Я сообщу вам, когда буду возвращаться домой. Я планирую какое-то время пробыть здесь.

Александра проводила его до двери. Она не задавала вопросов, пока Сабрина закрывала жалюзи витрины и запирала двери.

— Хотите поговорить, душенька? — спросила она, когда они поймали такси.

Сабрина покачала головой.

— Нет. Спасибо вам. Может быть, потом...

На Кэдоган-сквер она вышла из такси одна, все еще сжимая в руке письмо Стефании. Отпирая дверь и входя в дом, она по-прежнему повторяла одну его строчку, снова и снова.

«Вы не можете рассказать мне ничего, чего бы я уже не знала».

Ночью было труднее всего — медленные тихие часы, когда Сабрина была одна, думая о Стефании, томясь по Гарту, и мысли ее безудержно перескакивали из одного мира в другой. Днем было лучше: она была занята и думала только о том, что делает в данную минуту.

Каждое утро она навещала Гордона, а потом сидела с Лаурой за ленчем в «Гренадере» — пабе, спрятавшемся среди домов неподалеку от больницы. Потом Сабрина шла пешком в «Амбассадор», чтобы планировать интерьеры, заказы на которые приняла Стефания, и изучать каталоги аукционов. Но она никогда не задерживалась там надолго: беспокойная и нетерпеливая, она, как только было возможно, сбегала, чтобы быть в одиночестве среди городской суматохи. Всю неделю она совершала длинные одинокие прогулки по деревням, которые превратились в районы Лондона. К чаю она возвращалась домой к миссис Тиркелл и Габриэль и слушала, как Габриэль все время говорит о лондонских сплетнях и Бруксе. Сама того не зная, она рассказала Сабрине все, что случилось здесь, пока та была в Америке.

— Наверное, вам неинтересно, Стефания, ведь вы не знаете большинство из этих людей. Но вы так похожи на Сабрину...

— Ничего. Конечно, мне интересно. Они ведь ваши друзья и Сабрины. Конечно, мне интересно.

— Мне так странно разговаривать с вами. Неестественно. Удивительно, как вы выглядите... Как будто Сабрина не умерла. Знаете, последние несколько недель она была единственным человеком, которому до меня было дело. А теперь... Я знаю, что это несправедливо по отношению к вам, но кроме вас у меня никого нет. И даже вас на самом деле, потому что вам надо думать о вашей собственной семье, и вы тоже потеряли Сабрину...

Когда глаза Габриэль наполнились слезами, она стала похожа на Пенни, маленькую и безутешную. Сабрина подвела ее к диванчику и обняла обеими руками, и по тому, как Габриэль прислонилась к ней, расслабившись, поняла, что именно так поступила бы Стефания.

А она сама обняла бы Габи несколько месяцев тому

назад? Скорее всего — нет, или, по крайней мере, не с такой легкостью. Она чувствовала неловкость от проявлений привязанности и физической поддержки, как и ее друзья. Но вот сидит она, Сабрина Лонгворт, и утешает Габриэль де Мартель, не испытывая ни смущения, ни неловкости — по правде говоря, чувствуя себя совершенно естественно.

«Дело в Пенни и Клиффе, — подумала Сабрина. — Жизнь с ними изменила меня, так что это теперь кажется правильным. И важным». Она могла закрыть глаза и живо представить себе их: Пенни тихо сидит в углу, рисует и что-то напевает себе под нос, или садится рядом, дотрагиваясь до нее, секретничая о чем-то важном; Клифф произносит слова нараспев, готовясь к контрольной по правописанию, или сидит рядом с ней, и глаза его блестят, когда они обмениваются шутками. Ах, ей не хватает их, не хватает их любви, и доверия, и даже беспорядка, который они устраивают в доме. Ее руки ощущают пустоту. Несмотря на то, что они обнимают Габриэль, они все равно пусты.

Вечерами Габриэль по большей части чувствовала беспокойство и находила какую-нибудь вечеринку, чтобы заполнить время, а Сабрина поднималась наверх, в тишину своей комнаты. Миссис Тиркелл разжигала там огонь, раскладывала халат и приготавливала что-нибудь перекусить: кекс и чай в серебряном чайнике. Сабрина сидела у маленькой лампы, читая и думая — о Стефании, о Гарте, о детях, о будущем, которое не могла предсказать. И каждую ночь, почти ровно в десять, звонил Гарт. В Эванстоне было четыре, он уже возвращался домой из университета, и Пенни и Клифф были с ним в столовой, требуя трубку, чтобы поговорить несколько драгоценных секунд.

— Когда ты вернешься домой? — спрашивали они каждый день, и наконец, когда Гордону сказали, что он может выйти из больницы, Сабрина смогла им ответить.

— Мы вылетаем в субботу, — сказала она Гарту. — Я полечу с родителями до Вашингтона, а в понедельник буду в Чикаго.

— В понедельник, — сказал он, сообщая новость Пенни и Клиффу, и Сабрина услышала их радостные возгласы.

«Но это ненадолго», — думала она, глядя на языки пламени в камине и на длинные, искаженные тени, которые они отбрасывали на стены и потолок. Потому что она возвращается, чтобы сказать им правду. В течение недели она играла роль Стефании в мире Сабрины, и к этому моменту уже чувствовала себя так, словно она — никто. Гарт был прав: она не может скользить туда и обратно, ей надо быть одной или другой — и она должна быть Сабриной. Поэтому она скажет им правду, и тогда они будут ее ненавидеть. Когда Гарт узнает, что его жена умерла, когда Пенни и Клифф будут знать, что их мать умерла, что Сабрина обманывала их так долго, они отвернутся от нее. Она даже не сможет им сказать, что любит их. Им не нужна будет ее любовь. И у нее не останется никого, кому ее можно подарить.

Когда они попрощались и она повесила трубку, Сабрина сидела в пустой комнате, пока не устала настолько, что заснула прежде, чем в ней начала биться тоска по Гарту. Она жаждала не секса — об этом она совершено не разрешала себе думать — но просто его присутствия, совсем близко от нее, в том тесном пространстве, которое принадлежало только им одним.

Но она чувствовала себя слишком усталой даже для того, чтобы потянуться к теплой мечте, которой не было рядом. Она выключила свет и уснула.

— Вы вернетесь? — спросила Александра, заехав в «Амбассадор» в пятницу. Она принесла пачку фотографий, которые разложила на столе. — Их сделали в ресторане, где мы с Сабриной обедали как-то вечером. Позже к нам присоединился Брукс. И Антонио тоже, по правде говоря — начало нашего страстного романа. Я подумала, что вы захотите иметь их у себя. Вы все-таки вернетесь, как думаете?

— Да, конечно, — ответила Сабрина, изучая фотографии в молчаливом изумлении. Как это удалось Стефании? В наклоне головы, в манере держаться, в хладнокровной прилюдной улыбке она превратилась в Сабрину. «А что насчет меня? — спросила себя Сабрина. — Кем стала я?» — Да, конечно, я вернусь, — рассеяно сказала она. — Это ведь мой дом.

— Дом? А как насчет Америки?

— Я хочу сказать, это дом Сабрины, и я не решила, что с ним делать. Поэтому я скоро снова буду здесь. А как насчет вас? Вы останетесь здесь или будете болтать по-португальски со строителями и лесорубами в джунглях?

Александра бросила на нее быстрый взгляд.

— Это вы сказали совсем как ваша сестра, душенька. Похоже, что я буду болтать. Но не по-португальски. Мне понадобилось немало времени, чтобы как следует выучить английский.

— Почему бы вам не найти легенду гуарани, в которой говорится, что родной язык — лучше всего, и вспоминать о ней всякий раз, как он попросит вас выучить португальский?

— Ну вот это блестяще... А что мне делать, если такой легенды нет?

— Выдумать. Ему будет стыдно признаться, что он о ней никогда не слышал.

Александра расхохоталась.

— Черт побери, душенька, я так и сделаю. Вы просто неподражаемы, вы так же умны, как Сабрина. Они вас когда-нибудь отпускают из Чикаго? Приезжайте нас навестить. В нашей роскошной лачуге посредине нигде, или в нашей квартире в Рио. Или здесь, когда мы в Лондоне. Вы приедете? Вы и ваш муж, конечно. Если он захочет.

— Я, может, и приеду.

— Мы были бы вам рады. Ради вашей сестры, но и ради вас самой. — Она натянула пальто и остановилась на пороге. — Она была совершенно особая леди, и вы тоже такая. По-моему, мы с вами будем ладить.

— По-моему, тоже. Вы мне напишете и расскажете о себе? Мне будет не хватать... будет не хватать возможности подружиться с вами.

— Душенька, я никогда не пишу. Слова накапливаются у меня в голове и не желают выходить наружу. Но я хорошо владею телефоном. Какой у вас в Эванстоне номер?

Сабрина заколебалась.

— Возможно, я буду здесь. Вам лучше позвонить сначала в «Амбассадор» или на Кэдоган-сквер.

Александра пристально на нее смотрела, начала что-то говорить, потом передумала.

— Как скажете. Всего хорошего, Стефания.

— До свидания, Александра.

В пятницу вечером Сабрина сказала Николсу и Сидни Джонсу, что уезжает на несколько дней в Америку.

— Я вернусь, как только устрою отца в Вашингтоне и проведу несколько дней с семьей. Я оставляю магазин закрытым, и я сказала Брайану то же самое. Я не буду принимать никаких решений, пока не переговорю с вами обоими. До этого времени с «Амбассадором» и моим домом ничего не делайте. Ясно?

«Что они скажут, — подумала она, — когда я вернусь и расскажу им правду? Их это мало заденет — их жизни не изменятся».

Но позднее, когда она сообщала то же самое миссис Тиркелл и Габриэль, она говорила мягче.

— Я скоро вернусь, поэтому вы обе не должны думать об отъезде. Это ваш дом, Габи, пока вы этого хотите, и ваш тоже, миссис Тиркелл. Я хочу, чтобы вы содержали его в порядке, пока я не вернусь. Я сообщу вам, когда меня ждать.

«Их это заденет, — думала она, — когда я скажу им правду. Потому что они каждая по-своему на меня полагались».

А кого еще это заденет? Скотланд-Ярд. Потому что кто-то взорвал яхту Макса, чтобы убить ее, и, наверное, попытается снова это сделать, когда всем станет известно, что была убита ее сестра, а не Сабрина Лонгворт.

«Может быть, я не вернусь, — думала она. — В Чикаго безопаснее».

Спустя неделю после похорон Стефании, летя на высоте тридцать пять тысяч футов над землей в яркий субботний солнечный день, Гордон сидел между дочерью и женой, планируя будущее. Они с Лаурой решили продать свой дом, купить другой, поменьше, без лестниц, и нанять помощника, который бы участвовал в сборе материала и написании книги о политике Америки в Европе. «Как они постарели, — думала Сабрина, — распределяют свое время, чтобы делать меньше, иметь больше помощи, жить спокойнее». И она поняла, что не сможет рассказать им свою историю. Ей надо сначала сказать матери, а Лаура решит, как сообщить Гордону.

Но прежде всего она должна поговорить с Гартом. Она останется у родителей на субботу и воскресенье, а в понедельник полетит в Чикаго. В полдень в понедельник, когда Пенни и Клифф благополучно будут в школе.

Ей невыносимо будет их видеть, и она не сможет говорить с Гартом, если они будут рядом. Поэтому в полдень, когда они будут в школе, Гарт встретит самолет и они поедут... куда? Не домой. Не в этот чудесный, надежный, обшарпанный домишко, который стал ее домом. В ресторан. Куда-нибудь туда, где Гарту не нужно будет снова появляться и слышать эхо того ужасающего момента, когда она посмотрит на него и наконец скажет ему правду.

Потом, в этот же день она вернется в Вашингтон, чтобы сказать родителям, а на следующий день полетит обратно в Лондон. И всему окончательно придет конец. Она больше никогда не увидит Пенни и Клиффа. Никогда больше не увидит Гарта. Никогда больше не увидит Долорес и Ната, Вивьен, Мэйдлин Кейн, Линду и Мартина, Гарта, Гарта, Гарта...

— Стефания, в чем дело?

Она вытерла глаза и наклонилась, чтобы поцеловать отца.

— Я просто думала.

Гордон всмотрелся в ее лицо.

— Ты уверена, что все в порядке?

— Да, все прекрасно, — ответила Сабрина, успокаивая его. — Не беспокойся обо мне, я постараюсь думать без сырости.

«Казалось бы, я должна уже иссякнуть, — подумала она. — Откуда у человека может взяться столько слез?» Но Сабрина знала, что будут еще слезы, когда она во всем признается. И гнев. Но только потом, когда все будет сказано, наступит время оставить эту жизнь позади и вернуться к лондонскому укладу жизни, которую она оставила в сентябре.

Если сможешь. Эта мысль заставила ее глаза удивленно распахнуться. Почему ты так уверена, что сможешь вернуться к прежнему укладу? С тех пор как ты уехала, произошло многое. Будут ли ликовать твои лондонские друзья, когда узнают, как вы со Стефанией оставили их в дураках и даже позволили плакать на похоронах другой женщины? Посмеются ли добродушно такой веселой выходке? Или отвернутся от тебя и «Амбассадора», потому что им не нравится быть объектом чьих-то шуток? Особенно публично.

Александра этого не сделает.

Александра скоро будет проводить большую часть времени в Южной Америке.

Габи этого не сделает.

Но Габи и Брукс скоро снова сойдутся, или она найдет кого-нибудь еще. И сколько у нее найдется времени для отверженной Сабрины Лонгворт?

Оливия... но, конечно, Оливия именно это и сделает.

И как довольны будут в Скотланд-Ярде, когда узнают, что ты солгала относительно того, кто был убит на яхте около Монте-Карло! Международный скандал — Монако, Франция, Англия...

Никто не захочет иметь с тобой дело.

«Ты не можешь жить в Эванстоне и не можешь жить в Лондоне».

Мне придется жить где-нибудь еще, решила она. Начать заново где-нибудь еще. В Нью-Йорке. Я могла бы открыть магазин в Нью-Йорке.

И кем ты будешь?

Не Стефанией Андерсен. Ты собираешься сказать всем, что Стефания умерла.

Сабрина Лонгворт.

Да. Сабрина Лонгворт начинает новую жизнь в Нью-Йорке и открывает новый магазин, под названием... как ты его назовешь?

«Без обманов».

Очень забавно. Есть другие предложения?

Нет.

Самолет следовал за солнцем через океан. В салоне стюардесса убрала подносы с ленчем, принесла подушки, разлила напитки. Лаура читала. Гордон закрыл глаза и заснул. Сабрина пересела на свободное место и прислонилась головой к прохладному иллюминатору, глядя на бледную полосу, туда, где сливались вода и небо.

«Стефания, мне тебя не хватает.

Гарт, любовь моя...

Есть другие предложения?

Нет».

ГЛАВА 18

Солнечный свет блеснул на поверхности реки Потомак, когда самолет Сабрины накренился и начал подниматься в небо, держа курс на Чикаго. Начало ноября: деревья полыхали желтым, красновато-коричневым и оранжевым цветами на противоположном берегу напротив арки Вашингтона и мраморных монументов.

Перед тем как самолет сделал вираж, Сабрина успела бросить взгляд на Джорджтаун. Лаура и Гордон, должно быть, сейчас в кабинете, подумывают о ленче. «К вечеру я вернусь, — подумала она, — нарушу их спокойствие своей историей». Но сначала Гарт.

«Мне нужно кое о чем поговорить с тобой. Мы можем пойти куда-нибудь выпить по чашке кофе?

Нет, не дома. В ресторане.

В последние несколько недель, начиная с сентября, я не такая, как ты думаешь...

В эти последние недели, когда ты думал, что я была...

Мне нужно тебе что-то сказать... В ресторане... знаешь, в сентябре в Китае мы со Стефанией решили ради забавы...

Нет. Это не было ошибкой. Я имею в виду Стефанию. Вот что я хочу тебе сказать. В Китае мы со Стефанией решили на недельку поменяться местами».

Далеко внизу появилось путаница сталелитейных заводов Индианы, за ней изгиб берега озера Мичиган. *«Мне нужно что-то сказать тебе; мы можем пойти в ресторан?»*

Когда самолет приземлился, Сабрина вместе с другими пассажирами вошла в зал ожидания и стала рассматривать толпу.

— Мама! Мы здесь!

— Мамочка! — Пенни обхватила Сабрину руками. — Я так рада, что ты вернулась, так рада! Не люблю, когда ты уезжаешь.

Клифф встал на цыпочки и поцеловал Сабрину в щеку. О, да, она была рада видеть их. Но Сабрина не репетировала такой вариант. Ей и в голову не пришло, что Гарт приведет детей. «Это свидетельствует, — подумала она, — насколько я некомпетентна в вопросах материнства».

— Я потеряла дар речи от восторга, — произнесла Сабрина, — и от удивления.

— Эй, вы, двое, пустите меня, — сказал Гарт и обнял ее так, что Сабрина услышала, как хрустнули кости.

— Привет, — тихо произнес он. — Добро пожаловать домой.

Она посмотрела на резкие черты его лица, на огонек

в темных глазах». *«О, я теряю тебя, теряю».* Сабрина положила голову ему на грудь.

В объятиях Гарта она слышала, как бьется его сердце, чувствовала, как его губы прикасаются к ее волосам. И в этот момент Сабрина совершенно точно поняла, что никогда не скажет ему правду.

Она никогда не скажет ему, что он попал в ловушку, полюбив женщину, которая оказалась обманщицей. Она никогда не выплеснет свою ложь в лицо его нежности.

«Тогда оставайся. Живи с ним и его семьей... со своей семьей. Оставайся. Это твой дом».

Но ни мысль, ни желание не хотели мириться с такой перспективой. Это место не для нее. Ее дом и ее жизнь находятся где-то не здесь. И хотя Сабрина видела мир Лондона после похорон Стефании очень ясно — с его сплетнями, ревностью, бессмысленными ловушками, это был мир, который она знала и где двигалась очень уверенно. «Амбассадор» и Кэдоган-сквер — построенные ею, поддержанные ее усилиями, социальными и деловыми связями — являлись теми местами, которым она принадлежала.

Но когда Гарт держал Сабрину в своих объятиях, она знала, что существует еще одна причина, по которой ей нельзя оставаться здесь: главная причина. Они не могли построить совместную жизнь, основывая ее на обмане. Гарт был честен и открыт по отношению к ней, самозабвенно доверял ей. Сабрина не видела иного выхода из создавшегося положения, как еще больше погрузиться в ложь. *«А я так не могу... Ради нас».*

Она должна была найти причину, любую причину, сообщить ее Гарту и уехать, как и было задумано, прямо сейчас, пока их любовь не заставила Сабрину вернуться к прежней жизни.

— Мне нужно тебе кое-что сказать, но не при детях...

— А мне нужно сказать тебе очень много и тоже не при детях. Давай отправим их куда-нибудь. — Гарт по-прежнему обнимал ее за плечи. — Денвер. Сиэтл. Фэрбенкс... Как насчет Фэрбенкса?

— Гарт, я серьезно.

— Я тоже. Нам нужно побыть наедине. Я хотел бы поехать в этот уик-энд в Висконсин. Только вдвоем. Отыщем какое-нибудь уютненькое местечко, погуляем, посидим у костра. Нравится?

Сабрина покачала головой.

— Подумай. У нас есть целая неделя на размышление.

Болтая без умолку, Пенни и Клифф забрались вслед за взрослыми в машину. Затем девочка задала вопрос о Лондоне, но брат резко оборвал ее. Сабрина обернулась.

— Все в порядке. Можете спрашивать о Лондоне. И обо всем, что угодно.

— Папа рассказал нам про похороны, — сообщила Пенни. — Очень впечатляюще.

— Так и было на самом деле.

— И все такие знатные люди.

— Высший свет, Пенни. Это нечто большее, чем простые слова.

Гарт усмехнулся и успокоился. Теперь он больше не волновался, что его вопросы расстроят Сабрину. Они поговорили о викарии, о людях, пришедших на Кэдоган-сквер, о сердечном приступе Гордона, скорой помощи, миссис Тиркелл, Александре и «Амбассадоре». И все это время Сабрина слушала и не верила.

Два месяца назад, когда они приехали из Китая, Гарт хотел серьезно поговорить. Тогда Сабрина не позволила ему. Теперь после приезда из Лондона никто не дает ей возможности начать серьезную беседу, несмотря на ее желание.

Но скоро они приедут домой. «Нет, не домой», — быстро подумала Сабрина. В дом Андерсенов. Потом Пенни с Клиффом куда-нибудь унесутся, и она расскажет Гарту, что уезжает. Она даже не сядет, не снимет плащ, а все расскажет, доедет на такси до аэропорта и попадет в Вашингтон раньше, чем ее родители лягут спать.

— Ты очень молчалива, — заметил Гарт, припарковывая автомобиль. Сабрина смотрела на дом.

Он выглядит каким-то другим... Все листья опали.

— Однажды ночью над нами пронеслась страшная гроза, заставившая детей прибежать в нашу комнату — они говорят, будто хотели посмотреть вместе со мной на молнии — поэтому деревья и облетели. Осень подходит к концу.

«Я никогда не видела дом таким голым и беззащитным».

Гарт внес в дом чемодан и стал готовить кофе. Пенни и Клифф начали таскать из вазы печенье.

— Пять тридцать, мам? — спросил мальчик.

«Меня здесь не будет».

— Да. Можете меня обнять?

Дети крепко обхватили Сабрину.

— Ужасно, когда тебя нет дома, — сказала Пенни. — *Ненавижу* твое отсутствие. Дом кажется таким *пустым,* — она взглянула на Гарта. — Прости, папа, я хотела сказать...

Гарт усмехнулся и поцеловал дочь.

— Знаю я, что ты хотела сказать, конфетка. Мне он тоже кажется пустым. Вы куда-нибудь собираетесь?

— Я обещала Барбаре зайти, когда мы вернемся из аэропорта.

— Тогда иди. Для тебя тоже пять тридцать.

Через мгновение Сабрина и Гарт остались одни в комнате.

Сабрина не села.

— Гарт, я должна уехать. Я хотела сказать тебе это еще в аэропорте и не заезжать домой, но не смогла при детях. Я возвращаюсь в Лондон, поживу одна, выясню, чего хочу. Здесь оставаться не могу...

— Подожди.

Гарт повернул голову, недоверчиво взглянул на Сабрину и вытянул вперед руки — барьер, чтобы остановить ее голос.

— Посмотрю, не готов ли кофе. Думаю, тебе нужно сесть.

Сабрину стало трясти. Она придвинула к себе стул, упала на него и стала смотреть в окно на голый, продуваемый ветром задний дворик. Пустота — вот что ощущала Сабрина. Вернулся Гарт с кофеваркой.

— Не считаю такую идею удачной, — осторожно произнес он.

Сабрина заметила скованность в его движениях. Гарт держал себя в руках. Он сел рядом с ней, взял ее ладони в свои и стал согревать.

— Ты не можешь убежать от себя. Не можешь жить жизнью Сабрины. Побегом ничего нельзя решить: Пенни, Клифф и я всегда будем здесь, будем ждать, как в незаконченном рассказе. У тебя будут две незаконченные жизни вместо одной.

Звонок в дверь ворвался в его слова.

— Проклятье, нет и пяти минут покоя... Посмотрю, кто там. Подожди, я быстро. Ведь ты не уйдешь? Да?

— Да.

Оставшись одна, Сабрина оглядела уютную комнату. Дом. Незаконченный рассказ. Незаконченная жизнь. Она не могла спорить с Гартом, потому что он был прав. Но ему была известна только часть истории, а остальное Сабрина рассказать не могла. Ей нужно лишь подняться и уйти. Какую бы боль ни испытал от этого Гарт, она будет меньше, чем та, которая пронзила бы его, узнай он правду.

С передней веранды до Сабрины донесся приглушенный голос Долорес. «Не впускай ее, — мысленно молила она Гарта, — не могу ее видеть». На буфете лежала стопка писем, адресованных Стефании. Механически Сабрина стала открывать конверты. Соболезнования от Вивьен. От Линды и Мартина. Записка от Хуаниты. Три открытки от людей, о которых Сабрина никогда не слышала. Розовый конверт без обратного адреса. Внутри короткая отпечатанная на машинке записка.

«Как случается, что истории о студентах, насилуемых профессорами за хорошие оценки, минуют Гарта Андерсена — самого ярого из всех? Настоящий гений в изнасиловании студентов — это наш профессор Гарт!»

Сабрина прочитала записку дважды и застыла от ледяной волны ярости, охватившей ее. Как они посмели! Этот ужас, эта безобразная ложь... Как они посмели обвинить Гарта! Кто мог решиться... попытаться уничтожить самого честного человека из всех, кого она знала?

Все прочее отошло на второй план. Прошлая неделя исчезла. Сабрина вдруг видела только письмо и то, чем оно грозило Гарту. Энергия вдруг пробудилась в ней, вывела из оцепенения, в котором она находилась после смерти Стефании. Кто-то пытается уничтожить Гарта, подло, анонимно... и кто бы он ни был, ему могла сопутствовать удача. Гарт погибнет, если они не станут сопротивляться. Они должны установить личность...

«Подожди, подожди, — подумала она. — Что-то об отъезде? Я говорила Гарту, что уезжаю?»

Сабрина отогнала мысль прочь. Да, конечно, конечно, она должна уехать. Ничто не изменит этого. Но не сейчас, не в эту минуту, потому что сначала она должна что-то предпринять. «Я должна это Стефании, я должна это Гарту, потому что она обманула его. Ничего не изменилось: я все равно уезжаю... просто отложу отъезд на немного, пока не наступит ясность. Поскольку очевидно, что...»

— Я сказал Долорес, что ты позвонишь ей завтра, — сказал Гарт, входя. — Прости, я задержался. Мне кажется, я сражался с ураганом. Ты не налила кофе, — он сел и наполнил чашки. — Теперь, может быть, мы можем... Господи, Стефания, что это?

Сабрина молча протянула ему письмо. Гарт прочитал его, затем перечитал, и лицо его окаменело.

— Не знал, что они втянули и меня, — вдруг ему в голову пришла какая-то мысль. — Если только... Ведь ты получила одну из таких гадостей раньше, правда? Вот о чем ты говорила, когда мы поссорились перед твоим отъездом в Китай. Почему ты не показала мне то письмо? Ужасно, когда я не знаю, какого черта ты...

— Не хочу говорить о прошлом, — нетерпеливо возразила Сабрина. — Мы должны подумать, что предпринять, чтобы остановить это безобразие, — она задумалась. — Если копии посланы руководству университета, и те поверят... Или даже, если не поверят, но испугаются скандала, ты пострадаешь. Это не повлияет на твое назначение директором Института генетики?

— Да. Но подожди минуту, — события проносились перед глазами Гарта, и он пытался замедлить их бег. Несколько минут назад, открывая парадную дверь, он оставил в комнате усталую, возбужденную женщину, намеревавшуюся немедленно уехать. Сейчас он вернулся к удивительно живой даме, сидящей на краешке стула, заботящейся о его безопасности, безошибочно определяющей, что может случиться из-за грязного письма. Полгода назад, увлеченная только собой, совершенно не интересующаяся делами университета, она так быстро не сообразила бы, что к чему. Гарт был поражен яркой злостью в ее глазах, строгой линией ее стройной шеи, когда она держала голову высоко, готовая к битве. За него.

— Ты не веришь письму? — произнес Гарт.

— *Верю?* Гарт, ты шутишь. Ни один знающий тебя человек не поверит в такую гадость. Кто-то хочет уничтожить тебя. Мы должны установить его личность.

Гарт задумчиво посмотрел на Сабрину. В сентябре она верила, теперь нет.

— Я немного заторможенный сегодня, — признался он. — Кажется, ты говорила что-то об отъезде, о твоем возвращении в Лондон?

— Ты не заторможенный и прекрасно знаешь это. Не играй со мной в дурацкие игры.

— А если я попрошу тебя о том же самом?

— Я не играю в игры! Что с тобой? Разве ты не видишь, как все меняется? Если другие люди получат это письмо, а меня здесь нет, они подумают, что я уехала из-за того, что поверила в клевету. Никто не поверит в другие причины моего отъезда. Если я уеду, тебя обвинят независимо от того, что ты скажешь.

«Итак, она увидела это тоже, — подумал Гарт. — Она все видела». Он подошел и взял ее лицо в свои ладони.

— Я подумал об этом, когда увидел письмо. Спасибо тебе.

— Ты ничего не сказал.

— Например?

— Не просил меня остаться. Не упомянул о том, что будет с тобой, если я уеду.

— Если ты уедешь... Любовь моя, если ты уедешь, последствия для меня будут гораздо хуже, чем обыкновенный скандал. Это разрушит дом, семью, три сердца, три мозга, три души...

— Не надо, пожалуйста, не...

Гарт поцеловал Сабрину и ощутил на губах ее слезы. Но ее тело оставалось напряженным, словно она отогнала прочь всякую возможность желания. Гарт отошел. Теперь у них было время. Пока Сабрина находилась здесь, у них было время. Ее неудача и отчаяние в Лондоне были столь ужасны, ее одиночество после смерти сестры так мучило. Гарт почувствовал, что ей требуется его вмешательство в процесс лечения, поддерживающее, но не управляющее.

Но сейчас он решил убедиться окончательно и взял руки Сабрины в свои.

— Ты остаешься? Каковы бы ни были причины твоего желания уехать, я не должен думать каждое утро, найду ли тебя здесь в конце дня.

— Я помогу тебе, — пообещала она.

— Я спрашивал не об этом.

— Гарт, мы не можем оставить это на время? Так много случилось за такой короткий срок... Я пытаюсь всем угодить.

— Ты не можешь одна принимать подобные решения. Дело касается нас всех.

Сабрина наклонила голову. Гарт начал что-то говорить, затем умолк. В тишине она почувствовала, как он повернул ее руку. Левую.

— Ты не носишь свое кольцо?

Мороз пробежал по коже Сабрины.

— Нет.

— Где оно?

Она заколебалась между правдой и ложью.

— В Лондоне.

— Проклятье! Кто ты такая, чтобы принимать все решения в одиночку? Решаешь, что тебе больше не нужна семья, и снимаешь кольцо, чтобы все выглядело официально? И потом тебе остается только быстренько попрощаться?

Сабрина почувствовала облегчение и вину одновременно. «Один лжет другому, — подумала она. — Но это лучше, чем правда». Она вернула кольцо Стефании.

— Я думала, оно будет...

— Символом, — подсказал Гарт. — Так и есть. Но так случилось, что я верю в символы. Где оно?

— Полагаю... в доме на Кэдоган-сквер.

— Тогда миссис Тиркелл пришлет его.

— Если сможет найти.

— Напиши ей.

— Хорошо.

— А если она не найдет, мы купим новое.

«Я не задержусь здесь надолго».

— И я прошу тебя, Стефания... Ты слышишь меня?

Сабрина кивнула.

— Я прошу дать мне возможность помочь тебе, пока ты будешь помогать мне. Черт побери, мы часть друг друга и поможем друг другу. Согласна?

— Согласна, — ответила она, желая, чтобы он смог, но зная, что он ничем помочь не сможет.

Сабрина взяла письмо.

— Что значит «истории о студентах»?

— Я тебе покажу, — Гарт вышел из комнаты и вернулся с университетской газетой. — «Стэндард» за среду. Наши студенты-журналисты выпускают сами.

Сабрина прочитала заголовок: «Секс за оценки». И ниже: «И наоборот».

— «Стэндард» не знает, кто делает первое предложение, — прочитала она дальше. — Но три профессора и несколько симпатичных студенток вызваны в кабинет Лойда Страуса для рассмотрения обвинения в торговых сделках с оплатой в виде оценок — единственная вещь, более ценная, чем деньги.

Это, вероятно, началось с последнего весеннего семестра. Безобразная история может повлиять на судьбу учащихся и даже на возможность окончания учебного заведения, не говоря уже о дальнейшей судьбе профессоров».

— Написано, как колонка сплетен, — пробормотал Гарт. — Кто-то должен сказать этим детям, что журналистика — серьезное дело. Она связана с жизнями людей.

— Каких людей? — спросила Сабрина.

— Мелвин Блэйк, некий Миллберн и Мартин Талвия...

— Только не Мартин. Ты имеешь в виду, слухи были... Я не верю. О бедная Линда.

— ...и теперь, кажется, Гарт Андерсен.

— Но это абсурд. Ты и Мартин не могли...

— А Блэйк и Миллберн?

— Я их не знаю. Полагаю, что какие-то слухи верны...

— Дело в том, любовь моя, что если ты признаешь верность одного слуха, ты признаешь все остальные.

— Но Гарт, я знаю, что ты не мог. И Мартин... А Мартин мог бы?

— Кажется, несколько месяцев назад они с Линдой поссорились. Он не посвящал меня. Думаю, он пару раз пытался, но потом отступился.

— Когда ты был в Калифорнии, я спрашивала тебя по телефону...

— У него были другие женщины. Он рассказывает о них спустя долгое время после свершившегося факта, смущенный своим поведением, похожим на поведение объевшегося сладостями ребенка, все равно ворующего пирожные. Но, думаю, он держался в стороне от студенток.

— Что он сказал Лойду Страусу?

— Все отказались.

— А потом?

— Это все, что я знаю. Наверное, Лойд организовал расследование. Я с ним еще не разговаривал. Теперь поговорю. Хочешь еще кофе?

— Нет. Я должна подумать об обеде.

Как естественно она сказала это, как естественно было вернуться к прошлому. Сабрина взглянула на Гарта, уже похожая на себя в теплой комнате. Как естественно было любить его.

Он встретился с ее взглядом.

— Я люблю тебя, — сказал Гарт. — А что касается обеда, то мы куда-нибудь пойдем. В столовой пусто. Мы не хотели особенно успешно управляться без тебя. Но есть вино.

Сабрина наблюдала, как он открыл бутылку и налил два бокала.

— Думаю, мы должны вызвать несколько волн на социальной сцене, — прошептала она. — Думаю, мы должны появляться на людях вместе. Гарт и... Стефания Андерсен на виду. Им нечего скрывать.

Он протянул ей бокал.

— Кого ты пытаешься убедить?

— Всех, кого интересует наша семейная жизнь и то, чем ты занимаешься в свободное время.

Гарт рассмеялся.

— Если ты считаешь, что это поможет. Я бы все-таки нашел автора письма.

— О, да, — спокойно заметила Сабрина. — Это мы тоже сделаем. Нам нужно составить список студентов, которых ты провалил за последний год. И тех, кому поставил оценку ниже, чем они ожидали. И тех, на кого ты накричал. Почему ты смеешься?

— Список получится очень длинным.

— Каким длинным? Ты вспоминай имена, а я буду писать.

Полчаса спустя, когда Пенни и Клифф вернулись домой, они застали своих родителей в комнате за столом разговаривающими. Отец расслабленно сидел в кресле, скрестив ноги и молча улыбаясь. Мама сидела прямо, с яркими глазами и писала. Пенни вздохнула и тронула Клиффа за руку.

— Порядок, — произнес он.

Они оба знали, что Клифф имел в виду. Их семья была снова вместе.

Когда в тот же вечер Сабрина стала распаковывать чемодан, она обнаружила, что миссис Тиркелл положила туда одежду леди Лонгворт. Ее шкаф в Эванстоне теперь представлял собой смесь Стефании и Сабрины. «Как наши жизни», — подумала она.

Отогнав все мысли прочь, Сабрина скользнула в знакомую широкую постель, ощутив, как тяготы дня ушли при помощи дюжины трансформаций с тех пор, как она утром покинула Вашингтон.

Сабрина увидела силуэт Гарта, когда тот прошел в ванную. В этом было что-то особенное. Она попыталась выяснить, что это, и наконец поняла. Это была их первая ночь вместе в рутине семейной жизни с того вечера в Нью-Йорке, когда она осознала свою любовь к Гарту. С тех пор они были разъединены. Сначала ее горем, потом океаном. Теперь она согласилась остаться. Как его жена. И она не могла притворяться, будто той ночи в Нью-Йорке никогда не было.

Она лежала неподвижно, ждала его и вспоминала часы тоски, мучившие ее по ночам в Лондоне. А потом Гарт оказался рядом с ней и привлек ее к себе.

— Любовь моя, — пробормотал он. — Эта кровать становилась все более пустой и широкой с каждой ночью, пока тебя не было.

Сабрина тихо рассмеялась и прижалась своими губами к его.

— И моя кровать тоже. Если бы мы подождали еще, они встретились бы в центре Атлантического океана.

— Нет. Мы и так долго ждали. Слишком долго.

Руки Гарта скользили по нежному телу Сабрины и она ответила тем же, начав поглаживать его жесткую кожу. Их губы прижимались друг к другу, что-то бормотали, улыбались. Иногда слышались нечленораздельные звуки. Глаза глядели в глаза. И когда Гарт и Сабрина слились вместе, это произошло с настоящей страстью: восторг и восхищение, радость от полученного и доставленного удовольствия, чувство возвращения в родной дом. Их сила заключалась в том, что они могли дать друг другу; они оба были уязвимыми в том, что им требовалось друг от друга.

Гарт с восхищением смотрел на красоту Сабрины, на ее сияние.

— Ты наполнила комнату светом, — произнес он.

— И жизнью, и любовью, — мягко сказала Сабрина, скользя пальцами по его лицу. — Помню такое стихотворение: «Любовь делает маленькую комнатку Вселенной». Вот что я чувствую рядом с тобой.

— Вот что мы чувствуем, — поправил ее Гарт.

Они лежали неподвижно в тусклом свете лампы. Гарт обнял Сабрину. Она положила голову ему на плечо и медленно покачивалась на волнах удовольствия, ощущая последний час его тело совсем рядом. Казалось, они слились в одно существо.

Сабрина взглянула на отражение луны в зеркале. Белый полумесяц застрял в черных ветвях дуба. «Как и я, — подумала она, — запуталась в любви к этому человеку, и в его любви ко мне». С улыбкой Сабрина вспомнила одну из легенд Антонио. Совсем неважно, говорит он, если она не любила его до свадьбы. «Боги гуарани говорят — любовь последнее дело, а не первое. Она прорастает очень медленно. Когда вы живете вместе и строите семью, любовь придет».

— Знаешь, — печально начал Гарт, — стыдно признаться, но...

— Ты хочешь есть, — закончила за него Сабрина и рассмеялась. — Идем посмотрим, что можно найти в пустой кладовой. Это будет не первый раз, когда мы приготовим что-нибудь из ничего.

Гарт отдал Лойду Страусу письмо в конверте.

— Присоедини это к моей официальной биографии для пресс-релизов университета. Директор Института генетики и развратник.

Страус достал из ящика своего стола точно такой же конверт и протянул его Гарту.

— Прислали вчера.

Гарт вдруг почувствовал себя беспомощным: невидимое присутствие, мстительно, настойчивое, в тридцатитысячном студенческом городке — допустим, за всем этим стоял студент, Гарт достал из конверта письмо, идентичное своему.

— А остальные?

— Не знаю.

— Как ты отреагировал?

Страус пожал плечами.

— Заметка в «Стэндарде»? Моя сильная рука вызывает Талвия и Блэйка? Кто-то хочет зацепить тебя. И посмотреть, как ты станешь вертеться.

— Но не с помощью вызова.

— Ты меня отколошматишь за это.

— Лойд, ты относишься к этому несерьезно.

— Я все обвинения воспринимаю серьезно.

Гарт бросил на него долгий взгляд.

— Мне кажется, есть новости.

— Талвия и Блэйк сегодня уволились.

Гарт негромко выругался и стал ходить по кабинету.

— Не по своей воле? Такое впечатление, что в университете произвели чистку.

— Они признались, Гарт. Я вызывал сюда девушек, разъяренных родителей, раскаявшихся профессоров... Драма круче, чем у Шекспира. Парень, который заварил все это дело, — позвонил президенту университета и рассказал, как его крошку уговаривали — он оказался работником нового футбольного стадиона. Футбол должен быть всегда, верно? Эту игру нельзя игнорировать. Поэтому нить и потянулась. Президент приказал мне все выяснить, пока не поползли слухи. Но они, конечно, все равно поползли. «Стэндард», черт бы побрал этих мальчишек, опубликовал подробности в номере на прошлой неделе еще до того, как я успел организовать свое шекспировское представление. А к моменту кульминации драмы мне уже оборвали телефон. Как они себя называют — средства массовой информации.

Сидя на краешке подлокотника и сложив руки, Гарт покачал головой.

— Бедняга Мартин. Думаешь, что знаешь человека, можешь ему доверять, а потом, когда уже поздно, открываются трещины. Я почти не знал Блэйка. Там был еще кто-то?

— Миллберн. Его заявление об уходе я получу завтра. И... ты.

— О, ради Бога, Лойд... Анонимка. Ты меня знаешь достаточно долго, чтобы понять, какое дерьмо...

— Верно. Я тебя знаю. Я знаю, какое это дерьмо. А «Чикаго трибюн» знает? А «Тайм»? А «Ньюсуик»?

— Какого черта... — Гарт умолк, не веря в услышанное. — Это «средства массовой информации»?

— Да, средства массовой информации. Любопытные, мой друг. «Что интересненького происходит за этими стенами? Настрой завтра приемник, купи завтрашнюю газету или журнал на следующей неделе». Мы сами поставили себя в такое положение, действуя словно над толпой: ученые, исследователи, хранители истины. Поэтому, конечно, публика любит слушать, что мы такое же дерьмо, как и они сами. А работа репортеров — рассказать им об этом поподробнее. Поэтому даже если бы я хотел сжигать анонимные письма, не мог бы. Ведь я знаю, кому еще посланы копии. Откуда я знаю, кто снабжает информацией репортеров? Ты мой друг и коллега. Я тебе доверяю, но прежде всего отвечаю за университет.

— Это означает расследование.

— Да. Оно уже начато. Сегодня утром я нанял одну фирму.

— И что же они собираются расследовать?

Страус вскочил с кресла и стал расхаживать по кабинету.

— Будут выяснять все насчет тебя, других преподавателей и студентов. Возможно, мы ликвидировали скандал. Возможно, это только вершина айсберга. Но когда кто-то выдвигает серьезное обвинение, мы должны разобраться. Они выяснят, кто написал письмо, поговорят с людьми о твоей репутации и характере...

— О моей репутации и характере! — Гарт схватил свой кейс и стремительно направился к двери. — Послушай ты, сукин сын, я не обязан защищать свою репутацию и характер ни перед тобой, ни перед кем другим. Ты знаешь меня достаточно, чтобы разобраться во всем без привлечения профессиональных шпиков. Или нет, тогда ты не стал бы объявлять о моем назначении в Институт генетики на следующей неделе.

Страус молча смотрел на него. Гарт приоткрыл дверь.

— Ты объявляешь об *этом* на следующей неделе.

— Этот вопрос отложен. Гарт, *я должен прикрыть свою задницу*. И ты знаешь это. Дело не просто в деньгах для этого проклятого футбольного стадиона. Дело касается университета. Мы должны быть невинны, как девушка, когда добиваемся поддержки правительством программы исследований или просим спонсоров финансировать новый театр, музыкальный зал, библиотеку, центр международного обучения... Я обязан показывать, что лезу из кожи, чтобы держать в идеальной чистоте все это место, куда люди посылают своих детей или платят деньги, чтобы их имена красовались на стене здания. Это моя работа. И если ради нее мне нужно нанять детектива, чтобы тот выяснил, чем занимается между семинарами Гарт Андерсен, я сделаю это. А поскольку твое дело учить, проводить исследования и возглавлять новый Институт генетики, ты ответишь на все его вопросы. Чего тебе скрывать? Ты останешься здесь гораздо дольше, чем они хотят.

— Тебе никогда не приходило в голову, что я могу запятнать свою репутацию, всего лишь отвечая на их проклятые вопросы?

— Приходило. Я учел это. Репутация университета прежде всего. Твоя выживет. Господи, Гарт, ты же недавно был героем «Ньюсуика». Вот твоя репутация. Тебе не нужно появляться в том же журнале под облаком подозрений.

Чувство беспомощности снова охватило Гарта. Сначала его преследовал невидимый враг, теперь им занялся какой-то посторонний следователь. Гарт открыл дверь.

— Я не могу заставить тебя прекратить дурацкую игру в шпионов. Но ты мог бы сначала спросить нас. Моя жена, которая верит в меня без свидетельств сыскного агентства, помогает мне искать человека, ответственного...

— Гарт, на твоем месте я не стал бы ничего предпринимать. Мы сами обо всем позаботимся, быстро и четко.

— Похоже на девиз твоих приятелей детективов.

Страус вдруг стал похож на барана.

— Наверное. Но они знают, что делают и никого не боятся. Вы со Стефанией можете испугаться. Подождите хотя бы, пока мы не узнаем, чего они добьются. Мы на твоей стороне, Гарт. Мы хотим, чтобы ты остался чистым.

— Ты не можешь помочь мне, если я буду бездействовать. Вот в чем разница между нами. Мы ищем мстительного лжеца, пишущего письма. Ты ищешь доказательства моей добродетельности. Если мы выясним, что я морально устойчив, мы сообщим тебе.

— Иди к черту, Гарт, — устало проговорил Страус. — Ты знаешь, что я полностью доверяю тебе.

— Хорошо. Моя жена тоже. И дети. Могут твои Дик Трейси и средства массовой информации держаться подальше? Я все-таки считаю, что мы постараемся разобраться сами. Скоро я поговорю с тобой, Лойд.

Мэйдлин Кейн устроила страшный беспорядок в каждом углу за две недели отсутствия Сабрины.

— Не знаю, как это получилось, — в замешательстве сказала она в среду утром. — За один день все перевернулось вверх дном. Думаешь, я хотела показать, как сильно скучала по тебе?

— Я поверила бы, если бы ты просто сказала мне об этом, — сухо ответила Сабрина. — Начнем уборку?

Они работали молча, сберегая энергию перед передвижением тяжелой мебели.

— Кофе, — наконец выдохнула Мэйдлин, когда женщины прошли в заднее помещение магазинчика. — У тебя сейчас плохие времена?

— Да.

— Я могу чем-нибудь помочь?

— Ты уже все сделала. Устроила здесь беспорядок. Физический труд — лучшее лекарство от дурного настроения.

— Скажи мне, когда надо будет еще. Думаю, это не очень трудная задача. Что ты собираешься делать с магазином сестры в Лондоне?

— Пусть работает. По крайней мере, сейчас. Там есть помощник менеджера и торговец антиквариатом. Я велела им открыть магазин и установила предельную сумму, которую они могут тратить на аукционе.

— Но, конечно, без надзора...

— Они оба профессионалы. Мой адвокат следит за фондами и счетами моего управляющего.

— Но как? Не хочу совать свой нос в чужие дела, но у него нет авторитета...

— Я послала ему свою доверенность.

— Понятно, — произнесла Мэйдлин.

Сабрина встала.

— Снова за работу? Давай.

— А дом твоей сестры? — спросила Мэйдлин. — Твой адвокат продаст его?

— Нет. Управляющий будет содержать его. Подруга поживет там, пока не поправит свои дела.

— О! Теперь все это твое... И магазин, и дом?

— Да.

— О! И вся обстановка, наверное?

— Да.

— Я не сую нос не в свое дело.

— Суешь, Мэйдлин. Ты хочешь узнать обо всех моих лондонских делах. Зачем?

— Просто так. Я только... О, правда, все это звучит так мило и... Прости меня, Стефания, но ты принадлежишь такой жизни. Я никогда не верила, что *ты* работаешь для *меня*.

Сабрина насмешливо посмотрела на нее.

— Я плохо справлялась с работой?

— Ты же знаешь, что я не это имею в виду. Ты собираешься вернуться?

— Конечно, — Сабрина очень осторожно подбирала слова. — Повидать адвоката, Николса и управляющего.

Мэйдлин вздохнула.

— Видишь, я нахожусь в зависимости от тебя. Ты особенная, и я не хочу терять тебя. Пока тебя не было, я подписала пять государственных контрактов на торговлю, которые тоже требуют помощника. Если ты уедешь...

— Сейчас я ухожу только перекусить. Пять контрактов? Ты настоящая деловая женщина, Мэйдлин. Расскажешь после ленча. Закроем магазин или ты останешься здесь?

— Останусь. У меня с собой сандвичи. Ты надолго?

— Не знаю. Утешительная миссия для подруги, чьего мужа выгнали из университета.

— Талвия или Блэйк?

Надев плащ, Сабрина вздохнула.

— Все уже обо всем знают?

— Я читала «Стэндард». Какой чудесный плащ. Настоящая кожа?

— Настоящая. Привезла из Лондона. Он принадлежал моей сестре.

Сабрина повесила на плечо сумочку.

— О слухах в студенческом городке ты тоже знаешь?

— Нет. Я много упустила?

— Не много. Я опаздываю. Побегу.

Сабрина встречалась с Долорес и Линдой в кафе «Провансаль». Она пошла туда, преодолевая сопротивление дующего с озера ветра. Сабрина нашла женщин сидящими за самым дальним столиком. На Линде были темные очки.

— Я много плачу.

— Я не о твоем внешнем виде, Линда. Просто не могу разговаривать с темными очками.

Линда сняла их. Глядя на ее опухшие веки и ввалившиеся щеки, Сабрина почувствовала боль за подругу. Не столько из-за несчастного вида, сколько из-за смущения на лице.

— Это не твоя вина, — сказала она, дотронувшись до руки Линды. — Ты тоже ничего не знала.

Официантка принесла заказ. Долорес наклонилась.

— Я ей то же самое говорю.

Линда покачала головой.

— Он не сделал бы этого, если бы я относилась к нему лучше, если бы мы не спорили постоянно, если бы я не говорила ему... — Ее рот слегка дернулся. — Он не всегда удовлетворяет меня. Говорит, это не его вина. Моя критика мешает ему расслабиться. Вероятно, он прав. Он всегда во всем прав. Но я все равно обвиняю его, вызываю в нем чувство неполноценности как мужчины. Поэтому он и пошел к молоденьким девочкам, чтобы услышать от них то, что ему нравится.

— Абсурд! — горячо воскликнула Сабрина. — Ты не можешь винить себя в том, что Мартина зацепила пара девчонок с целью шантажа ради хороших оценок.

— Кто сказал, что только пара?

— Гарт.

— Правда? Мартин отказался сказать мне. Но это неважно, правда? Даже одна означает мое поражение. Я всегда знала, что потерплю поражение с Мартином. Вы знаете, у меня нет хорошего образования. Я не прочитала и половины тех книг, которые прочитал он. Я удивляюсь, почему он не подыскал себе кого-нибудь поумнее, но не могу сказать ему об этом. Я хотела бы попытаться, но все откладываю, и чем дольше жду, тем становится все тяжелее. Я просто не знаю, с чего начать. Мартин говорит, если ты хочешь о чем-то говорить, делай это без оговорок. Он всегда прав, поэтому я думаю, что на самом деле не хочу говорить. Но теперь он нашел себе школьницу, чтобы она сделала его счастливым.

Сабрина терпеливо смотрела на Линду.

— Ничего подобного. Дай Мартину возможность быть индивидуальностью со своими проблемами и путями их решения. Ты что, такая сильная, чтобы нести ответственность за все его поступки?

Линда доела салат.

— Когда ты говоришь, это звучит по-другому.

Долорес заказала десерт.

— Тебе просто нужно чем-нибудь заняться, Линда. Тебе понадобятся деньги, пока Мартин найдет себе работу, и это отвлечет тебя. Пойдем со мной на следующее заседание садового клуба. Эти дамы знают, когда их мужьям нужны секретарши.

— Я не хочу...

— У тебя не такой большой выбор, Линда. Ты будешь делать то, что требуется. Услышишь на заседании о вакантных местах, а я помогу тебе подвести итог. Ты же работала раньше секретаршей. Могу пойти с тобой на собеседование, представить тебя...

— Долорес, *перестань устраивать мою жизнь!*

Люди за соседними столиками стали оглядываться на женщин. Долорес вспыхнула.

— Извини. Я думала, тебе нужны друзья.

— Нужны, нужны. Я не хотела бы показаться неблагодарной...

— Закажу кофе, — объявила Сабрина. — Для всех.

Долорес выпрямилась на стуле.

— Я всегда захожу слишком далеко, правда? До недавнего времени никогда такого не замечала.

— Всегда будем рады сказать тебе, — пообещала Сабрина, разрядив напряженную обстановку, и подруги рассмеялись.

Долорес нахмурилась.

— Ты изменилась, Стефания. Тебя никогда не обвиняли...

— О, все мы замешаны во всем, что случается... — туманно отозвалась Сабрина. — Линда, нам в магазине нужна помощница. Новые контракты. Почему бы тебе не попробовать?

— Я даже не представляю себе, что такое торговля.

— Мы организуем продажу домов с обстановкой. Со всем — от картин до кухонных ножей. Ты научишься составлять прейскуранты, каталоги, рекламировать товары. Это значит, что ты все время будешь находиться в магазине и следить, чтобы покупатели ничего не украли.

Глаза Линды посветлели.

— Забавно.

— Правильно. Возбуждающее, пыльное, раздражающее занятие. И каждый день проходит по-новому. Заинтересовалась?

— Если ты предлагаешь только потому, что у нас неприятности...

— Я предлагаю, потому что меньше чем два часа назад Мэйдлин сказала мне, что она заключила пять новых контрактов, и мы не справимся без помощника.

— Без образования?

— Линда, я предлагаю тебе попробовать. Больше ничего.

— Да, да, прекрасная идея! О, Стефания, как мне тебя отблагодарить?

— Справляться с делами лучше меня. Тогда если я когда-нибудь уеду, я оставлю все на тебя.

— Уедешь? О чем ты? Вы с Гартом уедете? Не уезжай, Стефания!

— Нет, я не имела в виду...

«Что со мной?»

— Я хотела сказать, если я найду другую работу. Но до этого еще далеко. А сейчас я должна вернуться на работу, иначе и ее потеряю.

— Может мне пойти с тобой? — спросила Линда.

— Не сегодня. Я скажу Мэйдлин и позвоню тебе. Долорес, десяти долларов достаточно для ленча? Мне правда нужно бежать.

— Нет, ленч — мое дело. Это моя идея.

Сабрина наклонилась и поцеловала ее в щеку.

— В следующий раз плачу я.

У двери она оглянулась на подруг. Долорес что-то говорила, а Линда мечтательно уставилась на картину на стене. Она подумала об Александре и Габриэль. «Как странно, что мы так легко можем помочь друг другу». На секунду Сабрина задумалась, кто поможет ей, когда удача отвернется от нее. Все будут очень заняты. О, один человек все же есть. Сабрина слегка улыбнулась. Миссис Тиркелл есть всегда.

В пятницу Сабрина ушла из магазина пораньше, чтобы отнести Линде стопку книг по истории мебели и оформительского искусства.

— Тебе не нужно учить это, — сказала она, заметив ужас на лице подруги. — Но ты должна уметь пользоваться ими при необходимости. И еще ты должна иметь представление о стилях мебели, о том, как они меняются, и как это влияет на рынок. Сейчас в моде украшение квартир лакированными безделушками. Чувствую, следующими будут куклы. В общем, почитай, а в понедельник поговорим.

Поднимаясь по ступенькам своего дома, Сабрина вздохнула в предвкушении отдыха. До прихода Клиффа и Пенни оставался еще час: немного времени для себя, без забот о семье, друзьях, работе. Но дверь оказалась незапертой. «Все, времени нет, — подумала Сабрина. — Но кто пришел так рано?»

Гостиная была пуста.

— Клифф! — позвала Сабрина. — Пенни!

Ответа не последовало. Странно. Она поднялась наверх и обнаружила Клиффа сидящим на кровати. Он складывал в пакет карманный калькулятор, радиоприемник, ручки, карандаши, бумажники, булавки для галстука, запонки и перчатки.

— Ты похож на пирата со своей добычей, — заметила Сабрина с порога.

Клифф резко обернулся.

— Я думал, ты приходишь домой в четыре.

— А я думала, ты приходишь домой в половине пятого.

— Ну, сегодня пришел пораньше...

— И я. Ты хотел что-то спрятать до моего прихода?

Мальчик поднял глаза с таким страхом и смущением, что Сабрине захотелось успокоить его, сказать, что она поможет, и все будет хорошо. Но было ясно, что здесь что-то не так, и она вошла в комнату, придвинула к себе стул и села.

— Думаю, тебе будет нужно начать с нуля и все мне рассказать.

— Но я рассказывал папе. Когда вы были в Китае. Он не говорил тебе?

«Никто мне ничего не говорил, — подумала она. — Но Стефания рассказывала о проблемах с Клиффом».

— Похоже, он решил держать твои проблемы в секрете. Ты должен ценить это. Но теперь у меня есть причина для сомнений.

Клифф посмотрел на свои ботинки.

— Ну? — настаивала Сабрина. — Ты обещал ему перестать что-то делать? Думаю, да. Что случилось потом? Клифф, ответь мне рано или поздно. Почему не сэкономить время и не поговорить прямо сейчас? Пока Пенни нет дома.

Глаза мальчика наполнились слезами. Он поднял глаза.

— Я перестал. Я сказал им, что папа все знает, и я не могу ничего прятать. Но на прошлой неделе, когда ты была в Англии, они принесли мне груз и сказали, чтобы я оставил его у себя. И я не знал, что делать.

— Где был Гарт... твой папа?

— На заседании. Пенни в школе участвовала в кукольном спектакле, и они пришли...

— Клифф, кто «они»?

— Ребята. Из восьмого класса. Они такие... Подбирают себе команду, всегда руководят и в кафетерий врываются всегда первыми, даже если мы стоим в очереди впереди... Они воруют в магазинах. Так и говорят: «Пойдем в радиомагазин, почистим кассира». Вроде того. Они берут для себя, а потом продают ребятам из Чикаго. Им нужно место, где хранить вещи до продажи. Однажды они попросили меня помочь. Я думал, что понравился им... Я хочу сказать... Я... обрадовался...

«Он был польщен, — подумала Сабрина. — Маленькие подростки-диктаторы попросили твоей помощи. Приблизили к элите».

— Значит, ты подумал, что тоже сможешь ходить в кафетерий без очереди?

Клифф выглядел пораженным.

— Откуда ты знаешь?

Она улыбнулась.

— Когда я ходила в школу, большинство девочек было из богатых семей. Они задирали носы перед Ст... перед Сабриной и передо мной. Мы всегда чувствовали, что они оказывали нам милость, прося помочь сделать домашнее задание. Потом, когда мы начали завоевывать призы в классных работах, беге с препятствиями и парусных гонках, они сразу перестали задаваться. Стали совсем обычными. Что эта банда обещала тебе за помощь?

— Раз в месяц я мог брать что-нибудь себе. Или они платили мне пятнадцать долларов в неделю. Я брал деньги. Я хотел купить себе стереомагнитофон.

— Дорогая штука. Потребовалось бы много пятнадцатидолларовых недель. Ты уверен, что сопротивлялся?

Клифф опять стал изучать свои ботинки.

— Иногда. А иногда, кажется, нет.

Спокойствие Сабрины произвело на мальчика благоприятное воздействие. Он начал говорить легко и откровенно:

— С этими парнями лучше дружить, чем враждовать. Их никогда не победить. И когда они меня попросили, я решил, что стал частью их... И брал деньги... Так все и было.

— Тебе никогда не приходила в голову мысль, что ты помогаешь преступникам?

— Мама! Они не преступники. Они просто чистят маленькие магазинчики. Это не убийство и не ограбление банка. Ведь они говорят, что у магазинов такая прибыль, что те и не замечают пропаж.

— О, правда? Клифф, воровство — ужасная вещь, замечено оно или нет. Обычно оно раскрывается. Ты никогда не слышал об инвентаризации?

— Нет.

— Это когда магазины подсчитывают свои деньги и сравнивают эту сумму с суммой проданного и купленного. Если цифры не сходятся, значит, что-то украдено. Чтобы покрыть недостачу, магазины повышают цены. Поэтому остальные, кто живет честно, оплачивают воровство твоих приятелей.

Наступила пауза.

— Я об этом никогда не думал.

— А твои приятели никогда тебе этого не говорили?

— Они мне не приятели.

— Мне показалось, ты сказал, что стал частью их группы.

— Да. Но... я им не нужен, мама. Они терпеть не могут меня. Гады, — слезы опять навернулись Клиффу на глаза, но он яростно стер их. — Прости, я знаю, что тебе не нравятся мои слова, но никак не могу назвать их по-другому. Они никогда не говорили со мной, как с другом. Они смеются...

— Почему? — осторожно поинтересовалась Сабрина.

— Я люблю читать и получаю хорошие оценки.

— Ну, мы гордимся тобой. Но почему ты остался с ними, если они над тобой смеялись? Из-за денег?

— Нет... Если хочешь знать, я боялся их. Они говорили, что побьют меня, если я проболтаюсь. А на прошлой неделе угрожали, что если я не спрячу вещи, они расскажут директору, будто я украл их. Папа хотел пойти в полицию, но я попросил его этого не делать и не назвал ему их имен. Я никому не могу указать. И перестать помогать им тоже не могу, потому что если они даже и не побьют меня, то лишат друзей, заставят всех не разговаривать со мной, и я останусь *один*. Они могут сделать так, мам. Очень жаль, но я боюсь их. Что бы я ни сделал, все будет плохо. Я знаю, ты не сможешь понять этого, потому что всегда знаешь, как поступить. А я нет. Я не знаю, *что* делать.

Сабрина села рядом с Клиффом, когда он бросился на кровать.

«Я очень хорошо понимаю твои чувства». Она обняла его.

— Прости, мама.

— За что?

— Что я плачу.

— Все мы плачем, когда боимся или когда нам грустно. На твоем месте я бы тоже жалела, что не сказала никому, когда это началось опять. Ты боишься больше, чем тех воришек?

Клифф опустил голову.

— Я *хотел.*

— И?..

— Папа доверял мне.

— И ты не хотел, чтобы он узнал, что ты не оправдал его надежды?

— Я не хотел, чтобы он узнал, и соврал. Каждый раз, когда он спрашивал, не пристают ли больше ко мне ребята, я отвечал «нет». Я успокаивал его и врал. Теперь ты, наверное, расскажешь ему. Но тут никто ничего не может поделать.

— Думаю, может.

— Что? Мама, они побьют меня или подвергнут остар... остра...

— Остракизму. Ничего у них не выйдет. Я в течение месяца буду сопровождать тебя.

— Сопровождать! Мама! — Клифф отпрянул от Сабрины, глядя на нее покрасневшими глазами. — Это нечестно!

— А честно работать на воров? Или быть избитым? Или быть обвиненным в том, чего не делал?

— Но...

— Если твои родители говорят, что один месяц ты должен идти из школы прямо домой, ты не можешь общаться с друзьями, не можешь выходить из дома по вечерам. Что еще лучше избавит тебя от необходимости работать на них? Можешь честно сказать, что у тебя нет выбора. А через месяц скажешь, что родители все еще что-то подозревают, и чтобы не оказаться опять под надзором, ты вынужден держаться в стороне. Но это может и не потребоваться. Пока я буду тебя сопровождать, мы сообщим полиции, чтобы она послала в радиомагазин и другие места, о которых ты расскажешь, детектива. Так тебе не потребуется называть ничьих имен. Много времени не понадобится, чтобы выследить и поймать их. Они мне кажутся глупыми.

Глаза Клиффа округлились от восхищения.

— Мам, это неплохо! Очень даже разумно!

— Да. Я тоже так думаю. Если учесть еще, что я никогда ничем подобным не занималась.

— Занималась. Ты провожала меня...

— Я стараюсь забывать прошлые наказания.

— Мама, у меня есть идея. Если ты поможешь мне избавиться от этого, не нужно ничего говорить папе. Он ничего не узнает.

— Ты хочешь сказать, что опять соврешь ему?

— Нет. Я бы просто вообще ничего не сказал ему.

— Но укрывательство правды — другой вид лжи. Если ты убедил его в чем-то, что является неправдой...

Сабрина умолкла и уставилась в пространство.

«Кто я такая. Чтобы давать советы?»

— Мама?

Сабрина медленно повернулась к мальчику.

— Клифф, в кладовой есть несколько пустых картонных коробок. Если ты принесешь пару, мы упакуем туда все вещи. Мы с папой захватим их с собой в полицию.

— Но тогда они узнают, что я прятал их здесь.

— Мы придумаем, как не вмешивать тебя.

Когда Клифф заколебался, Сабрина потеряла терпение.

— Ты должен доверять нам. Иди за коробками!

Бормоча что-то, Клифф ушел, а Сабрина встала, стараясь успокоиться. Она направилась в свою комнату — может быть, теперь удастся побыть несколько минут одной, но в этот момент хлопнула парадная дверь, и в дом ворвался голосок Пенни.

Гарт пробежал свои заметки и выписал одиннадцать студентов, которые в прошлом году выражали недовольство низкими оценками.

— Кто это? — спросила Сабрина. — Со знаком вопроса рядом с фамилией?

— Рита Макмиллан, — ответил Гарт. — Только возможность. Я не рассказывал тебе о ней в прошлом июне?

— Кажется нет.

— А я думал, что рассказывал. Она предложила свои прелести за хорошую оценку, но я выгнал ее при помощи теннисной ракетки. Вот так. Думаю, что смогу спокойно назвать ее шлюхой. Это было на неделе, когда разбиралось дело Вивьен, и на меня не производили особого впечатления дамы, торгующие своими органами. Правда, я не провалил ее на экзамене. Она получила документ о незаконченном высшем образовании, а я дал ей разрешение пройти в классе Вивьен еще один семестр, чтобы закончить учебу. Но это было полгода назад. Не могу поверить, что сейчас она замешана в этом.

— У молоденьких женщин хорошая память. Особенно когда их корона отвергнута.

Гарт улыбнулся.

— Рита могла так подумать. Ну, и что мы будем делать с этим списком? Должен сказать, все это кажется мне нелепым. Будто кто-то сунул мне в руки игрушечный пистолет и предложил сыграть в полицейских и воров. Лучше бы я поохотился за неуловимыми бактериями.

— Я лучше бы поискала старинный фарфор.

Гарт усмехнулся.

— Бактерии и фарфор. Полицейские и воры. Что мы за пара?!

Они были парой. Сабрина была уверена в этом. Их видели повсюду. Вечером в среду, через два дня после возвращения, они посетили премьеру фильма и прием в честь режиссера, в четверг ходили на вечер, где президент университета отнесся к ним с большим вниманием и восхищением.

— Если честно, — отметил Гарт, — ты никогда не была такой прекрасной.

Она действительно была прекрасной, одеваясь всю неделю с шиком Сабрины Лонгворт. Трепетный зеленый и голубой цвета, великолепный бархат, тонкий шелк. Ее тяжелые волосы спадали волнами ниже плеч. Она была маяком, заставлявшим всех кружиться вокруг нее. А сама Сабрина не отходила от Гарта. В субботу вечером они появились на открытии нового университетского музея искусств, где Сабрина разговаривала с художниками, скульпторами и коллекционерами на их языке, призвав на помощь весь свой многолетний опыт. Окружение привело ее в радостное настроение, и Лойд Страус, заставший ее в редкий момент одну, был очень экспансивен.

— Вы волшебны, Стефания. Как хорошо, что вы так быстро оправились после своей потери.

— Это ради Гарта, — четко ответила Сабрина и посмотрела прямо в глаза Страусу, заставляя его высказать сомнение по поводу невиновности Гарта или назвать ее наивной. Он не сделал ни того, ни другого, а вместо этого пригласил их обоих завтра на обед.

— Вас никогда не бывает дома! — возмутилась Пенни, когда Сабрина в воскресенье вечером расчесывала ей волосы.

— Сезон, — криво усмехнулся Гарт, завязывая галстук и обращаясь к отражению Пенни в зеркале. — Обязанности, конфетка.

Воспоминание укололо Сабрину, и она взглянула на удрученное лицо Пенни.

— У нас нет больше семьи... Мы вас не видим!

Комната потускнела. Сабрина и Стефания Хартуэлл стояли перед трюмо в спальне в Афинах, наблюдая, как родители собираются на бал в посольство.

«Все видят вас, кроме нас! Наша семья — это Стефания и я... Больше никого».

Сабрина вспомнила это очень ясно, но в течение недели забыла. В течение недели вместе с Гартом она заполнила их календарь, выходя на люди каждый вечер после работы, как делала это в Лондоне. Часы проходили в обедах, беседах, среди новых лиц. Сабрина не чувствовала времени. Иногда, стоя среди людей под яркими люстрами, разговаривая, держа в руке бокал вина, слушая музыку и смех, несущиеся со всех сторон, она на короткий момент забывала, кто она есть. Ее миры сливались в один, и Сабрина прикасалась к руке Гарта, когда он находился рядом с ней, любила его, любила так, что все видели перед собой счастливую супружескую пару.

Но заполненный календарь был нечестным делом по отношению к Клиффу и Пенни. Сабрина понимала это. «Им нужна семья, — думала она, — и я должна помочь им обрести ее. Скоро я уеду».

— Ты права, Пенни, — сказала она. — Нам нужно бы остановиться и побыть дома.

Гарт удивленно посмотрел на нее.

— Я думал, это ты затеяла нашу кампанию.

— Но ты подчиняешься только потому, ибо я думаю, что это нам поможет.

— Наоборот. Я прекрасно провожу время.

— Папа! — крикнула Пенни, и Сабрина в замешательстве посмотрела на нее.

— Правда, мы немного перестарались, — произнес Гарт, наслаждаясь испуганным молчанием жены. — Но после многих лет разговоров по поводу того, что мы никуда не ходим, ты показала мне, как много я потерял. Я могу, — он заметил в ее глазах промелькнувшую тень, — оставаться дома четыре или пять вечеров после семи, не больше.

Сабрина мягко засмеялась.

— Ничего особенного. Мы можем это устроить.

— А сегодня вечером? — спросила Пенни.

— Сегодня мы уходим. Нас ждут. Завтра мы останемся дома. Можно устроить это, Стефания?

— Да, — Сабрина улыбнулась, когда Пенни выбежала из комнаты. — Завтра мы остаемся дома.

Она вычеркнула вечеринку, на которую их пригласили в понедельник, и они вчетвером провели тихий вечер. После того как дети отправились спать, Сабрина и Гарт устроились в гостиной, разговаривали, читали, размышляли каждый о своем. «Как можно было, — подумала Сабрина, — так удачно проскользнуть в жизнь семьи?» Это было нелегко. Каждое утро она просыпалась и вспоминала о смерти Стефании и ненадежности ее жизни с Гартом. Но потом проходили часы в общении с людьми, и чувство вины, тоска по Стефании проходили, скрывались за повседневными делами. Каждый день семейные связи становились все крепче. Впервые в жизни Сабрина нашла место, которому принадлежала.

Но потом она возвращалась к действительности. Она не принадлежала этому месту. Такая жизнь основывалась на лжи, зависела от лжи. Сабрина сидела с Гартом в гостиной и напоминала себе об этом, повторяла, чтобы не оторваться от реальности. Потому что при прикосновении его руки, при ощущении близости его тела, при любви в его глазах она знала, что может потерять контроль над собой и силы.

Сабрина быстро вернулась к своей книге, когда зазвенел звонок в дверь. Гарт открыл и вернулся в комнату с невысоким мужчиной средних лет, представившимся Карлом Дженксом. Это был следователь, нанятый Лойдом Страусом для выяснения обстоятельств анонимного обвинения профессора Андерсена.

— Я поговорил с некоторыми местными жителями, — начал он, усевшись в кресло и оглядывая гостиную. — Прекрасная комната.

Мелкие черты его лица под высоким лбом придавали ему вид постоянно что-то подозревающего человека. Когда он черкал в своем блокноте, то от напряжения морщил рот, словно ребенок, старательно выводящий буквы.

— Кто-нибудь зол на вас, профессор? Вы заняли чье-то место, выгнали кого-нибудь или взяли в долг и забыли вернуть?

— Нет.

— Никто не имеет на вас зуба? Никто во всем мире? Вас не любят?

Гарт пристально смотрел на Дженкса, пока тот не отвел свои маленькие глазки в сторону.

— Мы составили список студентов, которые могли разозлиться на меня. Я отдам вам его.

— Одну минуту. Вы помогали в составлении этого списка, Стефания?

Сабрина подняла брови.

— Мы встречались раньше?

— Что? Раньше? Не думаю, а что?

— Потому что, мистер Дженкс, только мои друзья зовут меня по имени.

Наступила пауза.

— О, нет, — произнес наконец Дженкс. — Простите меня, мадам. Или вы предпочитаете *леди?*

Сабрина улыбнулась и ничего не сказала.

— Так как насчет списка, леди? Вы помогали составлять его?

— Нет.

— Вы верите ему?

— Верю во что? Это просто список.

— Может, вы думаете, что ваш муженек включил сюда не всех?

— Абсурд.

— О, — Дженкс что-то записал. Сабрина и Гарт обменялись взглядами. Вроде бы ничего из сказанного не заслуживало особого внимания, чтобы быть записанным.

— Вы играете в теннис, профессор?

Гарт прервал свои размышления.

— Да. Это относится к вашему следствию?

— Может. А вы, миссис Андерсен?

— Да.

— Сыграем потом?

— Нет, — ответил Гарт. — У моей жены недавно умерла сестра, и она сейчас в трауре.

— Мои соболезнования. У вас активный образ жизни — вечера, открытия музеев и прочее. Это часть вашего траура?

— Что вы за трудолюбивая пчелка, мистер Дженкс? — любезно поинтересовалась Сабрина. — Исследовать нашу жизнь. Гарт, думаешь, мы должны обсуждать, как нам проводить время, с мистером Дженксом?

— Я думаю, что если мистер Дженкс не говорит об анонимных письмах, у него нет причин задерживаться в нашем доме.

— Чудесные коврики, — заметил Дженкс, тряхнув головой.— Из Китая?

— Да, — ответила Сабрина.

— Купили их в Китае?

— Нет.

— Профессор ездил с вами в Китай?

— Довольно, — Гарт поднялся. — Я провожу вас к выходу.

— Профессор, я веду следствие. По приказу вашего начальства.

— Вы не следствие ведете, а рыбку в мутной воде ловите.

— Это и есть следствие, профессор. Мы насаживаем червяка и смотрим, кто клюнет. Просто вы должны относиться ко мне терпимее. Вы были в Стэмфорде, штат Коннектикут?

Гарт стоял около книжного шкафа, положив руку на полку.

— Верно.

— Работы не нашли, так?

— Очевидно вы уже знаете ответ.

— Правильно. Профессор Андерсен ездил с вами в Китай, миссис Андерсен?

— Нет. Я ездила от ассоциации торговцев антиквариатом. Мой муж обеспечил возможность моей поездки, взяв на себя заботу о детях.

Дженкс что-то записал, сморщив губы.

— Этот Талвия... Вы давно дружите с ним?

— Давно, — многозначительно отозвался Гарт.

— Они здорово ругались. Он и его маленькая леди.

Гарт и Сабрина молчали.

Дженкс опять чиркнул в блокноте.

— Плохие дела с вечными разногласиями. Тянет на сторону. К молоденьким красоткам, которых вы учите.

Сабрина встретилась взглядом с Гартом и едва заметно покачала головой.

— Вы не согласны, миссис Андерсен? Насчет тяги на сторону или насчет молоденьких красоток?

— Я не уверена, что вы дурак.

Дженкс был сбит с толку. Он достал из кармана жвачку, развернул ее и запихнул в рот.

— Теперь Блэйк. Насколько хорошо вы его знаете?

— Мы встречались, — ответил Гарт. — Редко. Моя жена его не знает.

— Вот вам и репутация. Он любит независимо от возраста и размера, я слышал.

Сабрина брезгливо посмотрела на следователя.

— Какая неприятная у вас работа, мистер Дженкс.

— Теперь Миллберн.

Общее молчание.

— Полагаю, его вы совсем не знаете. Кто-то написал письмо, видите, профессор, я все-таки перешел к анонимкам — и я все проверил для вашего босса. Математик. Дурит с числами. Когда не дурит с молоденькими девочками.

— Вывод основан на анонимном письме? — холодно спросила Сабрина.

— Нет, мадам, на его признании. Он утверждает, что подобное случилось только один раз, но кто знает? Его жена училась у него, когда он на ней женился. Любит молоденьких. Должен сказать... — в голосе следователя появилась грустная нотка. — Они действительно милашки. Такие соблазнительные.

В комнате было тихо. Сабрина слышала, как наверху у Клиффа играет магнитофон.

— У вас есть присутственные часы, профессор?

— Конечно.

— Вы встречались со студентами по одному или с целой группой сразу?

— По одному. Мы обсуждаем конфиденциальные вопросы... оценки, качество работы, планы на будущее.

— По одному с закрытой дверью?

— Иногда.

Сабрина заметила, как в Гарте растет злоба и она становится серьезно опасной для Карла Дженкса и его мерзких вопросов.

— Миссис Андерсен, у вас бывает много гостей?

— Когда как.

— Вы когда-нибудь приглашали студентов профессора?

«Понятия не имею». Сабрина взглянула на Гарта.

— Нет, — ответил он за нее. — Но в июне наш дом открыт для всех студентов и ассистентов лаборатории.

— Миссис Андерсен не могла сказать это сама?

— Миссис Андерсен не обязана отвечать на вопросы, которые ей не нравятся.

Дженкс жевал свою резинку.

— Профессор, я только что от Талвия. Там милейшая обстановка. Никогда и не подумаешь, что у них репутация отчаянных скандалистов. Я пришел сюда, в дом, полный нежности и света. Однако жена мотается в Китай и Англию, а муж при первой возможности несется в Калифорнию. И еще существует весьма забавное письмо, обвиняющее профессора в развлечениях с соблазнительными милашками за хорошие оценки в качестве оплаты. У меня есть сильное подозрение, профессор, что вы не искали других путей, когда предлагалось удовольствие.

Сабрина быстро пересекла комнату и встала рядом с Гартом, взяв его за руку, на которой напряглись мускулы. Она прижалась к его плечу и почувствовала, как он успокаивается.

— Я мог бы вышвырнуть вас вон, — равнодушно заметил Гарт. — Но это потребует больше энергии, чем вы заслуживаете. Лойд Страус говорил мне, что вас купили, чтобы вы нашли автора анонимного письма, добились признания или что там требуется и сохранили мое имя чистым. Вместо этого на свое усмотрение вы пытаетесь утопить меня на основе информации, о которой я не имею никакого представления. Вы пришли сюда не вести следствие, как утверждаете, а расставить ловушки. Однако вы заблуждаетесь. Вы — следователь. Согласно статье сорок четыре «С» один правового кодекса Эванстона вы можете потерять свою лицензию. Утром я решу, позвонить ли мне в полицию, в университет или в оба места сразу. Это будет зависеть от того, как скоро вы покинете мой дом. Даю вам шестьдесят секунд. Время пошло.

Гарт обнял Сабрину и посмотрел на свои часы.

— Вы меня не запугаете, профессор.

— Конечно, нет. Сорок пять секунд.

— Ваша жена знает, что невиновный человек не станет выбрасывать меня из дома.

— Тридцать секунд.

— Блеф. Вот, что вы делаете...

— Двадцать секунд.

Дженкс вскочил с кресла и стремительно направился к двери.

— Я еще вернусь. Ваш босс очень заинтересуется, как вы меня выгнали. Невиновный не стал бы...

— Вон! — крикнул Гарт.

Дженкс открыл дверь и исчез.

Сабрина рассмеялась.

— Гарт, как ужасно!

— Знаю, — он тоже засмеялся и крепче обнял ее. — Ты была прекрасна.

— В Эванстоне нет закона против возможности быть собой.

— Конечно нет. Этот человек глуп. Ты была права... Он слишком хитер, чтобы быть дураком, но все-таки глуп.

Сабрина перестала смеяться.

— Ты разволновался из-за него?

— Да. А ты?

— Тоже.

На следующее утро Гарт позвонил Лойду Страусу.

— Ты доверил мою карьеру глупому сукину сыну, который уже решил, что я виновен. Предупреждаю тебя, Лойд...

— Не надо меня предупреждать, Гарт. Мне уже здорово досталось из-за этого дела от президента. Не собираюсь терпеть еще и твои упреки. Тебе никогда не приходило в голову, что ты не один имеешь работу и будущее. Я хочу убрать всю эту грязь с дороги и вернуться к нормальной жизни. Но если ты думаешь, что я собираюсь отозвать следователя из-за того, что он неправильно обошелся с тобой... Дерьмо. Слушай, мне он тоже не нравится. Но агент мне требовался срочно, и его рекомендовал мне человек, уже пользовавшийся его услугами. Я позвоню и узнаю, нельзя ли прислать сюда кого-нибудь другого. Ладно?

— Ладно.

Гарт повесил трубку до того, как Страус успел опять попросить его не предпринимать ничего самому. После ухода Дженкса они с женой решили начать беседовать со студентами из списка. «Кто-то, — как подумали они, — что-нибудь интересное да скажет. А если нет, то сидеть сложа руки и ничего не предпринимать все равно невыносимо».

Гарт позвонил жене в магазин.

— Я просто хотел услышать твой голос. И сказать, что люблю тебя. Я поговорил с Лойдом. Он попытается заменить нашего глупого приятеля. Наконец-то позвонил Мартин, полный извинений, и сказал, что специально не встречался с нами. Я посоветовал ему позаботиться о Линде. Мы выживем. Она с тобой?

— Да. Составляем план торговли. И праздничный обед. Мартин нашел новую работу.

— Он сказал. Потому и звонил. Он считал, что не может встретиться с нами до тех пор, пока не вернется к нормальной жизни. Значит, праздник будет отмечаться.

— Для них. Но не для нас. Когда придешь домой?

— Около пяти. Ты уже вернешься?

— Конечно.

Сабрина в середине дня зашла домой, чтобы позвонить в Лондон.

— Николс, это Стефания Андерсен. От вас давно ничего не слышно.

— О, дорогая Стефания, я хотел написать вам. Ваша дорогая сестричка была бы довольна. Все прекрасно.

— Конкретнее, Николс.

— Мы купили на аукционе фаэтон и позолоченные часы, о которых вы говорили. И еще шифоньер из...

— Николс.

— Да, Стефания.

— Что вы продали?

— О, продали? В это время торговля идет не очень...

— Никакого затишья в это время года нет, Николс. За кого вы меня принимаете? Сейчас самый сезон для наших клиентов. Что с вашим собственным магазином?

— Мы... справляемся.

— Благодаря Амелии?

— Моя дорогая Стефания, вы говорите точно как Сабрина. Вы меня очень расстроили такими воспоминаниями.

— Николс, может, вы позвоните Брайану?

— Нет, нет, Стефания, не нужно. Мы продали французские часы, те что с ангелами, если помните, и обе вещи, привезенные вами с аукциона Клинтона. И еще я выставлю секретер Георга Пятого и новый загородный дом леди Старгрейв.

— Сколько получили за часы?

— Три тысячи.

— Можно было продать за четыре. А за клинтоновские вещи?

— Двадцать три тысячи за обе.

— Великолепно! Не могу поверить, что вы скрывали это от меня.

— Нет, дорогая моя, конечно нет. Это должно быть сюрпризом. Но вы вынудили меня признаться. Как я могу что-то скрывать от вас, даже если это и втемяшится мне в голову? Сидни Джонс заглядывает мне через плечо каждый день. Кстати, он спрашивает, когда вы вернетесь.

— Скоро. Я очень нужна сейчас?

— Конечно, дорогая Стефания. Ведь последнее решение насчет «Амбассадора» зависит от вас. Оливия недавно говорила, что вы так напоминаете ей Сабрину, что она хотела бы видеть вас здесь, и мы могли бы... О, как ужасно это звучит. Совсем не так, как из уст Оливии...

— Да, Николс, я знаю. Оливия умеет делать ужасные заявления абсолютно спокойно.

— Боже, Сабрина действительно так подробно рассказывала о нас.

— Часто.

Я могу прекратить это, подумала Сабрина, как только вернусь, сразу скажу им правду. Они с Николсом поговорили о ее декабрьской декорационной комиссии. Она дала указания по поводу двух аукционов и торговли с Беттиной Старгрейв. Теперь Николс ее выслушал. Он больше не относился к ней, как к необразованной провинциалке, которую можно легко отодвинуть в сторону. Наконец Сабрина повесила трубку, но перед тем как войти в столовую задумалась и села. *«Как только вернусь, сразу скажу им правду*. Но как я смогу это сделать? Как я смогу рассказать родителям или кому-либо еще, что я Сабрина, если не хочу, чтобы Гарт знал об этом? Если кто-то узнает, хотя бы один человек, информация неизбежно достигнет его ушей».

Сабрина встала и начала ходить по кухне, нервно обхватив себя руками.

«Я не могу сказать Гарту правду.

Никому не могу сказать.

Но если я утаю истину, то останусь Стефанией Андерсен на всю жизнь.

Сабрина Лонгворт умрет.

Конечно, так оно и есть. Мы все были на ее похоронах.

О, Стефания, посмотри, что мы наделали...»

ГЛАВА 19

Утром 20 ноября выпал снег. Свет струился, словно шепот, предупреждающий о том, что ждет впереди. Небо было стальным, низко нависало над садом, над черными ветвями деревьев, запорошенных снегом, и над кустарником, напоминавшим паутину. Гарт возился с печкой. Сабрина пыталась отыскать пропавшие перчатки. Пенни и Клифф осторожно шагали по дорожке перед домом, восхищаясь собственными следами.

Когда они ушли, Сабрина приблизилась к окну и стала допивать кофе. Сад превращался в гобелен из травы и хризантем, пробивавшихся сквозь снег; белая улица была разрисована темными полосами от автомобильных шин. Мелкий снежок опускался на крыши, трубы и карнизы. Легкий ветер шевелил ветви деревьев. То и дело с них с легким вздохом падали хлопья снега.

Зима. Менялись времена года, а репутацию Гарта восстановить так и не удавалось. Сабрина помогала, оставаясь рядом с ним, крутясь в колесе социальной жизни. Теперь различные приглашения приходили по почте в таких же количествах, как в Лондоне. Но беседы со студентами из списка еще не начинались. Они очень счастливы сейчас. Любовь, жизнь вместе, без возвращений к тому времени, когда Сабрина приехала из Китая. Доверие, радость, счастье.

«Потому что моя сестра мертва».

Сабрина отвернулась от белого мира за окном и прошла через дом на кухню. Она могла бы отодвинуть правду на задний план и начать думать понемногу о возможных способах остаться с Гартом, как будто правда могла быть частью прошлого, не имеющего ничего общего с настоящим.

Самообман. Она обещала себе никогда не делать этого. *«Потому что я не воспользуюсь смертью моей сестры».*

Сабрина не могла изменить это, даже если бы ей удалось забыть обо всем. *«Когда-нибудь, в самый неожиданный момент, это снова всплывет и уничтожит нас».*

Зазвонил телефон. Это звонил Гарт из университета.

— Мой календарь напомнил мне, что в декабре у меня заседание в Нью-Йорке. Ты можешь договориться с Мэйдлин насчет поездки? Я хочу взять тебя с собой.

— Когда в декабре?

— Третьего. На три дня. Я попрошу Вивьен взять Пенни и Клиффа к себе. Мы же заботились о ее детях. Поедешь?

— Да, хотелось бы.

Как странно, что он позвонил именно сейчас, когда она напоминала себе, почему должна уехать.

— А что если я слетаю оттуда в Лондон по делам?

Пауза длилась довольно долго.

— Конечно. Возьмешь меня с собой?

— Нет. Я хочу поехать одна.

«Потому что я не вернусь».

— Если хочешь, конечно, поезжай одна. Сколько времени займут твои дела?

— Не знаю. Но я, вероятно, задержусь ненадолго. В доме...

На этот раз пауза получилась еще длиннее. Гарт почти убедил себя, что она больше не думала о жизни в доме ее сестры, о хождении по следам покойной. Но сейчас она вдруг опять заговорила об отъезде. Казалось, когда между ними все наладилось как нельзя лучше, она опять стала собираться уезжать. Гарт хотел напомнить ей, что она обещала остаться, по крайней мере, до тех пор, пока не будет выяснена личность автора анонимного письма. Но он не жаловался и не умолял.

— Можем поговорить об этом попозже, — сказал он. — Но ты приготовишься поехать со мной в Нью-Йорк?

— Да. И мы с Вивьен договорились вместе перекусить, так что скажу ей о Пенни и Клиффе.

— Ты выглядишь грустной, — заметила Вивьен, подсаживаясь за столик Сабрины. — Как наша ранняя зима. Могу я чем-нибудь помочь?

— Говори о приятном. О своем комитете, например. Гарт сказал, голосование было тайным. Могу я тебя поздравить?

— Можешь поздравить своего мужа. Он перехитрил нашего бывшего декана, обманул наш скромный комитет и перевернул его вековую политику с ног на голову. Это было в студенческом городке. Еще он дал возможность семье Гудман остаться, поэтому я не должна искать себе новую работу. Это называется безопасностью. Первый раз в жизни она у меня есть. Он не говорил тебе, что я прозвала его святым Гартом?

Сабрина покачала головой и засмеялась.

— Несомненно скромность ему только мешает.

— Он скромен, разве это не странно? С каждым, имеющим его репутацию и популярность, должны раскланиваться. Знаешь, его студенты так гордятся им. О, хочешь знать, что один из них сказал о нем? Девочка из моего класса генетики. Мы говорили о работе Гарта, и она сказала... Дай-ка я напишу, а то смущаюсь.

Вивьен написала на салфетке одно слово и показала его Сабрине.

«Гений», — прочитала Сабрина и перечитала еще раз.

— Умно, — заметила она. — как ее зовут?

— Рита Макмиллан. Умная девочка. Не очень хорошая студентка, не очень интересуется учебой, но умная. Такие всегда находят самые короткие пути к достижению цели, какой бы та ни была. Теперь скажи мне, твое грустное выражение лица имеет какое-нибудь отношение к анонимному письму о Гарте?

Сабрину застали врасплох.

— Ты видела его?

— До этой минуты я даже не была уверена в его существовании. Ходят слухи. Какой-то противный парень ходит повсюду, задает гадкие вопросы, на которые никто из нас ему не отвечает. Никто не верит, будто Гарт замешан в этом деле. Он не только обладает высокими моральными качествами, но и очень умный. Скажи мне, что происходит?

Сабрина описала визит Дженкса и как Гарт избавился от следователя. Они вместе посмеялись и переменили тему разговора на работу и книги.

— Мне пора возвращаться на работу, — сказала наконец Сабрина. — Ой, чуть не забыла. Можешь взять к себе дня на три Пенни и Клиффа? У Гарта третьего декабря заседание в Нью-Йорке, и он хочет взять меня с собой.

— Конечно. Они милые ребята. Мои дети любят их. Думаю, тайное желание Барбары — быть Пенни Андерсен. Когда вы уезжаете?

— Я тебе скажу. Ты настоящая подруга, Вивьен.

— У меня хорошие друзья. Иду в класс. До встречи.

— Вивьен?

— Да?

— Это класс Риты Макмиллан?

— Да. А что?

— Просто любопытство. Хороший получился у нас ленч.

Сабрина позвонила Мэйдлин и сообщила, что сегодня на работе больше не появится.

— Плохо, — сказала та. — Ты бы получила настоящее удовольствие, увидев Линду... Она ходит за мной, рассматривает различное дерево, запоминает формы и конструкции. Она способная ученица и начинает приобретать уверенность. Ты сделала хорошее дело, приведя ее сюда.

«Да, — молча согласилась Сабрина. — И это будет продолжаться после того, как я уеду».

Сабрина захотела пойти к Гарту и рассказать о Рите, но знала, что он захочет поговорить с девушкой сам. «Я должна справиться с этим, — решила она.— Вот для чего я осталась здесь... Ради него и Стефании».

Через час Сабрина остановила около класса Вивьен молодого паренька и попросила его показать ей Риту Макмиллан. Когда он выполнил просьбу, она сразу направилась к девушке.

— Стефания Андерсен.

Сабрина протянула руку. Девушка, стройная блондинка с бледно-голубыми глазами, прикоснулась к ее ладони тонкими пальчиками.

— Я хочу поговорить с вами. «Факультетский клуб» находится на той стороне улицы. Мы можем побеседовать там.

— Не думаю...

— Это очень важно, — Сабрина осторожно повела Риту по коридору. — Я знаю, вы учили генетику в прошлом году в классе моего мужа.

Она сразу почувствовала тревогу, румянцем вспыхнувшую на лице девушки. Никто из них не проронил ни слова, пока они не оказались в факультетском клубе. Сабрина бывала здесь раньше вместе с Гартом, и швейцар поприветствовал ее.

— Миссис Андерсен! Как я рад видеть вас снова, — после короткого взгляда на Риту, он уставился на Сабрину восхищенными глазами. — Кофе подадут в гостиную через несколько минут. Хотите заказать фрукты или десерт?

— У вас можно попить чаю?

— Чай! Конечно. Наверху сейчас никого нет. Нальете себе сами, сколько хотите.

Сабрина улыбнулась ему, не предложив никакой разгадки для удовлетворения любопытства. Наверху она провела Риту в угол длинной комнаты с высоким потолком, заставленную столами, диванами и креслами. Они сели на два вертящихся стула, почти прикасаясь друг к другу. Сабрина, сложив руки на коленях, изучающе смотрела на Риту и заметила недоумение в ее круглых глазах. «Не обделенная вниманием мужчин, — подумала она, — удивлена вниманием со стороны старой женщины. Какой старой я должна казаться ей. В тридцать два года! Было бы забавно, если бы она попыталась уничтожить Гарта».

Под взглядом Сабрины девушка начала проявлять беспокойство.

— Ну? — нетерпеливо спросила она. — Я здесь. Чего вы хотите?

— Мне показалось хорошей идеей познакомиться с вами. Вы ведь заканчиваете обучение, не так ли?

— Да, — ответила Рита, устроившись на краешке стула.

— Но ведь... вы собирались закончить в прошлом июне.

— Я... изменила свои планы.

— А чем вы займетесь после окончания учебы?

— Не знаю. Поезжу, может, найду работу.

— Какую?

— Не знаю. Что-нибудь интересное. Возможно, моделирование одежды. Оформление интерьеров. Что-нибудь в этом роде.

— И станете знаменитой?

— Конечно. Почему нет?

— Ваш чай, миссис Андерсен.

В комнате появился официант с тележкой на колесиках.

— Булочки с кремом, — объявил официант, эффектно взмахнув салфеткой. — Торт. Печенье. Если захотите что-нибудь еще...

— Достаточно, — сказала Сабрина и улыбнулась. — Очень любезно. Спасибо.

Официант улыбнулся ей в ответ и помедлил немного перед тем, как пересечь комнату. Нат Голднер, вышедший из библиотеки третьего этажа, поприветствовал Сабрину легким поцелуем и в удивлении уставился на тележку.

— Ты околдовала обслуживающий персонал?

— Волшебным, кажется, оказалось слово «чай».

— Нет, если бы произнес его я. Можно присоединиться?

— Не сейчас, Нат. Ты простишь нас? У нас личный разговор.

— Хорошо, в другой раз, если только ты обещаешь еще раз воспользоваться своим волшебством. Увидимся на званом вечере. Твой дом или наш?

— Думаю, Долорес выберет наш.

— Принесу вино, — он кивнул Рите и поцеловал Сабрину в щеку. — До встречи.

Рита слегка откинулась на спинку стула, глядя с нескрываемой завистью.

— Вы легко водите их вокруг пальца.

— Я отношусь к людям с уважением, — вежливо ответила Сабрина, взяв чашку с чаем. — Итак, вы хотите стать знаменитой. Если вы добьетесь этого, у вас будет много друзей.

Рита кивнула с удовлетворением.

— Я знаю.

— Но, возможно, и несколько врагов тоже. Кажется, чем больше знаешь людей, тем имеешь больше шансов разозлить кого-нибудь или вызвать ревность... даже не осознавая, что ты делаешь.

— Я ничего в этом не понимаю.

— Конечно, я уверена, у вас будет больше друзей, чем врагов, но вы должны приготовиться ко всему. Потому что, когда ты известна, никто не знает, как относятся к этому люди или как они говорят о тебе между собой. Вы, конечно, к этому приготовились.

— К чему?

— К факту, что люди могут говорить о вас неправду, — теперь Сабрина успокоилась. Ее злоба находилась под контролем. — Когда такое случается, мы называем это слухами. Вы знаете, что это такое. Их полно повсюду. Вы никогда не задумывались, как они возникают? Иногда из-за восхищения или смелости, иногда из-за того, что кто-то почувствовал себя очень важным, иногда для того, чтобы посмотреть реакцию людей, но чаще всего из-за мести. Еще чаю?

Голубые глаза Риты неотрывно смотрели на Сабрину.

— Нет.

Сабрина налила себе еще чашку.

— Конечно, никто, кого интересует карьера модельера одежды или оформителя интерьеров, не станет распускать слухи. Кроме того вы знаете из лекций по истории, что из-за слухов начинались войны, паника и революции... Как можно доверять человеку, который хоть раз пустил слух? Опасная личность, неосторожно обращающаяся с шепотом, невинной шуткой... или анонимными письмами.

Бледные глаза моргнули.

— Вы пытаетесь запугать меня?

— Зачем?

— Потому что я вам не нравлюсь.

— Я вас не знаю. Поэтому я не испытываю к вам антипатии.

Сабрина наклонилась налить Рите чаю и встретилась через облако пара между ними с ее осторожным взглядом.

— Правда, наши интересы переплетены друг с другом.

Рита выглядела ничего не понимающей.

— Ваш интерес — это то, что доставляет вам удовольствие. Обычно это меня не касается, поскольку я считаю самолюбивых людей скучными и заслуживающими снисхождения. Но когда ваш личный интерес угрожает моему мужу, в котором заключены мой интерес и верность, это приводит нас к столкновению.

— Не понимаю, о чем вы, — девушка надула губы. — Вы сумасшедшая.

— Это ошибка, — мягко произнесла Сабрина. — Вам стоит не ссориться со мной, а добиться моей симпатии.

— Мне наплевать на вашу...

— Нет, не наплевать. Или не должно быть наплевать. — Сабрина наклонилась вперед, не отрывая взгляда от глаз девушки. Ее голос звучал тихо, но слова являлись настоящей сталью. — Потому что я намерена вывести вас на чистую воду и не дать закончить учебу.

— У вас это не получится! У вас нет такой возможности! Хотя бы потому, что ваш муж ненавидит меня!

— Мой муж ненавидит вас? Почему?

— Потому... потому что я не легла с ним в постель, — защищаясь ответила Рита.

Сабрина медленно покачала головой.

— Ты маленькая дурочка. Можешь ты хоть раз воспользоваться головой, а не тем, что у тебя между ног? Сколько ты еще собираешься пробивать себе путь, пользуясь своими прелестями? Какая тебе нужна сделка? И сколько у тебя будет друзей, если всякий раз, когда ты продаешь себя, ты доставляешь неприятности женщине, полагающейся на твои мозги?

— Он велел вам сказать это? В прошлом июне он говорил мне то же самое.

Сабрина отодвинула в сторону свою чашку.

— Теперь послушай меня. Мой муж не знает о нашем разговоре. Ты имеешь дело только со мной, и мы сохраним нашу встречу в тайне. Но даже если бы он знал, что я здесь, он не стал бы подсказывать мне слова. *Никто* не указывает мне, что говорить. Это решаю *я сама* без чьего-либо позволения. Ты должна понять, что надо верить в себя, как в человека, а не как в секс-машину, — она сделала паузу. — Но мы говорили о другом, правда? Твое обучение. Анонимные письма. И тип гениальности того, кто их пишет.

Наступило долгое молчание. Сабрина наблюдала, как выражения сменялись на лице Риты, когда она пыталась задуматься об ответственности и наконец сдалась.

— Вы собираетесь донести на меня?

«Донести на меня. Словно ей три года», — подумала Сабрина.

— Что, по-твоему, я имела в виду, когда обещала вывести тебя на чистую воду?

— Я не знала. Я не знала, что вы догадались про письма, — Рита подождала. — Но вы не можете донести на меня! Они приостановят мое обучение или даже выгонят, и я не смогу...

— Конечно, ты не сможешь закончить! — возмущенно произнесла Сабрина. — Я даже сказала, что сделаю все для этого.

— Но я должна! Родители сказали, что не дадут мне больше денег, если я не доучусь и на этот раз. А у меня нет ни цента, поэтому я должна доучиться.

«Железная логика», — подумала Сабрина.

— И как ты намерена доучиться?

— В классе «С». Это все, что мне нужно.

— Нет, тебе еще нужно переманить меня на свою сторону.

Грызя ноготь, Рита выглядела сбитой с толку.

— Но тут я ничего не могу поделать.

— Подумай, — предложила Сабрина. — Поскольку у меня нет намерения лечь с тобой в постель, что интересного ты можешь предложить мне?

Рита грызла ноготь, загнанно оглядывая комнату, затем в замешательстве посмотрела на Сабрину.

— Вы хотите, чтобы я сказала им, что написала в письме неправду? Но тогда я должна признаться, что писала письма! Этого я не могу сделать! Они выгонят меня! Я не закончу учебу!

— Ну, думаю, это можно решить. Я пойду с тобой к вице-президенту. Если ты расскажешь правду, я уверена, втроем мы все решим.

Она оттолкнула тележку и придвинулась к Рите.

— Ну? Почему бы нам не прикинуть сейчас, что ты там скажешь?

С утра в День благодарения пошел снег и не прекращался до вечера.

— Хорошо, — весело сказала Долорес. — Влага нужна. Лето и осень были сухими.

— Как благодарен должен быть снег, — сказал Нат, положив руку ей на плечо. — Ты разрешила ему падать.

Долорес спокойно улыбнулась.

— Заметь, я не прошу его перестать.

Она подмигнула Линде и продолжила тереть клюкву.

Линда взяла Сабрину за руку.

— Ты видела? — спросила она громким шепотом. Ее щеки раскраснелись от жара, черные глаза сверкали. — Разве Долорес когда-нибудь подмигивала раньше?

— Нет, — честно ответила Сабрина. Она резала апельсины и передавала их Долорес, чтобы та смешала их с клюквой. Линда колола мускатные орехи для сладкого картофеля. Острый аромат заполнил душную кухню, смешался с запахом жаркого по-турецки и остывающих пирогов. В другой части помещения Гарт с Мартином готовили кукурузный пудинг по рецепту прабабки Гарта, который он пытался вспомнить по дороге сюда, споря по поводу пропорций соды и молока. Нат перелил вино из бутылок в графины и кружил по комнате, пробуя все.

Сабрина прислушивалась к разговорам и глубоко вздыхала, словно она могла впитать в себя через звуки и запахи свое счастье и сохранить его на будущее. Поскольку доктор высказался против поездки, Сабрина берегла острый глаз ее матери и могла расслабиться в День благодарения. Это был первый раз, когда она проводила день с друзьями: совместное приготовление еды, украшение комнат цветами, принесенными Долорес, смех детей за столом, а на улице падающий снег на фоне серого неба. Мой первый и последний, подумала Сабрина. И этот день даже не должен быть моим. Это должен быть день Стефании. Грусть просочилась сквозь ее счастье. Слезинка упала на апельсин.

— А я думал, это бывает только от лука, — сказал появившийся Нат. — Ни разу не видел, чтобы апельсины создавали такой эффект. Заменить тебя?

Сабрина покачала головой.

— Пройдет.

— Траур всегда проходит, а воспоминания нет. У тебя было мало времени. И потом ты еще возилась с делами Гарта.

Взяв открытую бутылку вина, он наполнил шесть бокалов и раздал их.

— Леди и джентльмены, я предлагаю первый тост нашего праздника, несомненно, один из многих. Мы надеемся, один из многих, — когда все повернулись к нему, он сделал паузу. — Конечно, у нас есть бесчисленное количество благодарений, но сейчас существует три особенных. И поэтому я объявляю тост. За Мартина Талвия, нового главного редактора «Фэйрбэнк паблишерз», который произведет революцию в книжном деле, гарантируя, что романы будут напечатаны на английском языке, а не на жаргоне. И за Гарта Андерсена, за его победу над грязной ложью, в которую мог поверить только гетероморфный, слабоумный, недоношенный следователь.

— Это означает неестественность, — пробормотал Мартин, когда Линда и Долорес потребовали объяснения значения непонятного слова. Сабрина посмотрела на всех шестерых, отражавшихся в темном окне, собравшихся вместе в уютной кухне в начале зимы. Она запомнила эту картину. Траур проходит. Воспоминания нет. *«У меня будут воспоминания. О Стефании и о ее друзьях и семье. Потому что короткое время они были друзьями и семьей и для меня тоже».*

— А какое третье благодарение? — спросила Долорес.

Нат повернулся к Гарту.

— Твоя очередь.

— Моя жена, — тот взял Сабрину за руку. — Она установила личность автора анонимного письма и, хотя никогда не расскажет мне о содержании их разговора, заставила девушку пойти вместе к Лойду Страусу, где было составлено подробное признание. Она сдержала обещание, данное автору письма, и уговорила Лойда позволить студентке закончить обучение. И еще после ухода девушки — Лойд сам мне рассказал — она дала ему нагоняй, который он не скоро забудет, и стояла над ним, пока он прочитал секретарше текст, переданный по телефону средствам массовой информации. И наконец, она, как тоже рассказал мне Лойд, отказывалась уйти до тех пор, пока он не назначил дату объявления о моем назначении директором Института генетики.

Бокалы Гарта и Сабрины столкнулись с легким звоном.

— Моя жена. Моя любовь.

На глаза Линды навернулись слезы.

— Стефания, ты не сказала ни слова. Это самая прекрасная история, которую я слышала.

— Бедный Лойд, — насмешливо произнес Нат. — Столкнуться с яростью Стефании. Он, наверное, страшно испугался.

— Он это заслужил, — презрительно заметила Долорес.

— Я бы хотела, — тихо сказала Линда, — я бы хотела сделать для тебя что-нибудь прекрасное.

— Ты уже сделала, — отозвался он — Осталась со мной.

В золотистой, ароматной комнате Сабрина прикоснулась ладонью к щеке Гарта.

— Я люблю тебя.

Он обнял ее.

— Моя жизнь, мой мир, моя вселенная.

Сабрина закрыла глаза.

«Я не могу, не могу. Не заставляйте меня покидать его».

Она открыла глаза.

— У меня тоже есть тост.

— Я на это надеялся, — сказал Нат. — Мой бокал пуст.

Он увидел, что ее слезы исчезли. Сабрина выглядела волшебно. Невероятно красивая — странно, как все они привыкли к ней и теперь словно увидели ее впервые, поразились ее прелести. Сегодня разрумянившаяся от жара печи с зачесанными назад волосами она была одновременно милой женщиной и наслаждающейся любовью девушкой. А почему нет, после слов Гарта? Глядя на нее, трудно было поверить в смущенную, безразличную, печальную женщину, какой ее описывал после похорон Гарт. Но Нат все еще слышал ее случайную оговорку, когда она думала о себе, как о Сабрине, и знал, что она еще не вполне оправилась... хотя сейчас, казалось, знала точно, кто она.

Думая о ней, Нат прослушал ее тост. За Гарта, решил он, за избрание его в Совет национальных исследований по генетике. Высокая честь, хотя парню нет и сорока. Не удивительно, что они так счастливы.

— ...совет соберется на следующей неделе в Нью-Йорке, — говорил Гарт.

— Стефания тоже? — спросила Линда. — Но торговля...

— Мэйдлин поможет тебе, — сказала Сабрина. — И я поработаю с тобой эту неделю перед отъездом. Мэйдлин считает тебя способной. Я тоже.

— Мама, мы умираем с голода! — В кухню ворвался Клифф. — Когда мы будем есть?

— Боже мой, птичка! — воскликнул Нат. — Я забыл о своих обязанностях управляющего, — он открыл печь. — Когда мы будем есть?

— Через час, — сказала Долорес. — Если Гарт и Мартин поставят свое творение из кукурузы в печь прямо сейчас.

— Можно мы немного перекусим? — спросил Клифф.

— Чуть-чуть, — сказала Сабрина. — Праздник еще впереди.

Когда все стали ходить по кухне, выполняя свои обязанности, она быстро взглянула на окно. Оно было темным. Все отражения исчезли.

Следующим вечером после обеда Сабрина поднялась по лестнице на третий этаж и села за стол Стефании. Комната была голой, но не запыленной. Сработала умелая рука Хуаниты. И грусть ушла из нее тоже. Сейчас это была простая комната, где хранились проекты, которые начинали постепенно возрождаться. Сабрина вытащила из ящиков записи и фотографии Стефании, относящиеся к бизнесу, и сложила их в большие конверты для Линды. В течение многих лет той придется продолжать дело Стефании.

В странной тишине, столь редкой в этом доме, Сабрина смотрела на стопку конвертов. Один за другим она сложила незаконченные кусочки жизни Стефании. Клифф освободился от своей банды и так обрадовался этому, что почти с удовольствием воспринял месяц ограничения свободы. Мальчик обо всем рассказал Гарту, и они вдвоем достигли взаимопонимания. Все, что Сабрина узнала об этом, это комментарий Гарта, лежавшего на постели: «Когда-нибудь Клифф оценит то, что ты для нас сделала, помогла нам стать друзьями. Я ценю это уже сейчас. Я ценю тебя».

Она была с Гартом во время безобразной истории с анонимным письмом. Теперь все затихло. Гарт погрузился в обсуждения с архитекторами-подрядчиками по поводу нового Института генетики. Она помогла Линде, как сделала бы и Стефания. Скоро у Пенни начнется класс искусства. В следующем месяце смоделированные и сшитые ей костюмы появятся на кукольном спектакле...

«Я его не увижу, хотя обещала...»

— Мам, ты спускаешься?

— Через несколько минут, Клифф! — крикнула в ответ Сабрина. Открыв ящики стола, она убедилась, что ничего не оставила, и провела на всякий случай по каждому из них ладонью. Везде было пусто. Взяв стопку конвертов, Сабрина погасила свет.

— Мама!

— Да, Клифф, сейчас...

— Телефон, мам! Из Лондона!

Лондон? В такое время? Видимо, что-то случилось. Там сейчас три часа утра. Кто может звонить?

Сабрина бросила конверты и побежала к телефону.

— Миссис Андерсен, это Майкл Бернард. Мы встречались на похоронах Сабрины, если вы помните.

— Конечно, помню. Что-нибудь случилось? Посольство? Что произошло?

— Нет, кое-что другое. Мы хотели поставить вас в известность как можно скорее. Из Скотланд-Ярда нам сегодня стало известно, что Иван Ласло и Рори Карр арестованы за то, что подложили бомбу в яхту Макса Стуйвезанта. Кажется, они...

— Подождите. Пожалуйста, подождите минуту.

— О! Проклятье... Простите. Джоли говорила мне, чтобы я не торопился... Эй!

— Миссис Андерсен, это Джоли Фэнтом. Майкл

грубый человек, и я извиняюсь за него. Нельзя было так говорить вам.

Сабрина села на край кровати.

— Все в порядке. Я знала, что там была бомба. Просто неожиданное сообщение. Отсюда все кажется таким далеким. Что они еще обнаружили?

— Это все, что мы знаем. Все будет в нашей статье в декабре. Вы знаете о контрабанде Макса Стуйвезанта? И что Ласло и Карр хранили его товары и побочно еще приторговывали? Вы узнали все это от Сабрины?

— Да. Но что с «Амбассадором»?

— Ничего. Репортерам нужна драма, а торговля на стороне не драматична. Пресса заинтересовалась Ласло и Карром, потому что они подложили бомбу. Вот *это* драма. А с «Амбассадором» никакой связи.

— Но связь все-таки есть. Если Сабрину убили из-за того, что она знала...

— Нет, это не так. Мы знали, что вы боялись, но не могли сказать с уверенностью, что вы не правы. Теперь можем. Карр и Ласло вертятся, обвиняют во всем друг друга, но все вытекает из ссоры со Стуйвезантом по поводу побочной торговли. Он заявил, что их могут поймать, и весь его контрабандный бизнес провалится. Карр и Ласло решили, что он просто захотел избавиться от них, и направили удар на него.

— Значит, не Сабрину... а Макса они хотели убрать?

— Про это я говорю. Несколько лет назад Ласло работал секретарем Стуйвезанта и занимался для него небольшой контрабандой, доставлял товары на итальянскую Ривьеру.

«Лодка, — вспомнила Сабрина, — перед рассветом, когда она вышла подышать свежим воздухом и избавиться от Дентона. Иван Ласло с моторной лодки забрался на борт и спустился по лестнице, не заметив, что за ним наблюдали».

— Вот, — продолжала Джоли, — он знал некоторых членов команды еще с тех времен и приехал на яхту повидаться с друзьями к пристани Монте-Карло. Выбрал момент и подложил бомбу в каюту. Она взорвалась слишком быстро, потому что он плохо ее установил. Вот почему яхта оказалась всего в двух милях от берега, и французские водолазы легко подняли ее. В противном случае мы могли бы никогда не узнать, что это не было несчастным случаем.

— Они убили всех...

— Им было наплевать. Они хотели, чтобы все выглядело, как несчастный случай.

Наступила пауза.

— Стефания, вам стало теперь легче или труднее?

— И то, и другое.

— Я так и думала. Они были неприятными людьми, но Стуйвезант имел большое обаяние и лучше всех разбирался в искусстве. Они с Сабриной знали друг друга много лет. Она оформила его лондонский дом. Мы думали, она отправилась в круиз по делам, возможно, купить себе галерею. Он был в Чилтоне на всех основных аукционах. У него имелся отличный выбор для нее.

«Она защищает Сабрину Лонгворт перед ее американской сестрой, — подумала Сабрина, — объясняет причину присутствия той на яхте».

— Спасибо, — сказала она. — Я очень благодарна.

Джоли продолжала говорить, случайно упомянула, что приятельница Сабрины, Габриэль, несколько раз обедала с Бруксом Вестермарком. Сабрина поблагодарила и за это.

— Жизнь продолжается, — сказала Джоли, — и ваша тоже. До свиданья, — попрощалась наконец она.

— Спасибо, — произнесла Сабрина. — И Майклу спасибо.

— О, Майкл еще от меня получит за свою болтовню.

Сабрина засмеялась. «Ох уж эта парочка», — подумала она с нежностью, как думала, когда была Сабриной и жила в Лондоне. Она представила себе, могли бы они втроем быть такими же близкими сейчас, когда она была Стефанией.

Стопка конвертов лежала на кровати рядом с Сабриной. Завтра она отдаст их Линде. И это будет означать, что ей больше нечего делать. Не было препятствий для ее возвращения в Лондон. Дело о подделках было предано гласности. Ей больше не нужно бояться за репутацию умершей Сабрины. И ей самой не грозила теперь никакая личная опасность, да и никогда не грозила.

Ничего больше не оставалось Сабрине. Причин оставаться тоже нет.

— Мама, все в порядке?

Сабрина взяла себя в руки.

— Да, Клифф. Все в порядке.

— Значит, мы можем быстренько сыграть в «Монополию»?

— В «Монополию» не сыграешь быстро. Игра затянется до полуночи. Как насчет «Уголков»?

— Отлично. Ты идешь?

— Сейчас.

Больше нет причин оставаться. Сабрина сидела на кровати и чувствовала, как медленно течет время, все замедляется, подходит к концу. Вокруг нее каждый предмет казался ясным и четким; обычные предметы мебели, казалось, сами по себе вспыхивали в ее памяти, присоединяясь к картинам празднования Дня благодарения. Последний шанс запомнить их так, чтобы, закрыв глаза, увидеть все снова. Через три дня, в понедельник, она уедет. Сначала с Гартом в Нью-Йорк, затем одна в Лондон. Стефания Лонгворт возвращается домой в жизнь Сабрины Лонгворт.

— Мы всегда будем здесь, — сказал Гарт. — Незаконченная история.

«Часть жизни Стефании, моя жизнь, которую я не могу закончить».

— Две незаконченные жизни, — сказал Гарт.

«Да, но это лучше, чем ранить тебя правдой. Или жить с тобой во лжи, основанной на смерти моей сестры».

— Мама!

«Не думать об этом. Наслаждаться последними днями».

— Иду, Клифф, — отозвалась Сабрина и стала спускаться по лестнице.

Позже Сабрина будет вспоминать эти три дня как смесь жестов и голосов. Она будет пытаться выделить отдельные моменты, но они станут ускользать. Единственное, что у нее останется, это смутное воспоминание о времени, когда ее чувства резко сменились от яркого счастья к темной горечи, а часы понеслись прочь от нее, когда она пыталась их вернуть.

В пятницу вечером Лойд Страус устроил обед для преподавателей университета, его попечителей и ученых со всей страны. Пенни и Клифф были там, сидели и с благоговением слушали разговоры об их отце и блестящей элегантности матери в уникальном золотистом платье и коротком жакете. Комната была ярко освещена и заполнена людьми.

— Извинение Лойда, — произнес Гарт, смущенный, но тронутый. — За нашего приятеля следователя.

Наблюдая, почти ничего не говоря, Сабрина позволила вечеру нести ее по течению. Она любила Гарта за спокойное отношение к признанию со стороны старших и более известных ученых, к поздравлениям со стороны попечителей университета и преподавателей. После обеда, сидя во главе стола, Сабрина прислушалась к речи президента, описывающего характер Гарта — она услышала многое, чего не знала, — и затем сделавшего формальное объявление о его назначении директором нового Института генетики.

Оставаясь спокойной среди аплодисментов и вспышек фотоаппаратов, она подумала: «Я помогла этому счастью. Все это могло произойти и без меня. Но я помогла. Он всегда будет помнить это».

Гарт, стоя рядом с ней, произнес короткую речь о целях нового института, о его штате и поблагодарил тех, кто помог ему осуществить все это на деле.

— Но сам лично, — добавил он, — я хочу поблагодарить двух людей, которые помогли мне достигнуть сегодняшнего вечера. Лойда Страуса, балансировавшего между дружбой и служебными обязанностями, и мою жену, которая не оставила меня ни в любви, ни в беде, сохранила нашу семью и совместную жизнь.

Гарт взглянул на светящиеся глаза Сабрины.

— Стефанию Андерсен.

Все стояли и аплодировали, когда Гарт сел и взял жену за руку.

— Какая еще женщина, — добавил он для нее лично, — более желанна для меня? Я с ней с большим удовольствием отправился бы спать, чем сидел в этом зале.

Сабрина рассмеялась, переполненная радостью и любовью.

— Скоро, — пообещала она. — Как только мы освободим тебя от остальных твоих поклонниц.

Для нее не было никакой другой реальности, кроме глаз Гарта, его рук, держащих ее ладони, его губ. Но президент университета увел его поговорить с одним бизнесменом, собиравшимся вложить средства в строительство института.

Это все, что запомнила Сабрина, хотя разговаривала со множеством людей и позже, когда дети уже улеглись спать, и они с Гартом любили друг друга. Они любили так, словно хорошо узнали друг друга только за последние недели: медленно, как бы развлекаясь, словно все время мира впереди принадлежало им, смакуя каждый момент, когда они удивительно жили, изучая, познавая то, что могли дать или взять.

Но Сабрина запомнила только общее впечатление, чувство полноты, а не отдельные моменты, когда они видели только друг друга, а все остальное не имело значения. Те моменты были туманными, являлись частью темноты ночи и тусклого утреннего рассвета, когда Пенни с Клиффом разбудили их, напомнив о планах на уик-энд.

— Вы не забыли? Мы едем кататься на лыжах!

— Вот в чем разница, — прошептал Гарт со своей подушки, положив под одеялом руку на грудь Сабрины, — между забывчивостью и началом уик-энда в цивилизованное время.

Но, подгоняемые детьми, через некоторое время они уже были на пути к Мичигану.

Долорес и Нат приглашали их в свой загородный дом в дюнах в Лэйксайде с самого Дня благодарения. Когда пришло время, Сабрина не хотела ехать. *«Я хочу побыть только вчетвером. Ведь это наш последний уик-энд»*. Но она не смогла сказать этого. Пенни и Клифф были так возбуждены, что Сабрина сдалась.

Уик-энд запомнился таким же туманным, как и последние несколько дней. Ее память могла восстановить только белизну: покрытые снегом дюны на фоне бледного неба, сверкающее на солнце словно олово озеро, белые следы от их лыж на склонах. Сабрина могла вспомнить лицо Гарта, приближающееся к ней, когда дети убегали далеко вперед. Ее губы раскрывались перед его, и она шептала: «Я люблю тебя». Потом Нат и Долорес поймали их. Она запомнила неторопливый обед перед огромным камином, тихую беседу до позднего вечера, их четверых, наблюдавших, как умирает пламя и начинают поблескивать угли. И еще Сабрина помнила, как они с Гартом быстро разделись в холодной спальне и скользнули в ледяную постель, ежась, пока не оказались в объятиях друг друга, как они согрелись, а потом Гарт почти без движений вошел в нее.

Но это все, кроме острой боли счастья и глухого отчаяния, было где-то вне нее.

Рано утром в понедельник они уложили вещи для поездки в Нью-Йорк и попрощались за завтраком с детьми.

— Не забудьте, — напомнила Сабрина, — после школы вы идете домой к Гудманам.

— Мама, — заявил Клифф, — ты уже говорила нам это раз пятьдесят. Мы же так делали, когда вы ездили в Коннектикут. Думаешь, можно забыть?

— Мне не понравится, если вы придете в пустой дом.

— Не придем, говорю тебе. Мы же не *дети.*

— Я знаю, — Сабрина погладила Пенни по волосам и поправила лямку. — Просто я расстаюсь с вами...

Ее голос дрогнул, и она быстро отвернулась.

— Мам? — встревожился Клифф. Она услышала волнение в его голосе. В кухню вошел Гарт.

— Что-то не так? — спросил он.

— Кажется, мама нездорова.

Гарт быстро направился к ней, но Сабрина поднялась прежде, чем он подошел.

— Немного болит живот, — сказала она небрежно. — Ничего страшного, после завтрака пройдет.

Он изучал ее лицо.

— Больше ничего?

— Больше ничего.

Они оживились. «Не забудьте, после школы вы идете домой к Гудманам», — сказали хором Клифф и Пенни и рассмеялись.

— Мам, не могла бы ты привезти мне из Англии рыцарские доспехи? — попросил Клифф.

— Доспехи? Клифф, ты знаешь, сколько они весят?

— Сколько?

— Больше ста фунтов. Рыцаря усаживали на лошадь при помощи грузоподъемного устройства.

— Как же лошадь не падала под такой тяжестью? — спросила Пенни.

— Наверное, это была здоровая кобылица, — Клифф с хохотом повалился на пол.

— Не дурно, — сказал Гарт, хихикая. — А теперь собирайся в школу пока не опоздал. И мы должны успеть на самолет, Стефания. Ты готова?

— Да, только вот тарелки.

Гарт поднялся наверх. Около гостиной он увидел

Пенни и Клиффа, они были уже одеты. Пенни крепко обнимала Сабрину.

— Не задерживайся в Англии надолго. — Ее голос превратился в шепот. — Папа сказал, чтобы я не донимала тебя, что у тебя там дела, но ведь здесь у тебя тоже есть дела. Ты ведь не задержишься там, да?

Сабрина поцеловала Пенни в щечку и прижала к себе.

— Я и не хочу там задерживаться. Я не хочу оставлять тебя. Я люблю тебя, моя Пенни. Не забывай этого. Я люблю тебя и горжусь тобой. Ты очень дорога мне.

— Мам, — заторопился Клифф. — Мы опаздываем. Могу я поцеловать тебя на прощанье?

Она отпустила Пенни, но ее руки не разжимались.

— Не уезжай. Пожалуйста, не уезжай.

— Не в этом дело. Мне кажется, путешествия иногда меняют людей. Беги, Клифф.

Он обнял ее.

— Если ты не сможешь привезти доспехи, может, тогда ты привезешь мне шпагу, как у короля Артура?

Сабрина робко улыбнулась.

— Я что-нибудь поищу для тебя. Но это должно быть оружие?

— Просто с тех пор, как я читаю про короля Артура...

— Я понимаю, что это должно быть. Клифф, позаботься... позаботься о Пенни и о себе, хорошо?

— Конечно, я всегда так делаю. А ты привезешь ей тоже что-нибудь?

— Я пришлю подарки, как только приеду. Как это будет?

— Хорошо. Пока, мам. Счастливой поездки. — Он поцеловал ее в щеку. Сабрина обняла Клиффа и тоже поцеловала его в обе щеки.

— Французы так же прощаются, — сказал он.

— И я тоже, — ответила Сабрина, целуя его еще раз. — Мне будет тебя не хватать, моя звезда футбола. Особенно твоих шуток. Твоего лица и улыбки.

— Ну пока, мам!

— Прости, — сказала она, вытирая слезы. — Не буду начинать все с начала. Ну, иди, или ты на самом деле опоздаешь. Желаю хорошо провести время у Гудманов, и передай от меня привет Вивьен.

Дети убежали, а Сабрина наблюдала за ними из окна. Они повернулись и помахали руками, она тоже ответила им. Она смотрела, как они удаляются, и плакала.

ГЛАВА 20

Улицы Нью-Йорка блестели от дождя. Приближение обеда заставляло торопиться людей с зонтами, которые сталкивались друг с другом и качались как тенты, треплемые ветром. Ребята и старики сидели в дверных проемах, торгуя зонтиками для тех, кто забыл их дома; курьеры на велосипедах были будто упакованы в болониевые плащи, по которым стекала вода.

Сабрина ехала с Гартом в такси, дождь представлялся ей зимними слезами, холодными и серыми, льющимися из темных туч, что поселились на вершинах небоскребов. Окна светились так, будто была ночь. Перед каждым отелем швейцар поднимал руку, как на параде, свистел в свисток, призывая такси остановиться, но никто не останавливался, потому что во всех такси сидели пассажиры.

— Все понятно, — проворчал шофер, когда на перекрестке машина попала в пробку. — Солнце светит — никто не ездит. Идет дождь — все ездят, но никто не двигается.

— Может, мы купим зонтик и пройдемся? — предложил Гарт.

— Чертовски долгая прогулка, — сказал шофер.

— Знаю, преподавал здесь.

— Оставайтесь, иначе промокнете. Доедем до угла и все будет в порядке. Верхняя часть города надежнее центра.

— Я знаю.

— Точно. Вы там преподавали что ли? Моя дочь преподает в третьем классе. Ей это нравится, но она не утруждает себя.

Гарт взглянул на Сабрину, она посмотрела в окно. С тех пор как они оставили дом, она едва разговаривала. В самолете он спросил, есть ли у ее дела в Нью-Йорке, но ответ был краток и рассеян. Было ясно, что она не осознает присутствие Гарта, вспоминая Лондон, жизнь своей сестры. Принять такую жизнь? Но коли уж так вышло, он должен был найти ее, где бы она ни была, и постараться вернуть, но он не мог предвосхитить кризис, который еще не наступил. Если связь с ее сестрой была так сильна, что смогла перенести смерть, он не мог бы порвать ее (даже если и думал, что мог), до тех пор, пока не понял, что она расстраивает его брак.

— Ты купила себе билет? — спросил Гарт, когда накрывали обед, а она взглянула удивленно.

— Нет. Я... была так занята. Куплю в Нью-Йорке.

Когда они приехали в «Плазу», Гарт внимательно смотрел на нее.

— Я и не думала, ты не сказал мне...

— Около шести недель назад мы провели здесь чудесную ночь. Мне хотелось вернуться сюда.

— Да. — В глазах Сабрины было такое одиночество, что Гарт воскликнул:

— Моя дорогая, что с тобой?

Он наблюдал, как она сделал попытку отвлечься от своих мыслей и восхищался ее стремлением, тем более что раньше у нее не получалось. Она взяла его за руку, когда коридорный приоткрыл дверь их комнаты.

— Что ты теперь собираешься делать? — спросила она.

— Мы с тобой поедем ненадолго в Колумбию. Я хочу посетить мою первую лабораторию и кое-что вспомнить. Важное для нас двоих. — Когда она не ответила, он спросил: — Ты хочешь распаковать вещи? Повесить в шкаф?

— Не сейчас.

Гарт оглядел комнату.

— Это не то, что обещала Каллен, но подойдет нам. А я предвкушаю снова раскрошить шоколад по подушке.

— И уронить на пол, — прошептала она, вспоминая с улыбкой. — Ну, пойдем?

Из-за дождя поездка в Колумбию заняла час, но тем не менее у них оставалось время, чтобы посетить лабораторию до лекции Гарта перед выпускниками.

— Услуга старому приятелю, — сказал он, когда они входили в здание. — Поскольку встреча будет только завтра, он попросил поделиться сегодня знаниями с его студентами, а это займет всего пару часов. Ты побудешь здесь или сходишь в магазин?

— Похожу по магазинам. Я бы встретилась с торговцами антиквариатом. Значит, я буду ждать тебя в отеле примерно в пять тридцать — шесть.

Они поднялись в лифте на третий этаж.

— Здесь спокойнее, чем в последний раз, когда ты была тут, — заметил Гарт.

Сабрина не понимала, о чем он говорит: месяц назад, неделю назад, она старалась скрыть непонимание, но теперь это казалось неважным. Она попрощалась с детьми, в последний раз прошлась по дому, а теперь она смогла почувствовать, как постепенно отдаляется от Гарта. Через час она купит билет в Лондон, а завтра скажет ему, что не вернется.

Они вошли в лабораторию. Это была большая комната, разделенная металлическими шкафами. Они находились в переднем отделении этой комнаты и Гарт увидел пустой лабораторный стол.

— Тинкертой пропали. Стоп, посмотри-ка сюда. Им не отделаться от меня так просто.

Не понимая, о чем он говорит, Сабрина проследила за его взглядом и увидела на стене картинки в рамках, которые на самом деле были похожи на конструкции Тинкертоя. Теперь понятно, что он имел в виду: модели молекул. Она видела похожие в его лаборатории в Мидвестерне.

— Я сделал их как раз перед отъездом, — сказал он. — Они все еще довольно хорошенькие. Но как мало мы знали в те времена, чего только не произошло за эти двенадцать лет! Ну-ка, что там устроил преемник Билла?

За шкафами, в другой части комнаты, Сабрина увидела клетки, выставленные вдоль большого окна, в которых бегали белые мыши.

— Ничего не изменилось, — улыбаясь, сказал Гарт. — По-моему, Билл все еще может быть где-то здесь. Возможно, у него по-прежнему имеется запас пинцетов и бинтов на случай ранений.

Сабрина наблюдала за мышами.

— Интересно, это окно служит защитой или открывает мир, к которому они не могут даже прикоснуться?

— Дай мне руку, — вдруг сказал Гарт.

Удивленная, она протянула ему руку.

— Зачем?

— Проверить, смогу ли я расшевелить твою память.

— Расшевелить мою... — Она как бы встряхнулась внутренне. — Прости меня, я задумалась. — Ее протянутая рука дрожала. — Может быть, мы повторим сцену? *«Я сделаю все, что смогу, ты только намекни мне».*

— Нет, нам не нужно снова переживать прошлое. Я помню, как ты посмотрела на меня, когда я сказал, что хочу жениться на тебе и заниматься с тобой любовью.

— Как? — спросила она тихо.

— Как будто преподнес тебе подарок. Твои глаза были красные и будто опухшие из-за слезоточивого газа, но они сияли так ярко, что я вспоминаю, удивляясь, как пара темно-голубых глаз казалась наполненной солнцем. Затем ты нахмурилась, как будто обдумывая — какой подарок преподнести мне взамен.

— И что же я преподнесла?

— Себя. То, что я больше всего желал. И чего только ни произошло с того дня. — Он притянул ее к себе и поцеловал. — Стефания, все, что бы ни тревожило тебя, я обещаю — мы исправим. В жизни двух таких щедрых на подарки людей не должно быть неприятностей.

— О Боже! Ты поверишь в это?

Высокий седобородый мужчина в очках в роговой оправе вошел лабораторию.

— Им недостаточно их собственной спальни, так они перебрались в лабораторию. Какой пример для молодого поколения? — Он протянул руку Сабрине. — Рольф Таггарт. Мне казалось, Гарт преувеличивал, когда описывал вас в письмах. Теперь я понимаю, что он был справедлив. Добро пожаловать. — Он пожал Гарту руку. — Милости просим домой.

Гарт улыбнулся.

— Рольф не допускает и мысли, что у меня может быть другой дом, даже через двенадцать лет.

— Мне до сих пор не хватает тебя, даже через двенадцать лет. Лучший исследователь, с которым я когда-либо работал. Ты приготовился принять шквал вопросов от моих наблюдательнейших студентов?

— Вероятно, нет, но я сделаю все, что в моих силах. Стефания, в пять тридцать — в отеле? Самое позднее — в шесть.

— Я приду. Надеюсь, все пройдет хорошо.

Когда она спускалась в лифте к стоянке такси, Рольф сказал:

— Гарт, она ошеломлена, но эта бледность... Она больна?

— Ее беспокоит поездка в Лондон. А я не понимаю, почему. — В многолетней переписке двух приятелей Гарт писал Рольфу о таких вещах, которые он не мог обсуждать с Натом или Мартином, потому что гораздо проще поверять что-то приятелю, с которым ты не встречаешься каждый день. Но он не мог рассказать ни Рольфу, ни кому-нибудь еще, что его жена, возможно, все еще подумывает о том, чтобы оставить его.

— Ее всегда отождествляли с сестрой, сколько я ее знаю, она всегда воображала себя Сабриной или по крайней мере подражала ее образу жизни. Теперь, с тех пор как Сабрина умерла, она запуталась: кто же она — Стефания или Сабрина. Как будто она вынуждена жить жизнями обеих или сделать выбор между ними. Но недавно, совершенно неожиданно, мы, наконец, сошлись, мы впервые нашли друг друга так, как каждый из нас мечтал об...

Гарт потер лоб. Они дошли до аудитории, и Гарт виновато посмотрел на своего приятеля.

— Я пришел сюда не для того, чтобы исповедоваться, отец Рольф. Почему ты не остановил меня?

— Потому что ты хотел выговориться, а я хотел выслушать. Теперь еще эта проклятая лекция. Готов ли ты к встрече с молодняком, чье любимое занятие — доказывать профессорам, что молодежь знает больше, чем люди средних лет.

Гарт расправил плечи.

— Давай покажем им, на что мы способны.

Класс был полон; имя Гарта действовало подобно магниту. Он видел перед собой шестьдесят студентов, настороженных и нетерпеливых, и приободрился. Как бы он ни был неуверен в своей жизни со Стефанией, здесь — в этой комнате — он был совершенно уверен и возбужден контактом со студентами. Расхаживая по комнате, Гарт говорил легко, без напряжения, с чувством юмора, но по существу, не стараясь подавить свою аудиторию. И в то же время, он давал им почувствовать себя членами ученого сообщества, вольными задавать вопросы и делать замечания в процессе беседы.

Было уже почти четыре тридцать, когда он вдруг сделал паузу и заметил:

— Теперь я хочу поговорить о вечных антителах.

Аудитория оживилась, эта фраза задела их воображение, а интонация голоса Гарта подсказала, что это что-то значительное. Он видел, как нарастало возбуждение, и это доставляло ему удовольствие.

— То, над чем мы работаем, — сказал он, опираясь о стол, — это возможность сделать человеческую иммунную систему неуязвимой. Что точно подразумевает именно то, что вы думаете: постоянная выработка антител.

Мы исследуем возможность слияния двух человеческих клеток — одна, которая вырабатывает антитела, другая — вечно самовоспроизводится. В результате мы получим гибрид, который будет производить бесконечный запас антител, значительно укрепляющий естественную иммунную систему человека, которая, сама по себе, не всегда эффективна. Другими словами, это — вечная иммунная система. К тому же, антитела могли бы быть использованы для создания широкого спектра вакцин,

Кто-то поднял руку:

— Сэр, а разве такое слияние клетки не пробовали на мышах?

Гарт кивнул:

— Это делают уже десять лет. Но известно, что когда человека лечат вакциной, произведенной из антител животных, то возникают сильнейшие побочные явления. Тот из вас, кому делали прививку от бешенства, вакцина для которой получается из антител лошади, знает, как это болезненно. У людей приживаются человеческие антитела, как это происходит во время переливания крови, без всяких побочных явлений. Когда мы усовершенствуем технологию, мы рассчитываем, что будем производить неограниченное количество антител, предназначенных для различных заболеваний.

— Каких заболеваний, сэр?

— Сейчас это столбняк, эритабластоза, которая является возбудителем желтухи у детей, и белокровие у детей, или детский лейкоз. Нас, возможно, отделяют лет семь, когда такие вакцины будут доступны для лечения, но их клинические испытания, вероятно, начнутся в ближайшие два года.

— Профессор, какой химический препарат используется для слияния клеток?

— Этилен-гликоль, недорогой и достаточно доступный.

— Сэр, проводили ли вы сравнительный анализ нуклеотидовых звеньев между первичным гибридом и последующим для того, чтобы определить, идентичны ли они и сколько поколений вы исследовали, какие методы вы используете, чтобы отследить первичную клетку от гибрида?

«Вечная показуха», — подумал Гарт, пытаясь произвести впечатление на аудиторию и на профессора.

— Мы сравнивали расположение нуклеотидов ДНК

на протяжении нескольких поколений и до сих пор они были идентичны во всех отношениях. Когда клетки идентичны, существует, как вы можете заметить, проблема отличения оригинала от копии. Мы нашли, что наиболее эффективный метод — это использовать меченый радиоактивный элемент для идентификации первичной клетки. Даже при прочих равных условиях, для того, чтобы отличить первичную клетку от копии, достаточно...

Он замолчал. У него в голове мелькали слова: отличить от копии. Оригинал. Идентичный. Копия. Проблема отличения оригинала от... Идентичный. Копия. Идентичный. Оригинал. Копия...

Бессмысленный взгляд на лабораторию; ни малейшего воспоминания про слезоточивый газ или пораненную руку. Вино перед обедом. «Я не хочу, чтобы ты работал в лаборатории Фостера». Разрушающая Ирма Каллен. Пугающие миссис Кейзи и Рита Макмиллан. Горничная, без объяснений ушедшая на другую работу. «Это не Сабрина умерла...» Похороны: «Я — Сабрина...» Китай. *Китай.*

Копия может быть отличена от оригинала.

— У профессора Андерсена назначена встреча. — Рольф оказался рядом с ним — «Откуда он взялся?» — как бы доводя ответ до конца, намекая, что лекция закончилась. Студенты, стоя, аплодировали. Некоторые из них подошли к Гарту с вопросами, которые они хотели бы задать, но Рольф отправил их. — Нет времени, не сейчас, возможно в следующий раз... — Потом они вдвоем остались в аудитории.

— Пойдем-ка, я отведу тебя к врачу.

Гарт с трудом сосредоточился.

— Я выгляжу так плохо?

— Похоже, ты в любой момент потеряешь сознание. Где боль? В груди? В руке?

Гарт отрывисто засмеялся.

— Голова и сердце. Но это не сердечный приступ, Рольф. Просто приступ реальности, достаточно лишь взбодрить меня. — Он посмотрел на высокие темные окна, по которым текли капли дождя, и вдруг осознал, что продолжает говорить и не может остановиться.

— Удивительно, как долго мы обманываем себя, когда давно могли бы прозреть? Мы видим и слышим то, что не совместимо с нами, но мы стараемся придать этому смысл, загнать в такую форму, какая выгодна нам, мы даже не позволяем идеям прикоснуться к мыслям потому, что они сложны, чтобы с ними согласиться, и слишком страшны, чтобы их принять. Я рассуждаю как психолог. Может быть, я неверно выбрал профессию. Бог знает, что я сделал ошибку в браке!

— Гарт, какого дьявола!

— Черт побери, Рольф, не обращай внимания на мой бред. У меня нет права обрушивать на тебя свои запоздалые разочарования. Я пойду прогуляюсь, кое-что обдумаю.

— В такой дождь? Но мы встретимся позже, за обедом?

— Не сегодня. Рольф, я подвел тебя. Прости. Лекция.

— Лекция была замечательная. Немного обрывиста в конце, но это неважно. Не можешь ли ты сказать, как взбодрить тебя? Иногда становится легче, если делишься с приятелем.

— Я не могу. Я даже не знаю — прав ли я. Может быть, в другое время... Я дам тебе знать. — Они пожали друг другу руки. — Я должен устроить другую лекцию.

— Забудь об этом. Я найду такси.

— Я сделаю это сам.

Такси не было. Все еще шел дождь. Пройдя несколько кварталов, Гарт спустился в метро. Он стоял на платформе, отталкиваемый пассажирами, которые спешили войти в поезд. Воздух пах влажной шерстью. Он не торопился, поэтому отступил.

Он мог и ошибаться. У него не было доказательств. Ученые при помощи доказательств настаивают на очевидном. Наблюдение контролируется экспериментами, документами, проверками. То, что с ним случилось во время лекции, — это внезапный поток света, как будто распахнули шторы, ослепивший его. Все совпадает: он был уверен, что она — Сабрина.

В вагоне не было пустого места. Покачиваясь, Гарт стоял в переполненном проходе, держась за металлический поручень с ременной петлей, похожей — отметил он про себя — то ли на веревку палача, то ли на слезу. Она его одурачила. Она обвела его вокруг пальца. Ученого, скрупулезного исследователя, заслужившего международное признание за умение безупречно проводить эксперименты и вести научную документацию. И он даже не заподозрил, что живет с сестрой-близнецом своей жены. Спит с сестрой своей жены. Он закрывал глаза на ее ошибки, убеждая себя, что она старается сделать их союз более счастливым; он вечно оправдывал ее, позволяя дурачить себя. Снова и снова он помогал ей дурачить себя, *помогал* и одновременно любил ее.

Идиот.

В вестибюле отеля он замедлил шаг. Наконец в переполненном лифте, который останавливался на каждом этаже, до него дошел весь смысл произошедшего, и он скорчился, как от удара в живот.

Его жена умерла.

— Вы будете выходить?

Гарт увидел, что двери лифта открыты на его этаже, и какая-то девушка придерживает их рукой.

— Да, — хрипло произнес он и, откашлявшись, добавил: — Благодарю вас.

Она проследила взглядом, как он неверной походкой побрел по ковровой дорожке.

— О вас кто-нибудь позаботится?

— Да, спасибо. — Нет. У него никого не было, но это касалось его одного. Его и Сабрины.

Перед дверью в их комнату он привалился к стене. Его трясло, было трудно дышать. Он стоял, точно зажатый в ледяных тисках, и ждал, когда уймется дрожь. Мимо него проходили постояльцы с удивленными лицами. Официант катил тележку с напитками и закусками. Гарт услышал, что за дверью зазвонил телефон и к нему подошли. Значит, она ждала его. Он должен увидеть ее. В конце концов, он мог ошибаться, хотя надежда была бесконечно мала и ненаучна. Он вставил ключ в замок и вошел. Сабрина, съежившись, сидела в кресле у окна. От света лампы ее волосы казались особенно золотистыми, а кожа бледно-прозрачной. Она выглядела хрупкой и уязвимой, и Гарт инстинктивно протянул к ней руки. *Нет!* Что-то остановило его, и он так и остался у двери, а Сабрина сказала:

— Звонил Рольф, интересовался, как ты.

Увидев выражение его лица, она замолчала. Сабрина догадывалась, что он знает правду. Она поинтересовалась, как он раскрыл это. Ее глупое поведение в лаборатории днем, какая-то другая ошибка или же просто аналитическое мышление все сопоставило? Какая разница? Было слишком поздно что-то менять.

Она была напугана, но вместе с тем почувствовала непонятное облегчение. Она не могла ничего объяснить. *Она была не в состоянии признаться ему,* но она хотела, чтобы он объяснил ей; она хотела уйти так, чтобы между ними осталась правда, а не нагромождение лжи...

Повисло тягостное молчание. Она колебалась, никто не решался произнести слов, которые бы навсегда изменили их жизнь. Наконец Гарт подошел к торшеру и включил его.

— Не надо недомолвок. У нас уже достаточно их было, не правда ли, Сабрина?

На этот раз ее имя прозвучало из его уст странно. Чужое имя.

Чужое не для нее. Чужое для Гарта.

— Ну? — спросил он, в его голосе прозвучала отчаянная надежда на то, что он, возможно, и ошибается.

— Нет, — сказала она так тихо, что ему пришлось прислушаться. — Ты не ошибаешься.

— Сабрина?

— Да.

Он резко развернулся и зашагал по комнате, не глядя на нее.

— Что это было, игра? Ты захотела немного поиграть в домохозяйку, тебе понадобилась уже созданная семья, простаки, которые подыгрывали бы тебе и позволяли дурачить себя? Жизнь в Лондоне была скучной и поэтому ты велела своим богатым друзьям держать для себя позиции, а сама тем временем играла в бедность? Никакого разнообразия, не так ли, для того, чтобы время проходило более...

— Гарт, замолчи, пожалуйста, замолчи, это неправда! Ничто из этого...

— И профессор, строгий профессор старается и добивается благосклонности леди Сабрины Лонгворт, в то время как она одурачивает его. Величайшая глупость, которая только возможна.

— Пожалуйста, нет!

Он отбросил чемодан в сторону.

— Зачем же леди Сабрине это понадобилось? Что она хотела? Всего лишь поиграть в домохозяйку? Вероятно, нет. Она желала чего-то большего. Что же это могло быть? — Он присел на край дивана около Сабрины. — Могло ли это быть, могло, вероятно, быть то, что она желала показать своей сестре, что может быть домохозяйкой? Не так ли? Леди Лонгворт, которой наскучили ее богатые друзья, решила показать своей сестре, что нет ничего, чего бы она не могла сделать. Она уже обскакала свою сестру во всем — деньги, успех, дружба, любовники... Боже мой... — Он запнулся и отсутствующим взглядом посмотрел на свои руки, поворачивая их, словно хотел убедиться, что в них ничего нет.

— Стефания мертва. Моя жена мертва. *Ты знала это.* На похоронах ты стояла рядом со мной. *Ты позволила мне похоронить мою жену, не сказав мне, что я делаю.* — Он склонился над ней, а она напряженно сжалась. — Ты, проклятая сука, как смела ты стоять там, когда опускали гроб в могилу, как смела не сказать нам, кто лежал в нем?

— Я говорила тебе! Я пыталась сказать тебе! Ты не стал слушать меня, я говорила, что я — Сабрина!

Он снова зашагал по комнате.

— Ты пыталась. Это так. Но насколько старательно ты это делала? Сколько раз? *И как скоро после того, как стало известно о ее смерти?*

Он содрогнулся от своих же слов, и в его сознании пронеслось несколько образов: веселые Пенни и Клиф, их полные веры лица; вся семья за обедом, слушающая его рассказы о своей работе; День благодарения и полный дом приятелей; кладбище, гроб, Стефания, дрожащая под его рукой... нет, проклятье, нет Стефании; Стефания умерла; он утешал Сабрину и наблюдал, как священник совершает обряд над его женой.

— О Боже, ты ответила на тот телефонный звонок, ты полетела с нами в Лондон, ты провела с нами два дня перед похоронами в рыданиях и так и *не сказала нам,* кто же умер.

— Прекрати. Как ты смеешь? — Она вскочила и встала у окна, высоко подняв голову. — Что бы ни произошло, как смеешь ты намекать, что я не страдала? Как смеешь ты обвинять меня, что я заняла ее место для того, чтобы доказать, будто я лучше ее? Я не была лучше, я никогда не думала, что я лучше; мы были одинаковые, мы были частью друг друга, и я любила ее больше всего на свете. Я любила ее сильнее, чем ты, в конце концов, я думала о ней, как о человеке, а не как ты *о жене.* Я хотела, чтобы ее любили и заботились о ней, а ты не дал ей ничего. Ты был так погружен в себя, что все эти годы едва замечал ее, ты не прислушивался к ней... Боже, Гарт, прости меня, прости! Я не хотела этого говорить. Я знаю, все было гораздо сложнее, у двух людей никогда не бывает все просто... Но я любила ее так, что мне не хватает ее, мы не рассчитывали на это, мы думали, это продлится неделю.

— Мы? О чем ты говоришь? — Шагая по комнате, он дотрагивался до мебели, будто это было единственной поддержкой в его шатком мире. — Стефания никогда бы не приняла участия в таком грязном розыгрыше.

— Разумеется, приняла, иначе как же мы поменялись местами? Прости, я не хотела, чтобы ты знал, я не хотела причинять тебе боль.

— Причинять боль! Ты сумасшедшая? После многих недель лжи, после того, как ты дурачила меня, ты не хотела причинять мне боль?

— Да, хотя это звучит глупо. — Она смотрела в окно на огни города, искаженные дождем. — Но я же сказала тебе: мы и не предполагали, что это продлится больше недели. Стефания почувствовала, что должна уехать на несколько дней: обдумать проблемы, связанные с Клиффом, с тобой, с деньгами, насчет работы в Стэмфорде.

— Она поведала тебе о наших интимных отношениях?

— Нет. Конечно. Она не вдавалась в подробности. Но я понимала, что ей необходимо уехать, как и мне; в моей жизни были тяжелые ситуации, тоже проблемы, которые мне нужно было обдумать. И тогда возникла идея — поменяться местами.

— Кому пришла такая идея?

— Мне, — быстро среагировала она.

— Ты лжешь. Это была ее идея, не так ли?

— Я не помню. Какая разница?

— Не можешь ли ты хоть раз во всей этой грязной истории сказать правду?

— Это была идея Стефании. Но я согласилась.

— Поменяться местами. Что дальше?

— Нам показалось, каждая из нас могла бы посмотреть на свою жизнь со стороны, понять себя — где она была и где хотела бы быть. Потом мы бы поменялись обратно. Никто не узнал бы. Я сказала Стефании, что не буду заниматься с тобой любовью, а она ответила, что это случается так редко.

Его лицо помрачнело, глубокие морщины пролегли вокруг рта.

— Но ты же делала это, не так ли? Боже мой, не нравилось ли тебе это? Да, сцену ты разыграла умело, а я даже привез тебя сюда, как глупый романтик... Ты прекрасно провела время — ночь за ночью, а я верил всему, я поддался...

— Но это была не ложь. Как же ты не понимаешь? Гарт, пожалуйста, постарайся понять. *Я влюбилась в тебя.* Я не хотела, я старалась преодолеть себя, но я любила тебя задолго до того, как призналась тебе в этом. Затем, когда я осознала, то захотела сразу же вернуться в Лондон, но Стефания хотела продолжать. Ведь моя рука еще не зажила и, если бы мы поменялись тогда, ты бы догадался.

— Куда Стефания хотела ехать?

— Она хотела поехать домой, к тебе. Но пока моя...

— Куда она хотела ехать до того, как вернуться ко мне и детям?

— Не важно.

— Проклятье, не обращайся со мной, как с ребенком, которому нельзя сказать правды. Как ты и обращалась со мной с самого начала. Теперь немного поздно. *Куда она хотела поехать?*

— В круиз. Потому что я много раз ездила, а она никогда.

— С кем?

— С группой людей.

— Другими словами, она нашла кого-то еще.

— Гарт, какая разница? Она мертва. Она любила тебя и детей. Она хотела вернуться и остаться с вами, сделать ваш брак счастливым, а потом была убита. Больше ничто не имеет значения.

— Больше ничто не имеет значения. Не удобно ли так жить? Не так ли ты живешь? Я скажу тебе, что имеет значение: три проклятых месяца. Три месяца лжи детям, которые любили тебя и верили тебе. Три месяца лжи друзьям, которые волновались за тебя, помогали тебе, когда ты сломала свою чертову руку. Три месяца лжи, в то время как я оправдывал твое поведение и верил, что ты стараешься спасти наш брак. Три месяца улыбок, поцелуев и удивительно страстной любви. Три месяца обмана, должен тебе сказать, у тебя хорошо получалось. Поздравляю тебя с замечательным...

— Стоп, стоп, разве ты не понимаешь, *я не всегда была уверена в том, кем я была.*

Гарт остановился. Его лицо казалось удивленным. Ученый слышит что-то новое и интригующее. Но он отмахнулся. Он даже сделал движение руками, как бы отбрасывая это и позволяя вернуться гневу, как будто Сабрина не говорила.

— И сколько же еще ты собиралась дурачить нас? Пока не пройдет ощущение новизны? Пока дети и я не начнем действовать тебе на нервы? Пока ты не решишь, что пришло время вернуться к богатым друзьям и к суматохе светского общества?

— Это несправедливо, — прошептала она, повернулась к окну и громко сказала: — Все кончено. — Она смотрела на стекло, на котором от ее дыхания образовывались запотевшие круги, и следила за их исчезновением.

— Что это значит? — Он развернулся. — Повернись, черт побери, смотри на меня, когда я с тобой разговариваю.

Ее поразила боль в его голосе, и Сабрина почувствовала, что его гнев и горе ранят ее. Ее колени задрожали и она, качаясь, пошла к креслу.

— Ты же знаешь, что я собираюсь отсюда в Лондон. Сегодня днем, когда ты читал лекцию, я купила билет. Завтра я собиралась сказать тебе, что не могу больше оставаться с тобой, что мне кажется, мы не в силах сделать наш брак...

— Не наш, леди!

— Я пытаюсь объяснить, что готовилась сказать тебе. Я не думала, что мы можем сделать наш брак действительным и я собиралась оставаться в Лондоне постоянно.

— После того как ты замечательно разыгрывала любовь, в постели и вне ее, после убеждений Риты Макмиллан, после такой замечательной работы исполняющей обязанности... тебе и в самом деле удалось стать членом нашей семьи... — Его голос дрогнул и ему пришлось прерваться. — После всего этого, — прохрипел он, — как мы тянули такую жизнь, словно бы на самом деле состояли в браке, ты говоришь, он был недействительным.

Ее руки замерзли и закостенели и она, скрестив их на груди, спрятала под мышками, чтобы согреть.

— Я никогда ничего не разыгрывала ни с тобой, ни с детьми. Я не тянула такую жизнь. Я всех вас очень люблю. Но все кончено. — Ее голос стал решительней. — После похорон я пришла сказать тебе правду, закончить весь обман, а потом я собиралась сказать родителям и вернуться в Лондон. Но ты привел детей в аэропорт и я не смогла... Позже, дома, я увидела письмо, и поняла, что должна остаться и помочь тебе.

— Я не просил тебя о помощи. Я не хотел и не желал ее.

— Да, ты не хотел. Ты был взволнован и дело совсем не в том, как ты называл меня, — ты любил меня и хотел, чтобы я осталась с тобой. Гарт, любовь моя!

— *Не называй меня так!*

Она вздрогнула, словно он ударил ее.

— Нет, конечно, я не имею права. Но я стараюсь объяснить, что этим обманом было лишь мое имя. Все, что я чувствую к тебе, — правда. Я люблю тебя, у нас был прекрасный брак.

— У нас не было брака. *Что же ты за чудовище такое, если хочешь извлечь выгоду из смерти своей сестры!*

Сабрина осеклась. Рыдания сотрясали ее, она согнулась, закрыв лицо руками. Гарт напрягся, вскочил со стула, желая поддержать и утешить ее, вспоминая ее тело, улыбку, любовь в глазах — и вдруг почувствовал, что презирает ее, презирает себя.

— Встань, — его голос был бесцветным. — Убирайся отсюда. Я не выношу тебя. Катись в свой собственный мир, к которому ты принадлежишь.

Нет, больше невозможно. Как слепая, она отправилась в ванную, и Гарт услышал шум воды. Через несколько минут Сабрина вернулась. Она умылась, а ее смертельно бледная кожа напоминала воск. Ко лбу прилипли намокшие волосы.

— Сабрина Лонгворт мертва. Она умерла, когда взорвалась яхта. Теперь я кто-то другая. Я поеду в Лондон, как Стефания, никто не должен знать, что произошло; я знала, что правда не должна стать известной ни для тебя, ни для детей. Я хотела скрыть, и я сделаю это ради детей, пока ты не решишься признаться. Но это должно быть твое решение. Потому что так или иначе я стала кем-то другим.

Она надела зеленый замшевый жакет, который Гарт купил ей в Сан-Франциско, а затем плащ.

— Я хочу, чтобы ты знал, я люблю Пенни и Клиффа. Они так дороги мне, их любовь для меня много значит... У меня нет детей, я не решалась завести их. Было так чудесно любить их и знать, что они любят меня. — Она склонила голову, помолчала, пока вновь не собралась с силами. — А я люблю тебя, мой дорогой, всем сердцем, больше, чем могу сказать словами. Я знаю, ты не хочешь ничего слушать, но ты — вся моя жизнь и моя мечта, которую я надеялась когда-нибудь найти, и я желала сделать тебя счастливым. Это все было неправильно, я знаю; я совершила ужасный поступок, и с самого начала знала, что ни к чему хорошему это не приведет. Но прежде чем покинуть тебя, хотела помочь в последний раз, сделать что могла.

Гарт сидел, отвернувшись, его голова опиралась на руку.

— Уходи, — сказал он плача.

Сабрина взяла чемодан, выпрямилась. То, что было в нем, принадлежало Стефании. Она поставила его на пол рядом с Гартом, повесила свою сумку на плечо и открыла дверь. Так она постояла какое-то время, глядя на густые с проседью волосы Гарта и мысленно представив локон, спадающий на его лоб... *Моя любовь, моя любовь, забудь меня.*

Гарт подумал, что она ушла и, повернувшись, понял, что она смотрит на него.

— Проклятье, убирайся! — крикнул он сквозь слезы. — Дай мне потосковать о моей жене!

Сабрина быстро закрыла за собой дверь, прислонившись к ней. Сердце колотилось. Все кончено. Она прикоснулась к двери пальцами.

— Я люблю тебя, — сказала она и пошла к лифту по ковру, вышитому цветами. Она заставила себя встать прямо и высоко подняла голову. Она покидала отель в дождь.

ГЛАВА 21

Миссис Тиркелл как раз возвратилась с рынка и теперь пыталась одновременно внести в дверь мокрый зонтик и сырые свертки и пакеты, когда подъехало такси из аэропорта.

— Миссис Андерсен! — воскликнула она, стоя под проливным дождем и придерживая дверь, пока Сабрина расплатилась с водителем и вбежала в дом. — Входите, входите, ох, как я рада вас видеть! А как будет довольна мисс де Мартель! Давайте мне ваше пальто и шляпу. Там в гостиной разожжен камин, и в комнате миледи... в вашей комнате... А я принесу вам чай. Куда вы хотите пройти сначала?

— В мою комнату, миссис Тиркелл. И, пожалуйста, дайте к чаю желе и лепешки. Мисс де Мартель дома?

— Нет, миледи! Вы, должно быть, с ней разминулись. Миссис Тиркелл растерянно нахмурилась. — Простите меня, я имела в виду миссис Андерсен. Вы так похожи...

— Все в порядке, не надо извиняться. — Сабрина повернулась к лестнице. — Многие не могли отличить нас друг от друга.

— Но, миссис Андерсен, где же ваш багаж?

— У меня его нет. Когда принесете чай, миссис Тиркелл, пожалуйста, захватите почту и сегодняшнюю «Таймс».

— Хорошо, миледи.

Сабрина слегка улыбнулась и поднялась по лестнице в свою комнату. Она помедлила на третьем этаже, рассматривая букет красных и розовых гвоздик на пианино. «До встречи», — было написано на карточке. У Габриэль был поклонник. Брукс? Что ж, Габриэль скоро ей расскажет. В подробностях. Она оглядела тихую гостиную, освещенную мягким светом ламп. Миссис Тиркелл не бездельничала. Все было так, как должно быть. За исключением того, что комната была пуста: ни смеха детей, ни ласкового голоса мужа.

В спальне четвертого этажа она опустилась на колени, чтобы зажечь огонь, и потом поняла, что не может подняться. Она так устала, ее руки и ноги просто притягивало к земле. Она осталась там, где была, и, прислонившись к кушетке, немного прикрыла глаза, глядя на огонь. Мысли ее были медленными, тяжелыми, они уползали подальше от комнаты в нью-йоркском отеле, медленно концентрируясь на сегодняшнем дне и предстоящих неделях, пустых, мертвых неделях без ее семьи, на длинных часах, когда будет создаваться новая жизнь, не принадлежащая ни ей, ни Стефании. *«Как я создам жизнь не существовавшего ранее человека?»*

Когда миссис Тиркелл постучала и внесла поднос с чаем, она поднялась, села за круглый стол у окна и стала просматривать маленькую пачку писем.

— А что, об остальном позаботился Сидни Джонс?

— Он забирает ее раз в несколько дней, — она неуверенно топталась на месте. — Миссис Андерсен, могу я узнать... вы останетесь надолго? Будете ли принимать гостей? Или вы приехали продать дом? Я не знаю, какие мне строить планы, видите ли...

Сабрина посмотрела на свое круглое отражение в серебряном чайнике и на отражение чайника в залитом дождем окне. Их было два. *«Когда-то и меня было две»*.

— Я останусь насовсем, миссис Тиркелл! — В первый раз она произнесла эти слова вслух. Они прозвучали резко, как удары, забивающие крышку. — Надеюсь, вы останетесь со мной, как были с моей сестрой.

— Ох, я останусь, конечно останусь. Ничего большего я и не хочу. Но... ваш муж, мэм? Ваши дети? Ваш дом в Америке?

— Мой дом здесь, — сказала Сабрина, прекращая разговор. — Дети со своим отцом, в школе, там, где и должны быть. *«Мне надо сказать что-то еще, нельзя, чтобы люди думали, что я просто бросила семью».* — Возможно, они приедут ко мне на летние каникулы. Я не вижу на подносе «Таймс».

— О Господи, я забыла, столько всего сразу случилось. Я принесу ее, мэм, а потом снова схожу на рынок, потому что купила недостаточно для... вы будете принимать гостей, мэм?

— Не сразу. Но я будут есть дома.

Миссис Тиркелл вышла, затем вернулась с газетой и снова ушла, великолепно сдерживая свое любопытство. Когда она через час вернулась забрать поднос, Сабрина переоделась в мягкий шерстяной халат и сидела в кресле перед огнем.

— Миссис Андерсен, для меня будет большая честь остаться у вас. Я глубоко уважала и высоко ценила леди Лонгворт, и мне ее очень не хватает. Если я смогу остаться с вами, это будет так, как если бы я ее не потеряла.

— Спасибо, — сказала Сабрина. — Я ценю это больше, чем могу сказать.

И никто из них не коснулся странного неожиданного приезда из Америки без багажа Стефании Андерсен, чтобы сделать Лондон своим постоянным домом и жить жизнью своей сестры.

И был еще один дом, с призрачными комнатами, плачами, голосами, которые цеплялись где-то на краю ее сознания, что бы она ни делала. Каждую ночь, ворочаясь на шелковых простынях, она протягивала руку, стремясь дотянуться до Гарта, почувствовать, засыпая, привычное тепло его тела, надежное объятие его рук. Но этого не было, не было ничего, и она каждый раз резко просыпалась, вспоминая все и ощущая пустоту, в которой тонула. Пустоту в себе, в своей постели, в своем молчащем пустом доме.

Но утром, по пути на работу, она спланировала первый день своей новой жизни: Николс и Брайан в «Амбассадоре», совещание с Сидни о финансах, ленч с Габриэль и покупки. А через несколько дней она начнет звонить своим друзьям, даст им знать, что она здесь.

В «Амбассадоре» Николс и Брайан обсуждали крохотную трещинку на красном комоде, датированном 1766 годом. Ящики комода были украшены квадратными пластинками севрского фарфора, а поставец над ними — круглыми пластинками в центре дверей. На верхушке были золоченные часы с распростертыми в обе стороны, как руки в молитве, золотыми канделябрами. Еще на верхушке торчали две фигурки черного дерева. Сабрина от дверей, забавляясь, глядела на нелепую красоту вещи.

— Где вы его отыскали? — спросила она. — Я уже много лет не встречала Кармина.

Николс вскочил, приложил руку к груди.

— Дорогая моя Стефания! Как ты нас испугала! Мы понятия не имели... Ты бы дала нам знать...

— Брайан, — промолвила Сабрина, — у вас тоже нелады с сердцем?

— Нет, — он улыбаясь, взял ее руку. — Я рад вас видеть.

Она задумчиво кивнула.

— Николс, пожалуйста, пройдем в мой кабинет. Брайан, вы присмотрите за выставочным залом?

— Конечно.

— Я бы хотела позже поговорить с вами.

— Разумеется.

— Очень симпатичный парень, — заметил Николс, следуя за ней. — Но скажи мне, дорогая Стефания, откуда ты знаешь мебель Мартина Кармина? Сабрина никогда не рассказывала нам, что у тебя такие обширные знания. Я потрясен. Видимо, мы многого не знаем о тебе.

Она присела за стол вишневого дерева, пробежала пальцами по его полированной поверхности.

— Николс, я понимаю вашу тревогу. Вы боитесь, что я начну вмешиваться в то, как вы ведете дела в «Амбассадоре» или продам его кому-нибудь. Разрешите мне прояснить вам ситуацию. Первое: «Амбассадор» не продается, ни вам, ни кому другому. Второе: я собираюсь им управлять, как это делала Сабрина, но с вашим участием. Так что, как видите, вам следовало волноваться вдвое меньше, чем вы это делали.

— Моя дорогая леди...

— Извините, — она подошла к двери. — Брайан, можно нам чая... Пожалуйста!

Она вернулась на свой стул и уставилась на Николса.

— Из наших недавних телефонных разговоров у меня создалось впечатление, что вы собираетесь скрыть от меня некоторые финансовые и ассортиментные дела.

— Моя дорогая Стефания!

— Конечно, поскольку книги ведет Брайан, а за ним наблюдает Сидни, вам надо быть очень ловким. Но ведь мы с вами оба знаем, что вы очень ловки. Я считала, что такой личный разговор сделает ненужным мой разговор с Брайаном и Сидни.

Наступила заминка. Бурная энергия Николса стихла.

— Вы же понимаете, Стефания что мы понятия не имели, когда вы вернетесь и надолго ли. Да и вернетесь ли вообще. Даже теперь, хотя вы говорите, что будете управлять магазином, я не могу себе представить, как вы будете это делать из Америки. Именно мы несем ежедневную ответственность за...

— Я приехала, чтобы остаться, Николс. Жить в своем доме на Кэдоган-сквер и управлять «Амбассадором».

— Вы ушли от мужа? От детей?

— Я остаюсь здесь. Нам не надо больше ничего обсуждать. Что касается партнерства, которого вы добивались от Сабрины, я предлагаю следующее: вы будете наблюдать за «Амбассадором» и «Блакфордом» и покупать вещи у дилеров. Я будут покупать для обоих магазинов на аукционах и заниматься меблировкой домов и реставрацией. Брайан будет вести документацию для «Амбассадора»: накладные, банковские счета, налоги, корреспонденцию и тому подобное, а Эмилия сделает то же самое в «Блакфорде». Разделение финансов между нами будет проработано и оформлено Сидни Джонсом. Вы согласны?

Ошеломленный Николс кивнул.

— Я найму аудитора, чтобы проверить ведение бухгалтерских книг и Брайаном, и Эмилией, так как наши финансы будут переплетаться. Вы, Брайан и я будем регулярно советоваться по вопросам покупки и продажи, где возможно объединяя наши операции в целях экономии. Как вы считаете, это осуществимо?

— Стефания, — Николс откашлялся. — В Китае вы

казались такой тихой. Вы изменились от того, что Сабрина мне не доверяла?

— Напротив. Она вам доверяла. Но последние несколько недель по телефону вы разговаривали как-то уклончиво. Я этого не потерплю.

— Уверяю вас, Стефания...

— Завтра я поручу Сидни начать готовить бумаги по партнерству. Это вас устраивает?

— Знаете, все это просто сверхъестественно... Вы так похожи на Сабрину. Просто фантастично. Скажите, часто вы обе думали одинаково?

— Часто, — она поднялась и протянула ему руку. — Ну как, Николс, будем мы друзьями?

Он вскочил.

— Да, да, конечно. Мы же всегда были друзьями, ведь правда? Честно говоря, я не согласился бы на партнерство с кем-нибудь другим. Но вы, дорогая моя, совершенно исключительны. И потом, должен вам сказать, что за эти последние недели я узнал, что Сабрина создала «Амбассадору» замечательную репутацию. Если у вас такая же сноровка, как у нее, а самоуверенность, я вижу, такая же, нас ждет изумительное будущее. Право, трудно даже вообразить, как далеко мы сможем пойти.

— Да, я предполагала, ваши чувства именно таковы, — она улыбнулась так мило, что только спустя несколько минут Николс осознал, насколько хорошо она поняла его жажду владеть долей в «Амбассадоре».

— А теперь, прежде чем я поговорю с Брайаном, как вы считаете, сколько предложить ему жалованья? А может, лучше небольшую долю собственности магазина?

Николс смутился. Сначала она взяла в свои руки инициативу, как Сабрина, а потом спросила его совета, как сделала бы Стефания. «Или, — подумал он, — как если бы они уже были партнерами». Он сделал одно предложение. Когда она одобрила его, он сделал второе, и вот уже они выработали рабочее соглашение, которое устраивало обоих.

— Я приведу его, — сказал Николс и, быстро встав на цыпочки, поцеловал ее в щеку. — Необыкновенно, — произнес он и вышел из кабинета.

Сабрина стояла у стола, ожидая их, и чувствовала, как струится кровь в ее жилах. Она рискнула, предположив, что Николс утаивает информацию и готовится отобрать у нее «Амбассадор». И потому, что она не ошиблась, теперь все было у нее под контролем, а ее энергия, знания, целеустремленность — все было при ней. Два магазина обеспечат ей прочный тыл, а раз Николс и Брайан возьмут на себя часть ее работы, она сможет специализироваться на реставрации и меблировке, а вечерами встречаться только с узким кругом тех людей, которых действительно хотела видеть, а не с теми, кто может пригодиться ее делу.

И если она сосредоточится на этом, то сможет построить себе новую жизнь и запрятать в самый дальний тайный уголок души смех двоих детей и ласковый голос мужа.

— Ленч? — прервала ее мысли Габриэль. — Мне жаль прерывать вашу работу, Стефания но я подумала, что вы могли забыть. А я все утро ждала этого.

— Хорошо, Габи. Мы можем пойти сейчас.

Габриэль хотела рыбы.

— Мы поделим рыбное ассорти, ладно? Мне слишком много одной, но оно такое красивое, что я не могу устоять. Ой, вы себе не представляете, как я рада, что вы здесь. Вы ведь вообразить себе не можете, как ужасно, когда не с кем поговорить. А, черт, что я говорю, конечно, вы это понимаете. Стефания, вы меня прогоните, или мне просто заткнуться и молча есть?

— Ни то, ни другое. — Сабрина вдруг обнаружила, что смеется. Смесь наигранной детскости и взаправдашней уязвимости, составлявшая обаяние Габриэль, была именно тем, что ей было нужно. «Мне надо, — подумала она, — чтобы было о ком заботиться, кроме себя».

— Расскажи мне о Бруксе, — попросила она.

Габриэль поделила между ними порцию рыбного ассорти и намазала маслом второй рогалик.

— Я невероятно голодная. Я несколько недель не ела и теперь ем все время. Он хочет на мне жениться. Я ему сказала, что хочу сначала поговорить с вами.

— Почему?

— Потому что вы для меня как Сабрина. Она, должно быть, вам рассказывала обо мне, а никого другого я не знаю. Есть еще Александра, но она в Рио, да и она все равно никогда меня не любила. Я собиралась позвонить вам в Америку, и вот вы здесь. Вы скучаете по детям?

— Да.

— А по мужу?

— Ты собиралась рассказать мне о Бруксе.

— Да, правильно, собиралась. Ну, он нашел своих шпионов. Один в Лондонском отделении продавал торговые названия и стратегию торговли «Раймер косметикс», а другой на бернской фабрике продавал им же химические рецептуры. Поэтому Бруксу и понадобилось столько времени, чтобы их обнаружить: он знал, что ни один человек, кроме меня, не мог знать то и другое.

— Но почему он решил, что ты это делала?

— Тот шпион в Берне сказал кому-то, что я продала информацию Раймеру. Когда этот слух распространился, кто-то написал об этом Бруксу. А тут Раймер выпустил в продажу новейшую косметику Брукса, и он потерял миллионы и винил в этом меня, потому что у меня был доступ к его личным папкам. Он все это сопоставил и вышвырнул меня вон. Не знаю, что бы я делала без Сабрины. У меня никогда не было такой уверенности в себе, как у нее, или вашей душевной силы. Вы обе всегда умели преодолеть все трудности, по-моему, от того, что вы были друг у друга. А у меня никого не было... А, черт, простите меня, Стефания, я снова не то ляпнула. Вам, наверное, ее ужасно не хватает.

Сабрина молчала, ожидая, когда схлынет волна боли и одиночества. Подошел метрдотель и склонился к ней.

— Миссис Андерсен, мы хотим принести вам свои соболезнования. Мы все восхищались леди Лонгворт, она всегда была такой любезной, такой доброй ко всем.

Сабрина признательно наклонила голову. Боль стихла, перешла в ноющую сердечную тяжесть, которая теперь была с ней всегда — Стефания, Гарт, Пенни, Клифф и тысячи этих «могло бы быть».

— Ты хотела бы свадьбу на Кэдоган-сквер? — спросила она Габриэль.

— О, Стефания, неужели можно? Как замечательно! Я было подумала об этом, но, конечно, без вас это было невозможно, а теперь, когда вы здесь, все можно устроить идеально.

— Приходите с Бруксом в пятницу обедать, и мы спланируем вашу свадьбу. Миссис Тиркелл надо будет знать число гостей.

— А вы будете стоять около меня во время церемонии? Я всегда хотела, чтобы Сабрина стояла рядом со мной... Стефания, вас не раздражает, что я думаю о вас, как о Сабрине? Но вы двое... все, знаете ли, так путается...

— Я знаю.

После ленча Сабрине надо было выполнить еще одно обещание. На Пэлл-Мэлл у Питера Дэйла она рассматривала старинные доспехи.

— Неполный комплект, — объяснила она владельцу, — какой-нибудь маленький...

— Минуточку, у меня есть такой, — он знал Сабрину, и после того как выразил ей свое сочувствие голосом, скрежещущим, как доспехи, которые продавал, он исчез где-то в глубине своей лавчонки и вынес маленький щит, нарядно украшенный грифоном, охраняющим замок. — Им пользовался один из детей Сесилов, когда в десятилетнем возрасте практиковался на турнирах.

«Это идеально», — решила Сабрина и, выписывая чек, представила, как Клифф будет им хвастаться, а потом повесит в спальне на стенку, чтобы он напоминал ему о матери, которая так любила его.

У Фолкнера она подобрала целую коллекцию художественной бумаги для Пенни: японский пергамент, акварельную, листы мраморной бумаги с фантастическими разводами и веленевую с неровными краями. Потом она купила одну из самых больших коробок с масляными красками, а затем, представив себе восторженное лицо Пенни, зашла к Коллет за набором восточных кисточек и фломастеров.

— Брайан, — спросила она, вернувшись в «Амбассадор», — как отправить эту громоздкую кучу в Америку?

— Так же, как мы отправляем туда громоздкие предметы искусства. Предоставьте это мне, миссис Андерсен.

— Подождите. Еще одна вещь, — она исчезла в кабинете и вернулась через минуту с запечатанным конвертом. — Все это должно быть отправлено по этому адресу.

Щит, художественные пособия и письмо:

«Мои дорогие Пенни и Клифф! Я думаю о вас и скучаю, и каждый раз, когда я закрываю глаза, я вас ясно себе представляю. Я не могу дотянуться через океан и обнять вас, вместо этого я посылаю вам подарки, которые обещала. Я вас люблю обоих».

И записка для Гарта:

«Что бы ты ни решил рассказать Пенни и Клиффу, пожалуйста, разреши им принять подарки. Я больше не буду им писать и посылать что бы то ни было еще, если только ты мне не позволишь. Но я обещала послать им подарки сразу, как приеду в Лондон. Пожалуйста, разреши мне выполнить свое обещание. Это последняя моя просьба».

Больше она ничего не могла сделать для своей семьи, только томиться по ним и ждать, когда боль разлуки притупится. Но она забыла о своей матери.

Лаура позвонила в субботу днем, когда Сабрина и Габриэль собрались идти покупать свадебное платье.

— Стефания, что, во имя неба, происходит? Гарт говорит, что ты остаешься в Лондоне на неопределенное время. Что все это значит?

— То, что сказано, то и значит, мама. Я теперь живу здесь.

— А Гарт и твои дети?

— Мама, ты же знаешь ответ. Они в Эванстоне.

— Ты оставила своих детей?

— Я оставила... Да. Они с Гартом.

— Ты от него ушла?

— Да.

— На какое время?

— На какое... сколько понадобится.

— Понадобиться! Чтобы что сделать? Уничтожить чудесный брак, прекрасный дом и жизни двух...

— Пожалуйста, мама, не надо...

— Почему не надо? Ты понимаешь, что ты бросаешь? Лучшего...

— Мама, перестань. Пожалуйста! Гарт и я, мы оба решили, что мне надо уехать. Нам и так хватило боли, не надо, чтобы еще ты добавляла. Может быть, когда-нибудь я смогу рассказать тебе всю историю, но сейчас не могу. Тебе просто надо мне поверить в то, что я делаю все правильно.

— Стефания, — сказал Гордон по параллельной трубке. Его голос был еле слышен. — Ты больше не любишь Гарта?

«Я люблю его всем сердцем. Я люблю его все больше с каждой минутой, каждым воспоминанием, которые преследуют меня длинными бессонными ночами».

— Существуют такие проблемы, о которых я не могу говорить, — ответила она. — Вам необходимо поверить. Жаль, что я доставила вам столько огорчений...

— И еще так скоро после Сабрины! — воскликнула Лаура. — Ты могла бы подождать и не наносить нам сразу второй удар.

— Да, мама. Я об этом не подумала. Я прошу прощения.

— Мне не надо твоего сарказма...

— Что ты будешь делать, — прервал ее Гордон, — одна в Лондоне?

— Я вошла в партнерство с Николсом Блакфордом, чтобы управлять «Амбассадором». Я оставляю себе дом Сабрины, заведу друзей, создам новую жизнь.

— Ужасно, — простонала Лаура, — ужасно. Последнее, чего мы могли ожидать. Мы были так в тебе уверены.

— Да, знаю. Мне очень жаль. Я вас подвела.

— Но ты ведь, конечно, вернешься. Ты все обдумаешь и потом вернешься к своей семье. Женщины сейчас так поступают, об этом все время читаешь где-нибудь: кто-то, кто была, казалось, совершенно счастлива, вдруг поднимается и решает, что ей нужно жизненное пространство, неизвестно только, что это такое. Большинство из них имеет в виду, что хотят любовника. Ты этого хочешь?

— Нет.

— Что ж, если тебе это надо, заведи его, переболей, потом выбрось из головы и вернись к семье. Если ты не ищешь любовника, чего ты ищешь? Карьеру? У тебя была карьера, это маленькое заведеньице, как оно там называлось, «Коллекция»? Ты что, ищешь новую карьеру?

— Нет.

— Тогда чего добиваешься? Чего ты хочешь достичь, живя в доме Сабрины и занимаясь ее магазином? — Сабрина не отвечала. — Стефания? Стефания? Ты пытаешься притвориться, что ты Сабрина? Я помню, как ты все говорила о ее блестящей жизни в Лондоне, ее успехах... И я, помнится, поощряла тебя... Ты это хочешь сделать? В конце концов, после всех этих лет превратить себя в Сабрину?

— Мама, — голос Сабрины невольно звучал не то рыданием, не то смешком. — Я пытаюсь быть собой.

— А ты знаешь, кто ты такая? — спросил Гордон.

— Не всегда, — ответила она, — но пытаюсь узнать. Как просто это прозвучало: «Пытаюсь узнать».

«И я узнаю, — сказала она себе на следующий день, когда взяла-таки и поехала на Кенсингтонское кладбище. — Это займет немного времени».

Она медленно подошла к маленькому холмику земли,

на месте, где они все недавно стояли. Кладбище, как и помнилось ей, было серым и мокрым, оно будто расплывалось в тумане, смягчавшем и менявшем очертания надгробий. Капли дождя на листьях, прозрачные, как слезы, и лужицы на дорожках, как зеркальца отражавшие стремительный бег облаков, серые на сером.

Она стояла у могилы, позволив воспоминаниям свободно течь, сплетаться и расплетаться: детство, школьные годы, «Джульетты», визиты в Нью-Йорк, поездки в Лондон, две сестры — всегда рука в руке. Но скоро промозглая сырость пробралась ей под пальто и костюм. Она начала дрожать и, повернувшись, зашагала прочь.

Около ворот из ожидающей машины вышел высокий мужчина.

— Ваша домоправительница сказала мне, что вы здесь, — произнес Дмитрий. — Можно мне отвезти вас домой?

Она посмотрела на его худое лицо, темные глаза под редкими бровями, глубокие морщины по обеим сторонам твердого рта. Его рука была протянута к ней, чтобы помочь ей сесть в машину. Она помнила мальчика, заставлявшего себя быть храбрым, пока люди в тяжелых сапогах обыскивали его комнату и грохотали ими по крышке погреба, где он прятал двух американских девочек. «Он хочет защитить меня», — подумала она. Но глаза его смотрели мягко и ненавязчиво. Он предлагал дружбу.

— Да, — ответила она, — мне хочется, чтобы меня подвезли домой.

ГЛАВА 22

Никто не встретил самолет Гарта из Нью-Йорка. Никто не ждал его еще два дня. Он уехал из отеля во вторник рано утром, сообщив Рольфу о том, что не будет на совещании исполнительного комитета, и улетел первым самолетом в Чикаго. Он не выспался, и от усталости все казалось ему каким-то чрезмерным: слишком громким, слишком ярким, голоса резко отражались от стен и пола. Но дома, когда он отпер дверь и вошел внутрь, тишина буквально подавила его. Пустой дом. Пенни и Клифф в школе. Его жена мертва. Самозванка в Лондоне. Пустой молчащий дом.

Он стоял посреди кухни и не знал, за что браться. Казалось, ничего из того, что приходило ему в голову, не стоило делать. Он оглядел аккуратную кухню, посмотрел на диван и низкий столик, на котором рисунки Пенни лежали рядом с книжкой, которую читала Стефания, на стол, где они завтракали. В его памяти ярко встала картина: поздний вечер, в доме тихо и темно, Пенни и Клифф спят, а они со Стефанией сидят за круглым столом и едят тыквенный пирог с одной тарелки.

— *Нет!* — закричал он. И долгий отчаянный крик эхом пронесся по всем пустым комнатам. Схватив книжку со стола, он швырнул ее в стенку. Страницы затрепетали, когда она упала на пол, а Гарт рухнул на диван и заплакал, вспоминая свою жену и свой, разбитый вдребезги мир.

В изнеможении он заснул, а когда проснулся, было темно. Он растерянно нащупал выключатель и, посмотрев на часы, обнаружил, что еще только пять. Он дрожал. Уходя, они уменьшили отопление, и теперь дом остыл. Он опять вспомнил все, что произошло, и почувствовал, как снова гнев наполняет его, расходится по всему телу холодным вязким веществом, неотделимым от его крови, ее потока, ее пульсации в его сердце, ее шума в ушах.

Он должен был двигаться, действовать, чем-то занять свой ум.

— По крайней мере, будем практичны, — сказал он громко и позвонил Вивьен, чтобы рассказать ей о том, что совещание оказалось короче, чем ожидалось, и он заберет Пенни и Клиффа в течение часа.

— Приходи к обеду, — настаивала она, — и расскажи нам о Нью-Йорке.

— Не сегодня. Давай отложим это.

— Тогда дай своим отпрыскам поесть до того, как заберешь их. Они помогали мне готовить еду, и я считаю, что теперь должны ее попробовать.

— Ладно. В восемь часов?

— В восемь. Гарт, что бы у тебя ни произошло, поешь с нами. Ты почувствуешь себя лучше.

Значит, его состояние можно было понять по голосу. Что ж, как же иначе? Сколько гнева может человек носить в себе до того, как он выльется на общее обозрение?

Он распаковал вещи, умылся, сменил рубашку и быстро выпил две рюмки виски. Вновь наполняя водой форму для заморозки льда, он увидел, что холодильник полон. Какая внимательная! Эта стерва хорошо о них позаботилась перед тем, как отправиться в полет на свои европейские пастбища.

Он метался по дому, мысли дико разлетались во все стороны, как обломки от взрыва. Ничего не осталось целым, ничего не было устойчивого. Почему он не заподозрил обмана? Он снова и снова в который раз обдумывал все сначала, пытаясь понять, как мог он так промахнуться. Оглядываясь на прошедшие дни, вспоминая ее оговорки и быстрые поправки, нетипичное поведение, провалы в памяти, он не мог понять себя. Он же был тренированный наблюдатель, человек, который умел собирать факты и их анализировать. Почему он так легко обманулся? Он не знал. Все это было каким-то бредом. Ему не за что было ухватиться, только разве за дом и детей, и поэтому он должен был поскорее их увидеть. Они были единственным, в чем он мог не сомневаться.

Он отправился к Гудманам, медленно ехал по заснеженным улицам и повторял про себя, репетируя:

«Я должен кое-что рассказать вам двоим. Это нелегко, и не очень приятно... Сядьте оба, я хочу поговорить с вами о вашей матери... Я должен вам рассказать, что некоторое время назад с вашей матерью произошел несчастный случай... Нет, не на велосипеде, другой несчастный случай, на яхте, в Европе. Видите ли, женщина, которая жила здесь, с которой произошел несчастный случай на велосипеде... Женщина, которая жила здесь и дурила нам голову, смеялась над нами, над тем, как мы ее любили, как мы в ней нуждались, а она играла с нами в игру...»

Как, черт возьми, может человек сказать такое своим детям? Он привез Пенни и Клиффа домой, и они все трое уселись в комнате, где обычно завтракали, и стали есть мороженое и колбаски.

— Мама не очень-то одобряет такое сочетание, — сказал Клифф, — но мне оно нравится.

— Это мороженое и пикули с укропом она не любит, — заметила Пенни, — и, по-моему, она права.

— С этим я согласен, — признался Клифф. — Папа, можно нам позвонить ей в Лондон?

— Нет.

— Почему нельзя? Ты звонил ей каждую ночь, когда она была там после похорон тети Сабрины.

— Это было совсем другое дело.

— Почему?

— Она была тогда очень несчастна и...

— Ну, может быть, она сейчас тоже несчастна без нас, скучает по нам.

— Нет, Клифф.

— Но почему? Разве это так дорого стоит?

— Больше доллара за минуту. Хочешь платить столько за это?

— Да, если ты не хочешь сам. Если это единственный способ поговорить с мамой...

— Папа, — спросила Пенни, — почему ты злишься? Ты злишься на маму? Поэтому ты так рано вернулся домой? И она злится на тебя?

Несмотря на охватившую его тоску, Гарт с неожиданным юмором подумал: «Мы гордимся нашими умными детьми, а потом нам приходится смиряться с тем, что они видят нас насквозь. Но почему эти умные дети не увидели насквозь эту женщину, не поняли, что она не их мать? Потому что они доверчивы и невинны, а она этим воспользовалась».

— Папа?

— Это правда, Пенни, я сержусь. И расскажу тебе почему.

Он искал слова, чтобы начать. Его дети смотрели на него, на их ясных любопытных лицах начало появляться беспокойство. Гарт затягивал молчание, не в силах выговорить первое слово. Наконец, он развел руками и безнадежно опустил их. Он не мог этого сделать. Может, после, когда будет подходящий момент? Но не сейчас.

— Я сержусь, потому что мама отправилась в Лондон, а не осталась с нами, и ее сейчас здесь нет. И потому, что она считает, что должна еще какое-то время там остаться, подумать о своей жизни вдали от всего того, что осталось здесь.

— Но ведь она это уже делала, — закусила губы Пенни, — в Китае.

— Верно, делала. И вспомни, когда мы говорили об этом, я сказал, что людям часто бывает необходимо уехать от их повседневной жизни, чтобы подумать о себе иначе. Но иногда им приходится это делать не один раз, или на это требуется больше времени.

— Но когда мы об этом разговаривали, ты сказал, что не собираешься разводиться.

Гарт почувствовал, как к горлу подступила тошнота, и стиснул зубы. Никакого развода. Хирургическая операция: вырезать ее из их жизни.

— Пенни, мы не говорим о разводе. Смотри, как поздно. Разве вам не надо делать домашние задания?

— Мы все сделали днем, — сказал Клифф. — А мама вернется?

— Не знаю.

— Она вернется! — закричала Пенни. — Вернется! Я знаю, что вернется! Ты врешь!

— Я не вру, — сказал Гарт резче, чем собирался. Он понизил тон, ему надо было заставить их понять. — Пенни, иногда люди совершают поступки, которые вам не кажутся правильными или разумными, но это не означает, что они не правы. Ваша мама и я... у нас вышли разногласия кое в чем, и она подумала, что на какое-то время она вернется в Лондон. Вы же знаете, что она все равно собиралась туда съездить, чтобы позаботиться о деле своей сестры. Единственное, что изменилось, это то, что ей придется пробыть там дольше, чем она думала...

— На сколько дольше?

— Я не знаю.

— Ты знаешь. Вы с мамой все решили, а ты врешь об этом. Это несправедливо. Никто не спрашивал нас с Клиффом, чего мы хотим, а мы тоже здесь живем, и она — *наша* мама, и я собираюсь ей сказать, что мы ее ждем, чтобы она приехала домой, и ты меня не остановишь!

Она выскочила из комнаты и рванулась вверх по лестнице. Клифф посмотрел на отца и осторожно, стараясь быть взрослее сестры, сказал:

— Она ведь вернется, правда? Я имею в виду, ты сказал, что не знаешь, но это вроде того, как всегда говорят ученые, когда не знают *точно,* что должно произойти?

Гарт кивнул.

— Да, ученые говорят именно так.

— Папа, — Клифф поерзал на стуле. — Папа, ты ведь хочешь, чтобы она вернулась? Правда?

— Это... сложно, Клифф. Я не могу дать тебе однозначный ответ.

Клифф крепко зажмурился.

— Чушь собачья.

— Довольно! Я не разговариваю с тобой в таком тоне и таких же манер требую от тебя. Ты что, думаешь, мне это нравится? Пропади все пропадом, происходят вещи, на которые я не могу повлиять. Можешь ты начать понимать это? Если ты достаточно взрослый, чтобы заявлять отцу, что он несет чушь собачью, ты достаточно взрослый, чтобы выслушать, когда я говорю тебе, что *не все, что со мной происходит, зависит от меня.*

— Что же, ты не можешь винить нас в том, что изгадил свою жизнь, — потрясенный собственными словами, Клифф поспешил отступить. — Я извиняюсь, пап. Я извиняюсь. Я не это имел в виду.

Гарт почувствовал, как почва уходит у него из-под ног. Его дети никогда так с ним не разговаривали. Стефания не позволила бы этого. Стефания держала их в руках. А теперь все пошло наперекосяк. Все распалось без притягательного центра. Он начал было что-то говорить, но бросил на полуслове. Он оттолкнул свой стул, ему захотелось выпить.

— Папа?

— Да, Клифф.

— Ты любишь маму?

В наступившей тишине были слышны тиканье электрических часов и гудение холодильника.

— Знаешь, — сказал Гарт, — когда мы поженились, твоя мама была такой красивой, что все просто глазели на нее, они считали меня самым везучим парнем на свете. А когда мы переехали сюда и родился ты...

— Почему ты не хочешь отвечать? — закричал Клифф. — Мы ее любим, как получилось, что ты ее не любишь? Она тоже любит тебя. Что с тобой не так? А, муть, — он потер глаза. — Я, кажется, не хочу говорить об этом. Я собираюсь написать маме письмо. Наверное, тебе *это* тоже не понравится?

«Мы собираемся отрезать ее от нашей жизни, — подумал Гарт. — Это означает — не поддерживать никакой связи». Он постарался, чтобы его голос звучал ровно:

— Может быть, нам следует предоставить ее самой себе? Дать ей какое-то время, не вступая с ней в контакт. Может быть, она хочет именно этого?

— Откуда ты знаешь? Тебе все равно, что она хочет. В любом случае, ты говорил мне, что ученые не должны принимать решений, пока не соберут так много фактов, как только смогут. Разве не надо, чтобы у мамы тоже было больше фактов?

— Каких фактов?

— Что мы ее любим, — укоризненно проговорил Клифф. — Хотим, чтобы она вернулась. И если она, — добавил он пришедшую ему неожиданно блестящую идею, — если она не вернется, мы поедем в Лондон и *привезем* ее.

Раздавленный между собственным гневом и любовью к детям Гарт пытался ответить ему, но слова не выговаривались.

— Ладно, — произнес Клифф, ободренный молчанием отца, — я не все в этой истории понимаю, но я напишу маме. Пенни и я можем послать наши письма одновременно. Я, может быть, даже на днях ей позвоню. На свои карманные деньги.

— Давай, Клифф, поговорим завтра утром. Ладно?

— Ладно, но мы все равно напишем ей сегодня.

Гарт кивнул.

— Я поднимусь попозже к вам, чтобы пожелать спокойной ночи.

«Стерва, — подумал он и повторял это ядовитое слово, как удар молотка, когда сидел в одиночестве и наливал себе выпивку. — Посмотри, что натворила с ними. Им было бы лучше, если бы они знали, что ты умерла.

Кто умерла? — спросил он себя. И неясно ответил себе: — Не знаю».

На другой день ему в кабинет позвонил Нат.

— Только сейчас услышал, что ты вернулся. Совещание хорошо прошло?

— Я не поехал. Изменилась программа.

— А Стефания. Ее программа тоже изменилась?

— Нет.

— Так что, она сейчас в Лондоне?

— Да.

— Когда она возвращается?

— Она не возвращается.

— Не возвращается? Что это значит?

— Она остается там. Нат, мне не хочется об этом говорить.

— Понимаю. Долорес будет меня расспрашивать.

— Извини меня, но расспросы Долорес — это твоя проблема, а не моя.

— Это несомненно. У меня на следующей неделе два свободных дня. Мы могли бы поехать на подледный лов.

— Ты эти два свободных дня придумал.

— Ну, и придумал. Но мои пациенты это переживут. Может, проведем немножко времени в глуши и по-новому увидим мир?

— Я не хочу оставлять Пенни и Клиффа.

— На день-два?

— Нат, дай мне привыкнуть к статусу родителя-одиночки.

Наступила пауза.

— Ладно. Тогда как на счет того, чтобы пообедать с нами? Долорес тоже просит об этом.

— Вы приходите сюда. Я приготовлю что-нибудь в микроволновой печке. Знаешь, даже идиот может приготовить вполне приличную еду в микроволновке.

— Долорес предпочтет сама для нас постряпать.

— А я предпочитаю постряпать для нее. Передай ей, я скоро позвоню. И еще Нат... спасибо.

Дни шли, друзья звонили, спрашивая, когда Стефания будет дома. Этот вопрос задавали в факультетской библиотеке, клубе, даже в бакалейном магазине.

— В Лондоне она, наверное, чувствует себя одинокой, — говорила Линда, приглашая Гарта с детьми на обед. — А я чувствую себя потерянной без нее. Как раз после первого января у нас ожидается распродажа по имениям и она мне необходима. Она ведь скоро будет дома, правда? В конце концов, скоро Рождество!

И всем он отвечал, что не знает.

«Лгун, — ругал он себя по ночам в тишине спальни. — Трус. Поддерживаешь и продолжаешь ложь. Сколько ты еще протянешь? Как ты еще можешь говорить об обмане, когда сам так же виноват, как они?»

Он слышал, как Пенни с Клиффом разговаривали в его комнате, когда писали следующее письмо в Лондон.

«Мы все трое — Стефания, Сабрина и я — запутались в их проклятом обмане, попали в его сети, и чем дальше, тем больше, пока не дошли до точки, где нет никакого выхода, и нельзя прекратить обман, не причиняя боли тем, кого стремишься защитить от него».

И теперь он это понял.

Ночью он лежал в одиночестве на своей кровати с балдахином, в комнате, полной призраков, немного аромата их одежды, звуков их смеха, воспоминаний о женщине, которая стала светом его жизни. Он лежал, не шевелясь, у края кровати, стараясь сдерживать себя, потому что каждое движение заставляло томительную дрожь пробегать волнами по его телу, гнать в жилах кровь, пока, забыв свой гнев, он не протягивал безумно руки в темноту, чтобы притянуть к себе ее теплое тело. Он чувствовал ее рядом, всей кожей, слышал свой голос, нашептывающий ей слова любви, ощущал теплое дуновение ее дыхания, когда она отвечала ему снова и снова: *«Я люблю тебя»*.

Но рука его находила пустоту, простыни были холодными, и с криком ярости он отбрасывал одеяло, оставлял постель и, накинув халат, сидел часами у потухших углей камина в гостиной. Он начинал читать и читал, пока не возникало перед ним воспоминание: они, вдвоем, сидят на этом месте, читают, иногда поднимая глаза и обмениваясь взглядами в тишине, настолько глубокой, что кажется, будто они единственные живые во всем мире. Тогда, больной от одиночества, он закрывал свою книжку и смотрел застывшим взглядом в серое пространство холодного камина, угрюмо размышляя и все больше страшась того, что с ним происходит.

Ему все труднее было разделять свою жену и женщину, которая прожила с ним последние три месяца.

Жена, с которой он жил двенадцать лет, умерла, но как было ему горевать о ней, когда он потерял ее только две недели назад?

«О ком ты горюешь? — спрашивал он свое отражение в темном стекле окна гостиной через неделю после возвращения. — О моей покойной жене, которая умерла дважды. Один раз на средиземноморском побережье, а другой раз в нью-йоркском отеле».

Две разные женщины. Одна ушла от него, другая небрежно заняла ее место, поиграла с их жизнями и сохранила свой секрет гораздо дольше, чем ей следовало бы. Но она сказала, что хочет покончить с обманом.

«Со всеми обманами», — сказала она.

Тогда почему же она этого не сделала?

Гарт стоял у окна, смотрел сквозь свое прозрачное отражение на призрачное мерцанье викторианского уличного освещения. Он не мог рассказать своим детям эту правду. Стояла ли она перед теми же вопросами в нерешительности, собираясь с силами и не находя их в себе, говоря себе, как и он сейчас: «Позже, когда будет подходящий момент»?

Он не знал ответа. Но в одно он теперь поверил твердо. Его жена после двенадцати лет брака хотела не просто короткой поездки на Восток. Да, теперь он в это поверил. Она хотела быть одна, свободной от мужа и семьи, ничем не связанной. И на столько времени, сколько бы ей захотелось. Она не торопилась вернуться. В конце концов, ее заменяла сестра.

Почему она не пришла к нему посмотреть, что могут они еще спасти вместе? Вместо того, чтобы подсадить на свое место сестру и начать свой эксперимент, который полностью исключал его из ее жизни?

Потому что он увидел бы в этом еще один пример ее неудовлетворенности: им, его работой и жалованьем, Эванстоном, всей своей жизнью, особенно в сравнении с блестящей звездной лондонской жизнью Сабрины. Он обвинил бы ее в том, что она хочет быть Сабриной.

И был бы прав. Потому что это было именно то, чего она хотела. И, наконец, получила. Готовую жизнь Сабрины: ее дом, богатство, светскую жизнь, статус, друзей... и любовников.

Его горе по ней незаметно переходило в гнев и в то же время обращало его мысли к Сабрине. Это была идея Стефании — поменяться местами. Рассматривала ли Сабрина свой приезд в Эванстон в качестве игры или услуги Стефании? Впервые он задал себе этот вопрос.

В понедельник он вернулся домой из университета одновременно с Пенни и Клиффом, и вместе они увидели на пороге странной формы пакет из Лондона. Он наблюдал, с каким возбуждением развязывали они узлы, рвали клейкую ленту и открывали и отбрасывали слой за слоем оберточную бумагу.

— Ох, папа, — всей грудью вздохнул Клифф, доставая щит. Он изучал его со всех сторон, потом надел на руку и поставил как надо, чтобы защитить тело. — Я повешу его на стене в моей комнате, хорошо?

— Смотри, смотри! — ликовала Пенни, раскладывая вокруг себя пачки цветной бумаги. Ящичек с масляными красками она положила в центре перед собой, рядом с набором японских кисточек и чернильных палочек.

— Мамочка знала, она точно знала, чего я хочу. Я никогда не говорила ей, что хочу чернильные палочки, но она знала. Ох, папочка, посмотри сколько здесь сортов бумаги, потрогай края этой... О, погляди, а это — тебе.

Гарт дотронулся до конверта. На нем стояло его имя. Пенни сунула его ему в руки, и он медленно его открыл и прочел короткое послание:

«...Пожалуйста, позволь мне сдержать обещание. Это последнее, о чем я тебя прошу».

Слова поплыли у него перед глазами. Он слышал ее голос, видел ее губы, видел свет в ее глазах, когда она смотрела на детей.

Она их любила.

ГЛАВА 23

Александра прилетела из Рио и пришла на чай, беззастенчиво любопытствуя:

— Я слышала, ты приехала сюда насовсем, ловко обошлась с Николсом и теперь ведешь дело с ним вместе, а также что ты два раза подряд обедала с красивым таинственным мужчиной очень значительного вида.

Сабрина рассмеялась с удовольствием, пробившимся наконец через бесчувственную немоту последних двух недель. Она могла считать, что жизнь ее разбита, но некоторые вещи не изменились, и присутствующая здесь Александра была ярким тому доказательством.

— Его зовут Дмитрий Каррас, и он прятал меня в погребе, когда мне было одиннадцать лет.

Глаза Александры заблестели.

— На своем дне рождения ты рассказала только часть этой истории. Я когда-нибудь узнаю остальное? Или будет так же, как с той, которую ты так и не докончила в тот день, когда ворвался Скотланд-Ярд?

— Эту я обещаю докончить. Сколько времени ты пробудешь в Лондоне?

— Достаточно долго, чтобы закрыть квартиру Антонио, узнать последние сплетни...

— Что ты делаешь изумительно.

— И скупить Хэрродс, Цэндру Родс, Фатнум и Мэйсон.

— А что, в Рио нет магазинов?

— Дорогуша, ты не поверишь, какие в Рио магазины. Все на любой вкус. Но я хочу, как в Лондоне, а Рио — не Лондон. Я полагаю, что в конце концов привыкну, но до тех пор, раз я могу скупить несколько магазинов и отправить за океан, почему бы не сделать этого? У тебя есть время походить со мной по магазинам или ты слишком занята тем, что женишь Габи и Брукса?

— Есть что-нибудь такое, чего ты обо мне не знаешь?

— Я же ничего не слышала о том, что ты чувствуешь по поводу оставленных в Штатах детишек и их отца.

Сабрина дрожащей рукой поставила чашку на стол. Все упоминали об этом, вскользь или неопределенно:

— Вам должно их не хватать, дорогая; вам, должно быть, очень трудно. — Но никто не говорил с прямотой Александры, никто не требовал от нее прямого ответа. И никто не знал, что письма Пенни и Клиффа лежали на столике около ее постели, читаные и перечитанные каждую ночь, и что она отвечала им мысленно, только не на бумаге, пока Гарт не даст ей разрешения написать им.

— Я не обсуждаю свои чувства, — сказала она.

— Знаю, дорогуша, или я об этом уже услышала. Но, думаю, что тебе пригодится возможность излить душу. Мы с Сабриной никогда не говорили о чувствах, но когда мы прощались перед этим злосчастным круизом, она меня поцеловала. Удивила меня... Это было так на нее не похоже, что я отшатнулась. Думаю, что этим ранила ее, она хотела прямо выразить свои чувства, а я ей не дала этого сделать. Я подумала об этом, когда она умерла. Антонио хотел сохранить свою квартиру, но я не продам свой дом, он ведь еще и дом Сабрины. Да, это мне напомнило, пока я здесь, я могу познакомить тебя с разными людьми и для дела и для развлечений. Как бы дам тебе первый толчок, помогу отвлечься от мыслей о детях.

— Я действительно хочу быть одна.

— Мрачные мысли — нездоровое времяпрепровождение. Ты скоро собираешься повидаться с ними?

— Ты никак не уймешься?

— Ну, ну, леди, ты должна по ним скучать. И по своему красивому, хоть и несколько чопорному мужу. Неужели тебе не хочется облегчить душу?

— Не могу. Говорить слишком больно. Мне все время больно. Я так по ним скучаю, что если бы у меня еще были слезы, я оставляла бы за собой лужи. Что толку говорить об этом? Я хочу, чтобы они были рядом, я хочу чувствовать, что есть место и люди, которые меня любят, которым я нужна... о, черт, гляди, что я наделала. Я начала плакать и не могу остановиться. Выпей еще чаю, я вернусь через минуту.

— Нет, останься. Боже мой, прости меня. Я не знала, что это так плохо. Но тогда почему ты от них уехала?

— Я должна была.

— Он что, выгнал тебя?

— Я должна была уехать. У меня не было выбора. Я не могу вернуться и не могу говорить об этом.

«И дрожала мелкой дрожью, как листья трепещут под ветром», — подумала Александра и быстро сказала:

— Дорогуша, я не знала. Я больше не буду упоминать об этом. Я не знакома ни с кем, кто так относится к своим детям, большинство предоставляют заниматься ими слугам или интернатам. Меня это очень пугает, если хочешь знать. Я не уверена, что хочу заводить себе детей, если в этом столько... столько *чувств*...

Сама того не желая, Сабрина рассмеялась.

— Да, столько, если, конечно, ты этого хочешь.

Они сидели в дружеском молчании.

— Ну, — сказала Александра, — так что там насчет Дмитрия и погреба? Как это ты обедаешь с ним и все равно одна?

— Дмитрий — просто друг.

— Я тоже.

— Значит, и с тобой я тоже пообедаю.

— Мне это нравится. Хотелось бы, чтобы у нас было больше времени. У меня какое-то сумасшедшее ощущение, что я тебя знаю много лет, из-за Сабрины. Но я мечтаю узнать тебя получше. Что, черт побери, буду я делать посреди Бразилии без тебя? Приезжай на мою свадьбу! Приедешь? Ты должна появиться, или я не буду считать, что законно замужем, если ты не приедешь.

— Когда это будет?

— Накануне Рождества или на Рождество, как решит вождь гуарани. Можешь себе представить, ждать разрешения на брак от кучки индейцев, которые посоветуются со звездами или луной или посмотрят на форму муравейников? И еще что-то в этом роде. Ты не считаешь, что я сошла с ума?

— Нет. Я считаю, ты делаешь то, что хочешь.

— Ты единственная, у кого хватило здравого смысла не спрашивать меня, влюблена ли я. Ну, обещай, что приедешь на свадьбу.

— Я не могу, Александра. Я должна, пока не разберусь в себе, оставаться какое-то время на одном месте.

Александра кивнула.

— Я не сомневалась, что ты так скажешь. Но ты будешь тут, пока я в Лондоне?

— Куда я могу деться?

— Обратно в Америку, к мужу и детям...

Улыбка исчезла с лица Сабрины.

— Нет. Я буду здесь. И буду рада видеть тебя. Надеюсь, ты будешь часто приходить.

— Так часто, как только смогу. Если передумаешь, можешь просто появиться на свадьбе, без предупреждения.

Сабрина покачала головой.

— Я не передумаю. Но благословляю тебя и целую. И на этот раз ты не отвернешься.

Они посмотрели друг на друга.

— Знаешь, дорогуша, если бы я сейчас просто вошла сюда, то под страхом смерти не могла бы ответить, кто ты — Сабрина или Стефания.

— Знаю, — ответила Сабрина, — так и должно быть.

Другие тоже говорили это, сыпались приглашения, и все хозяйки заявляли, что Стефания просто сенсация сезона: с такой элегантной легкостью заняла она место Сабрины. А затем новая история вытеснила все остальные. 17 декабря лондонская «Таймс» опубликовал на первой полосе статью о кражах и подделках предметов искусства, написанную Майклом Бернардом, с фотографиями Джоли Фэнтом. Статья появилась одновременно в международном издании «Геральд трибюн», напечатанном в Париже, «Ди вельт» в Германии и в «Нью-Йорк таймс». В течение нескольких часов после публикации буря телефонных звонков, шепотков и негодования пронеслась по ресторанам, клубам, каждой художественной и антикварной галерее Лондона. Сабрину рано утром разбудил отчаянный звонок Николса с новостями.

— Меня интересует, дорогая Стефания, не замешаны ли мы в этом? Я вспоминаю, что встречал несколько раз Карра, но никогда ничего не покупал у него. Сабрина, да тут в списке несколько экземпляров фарфора, приобретенные у него!

— Какого фарфора, Николс?

Он зачитал описания. Танцовщицы, животные, фигурки птиц. Майсенского аиста не было. Конечно нет, запись и накладная были уничтожены вскоре после того, как аист разбился. Где-то в книгах в «Вэстбридже» в числе десятков других галерей вписан и «Амбассадор», но в истории, рассказанной Майклом и Джоли, «Амбассадор» не упоминался. И не было причины их связывать. Теперь, когда история мультимиллионера Макса Стуйвезанта с его личной коллекцией произведений искусства, контрабандной сетью, сделками с изготовителями подделок, убийством на Средиземном море прогремела повсюду своими сенсационными заголовками, кто обратил бы внимание на такую маленькую деталь: имя прекрасной леди Сабрины Лонгворт в списке убитых?

— Мы не замешаны, — сказала Сабрина. — Фарфор, который Сабрина покупала у Карра, был настоящим. Она говорила, что проверила его происхождение.

— Но вы уверены? — настаивал Николс. — Мне не хочется на вас давить Стефания, я знаю, что воскрешаю тяжелые воспоминания...

— Николс, я повторяю вам еще раз. Мы в этом не замешаны. Никакой опасности нет. Но слухи могут оказаться смертельными, и если я когда-нибудь услышу, что вы подвергаете сомнению репутацию «Амбассадора» или чистоплотность его сделок, я, не колеблясь, расторгну наше партнерство и выкуплю вашу долю. Это должно вас успокоить.

— Боже правый, Стефания, у меня и в мыслях не было предполагать... Я доверял Сабрине, я ею восхищался. Но она была на этой яхте; я должен был проверить...

— Вот и проверили. Так что в дальнейшем обсуждении нет смысла.

— Никакого. Конечно, никакого. Вы сегодня будете в магазине?

— Конечно.

Она каждый день приходила в свой кабинет, нагоняя работу за пропущенные три последних месяца; корпела над отчетами об аукционах, готовилась к тому времени, когда снова начнет заниматься покупкой и работами по созданию интерьеров. Она знала, что забрела в неизвестную страну между прошлым и будущим, что строит барьер между ее сегодняшней жизнью и работой и воспоминаниями о сестре, муже, детях, доме. Она жила одним днем. Планировать будущее означало, что с прошлым покончено навсегда. Она знала это, но все еще ей было легче жить настоящим.

Оливия Шассон была частью настоящего и она позвонила, приглашая ее на обед.

— Это будет очень скромный прием. Я была подругой и покровительницей работы Сабрины и хочу узнать вас так же хорошо, как знала ее.

— Мне очень жаль. Я обедаю с другом...

— Приводите его с собой, дорогая. Полагаю, что он будет себя удобно чувствовать с нами.

«Нашего ли он круга?» — про себя перевела вопрос Сабрина.

— Его зовут Дмитрий Каррас...

— О, международные банки. Мы встречались на поминках после похорон Сабрины, у нас несколько общих друзей. Приводите его, пожалуйста.

За столом в доме Оливии на Белграйв-сквер собралось на обед четырнадцать человек. Они радостно приветствовали Сабрину, им хотелось побыстрее выразить свои соболезнования, чтобы можно было расспросить ее подробно о скандале с контрабандой и подделками: в утренних газетах появилось продолжение статьи.

Они обсуждали это со смехом, прибереraемым для случаев падения сильных, но звучала в их словах и настороженность, потому что все они были собирателями, вкладывавшими немалые деньги в искусство и антиквариат, а никто не знал, какие откровения появятся в следующей статье.

За консоме они расспрашивали Сабрину о том, как отличать подделки. Она отвечала коротко, описывая типы глин, глазурей, красок и рисунка. Объясняла, как иногда можно в ультрафиолетовом свете различить фальшивое или двойное глазурование, но не всегда, по мере улучшения глазурей этот способ все менее и менее надежен.

— Многое здесь зависит от интуиции, — сказала она. — Если вы долго изучаете детали, вы проникаетесь ощущением стиля и способа обработки, которое часто позволяет отличить оригинал от подделки. — Какую-то долю минуты она поколебалась, а затем плавно продолжила: — Просто путем осмотра. Хотя обычно сначала мы проверяем происхождение предмета, ищем приметы, которые помогают нам сказать клиентам, является ли он оригиналом или подделкой. По моему опыту, очень немногие подделки долго остаются нераскрытыми.

Ее тихий чистый голос захватил всеобщее внимание.

— Потрясающе, — проговорил кто-то, пока она вслушивалась в отзвук своих слов. — Но разве не этим занимался Макс?

Дмитрий положил ладонь ей на руку, но Сабрина в этом не нуждалась. Она вздернула голову и холодно обвела глазами стол.

— Я не будут обсуждать ни Макса Стуйвезанта, ни его действия.

— Ну, знаете ли! — произнес тот же голос, но его прервали другие тихие голоса.

— Не глупи, ее сестра...

— Несколько недель назад...

— Как можно было вспоминать об этом...

Сильный голос Оливии перекрыл все шепотки.

— Стефания моя гостья, а не наемный эксперт по искусству. Мы рады приветствовать ее в Лондоне, — она повернулась к сидевшей по правую руку Сабрине. — Моя дорогая, вы больше не должны отвечать ни на какие вопросы. Хотите еще немного вина?

Сабрина и Дмитрий обменялись улыбками.

— Вы мне запретили отвечать, — сказала она. За столом раздался смех, кто-то спросил о новой игре в Монте-Карло, а Дмитрий стал рассказывать Сабрине о вилле, которую он только что купил под Афинами рядом с виллами своих сестер и их семей. Она молча слушала, расслабившись, успокоенная его присутствием. Он напоминал ей Гарта своей манерой тихо говорить, готовностью помочь ей, если понадобится, но не навязывая себя. Даже свет в его глазах... Но нет, ни у кого не было такого света в глазах, как у Гарта.

— Там восхитительно, — говорил Дмитрий о своей вилле. — Воздух напоен свежестью и цветами. Никто не сплетничает и не говорит о делах. Там музыка, рассказы о богах, богинях и прошлой славе. Мы притворяемся, что нынешнее время не существует. Может быть, соберетесь когда-нибудь посмотреть своими глазами?

Она улыбнулась.

— Может, когда-нибудь.

После кофе с коньяком Оливия пригласила ее и Дмитрия осмотреть свою художественную галерею.

— Я хочу ее расширить и переделать, — сказала она. — Сделать лучше освещение. Я хочу, Стефания, чтобы это сделали вы.

Они стояли в дверях и смотрели вдоль длинной сводчатой комнаты.

— Сабрина годами пилила меня, чтобы я ее осовременила, но до сих пор мне было все равно. Но для моих новых скульптур все это не пойдет.

— А какого рода они? — спросил Дмитрий.

— Современные. Высотой десять, пятнадцать, двадцать футов. Честно говоря, они выглядят как кошмар водопроводчика и пьяный бред столяра, но я это говорю только своим. Эксперты считают, что это настоящее искусство и прекрасное вложение капитала. Какой-то музей в Бостоне уже предложил назвать их Шассоновским собранием, если я завещаю их ему. Что бы вы с ними сделали?

— Забудьте про музей, — предложил Дмитрий. — Постройте детскую игровую площадку Оливии Шассон.

Оливия расхохоталась и похлопала его по плечу.

— Вы ее профинансируете, а Стефания придумает, как она должна выглядеть.

— И назовите ее, — предложила Сабрина, — «Casher et chasser».

Дмитрий рассмеялся над тем, как она обыграла фамилию Оливии.

— Игра в прятки, — сказал он, а Оливия радостно заулыбалась.

— Замечательно, — проговорила она, — замечательно. Я чувствую, что не совсем потеряла Сабрину. Сразу после нового года, дорогая Стефания, начинайте переделку галереи.

И она возвратилась к своим гостям, с удовольствием повторяя французские слова.

Дмитрий взял Сабрину за руку.

— Какая бессердечная женщина. *Она* не чувствует, что потеряла вашу сестру.

— Но ведь она и не потеряла, — сказала Сабрина, отняв руку, она пошла вдоль галереи. — С небольшим перерывом она видит перед собой женщину, которая выглядит так же, обращается с ней, как с равной, и поможет ей поменять обстановку дома. Чего ей еще желать?

— Того самого человека по сути.

— По сути? Большинство людей удовлетворяется внешностью.

Дмитрий последовал за ней, и они стали рассматривать шассоновское собрание немецкой и французской живописи.

— Мне хотелось бы лучше узнать вас, если вы разрешите мне это. Вы необыкновенная женщина.

Сабрина отвернулась от мрачного портрета давно умершего торговца шерстью и посмотрела в живую теплоту глаз Дмитрия.

— Мы с вами обедали три раза, — сказал он, — но не стали ближе, чем когда я увидел вас впервые.

— Я надеюсь, мы друзья, — тихо ответила она.

— Друзья. Конечно. Я хочу гораздо большего, как вы догадываетесь. Но я не тороплюсь.

— Как осмотрительно, — сухо пробормотала она, — если учесть, что я еще замужем.

— Мне не нужно напоминать об этом. Вы все еще влюблены в своего мужа.

Она застыла, потом отвернулась и двинулась к выходу.

— Думаю, нам не следует это обсуждать.

— Пожалуйста, — он взял ее за руку, — я прошу прощения. Мы такие разные, так по-разному воспринимаем друг друга. Знаете, в каком-то смысле я всю свою жизнь думал о вас. Одно памятное утро. И с тех пор вы навсегда врезались мне в память, я никогда не забывал ни вас, ни вашей сестры.

Они медленно шли по галерее, и постепенно напряжение отпустило Сабрину. Дмитрий рассказывал о себе, особенно о репортере, который как бы усыновил его и его сестер, после того как сфотографировал их в посольстве.

— У него не было детей, и мы стали его семьей. Он устроил моего отца на новую работу, отправил нас в школу, помог мне получить стипендию в Кембридже, даже пытался найти мне жену, — Дмитрий улыбнулся. — В этом он не преуспел.

Они приближались к концу галереи.

— Я знаю, что остался в вашем прошлом, — сказал Дмитрий. — Но вы должны понять, что вы и ваша сестра снились мне с детства, пронизали всю мою жизнь, неожиданно появляясь, когда я меньше всего вас ждал... иногда, извините меня, в очень неподходящее время.

— Вы имеете в виду, когда вы были с другими женщинами?

— Даже тогда.

Он продолжал говорить, но Сабрина больше его не слушала. Он описал ее сны о Гарте, и его слова вернули этот сон: прикосновение Гарта к ее руке, его губы на ее губах, его спокойный голос, его полные желания глаза, обращенные к ней, теплоту их тел, когда они лежали рядом после акта любви. Одиночество нахлынуло на Сабрину, она ощутила себя потерянной.

«О любовь моя, моя милая любовь, я тоскую по тебе, ты мне нужен, я не могу вынести...» — она подавила

в себе этот молчаливый крик и снова стала прислушиваться к Дмитрию.

— ...ваша красота и мужество, — говорил он. — И ваша радость жизни. Наверное, я всегда любил вас, потому что вы показали мне все это, когда я был молод, а с тех пор я ни у кого их так и не видел. Я всегда надеялся, что когда-нибудь встречу вас и дам вам такую же мечту под стать моей. Я никогда не думал, что найду вас через трагедию.

Внезапно Сабрина ощутила, что ее хоронит под собой его настойчивое желание вернуть прошлое. *«Мне надо уйти от этого. Я не могу дышать, я не могу думать... Я хочу свою сестру. Я хочу свою семью. Я хочу Гарта».*

— Стефания, что случилось? Я сказал что-то не то?

Учащенно дыша, она пыталась улыбнуться.

— Слишком много разговоров о прошлом в тот момент, когда я стараюсь построить новую жизнь. Давайте вернемся к остальным.

— Но подождите, мы ведь друзья? Если я пообещаю не говорить о прошлом, мы остаемся ими?

— Да. Конечно.

«Ну почему все на меня давят? Почему хотят приспособить к своим собственным желаниям? Почему не дадут возможности быть самой собой? Я приспособилась бы под желания Гарта, потому что он никогда этого не требовал. Даже не просил. И не попросит».

— Конечно, мы друзья, — произнесла она, возвращаясь на вечер. Но она тут же забыла о нем из-за приближавшегося дня свадьбы Габриэль. Чтобы заставить себя не думать о Гарте, она старалась сконцентрироваться на деталях, с которыми великолепно справилась бы одна миссис Тиркелл. И когда начали собираться гости, она поняла, что ей удалось создать обстановку, которая восхитит Габриэль, но не позволит выбросить из головы Гарта.

В гостиной, где мягко сияли белые свечи в серебряных канделябрах, и, мерцая, бросали свет на букеты лиловых орхидей и белых роз из оранжерей Оливии, сидели на бархатных креслах пятьдесят гостей и слушали разыгрываемые на арфе и пианино дуэты.

— В точности как это бы сделала Сабрина, — повторяли гости снова и снова. — Как изумительно вы сохраняете живым ее дух.

На Габриэль было нечто цвета слоновой кости

и атласный плащ, отделанный золотым шитьем. Она стояла у большого зеркала в спальне Сабрины и любовалась собой.

— Это самое близкое к белому, что можно было изобразить, не притворяясь, что я девственница. Но чувствую себя девственной. Правда, глупо?

— Нет, — сказала Сабрина, одетая в коралловый бархат. — Ты выглядишь прелестно. Как будто стоишь на пороге мира.

— Но я так себя и чувствую! Как ты смогла догадаться? Ох, какая я глупая, прости меня, Стефания. Ты должна выслушивать мои сентиментальные восторги, когда твой собственный брак...

— Габи! Я буду сколько угодно слушать твои восторги, если пообещаешь не говорить о моем браке.

— Это справедливо. Но теперь я чувствую себя виноватой.

— Тогда я сбегаю вниз к миссис Тиркелл на пару слов. Думаю, через пять минут пора начинать.

В гостиной Брукс стоял перед камином, обрамленным белым и лиловым, и спокойно обозревал комнату. Рядом с ним стоял его парижский друг. Александра сидела в первом ряду. На следующий день она уезжала в Рио к Антонио и тремя днями позже, в рождественский вечер, они должны были пожениться.

«Я окружена романтической любовью, — подумала Сабрина. — Годами никто не женился. Все только разводились. А теперь мой дом наполнился любовью и свадьбами». Слова эти мучительно зазвучали в ней, и ей захотелось отослать всех из дома, свернуться клубочком в тишине своей комнаты и перебирать свои воспоминания, одно за другим, как фотографии, которые нельзя отобрать.

«Скоро. Скоро они все разойдутся».

Она стояла во время церемонии рядом с Габриэль, слушая традиционные слова и ответы и думая о Гарте.

«Я забрала это у тебя, — говорила она ему, — такую же церемонию, достоинство, тайну, веру, все у тебя отняла. Это одна из самых плохих вещей, которые я с тобой сделала. Я превратила это в твоих глазах в злую шутку. И я никогда до сих пор этого не понимала. Мне хотелось, чтобы здесь стояли мы с тобой и произносили эти слова. Я обещала бы тебе, что вместе с тобой построю брак, не игру, не развлечение, не короткое приключение. Я обещаю тебе навсегда мое сердце, мою руку, мою любовь, но ты так далеко и так сердишься...»

— Стефания, — сказала Александра, — с тобой все в порядке?

Она обернулась. Брукс и Габриэль, рука об руку, уже женатые, приветствовали своих гостей. Она извинилась.

— Я, кажется, позволила своим мыслям взять над собой верх.

Александра обняла ее.

— Ты так бледна. Что я могу для тебя сделать?

— Помоги мне всех накормить и поддержать разговор легким и приятным.

— Я имею в виду, что мне сделать, чтобы ты была счастливой?

На мгновенье Сабрина позволила себе прислониться лбом к плечу Александры. Потом она выпрямилась и улыбнулась.

— Почаще возвращайся в Лондон. Так хорошо будет ждать этого.

И они пошли вниз присмотреть за свадебным пиром.

ГЛАВА 24

Гарт находился в университетской библиотеке, когда глаза его наткнулись на заголовок в «Нью-Йорк таймс» от 17 декабря. Выхватив газету из аккуратной библиотечной раскладки, он уселся в уголке зала периодики в кресло и медленно стал читать. Сердце его сильно забилось. Здесь точными словами Майкла Бернарда была представлена вся история ухищрений и соперничества, притворства и гигантских денег, краж произведений искусства и их подделывания — всего, что привело к убийству Макса Стуйвезанта и его жены.

Гарт в третий раз перечитывал статью и все равно не верил в реальность происшедшего. Он читал о смерти своей жены, но ее имя не упоминалось. Он узнавал о ее любовнике, который даже не знал ее настоящего имени. Он читал о жизни и смерти женщины, которую, как оказалось, не знал.

Недавно он рассказывал Клиффу, как она выглядела на их свадьбе. Это он помнил очень отчетливо. И помнил их первые совместные годы, когда дети были маленькими, и они становились семьей. Но когда он пытался вспомнить последний год, все ускользало от него. Единственным образом, стоявшим у него перед глазами, была женщина, с которой он прожил три последних месяца.

И он больше не мог игнорировать правду. Он любил ее со страстью, которую не мог ни потушить, ни сдержать, хотя все еще боролся с ней, ночь за ночью до изнеможения меряя шагами холодную гостиную.

О какой из них он горевал? Об обеих. Он больше не пытался ничего отрицать. Столько людей спрашивали его, когда вернется Стефания, что он стал уклоняться от неделовых контактов, которые она так старательно организовывала, и погрузился в работу и общение с детьми. Он лично руководил тремя новыми исследовательскими направлениями в своей лаборатории, ежедневно встречался с архитекторами и подрядчиками по строительству Института генетики, подготавливал с Лойдом Страусом предварительную программу церемонии его закладки, назначенной на март, вел еще один дополнительный семинар для студентов последнего курса и собирал материал для доклада об иммунной системе человека. Он заставлял себя жить день за днем, не позволяя думать ни о чем, кроме работы.

А дома он занимал себя занятиями с Пенни и Клиффом: длинные переходы на лыжах в приозерных парках Эванстона и Чикаго, походы в кино и на хоккей, игры со словами за круглым обеденным столом, помощь им с домашними заданиями и работа над проектами благоустройства местности вокруг дома, лежавшей много лет в небрежении. Но он отказывался говорить с ними об их матери.

— Мы скоро поговорим о ней. Еще не время. Сожалею, я не более счастлив, чем вы. Вам надо просто верить мне.

Чего он ждал? Он не знал. Но проходили день за днем, а Гарт все не раскрывал ее обман, он знал, что чем глубже корни, тем более настоящим все становится.

Это он только сейчас понял, так же, как ранее это поняла Сабрина.

Тихая печаль теперь постоянно была на лицах Пенни и Клиффа, даже когда их хвалили в школе или они приносили домой хорошие отметки. Даже их споры стали какими-то приглушенными. Они начинали время от времени ссориться, но всегда сразу же прекращали, будто боясь потерять друг друга, как потеряли свою мать. Они уже не бросались каждый день за почтой в надежде найти там письмо от нее, но Гарт знал, что они ей писали, по крайней мере дважды, и не удивился, когда за обедом в тот же самый день, когда он увидел статью в «Нью-Йорк таймс», Клифф объявил, что они завтра отправляются за подарками.

— Если мы их отправим завтра, успеют они прийти в Лондон к Рождеству?

— Возможно. Если они будут маленькими, мы можем их послать авиапочтой, и тогда недели будет достаточно. Но впритык.

— Почему ты не сказал нам раньше, сколько это займет времени? — требовательно спросила Пенни. — Ты же больше нас знаешь об этом! Ты не хочешь, чтобы мы покупали ей подарки!

— Может и так, — сказал он, пытаясь быть честным под их обвиняющими взглядами. — Может быть, я считаю, что Рождество мы должны справлять только здесь.

— Ты вредный, — прямо заявила Пенни. — По-моему, это просто ужасно.

Но позже, когда он зашел пожелать ей спокойной ночи, он застал в ее комнате Клиффа, и они оба обняли его.

— Мы не считаем тебя ужасным, — проговорила Пенни. — Мы думаем, ты так же плачешь про себя, как и мы. Да, папочка?

— Да, любимая.

— Клифф сказал, что мы не должны тебя терзать, но почему мамочка не пишет нам? И почему домой не возвращается?

— Она делает то, что мы оба сочли наилучшим, Пенни.

— Но если ты так считаешь, почему же ты плачешь про себя?

— Потому что часто мы не можем иметь то, что хотим.

— Если очень хочешь, то можешь, — сказал Клифф.

— Послушайте, вы оба... — Гарт услышал в своем голосе нетерпеливый гнев и замолчал. «Оставьте меня в покое, — молча молил он своих детей, которые не делали ничего плохого, и так же, как он, нуждались в утешении. — Я не могу говорить об этом, я едва могу думать об этом. Я люблю ее. Мгновения не проходит, чтобы я не звал ее. Но между нами больше, чем океан, и я не вижу никакого пути преодолеть его».

Но ничего этого он не мог произнести вслух.

— Послушайте, — мягко сказал он, — у нас с вашей матерью есть проблемы, о которых я все еще не могу с вами говорить. Вы имеете право узнать о них, как только я сам в них разберусь, но сейчас все, что я могу вам сказать, это то, что они разделяют нас, как сломанный мост. То, что мы чувствуем, не так важно, как то, что разрушилось внутри нас. Можете вы это понять?

— Нет, — ответили они хором.

Гарт вздохнул.

— Меня это не удивляет, — он обнял их обоих и крепко прижал к себе, ощущая, как они зарываются в него, как бы прячась ото всего. Он наклонил к ним голову, и голос его зазвучал тихо и напряженно:

— Я знаю, что плохо все это объясняю, и мне очень жаль. Я сожалею о сделанных ошибках, о тех случаях, когда я казался вам жестоким, но, дорогие мои, я не знаю, что делать. Я понимаю, что делаю только все тяжелее для вас, не объясняя ничего, но объяснить не могу. Пока не могу. Можете вы просто поверить мне на слово, что это так? Можете вы поверить, что я расскажу вам, сколько смогу и как только смогу? Пожалуйста, поверьте в это, поверьте мне. Я очень в этом нуждаюсь. И мне нужна ваша любовь. Потому что, вы знаете, я вас люблю. Больше, чем кого-либо на свете...

— Больше, чем маму? — требовательно спросил Клифф.

— Ох, Клифф, — пожурила его Пенни и положила руку Гарту на щеку, став на короткий миг женщиной, утешающей мужчину. — Не плачь, папочка. Мы подождем, пока ты нам не расскажешь. Но... — и она снова стала маленькой девочкой, — я просто хочу, чтобы мамочка приехала домой.

Гарт поцеловал их и встал.

— Давайте, ложитесь спать. Уже поздно. Я люблю вас обоих.

На следующий день Пенни и Клифф отправились за покупками, и когда Гарт вернулся домой, передали ему два маленьких пакетика, попросив, чтобы он их сразу отправил. Он не спросил, что в них, а дети ему не сказали.

В последний день школьных занятий Пенни должна была показывать своих кукол, и Гарт поспешил рано уйти из университета, чтобы успеть.

В передней части комнаты на полу сидели по-турецки

ученики других классов, а сзади на складных стульях родители. Гарт и Вивьен среди них. Пенни и Барбара Гудман находились за сценой вместе с миссис Кейз, проверяя кукол перед тем, как их одноклассники начнут представление.

После спектакля, пока Клифф заправлялся пуншем и печеньем, которыми угощал комитет по еде из шестиклассников, Пенни, стоя рядом с Гартом, с достоинством принимала поздравления от зрителей.

— Моя мама не могла быть сегодня здесь, — говорила она каждому. — В Лондоне умерла ее сестра, и она должна быть там, чтобы позаботиться о могиле и тому подобных вещах. Она хотела быть здесь, но не смогла. Она помогала мне с костюмами. Я их не сама делала. Мама мне помогала.

Вивьен принесла Гарту бумажный стаканчик с пуншем.

— На вкус ужасно, но пить можно. Стефания вернется?

— Нет.

Молча он посмотрела на Пенни, занятую серьезным разговором с какой-то родительницей о сестре-близнеце своей матери.

— Этого недостаточно, — сердито сказал Гарт. — Нельзя восстановить разрушенный брак только потому, что наши дети несчастны.

— Ваш брак распался? — спросила Вивьен. — Кто бы мог подумать!

— Это даже не брак, — он посмотрел на ее встревоженное лицо. — Простите, Вивьен, я не могу говорить об этом. Спасибо вам за пунш.

Он считал дни, сам не зная, чего ждет. Вместе с детьми он купил рождественскую елку, не такую большую, как обычно, «раз наша семья в этом году меньше», как сказала Пенни, и они украсили ее, положив вниз завернутые пакеты с подарками. Долорес пригласила их в загородный дом на лыжную прогулку, но Пенни и Клифф отказались ехать.

— Я больше не буду кататься без мамы, — объявил Клифф.

Когда школа и университет закрылись на каникулы, они втроем провели целый день, крася спальни на верхнем этаже.

— Вот удивится мамочка, — повторяла Пенни снова и снова. — Все теперь такое *яркое*. Она ведь удивится?

И, наконец, хотя он отказался от всех других приглашений в гости, Гарт уступил настойчивости Ната и Долорес присоединиться к их ежегодному праздничному сборищу за три дня до Рождества. Он посидел с Пенни и Клиффом, пока они обедали, посмотрел, как они устроились в гостиной с книжками, телевизором и воздушной кукурузой, и один направился к дому Голднеров.

Как всегда народа было много. Долорес решила соединить университет и город в одну счастливую общину, и, когда Гарт пришел, он увидел, как она подводит местных адвокатов, страховых агентов, владельцев магазинов и врачей к маленькой группке сотрудников факультетов.

— Они жалуются, что им не о чем говорить друг с другом, — доверительно сообщила она Гарту, поднося ему бокал вина, — но проходит полчаса, и они говорят о проблемах с канализацией, о школах и болезнях голландского клена. Они прекрасно проводят время, благодаря тому, что я их познакомила друг с другом, потом расходятся в разные стороны и не встречаются больше до следующего года в этом зале. Можете вы мне это объяснить?

Гарт посмеялся вместе с ней.

— Как часто, по-вашему, большинство из нас хотят оказаться в непредсказуемой ситуации? Одного раза в год более, чем достаточно. Остальное время мы проводим с привычными людьми на привычных местах. Поменьше неожиданностей.

— Неожиданности — это прекрасно, — запротестовала она.

— Только когда они не разбивают вдребезги привычную жизнь, — произнес он с такой серьезностью, что Долорес замолкла и только смотрела на него во все глаза.

Появился Нат.

— Я пополнил свою библиотеку. Пойдем, поглядишь.

Гарт повернулся к Долорес, чтобы извиниться, что покидает ее, но она так переглядывалась с Натом, и он понял, что они это спланировали, чтобы Нат мог с ним поговорить. «Ох, эти заговоры счастливых в браке семей, — подумал он. — Им хочется разрешить все проблемы своих друзей».

— Ты попал в неуправляемую ситуацию, ведь так? — проговорил Нат, зажигая свет в библиоеке наверху. — Но ни с кем не делишься, как будто ты двойной агент. Она вернется или нет?

— Не вернется.

— Так говорил ты. Так говорили другие. Я этому не верю, — он сдвинул вместе два кожаных кресла.

— Садись. Здесь есть вино и виски. Последние два месяца вы были ближе, чем когда-либо. Так что же произошло?

— Я думал, мы пришли сюда, чтобы посмотреть твою пополнившуюся библиотеку.

— Мы это и делаем. Ты на нее смотришь. Так что все-таки случилось?

— Нат, я тебя спрашиваю о твоем браке?

— Нет. Ты более деликатен, чем я. И кроме того ты не врач, а я — да. Поэтому я привык лезть в чужие дела.

— В кости и мышцы, пожалуйста, а не в...

— В отчаяние.

— Разве я похож на отчаявшегося человека?

— А почему ты думаешь, я к тебе лезу? Если ты хочешь сказать, что после двенадцати лет совместной жизни ты узнал о своей жене что-то, о чем не подозревал, я не удивлюсь. Стефания во многом очень скрытный человек. Я удивился бы, если бы ты открыл факты преступного или аморального поведения, но, зная Стефанию, как друга и пациентку, могу сказать, что это невероятно. Так что же *такое* ты обнаружил или тебя просто ранило то, что какие-то вещи были тебе неизвестны?

Гарт откинулся в кожаном кресле и смотрел на игру света в темно-красном вине. Он очень устал, и слова Ната доносились до него издалека.

«Через двенадцать лет ты узнал о своей жене вещи, о которых даже не подозревал».

Дело обстоит несколько более серьезно. Но все-таки об этом стоит подумать.

— Нат, — сказал он, — не окажешь ли мне услугу?

— Говори.

— Разреши мне посидеть здесь одному. Чтобы никто сюда не врывался. Я присоединюсь к празднованию позднее.

— Когда захочешь. — Нат открыл бар и достал бутылку вина и коробку крекеров. — Все что нужно для глубоких раздумий. Ужин в десять тридцать.

Гарт почти не слышал, как он ушел. «Дело в том, что

ты обнаружил...» Так что же он обнаружил, кроме того, что его обманывали три последних месяца, будто он живет со своей женой? Он наполнил бокал и первый раз за последние недели ослабил жесткий контроль над своими мыслями. Перед его мысленным взглядом поплыли одна за другой картины, воспоминания, закружился калейдоскоп образов.

Он увидел женщину, которая приучила семью говорить за обеденным столом о его исследовательской работе, которая поддержала его в отказе от лаборатории Фостера и стремлении остаться там, где он будет счастливей. Он увидел женщину, которая набросилась на миссис Кейзи за то, что та подорвала уверенность Пенни в себе, а потом нашла способ мягко оттащить Клиффа от этой его воровской шайки. Он увидел женщину, которая дала Линде работу в «Коллекционерах», чтобы та научилась сама справляться с жизнью. Он увидел женщину, которая укротила Риту Макмиллан и пригнала ее в кабинет Лойда Страуса, чтобы восстановить доброе имя Гарта Андерсена и тем открыть ему дорогу к официальному назначению директором Института генетики.

Зачем? Потому что она развлекалась, играя роль? Или потому, что ей были дороги люди, которым она помогала? Потому что она влюбилась?

Она любила его детей. Это он теперь знал.

Дверь отворилась, и, подняв глаза, Гарт увидел Мэйдлин Кейн.

— Извините меня, Долорес спрашивает, присоединитесь ли вы к нам за ужином?

— Вряд ли. У меня... я должен сделать дома коекакую работу. Долорес поймет.

— Прежде чем вы уйдете, не могли бы вы мне сказать... Я не из любопытства, но... не могли бы вы мне сказать, когда вернется Стефания?

Гарт заколебался.

— Не знаю. Не могу вам ответить. Передайте мои извинения Долорес.

Он нашел свое пальто и вышел через боковую дверь. Ночь была морозной, и в тишине улиц слышно, как хрустел под его ногами ледок. Он глубоко засунул руки в карманы и повернул в парк, чтобы пройтись вдоль озера, широкими шагами нарушая нетронутую белизну снега, серебрящуюся в ярком лунном свете.

Жена, с которой он прожил двенадцать лет,

заботилась о людях, любила их, беспокоилась о них. Но как бы глубоко ни входила она в их жизнь, когда наступал кризис, она пугалась и отступала. Она не смогла бы загнать в угол миссис Кейзи, или запугать Риту Макмиллан, доведя ее до признания, или даже потребовать объяснений от Клиффа, когда заподозрила его в мелком воровстве.

«Я знал все это, — подумал Гарт. — Я знал это, но позволил себе думать, что она так изменилась, чтобы помочь нам возродить наш брак».

Но Сабрина, леди Сабрина Лонгворт, у которой не было семьи, не было ответственности за кого-либо, которая жила экстравагантной жизнью, скользя по поверхности дружеских и любовных связей и даже брака... она могла подчинять себе, бороться и высказывать свое мнение. На самом деле Стефания завидовала Сабрине, ее мужеству иметь свое мнение и переходить в наступление, когда надо бороться со злом или ошибками. Но была ли леди Лонгворт той женщиной, чувства которой были достаточно сильны, чтобы взять на себя этот труд? Смогла бы она полюбить Пенни и Клиффа? Смогла бы она полюбить Гарта Андерсена?

Его лицо замерзло, и пальцы в карманах пальто онемели. Гарт повернул к дому. Последний квартал он пробежал бегом, катаясь на ногах по замерзшим лужицам. В доме было тихо, Пенни и Клифф оставили ему полмиски холодной воздушной кукурузы, а сами пошли спать. Дрожа от холода, он разложил в камине дрова и зажег огонь, потом побежал наверх и переоделся в старую пару джинсов и шерстяную водолазку. На кухне он соорудил себе поднос с сандвичами с мясом и пивом, поставил кофейник и понес все это в гостиную, где огонь трещал и подскакивал в дымоход. Пододвинув кресло, он сел и, подтянув ближе столик, поставил на него поднос и стал смотреть на игру пламени, давая теплу разойтись по телу. Неожиданно он понял, что чувствует себя необыкновенно хорошо.

«Почему?» — удивился он и, уже спрашивая, знал ответ: потому что, будучи ученым, понимал, что сдвинулся с мертвой точки, делает открытия, спиралью расходящиеся из самого центра, из самого сердца это лабиринта. Женщина, с которой он прожил последние три месяца, была ни его женой, ни ее сестрой, а совершенно отдельной личностью, другим человеком, как она и сказала ему в Нью-Йорке — женщина нежная и любящая, как Стефания, и независимая и сильная, как Сабрина. *Поэтому он и не разгадал обмана.*

Его слепота была вызвана более сложными причинами, чем те объяснения, за которые он цеплялся, чтобы избежать тревожащих подозрений, пытаясь поверить, что она хотела восстановить их брак, или была в шоке после несчастного случая, или страдала и отождествляла себя со своей сестрой. На самом деле Сабрина Лонгворт не успела немного пожить с ними, как начала вести себя и как ее сестра, и как она сама. «Близнецы, — подумал Гарт. — Переплетенные в мыслях друг друга, в домах друг друга». За несколько недель лучшее, что было в Сабрине, слилось воедино с лучшим, что было в ее сестре. Она была Стефанией Андерсен в стольких важных своих чертах и поступках, что само предположение, будто она была кем-то другим, казалось нелепым.

И по мере того, как это с ней происходило, она становилась такой же жертвой обмана, как и он: любя его и не смея рассказать ему об этом до тех пор, пока не будет уверена, что все закончено. Она поймалась, и никто из них не осознал этого.

А потом, разумеется, была еще одна причина, по которой он был доволен и ему не хотелось сомневаться, что это его жена: он полюбил ее. Она три месяца его обманывала, и в то же время давала ему больше, чем он думал когда-нибудь найти в женщине. Найти, и любить, и сделать частью своей жизни. Даже теперь, зная все, он думал о ней, как о своей жене.

Тарелка с сандвичами опустела, пиво было выпито. «Больше, чем я съел за последние три недели», — подумал Гарт. Он разбил кочергой угли, добавил еще дров, немного помешал угли в камине и налил себе чашку кофе. Держа ее двумя руками, он смотрел в оранжевое пламя. Оранжевые и желтые, окаймленные синим языки лизали вишневые поленья, вспыхивали, шипели, доставая до спрятанной капельки камеди. Больше некого было ненавидеть, и места для гнева не осталось. Он скорбел о женщине, на которой много лет назад женился, которая убежала из их дома, чтобы найти себя, а нашла смерть. Он вспомнил их любовь, какой она была когда-то, с грустью вспомнил недоразумения и раны, которые они нанесли друг другу за все проведенные вместе годы.

Но в путанице, которую устроили они с сестрой, когда

поменялись местами друг с другом, Гарт увидел новую нить, новое начало. «Может быть, мы все равно нашли бы ее, — подумал он. — Мы оба изменились за двенадцать лет, возможно, мы как раз подошли к той черте, за которой могли бы создать новый род любви и брака.

Вместо этого приехала ее сестра и осталась и стала ими обеими. Моей дорогой любовью. Моей женой».

В тишине комнаты Гарт сидел и улыбался, глядя на догорающий огонь. «Нам надо будет пожениться», — подумал он.

ГЛАВА 25

Дмитрий звонил каждое утро. Через два дня после свадьбы, когда Сабрина закрывала «Амбассадор» на рождественские каникулы, он появился, чтобы пригласить ее на ленч.

— Я подумал, что вы, может быть, грустите: подруга ваша вышла замуж, а вы здесь на Рождество без семьи.

В кафе какой-то ансамбль пел французские рождественские песни.

— Я знаю эту песню, — сказала Сабрина. — Мы пели ее в «Джульеттах» — моя сестра и я.

— Я хочу поговорить о вас, — произнес он. — Как мне дать вам то, что вы хотите, если вы не говорите об этом?

— Я сказала вам, Дмитрий. Я нуждаюсь только в дружбе.

— А это означает делить с кем-то чувства, а не только разговаривать и обедать. Ладно, — продолжал он, так как она молчала. — Я буду рассказывать о своей вилле в Афинах. Так как она находится рядом с домами моих сестер, их мужей и их детей, слишком многочисленных, чтобы их сосчитать, это самое лучшее место, чтобы провести Рождество. — Он взял ее за руку. — Мы можем быть предоставлены сами себе и никого не видеть, или стать частью большой семьи со всем ее шумом, поцелуями и музыкой. Мы будем делать все, что вы захотите. Поедем со мной, Стефания. Я ничего не попрошу от вас, только, чтобы вы порадовались друзьям и семье, вместо того, чтобы быть одной.

Группа закончила мягким аккордом одну рождественскую песню и начала другую. Дмитрий улыбнулся.

— Мы научим вас нашим греческим песням.

Это было очень соблазнительно. Побыть в семье, пусть даже не своей, сменить обстановку, чтобы она не напоминала о сестре, ушедшей навсегда... Но это было нечестно по отношению к Дмитрию. Она не была цельной личностью. Дмитрий будет считать, если она поедет с ним в Афины, то это не единичная дружеская поездка, а начало, первый шаг в новых отношениях, хотя она много раз повторяла ему, что это не так. Она покачала головой.

— Может быть, когда-нибудь, Дмитрий, но не в этот раз.

— Вам нельзя быть одной, — настаивал он.

— Иногда нужно и важно побыть одной. Как же иначе будем мы обдумывать и принимать решения о будущем?

— Друзья, Стефания, могут помочь решениям. Я не буду ничего требовать от вас.

Она отняла свою руку и поднесла к губам стакан эля. Ей очень хотелось ему поверить.

— Можно я отвечу вам завтра?

Его глаза засветились.

— Я позвоню вам утром. Мы уедем двадцать четвертого днем. Это вас устроит? Неважно, — поторопился добавить он. — Можете сказать мне завтра.

И пока они заканчивали ленч, Дмитрий рассказывал о своей семье, греческих друзьях и соседях.

— А еще вы можете помочь мне отделать мою виллу, — говорил он, когда они покидали кафе, в качестве последнего побудительного довода, чтобы она поехала с ним.

— Может быть, — улыбнулась она в ответ, и они продолжили разговор о сверкающем белом солнце южной Греции, таком не похожем на цвет и свет дня других стран, а вокруг был сырой и серый лондонский день, и только празднично горела рождественская иллюминация. Рождественские огни... Даже декабрьский туман не мог их притушить. Они, гуляя, шли вдоль Оксфорд-стрит, мимо магазинов, перед витринами которого толпился народ и глядел на кукол, изображавших среди миниатюрных домиков историю Пиноккио, по Пиккадилли-серкус к Трафальгарской площади, где сверкала огнями, как звездами, в темных ветвях, гигантская елка, которую каждый год дарит Осло Лондону. Еще дальше, за Гайд-парком каждая арка, каждый карниз, витрина универмага «Гарродс» и даже его высокий купол были окаймлены золотистыми огнями, похожими в тумане на сотни маленьких лун.

Дмитрий молчал, предоставив Сабрину своим мыслям. Она убеждала себя, что эти каникулы ничего для нее не значат, что рождественские песнопения ее не трогают, но каждый раз, когда видела семью с двумя детьми, которые смотрели по сторонам и вверх на взрослых рядом с ними и возбужденно с ними разговаривали, она быстро отворачивалась, переводила взгляд. И как же была она благодарна Дмитрию, нетребовательному спутнику, мило распрощавшемуся с ней у двери ее дома на Кэдоган-сквер.

В доме она наткнулась на миссис Тиркелл, которая со счастливым видом любовалась маленькой елочкой в гостиной.

— Я думала, что она развеселит вас, леди, но, если она напоминает о грустном, я заберу ее к себе наверх.

— Нет, оставьте, — сказала Сабрина. — Собираетесь украшать ее?

— Да, леди, но я думала, может быть, мы сделаем это вместе.

«Леди». Она уже не поправляла миссис Тиркелл, а часто и не прислушивалась к ней. Да и не было это важным, миссис Тиркелл это доставляло радость, и они обе к этому привыкли.

Зазвонил телефон. Сабрина стиснула руки. Каждый раз, когда звонил телефон, она думала... но этого никогда не случалось.

— Еще одно приглашение, — предсказала миссис Тиркелл.

— Если так, последует еще один отказ, — ответила Сабрина, и они улыбнулись друг другу. «Интересно, — подумала она, когда миссис Тиркелл пошла взять трубку, — насколько близки мы стали?» Леди Лонгворт она не могла бы так воспринимать, слишком высоки были социальные барьеры между ними. Теперь, хотя миссис Тиркелл и называла ее леди, но при этом еще думала о ней, как об американке, никогда не бывшей замужем за виконтом. Они все еще были не совсем друзьями, но уже женщинами, делящими дом на двоих, и Сабрина чувствовала себя менее одинокой, чем раньше.

Именно миссис Тиркелл разбиралась с бурным потоком приглашений, которые стали приходить за неделю до Рождества: на домашние торжества, поездки на юг Франции, на лыжи в Санкт-Мориц, новогодние балы... Она всем говорила, что миссис Андерсен никаких приглашений на Рождественские каникулы не принимает.

Но еще за день до Рождества приглашения продолжали поступать.

— Вы звезда сезона, — с удовлетворением заметила миссис Тиркелл, когда в это утро зазвонил телефон. — Потому что в вас есть какая-то тайна. Будто вы не вполне реальны, если вы понимаете, что я имею в виду.

«Да, миссис Тиркелл, — подумала Сабрина. — Я понимаю, что вы имеете в виду». Она прислушалась. Каждый раз, когда звонил телефон, она ничего не могла с собой поделать, ее тело застывало в ожидании.

— Это мистер Каррас, миледи, — вернулась миссис Тиркелл, — и если вы не рассердитесь на меня, по-моему, вы должны поехать с ним в Грецию. Это пойдет вам на пользу.

Сабрина тронула иголки маленькой елочки, которую они нарядили. Она пахла лесом и горами, тихим, спокойным уединением.

— Может быть, и поеду, — сказала она и пошла поговорить с ним.

Она повесила трубку с помрачневшим лицом: радость и возбуждение, прозвучавшие в голосе Дмитрия, когда он сказал, что заберет ее в четыре часа, заставили почувствовать себя виноватой. Это было несправедливо, это было нечестно. «Я хочу только Гарта, — подумала она. — Как я буду разговаривать и смеяться с другими людьми, когда все время оборачиваюсь на телефон — не позвонит ли Гарт?»

Некоторое время спустя в кабинете ее нашла миссис Тиркелл.

— Почта, миледи. В основном открытки и еще вот пакеты.

Сабрина догадалась, от кого они, еще до того, как открыла. Их было два. Один — от Клиффа, другой — от Пенни. Ничего от Гарта. Даже записки не было. Она развернула пакеты, каждый красиво упакованный, каждый со своей запиской.

«Мама, пусть у тебя будет счастливое Рождество, — написал Клифф. — Со множеством подарков и еды.

Я надеюсь, что ты нашла то, что искала. Хотел бы я знать что. Я люблю тебя. Твой любящий сын Клифф».

«Дорогая мамочка, — писала Пенни. — Я надеюсь, тебе это понравится и сделает тебя счастливой. Я хотела бы отдать это тебе в руки, но не могу, поэтому папочка пошлет это тебе по почте. С нами все хорошо, но нам грустно, и мы с Клиффом много говорим о тебе. Я люблю тебя, я скучаю по тебе, я люблю тебя. С любовью, Пенни».

«Не заплачу. Я знала, что это может произойти, я к этому была готова. Я не заплачу».

Она с нежностью сложила записки, проглаживая складки пальцами, и открыла коробки. Клифф послал ей брошку: пара желтых эмалевых птичек на эмалевой веточке с двумя зелеными листочками из нефрита. Внутри коробочки была записка: «Это ты и папа».

Коробочка Пенни была длинной и узкой, в ней лежал набор: серебряные ручка и карандаш с монограммой «С.А.» В маленькой записочке, лежавшей под ними, говорилось: «Для писем».

«Лучшие пыточных дел мастера, — подумала Сабрина, — это дети».

Она подняла трубку внутреннего домашнего телефона:

— Миссис Тиркелл, я буду обедать у себя в комнате.

Держа подарки в руках, она поднялась наверх по лестнице. Дождь стучал по стеклу, в ее комнате было холодно и темно. Она разожгла огонь, свернулась перед ним на кушетке, укрыв колени ангорским пледом, и в свете яркого прыгающего пламени стала разглядывать эмалевых птичек и набор из ручки и карандаша.

Ей надо было собирать вещи для поездки в Афины, а вместо этого она просто тихо сидела и видела в пламени все свои мечты, неотвязно преследовавшие ее все дни и все ночи.

Они с сестрой были так беззаботны, так невероятно пренебрегали другими людьми. Но что если бы все кончилось иначе? Что если как-то, каким-то образом у нее появилась возможность любить Гарта и принимать его любовь без чувства вины, возможность жить с ним, построить с ним жизнь? «У нас мог бы быть ребенок, — подумала она. — Такой сюрприз для Пенни и Клиффа».

Легкая улыбка приподняла уголки ее рта, когда она

представила себе, как они бросают вдвоем монетку, чтобы решить, кто будет кормить малыша.

«Я могла войти в долю с Мэйдлин, обставлять и реставрировать в партнерстве с ней старые дома, а Линда занималась бы покупкой на распродажах домов. Какая бы у них втроем была команда! Особенно, если бы они соединили «Коллекцию» и «Амбассадор» и имели в своем распоряжении возможность выбирать лучшие предметы искусства и антиквариата на двух континентах».

У нее с Гартом будут деньги от продажи этого дома на Кэдоган-сквер, и она заманит в Америку миссис Тиркелл. Тогда они смогут путешествовать: в Лондон, в Париж, где часть времени будут жить Габи и Брукс, даже в Рио, повидать Александру и увидеть, наконец, этих индейцев гуарани. Они смогли бы сочетать вихрь ее лондонской светской жизни с семейной и общественной жизнью, которая так ей нравилась в Эванстоне. Они смогли бы это себе позволить. Они могли бы даже отремонтировать и благоустроить дом. По крайней мере, покрасить спальни. И она могла бы купить Гарту кожаный пиджак, к которому он присматривался у Марка Шейла, когда они как-то бродили вместе по его магазину.

Пиджак. Сложить вещи. Ей надо собираться. Достав из шкафа маленький чемоданчик и косметичку, она начала перебирать свою одежду, чтобы решить, что брать в Афины. Но каждое платье означало веселье и людей, смех, огни и, проведя по ним рукой, она поняла, что не сможет этого сделать. Пока нет. Не сейчас, когда Гарт все еще часть ее, такой реальный, что, казалось, она может дотронуться до него, коснуться его лица, приложить губы к его губам; такая глубочайшая и неотъемлемая часть ее личности, что все, к чему она стремилась, это сказать ему, что она его любит и хочет быть с ним до конца своих дней... Только с ним и ни с кем больше.

Она позвонила Дмитрию и сказала, что не может ехать. Может быть, в другой раз, возможно, у них есть будущее. Она этого не знает. Она услышала разочарование в его голосе и поняла, что это несправедливо. Что бы она ни сделала, она причиняла ему боль. Возможно, ей следовало просто сидеть в своей комнате и постепенно затеряться. Тогда они уйдут обе. Сабрина и Стефания

Хартуэлл: вместе выросли, позже поменялись местами, еще позже исчезли.

Она помешала угли в камине, подложила еще полено и снова вернулась на кушетку и укрыла колени. Ее мечты все еще были там, в этом пламени, ярче, чем когда бы то ни было. «Они не уходят, — подумала она. — Они даже не слабеют. Проходят дни и недели, звонит телефон и приходят подарки от двух любящих детей. Дни проходят, люди проходят через нашу жизнь, а сны остаются, живые и яркие».

Она услышала, как по лестнице поднимается миссис Тиркелл. «Время ленча, — подумала она. — Потом я поработаю. Я взяла с собой столько работы из «Амбассадора»: нужно просмотреть каталоги, изучить расходные книги, ответить на письма. Достаточно работы, чтобы заполнить все дни праздников. Если я сосредоточусь, то смогу забыть обо всем, по крайней мере, на некоторое время».

Миссис Тиркелл постучалась и появилась в дверях, задыхающаяся, красная и сияющая.

— Леди, тут к вам посетитель...

Но не успела она закончить, как в комнату ворвался Гарт.

Его лицо светилось любовью.

С криком Сабрина вскочила на ноги, но Гарт остановился в нерешительности и посмотрел через всю комнату ей в глаза; в памяти звучали их яростные последние слова. Сабрина протянула к нему руки, еле слышно шепча:

— Я мечтала о тебе... все время...

И как будто эти слова освободили его. Он вдруг оказался рядом с ней, поймал ее в объятия, крепко прижал к себе. Ее щека лежала у него на груди, на сердце. Как сквозь сон она услышала, как вышла из комнаты миссис Тиркелл, а затем слышала только, как отчаянно бьется сердце Гарта, его дыхание на своих волосах, и его голос шепчет:

— Моя любовь, дорогая моя, любимая, все эти бесконечные, пустые дни без тебя...

Она шевельнулась в его объятиях, подняла к нему лицо, и ее губы встретились с его губами. Сквозь опущенные веки она видела оранжевое пламя камина, ощущала сырой запах его шерстяного пальто, и кончиками пальцев чувствовала капли дождя на его волосах.

— Это по-настоящему, это больше не сон... никогда больше...

Гарт ощущал под своими ладонями ее хрупкие плечи, вдыхал аромат шелковистой кожи, много месяцев преследующий его. Где-то в самой глубине себя он почувствовал, как уходит болезненное беспокойство: он добрался до дома.

— Да, — выдохнула она, как если бы он произнес эти слова вслух, и открыла глаза навстречу его взгляду, темному и напряженному, — твое место... Но пока еще нет. Мы еще не... — Она положила ладони ему на грудь и слегка отодвинулась. — Гарт, мы не поговорили... столько не докончено...

— Нет, моя любовь, — он поцеловал ее глаза, губы, ямочку у горла, — не не докончено. Начато. И не со лжи, с правды, которую ты мне рассказала.

— Правда?! Я обманывала тебя...

— Бессовестно. Но разве ты обманывала меня относительно своих чувств к Пенни и Клиффу? Или ко мне? Или к нашей совместной жизни?

Она потрясла головой.

— Но за всем этим...

— ...стояла любовь. Дорогая моя, ты своими руками создала наш брак, ты сделала нас семьей. В этом правда, которую ты нам дала. За исключением... — он слегка рассмеялся. — Это не совсем правда. Дорогая моя, любимая, я хочу жениться на тебе, хочу забрать тебя домой, соединить воедино прошлую жизнь и настоящую.

Она взяла в ладони его лицо, заглянула в глаза, пытаясь найти в них горечь и боль их последней встречи. Но все это ушло; Гарт отрешился от них, и в глазах его была только ласковая теплота той поры, когда они безудержно любили друг друга. Тогда она поцеловала его долгим медленным поцелуем, вверяя ему свое сердце, свою руку, свою любовь. Рука Гарта сжалась, обнимая ее, ладонь легла ей на грудь.

— Сердце мое... — тихо выдохнула она. Стон поднимался в ее горле, тело вжалось в его тело, как бы уже принимая его в себя. Вместе повернулись они к постели.

— Ой... подожди, — она откинула голову. — Мы забыли... что ты сказал Пенни и Клиффу?

Гарт посмотрел в ее сияющее лицо, в глаза, сверкающие предвкушением, и понял, что его глаза выражают то же самое. Все мечты сбывались сразу сейчас.

— Что я постараюсь привезти тебя домой, — сказал он.

— Они у Вивьен?

Он кивнул, его любовь к ней была так сильна, что заставляла его дрожать, перехватывала горло.

Сабрина взяла трубку, набрала номер и, когда Вивьен ответила, устроилась поудобнее в окружении рук Гарта.

— Вивьен, — сказала она, — это Стефания. Можно мне поговорить с моими детьми и сказать, что я еду домой?

СОДЕРЖАНИЕ

Майкл Дж.

M12 Обманы: Роман / Пер. с англ.— М.: ОЛМА-ПРЕСС, 1994.— 576 с.— (Купидон).

ISBN 5—87322—107—3

Две сестры — Сабрина и Стефания — близнецы, как две капли воды похожие друг на друга, но жизнь у них сложилась по-разному.

Сабрина — леди Лонгворт — имеет собственный особняк в Лондоне, вращается в высшем свете, ее ценят как прекрасного дизайнера.

Стефания Андерсен живет под Чикаго, воспитывает детей, ходит на работу, ведет домашнее хозяйство.

В какой-то момент у сестер возникает необычная идея: поменяться своими семьями, чтобы пожить неделю другой жизнью, посмотреть на себя со стороны, а, может быть, и решить некоторые проблемы.

Однако эта шутка перерастает в нечто более серьезное.

М $\frac{4703000000—103}{В29(03)—94}$ Без объявл. **ББК 84.7 США**

Джудит Майкл

ОБМАНЫ

Редакторы *Л. Дашкевич, Е. Галеева*
Художественный редактор *А. Титова*
Технический редактор *Л. Володченкова*
Корректор *Л. Гильманова*

Лицензия ЛР № 070099 от 26.08.91 г.

Сдано в набор 06.05.94 г. Подписано в печать 04.07.94 г. Формат 84×108/32. Бумага типографская. Гарнитура «Таймс». Печать офсетная. Усл. печ. л. 30,24. Уч.-изд. л. 32,34. Тираж 101 000 экз. Заказ 4631. С 103.

Издательская фирма «ОЛМА-ПРЕСС».
117454, Москва, ул. Коштоянца, 13. «Фонд».

Полиграфическая фирма «Красный пролетарий»
103473, г. Москва, Краснопролетарская, 16

Майкл Палмер

МИЛОСЕРДНЫЕ СЕСТРЫ

В сияющей операционной раздаются приглушенные голоса, звякают хирургические инструменты. Очередная победа над смертью! Но потом, в полумраке палаты, вдыхая аромат жизни, человек расстается с ней. Неожиданно. Недоуменно. Страшно, унося с собой отражение улыбающегося лика убийцы, от которого нет спасения, ибо за ним стоит мощная сила «Союза ради жизни...»

Очередная
«голливудская» история
в изложении известной
Джун Зингер,
подарившей нам
«СЪЕМОЧНУЮ ПЛОЩАДКУ»

...Они были молоды, красивы, талантливы: Баффи, любившая своего героя и испившая горькую чашу предательства; Сюзанна, обожавшая себя и разрушившая свою жизнь; Клео, которой судьба дала силы жить после крушения ее веры и мечты; Кэсси, почти отчаявшаяся обрести свое «я» и выйти из-под контроля деспотичной матери и садиста-мужа — кинозвезды; Сьюэллен, которая знала все секреты подруг и все равно надеялась на счастливый конец.

Их жизнь проходила на съемочной площадке. Они сделали все, чтобы попасть туда, но цена была известна только им.

Джун Зингер

«ДЕБЮТАНТКИ»

Крисси, Мейв, Сара, Марлена — «золотые девочки», чьи имена мелькали на страницах крупнейших газет, кому завидовали и женщины и мужчины. Мы расскажем вам, как они жили, как любили, как страдали и как вознеслись к вершине своей славы.

«Если вы взяли в руки книгу Джудит Майкл, вы никогда не положите ее обратно...»

«Чикаго Санди Таймс»

Издательство «ОЛМА-ПРЕСС» продолжает знакомить вас с романами Джудит Майкл, которая есть не кто иные как супруги-писатели Джудит Барнард и Майкл Фейн.

«Преобладающая страсть» — это рассказ о любви, потерях, страсти... Страсти, которая перевернула жизнь героев этой книги, страсти, которая оказалась сильнее любви...

Элизабет Гейдж

Под этим именем — вымышленным — скрывается одна из лучших представительниц современной «женской прозы». Тонкий психолог и превосходная рассказчица, она ведет за собой читателя, заставляя переживать вместе со своими героями все их взлеты и падения.

Романы Элизабет Гейдж переведены на многие языки мира.